U0812200

吉米多维奇

Борис Павлович Демидович

数学分析习题集题解

（第5版）

总主编　郭柏灵　张天德
主　编　李　平

3

山东科学技术出版社
·济南·

图书在版编目（CIP）数据

吉米多维奇数学分析习题集题解. 3 / 李平主编.
5 版. -- 济南 ： 山东科学技术出版社， 2024. 7.
ISBN 978-7-5723-2101-6

Ⅰ. 017-44

中国国家版本馆 CIP 数据核字第 2024R9A534 号

吉米多维奇数学分析习题集题解　3

JIMIDUOWEIQI SHUXUE FENXI XITIJI TI JIE　3

责任编辑：段　琰　王炳花
装帧设计：孙　佳

主管单位：山东出版传媒股份有限公司
出 版 者：山东科学技术出版社
地址：济南市市中区舜耕路517号
邮编：250003　电话：（0531）82098088
网址：www.lkj.com.cn
电子邮件：sdkj@sdcbcm.com
发 行 者：山东科学技术出版社
地址：济南市市中区舜耕路517号
邮编：250003　电话：（0531）82098067
印 刷 者：山东华立印务有限公司
地址：山东省济南市莱芜高新区钱塘江街019号
邮编：271100　电话：（0531）76216033

规格： 16 开（184 mm × 260 mm）
印张： 20　**字数：** 490千
版次： 2024年7月第5版　**印次：** 2024年7月第19次印刷
定价： 28.00元

序

在数学的广袤天地中，数学分析占据着举足轻重的地位。它是数学专业的基础课程之一，对于学习后续课程如复变函数、实变函数与泛函分析、微分方程、微分几何、计算方法、概率论与数理统计发挥着重要的基础作用。它更是深入研究工程力学、物理、经济等众多学科不可或缺的工具。在科研方面，数学和其他许多相关学科的新思想和新应用都源于对数学分析的深入研究。因此，数学分析不仅是数学研究的重要基础，也是其他自然科学领域研究的关键工具。

众所周知，学好数学需要通过不断的练习和思考，才能真正掌握其精髓。科学地做题不仅节省时间，而且能事半功倍。在这样一个背景下，一本优质的数学分析习题集就显得尤为重要。

我读大学时，全国的数学系学生做《吉米多维奇数学分析习题集》蔚然成风。这本书对培养人的数学思维功不可没，甚至可以说不亚于当年数学专业学生几乎人手一套的多卷本课外参考书、苏联数学家菲赫金哥尔茨的《微积分学教程》。在大学4年里，我做了逾2万道题，其中就包含了《吉米多维奇数学分析习题集》全部的4462道题。至今我仍清楚地记得，书中约有四分之一的题难度相当大，我和我的同窗们也正是通过攻下这些难题而逐步练就出解决数学分析难题的真功夫，为以后从事数学研究打下坚实的基础。如今我已经从教40年，在我的学生当中有被誉为“北京大学数学黄金一代”的80后数学家，也有新近在国际数学界脱颖而出的90后数学家，他们很多人都做过《吉米多维奇数学分析习题集》，可见理解和做完这本习题集中题目的价值和作用。

1980年，《吉米多维奇数学分析习题集题解》首版由山东科学技术出版社出版，当时是国内第一次对《吉米多维奇数学分析习题集》中的全部习题进行了一一解答。历经40余年，这套图书仍受到大家的喜爱，很令人欣喜。得知出版社近期对这套图书做了改版，增加了新的内容，希望能赋予这套图书新的活力，更好地适应现在的教育教学模式。

我衷心地希望各位读者能够从本书中受益，并在攀登数学分析这座山峰的旅途中取得更好的成绩和更大的进步！

中国科学院院士

2024年7月于北京大学怀宁园

第5版前言

《吉米多维奇数学分析习题集》是国内外高校最为经典的数学分析习题集之一，作者是白俄罗斯籍数学家吉米多维奇（Б.П.ДЕМИДОВИЧ）。本书自20世纪50年代引进以来，对我国数学分析、高等数学和微积分的教与学产生了重大影响。从事高等数学教学的教师，常以该书中的习题，作为检验学生是否掌握高等数学基本知识和基本技能的一项重要手段。长久以来，该书只有习题，没有解答，让不少初学者望而却步。

山东科学技术出版社于1980年策划出版了《吉米多维奇数学分析习题集题解》，对《吉米多维奇数学分析习题集》中的4462道习题逐一进行解答，成为国内第一套数学分析题解类图书，受到了广大读者的喜爱，先后于1999年、2005年和2012年三次再版，陪伴数以百万计的数学爱好者走过了四十余载春秋。从《吉米多维奇数学分析习题集》到《吉米多维奇数学分析习题集题解》，虽然只有两字之差，但后者包含了一代代数学大师们无数的心血，也让该书在数学分析、高等数学和微积分领域牢牢占据一席之地。

加强基础研究是建设科技强国和教育强国的关键要素。2023年4月，教育部启动了包括数学在内的基础学科“101计划”。为响应国家号召，助力核心课程建设，加之《吉米多维奇数学分析习题集题解》第4版出版距今已十余年，书中不少解题方法已不适用于现代教学，为此，山东科学技术出版社启动《吉米多维奇数学分析习题集题解》再版工作。

在多位专家的悉心指导和广大读者的热情支持下，第5版的再版工作得以顺利完成。我们深知，每一次更新迭代都是对知识深度和广度的双重挑战，因此，我们始终秉承对知识的敬畏和对读者的承诺，在再版过程中倾注大量心血，不断精益求精，力求将最完美的解答过程和最容易让读者理解的解题方法，呈现给热爱数学的读者，确保本书能够继续作为数学分析学习的黄金标准。

今天，我们荣幸地推出《吉米多维奇数学分析习题集题解》第5版，这不仅是对经典的传承，更是对未来的展望。根据读者反馈和实际教学中发现的问题，本书较第4版改动较大，主要体现在以下几个方面：

1. 对全书4462道习题进行了重新验算和解答，答题步骤、方法更贴合日常教学和考研标准，并在部分题目中增加了一题多解、方法总结等有助于读者发散思维的点拨。

2. 每章增加了本章概括和知识图谱，以帮助读者更好地把握整章知识脉络，在更高的维度上理解知识的前后逻辑关系。

3. 每节增加了知识点预览和知识拓展。知识点预览介绍本节知识点对应的题目序号，能够让读者快速检索题目所在的位置；知识拓展则可以帮助读者回忆类型题目所用到的公式、定理，为解题打下良好基础。

4. 题目按知识点模块化。将原有题目顺序进行微调，按照知识点重新分类，将同类题目模块化，有助于读者更清晰地了解每个知识点的考查方式和难易程度，更准确地查找相应题目进行练习，从而更有效地进行教学和复习。

5. 题目和解答字号大小有别。题目字号适当放大，解答字号则保持不变，使题目和解答可以明显区分开来，这样的改动方便读者先看题目、自己验算，再对照解答进行验证、勘误。

6. 每册图书最后增加各高校考研真题和解析，方便读者进行过关检测，在夯实知识的同时，保证学以致用、学有所得。

本书不仅适用于数学专业数学分析的学习，也同样适用于非数学专业理工科学生学习高等数学及微积分等科目。在历届大学生数学竞赛、硕士研究生招生入学考试中不乏出现本书原题，比如2019年全国硕士研究生入学招生考试数学一中第17题，即为本书第2410题的原题复现。

华东交通大学费定晖教授、山东大学周学圣教授对前4版的编写做出了突出贡献，对此深表感谢。清华大学邹文明教授，中国科学院数学与系统科学研究院丁彦恒研究员，中国科学技术大学李平教授，曲阜师范大学栾世霞教授、孙钦福副教授，海军航空大学刘波副教授为本书再版工作倾注了很多心血，在此一并表示感谢。感谢许多阅读了本书，并向我们分享见解的读者们，以及为本书付出努力的审稿专家和编辑们，谢谢你们！

本书虽然历经40余年的反复修订，但因规模庞大，编者水平有限，书中难免有错误和不当之处，敬请各位专家、同仁和广大读者批评指正，不胜感激。

中国科学院院士 郭柏灵

山东大学数学学院教授 张天德

2024年6月

第4版前言

本书自1980年出版发行以来，历经30多个春秋，一直畅销不衰，深得读者厚爱。在郭大钧教授的帮助和指导下，我们本着对读者高度负责的态度，对全书不断进行修订和补充，力求本书一直保持其先进性、完整性和准确性。读者通过学习本书，在掌握数学分析的基本知识、基础理论和基本技能方面，感到获益匪浅，赞誉其为学习数学分析“不可替代”之图书，对此我们倍感欣慰，鞭策我们为读者做出更多的奉献。

这次受山东科学技术出版社的邀请，并在郭大钧教授的大力支持下，我们进行本书第4版的改版工作，主要包括以下几方面：

第一，为全书4462题中的近三成的习题，根据题型的不同，在原题解的前面或给出提示，或给出解题思路，或给出证明思路。希望能启发读者怎样分析该题，怎样下手求解；启发读者怎样总结解题的规律；启发读者怎样正确使用有关的数学公式、概念和理论，开拓视野，活跃思路；帮助读者逐步解决学习中的困难，为他们在学习过程中提供一个良师益友。这是本次改版的主要工作。

第二，根据当前的语言习惯，对全书的文字做了较多的润色，使其表述更加准确，更加简洁。

第三，改正了第3版中的个别印刷错误，修正了函数图像中的个别问题和个别习题的答案。

第四，根据国家相关标准，规范了有关术语和数学公式的表达，并对全书使用的外国人名按照现行标准或通用译法重新翻译。

第五，对全书的版面和开本进行了调整，使其更富有时代的色彩。

我们殷切期望使用本书的读者，懂得只有通过个人的独立思考，加上勤学苦练才能取得成功。读者使用本书最好是不要先看题解，而是自己先对照教材中的有关概念、公式和理论独立进行思考，必要时可参照书中的提示、解题思路或证明思路独立完成解题，然后再查看书中是怎样解答的，比较自己的解答和书中解答的异同，从中找出差距，找出自己的问题所在，甚至找出书中解答的错误和不足之处，进而找到更为简洁的解答。只有这样才能提高自己的思维能力和创造才能，任何削弱独立思考的做法都是违背我们出版本书的初衷的。

山东科学技术出版社颜秀锦、宋德万、胡新蓉等老一代资深编辑为本书前三版的出版和发行付出了艰辛努力，责任编辑宋涛为本书第4版怎样提高质量倾注了不少心血，在此我们一并表示感谢。同时感谢山东大学、华东交通大学、山东师范大学等兄弟学校对本书出版的支持。感谢社会各界同仁对本书的支持。虽然历经30余年的反复修订，面对如此庞大的图书，限于作者水平，书中难免有错误和不当之处，敬请各位专家、同仁和广大读者批评指正，不胜感激。

编者

2012年5月

第3版前言

这套书自1980年出版发行以来，20余年一直畅销不衰，读者称其为学习数学分析“不可替代”之图书，我们对此倍感欣慰。

本次改版主要做了如下改动：

第一，修正了部分题目的解法，使其更加注重科学性、规范性和简明性。

第二，改正了第2版的个别印刷错误。

第三，在文字上进行了些润色，力求文字更加准确。

第四，对版面和开本进行了调整，突出了时代感。

本次改版得到山东科学技术出版社的大力支持，责任编辑宋德万、胡新蓉等对该书的再版付出了艰辛的劳动，在此深表感谢。

在第3版修改过程中由费定晖逐章逐题予以校阅，不当之处恳请指正。

编者

2005年1月

第2版前言

《吉米多维奇数学分析习题集》一书内容丰富，覆盖面广泛，是数学分析的经典之作。从事数学分析教学的老师也常以《吉米多维奇数学分析习题集》中的题目，作为检验学生掌握数学分析基本知识和基本技能的一项重要手段。

《吉米多维奇数学分析习题集》共4462道题目，涵盖了数学分析的全部主题，为了适应我国广大数学爱好者学习，我们将全书4462道题目一一解答，编写了《吉米多维奇数学分析习题集题解》，分六册出版。本书自1980年出版以来，一直畅销不衰，读者称其为学习数学分析“不可替代”之图书，我们对此倍感欣慰。

第2版较第1版主要做了如下改动：

第一，修正了部分题目的解法，使其更加注重了科学性、规范性和简明性。

第二，改正了个别印刷错误。

第三，在文字上进行润色，力求表述更加准确。

本次再版得到山东科学技术出版社的大力支持，在此深表感谢。

编者

1999年3月

首版前言

《吉米多维奇数学分析习题集》一书的中译本，自20世纪50年代初在我国翻译出版以来，在全国各大高校师生中引起巨大反响。凡从事数学分析教学的老师，常以该习题集中的习题，作为检验学生是否掌握数学分析基本知识和基本技能的一项重要手段。二十多年来，对我国数学分析的教学工作是甚为有益的。

该书四千多道习题，数量多，内容丰富，由浅入深，部分题目难度大。内容涉及函数与极限，单变量函数的微分学，不定积分，定积分，级数，多变量函数的微分学，带参变量积分以及重积分与曲线积分、曲面积分等等，涵盖了数学分析的全部主题。当前，我国广大读者，特别是肯于刻苦自学的广大数学爱好者，处在为四个现代化而勤奋学习的热潮中，迫切需要对一些疑难习题有一个较明确的回答。鉴于此，我们将全书4462题一一解答，汇辑成书，分六册出版。本书可以作为高等院校的教学参考用书，同时也可作为广大读者在自学数学分析过程中的参考用书。

众所周知，《吉米多维奇数学分析习题集》中所涉及的题目数量众多，其中不少习题如果认真习作的话，既可以深刻地巩固我们所学到的基本概念，又可以有效地提高我们的运算能力，特别是有些难题还可以使我们学会综合分析的思维方法。正由于这样，我们殷切期望初学数学分析的读者，一定要刻苦钻研，千万不要轻易查抄本书的解答，因为任何削弱独立思索的做法，都是违背我们出版此书的本意。何况作者所作解答并非标准解法，仅作参考而已。如有某些误解、差错也在所难免，恳请读者指正，不胜感谢。

本书承蒙潘承洞教授对部分难题进行了审校。特请郭大钧教授、邵品琮副教授对全书做了仔细审校。其中相当数量的高难度习题，是由郭大钧、邵品琮亲自作解。

楼世拓、姚琦、陈兆宽同志参加了本书的审校工作，黄春朝同志参加了本书的编演工作。本书在编审过程中，还得到山东大学、山东工学院、山东师范学院和曲阜师范学院的领导和同志们的大力支持，特在此一并致谢。

编者

1979年4月

目 录

第3章　不定积分

第4章　定积分

第3章 不定积分

本章概括

本章为不定积分，包括《吉米多维奇数学分析习题集》中与不定积分相关的553道习题，涵盖了有理函数的积分法、无理函数的积分法、三角函数的积分法、超越函数的积分法等6节内容.

正如加法有其逆运算减法，乘法有其逆运算除法一样，微分法也有它的逆运算——积分法. 我们已经知道，微分法的基本问题是研究如何从已知函数求出它的导函数，那么与之相反的问题是：求一个未知函数，使其导函数恰好是某一已知函数. 提出这个逆问题，首先是因为它出现在许多实际问题之中. 例如：已知速度求路程；已知加速度求速度；已知曲线上每一点处的切线斜率（或斜率所满足的某一规律），求曲线方程等. 本章主要是利用各种方法求函数原函数的过程，与其后面一章定积分构成了一元函数积分学的主要内容.

知识图谱

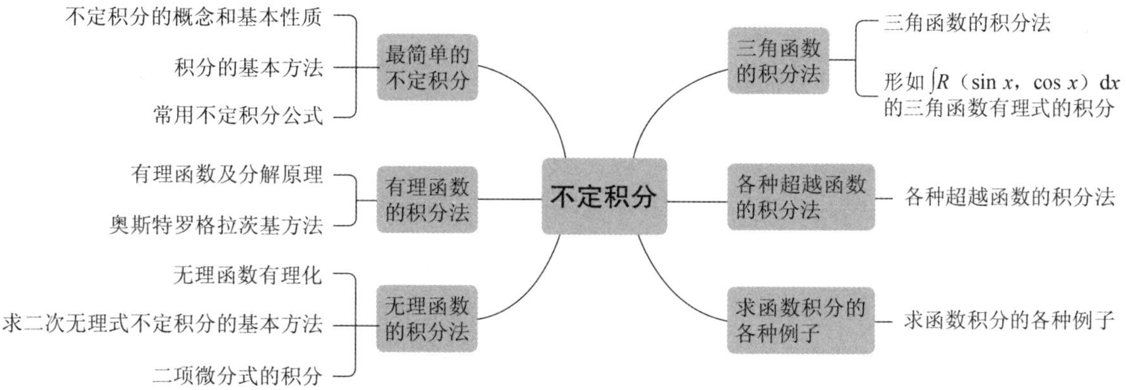

第1节 最简单的不定积分（习题1628—1865）

知识点预览

序号	知识点	题目序号	所在页码
1	不定积分的概念和基本性质	1628—1654	P2
2	积分的基本方法	1655—1835	P5
3	常用不定积分公式	1836—1865	P32

知识点1 不定积分的概念和基本性质

1. 概念 若 $f(x)$ 在 (a,b) 内有定义且连续，$F(x)$ 是它的原函数，即当 $a<x<b$ 时 $F'(x)=f(x)$，则

$$\int f(x)\mathrm{d}x=F(x)+C, a<x<b,$$

式中 C 为任意常数.

2. 基本性质

(1) $\mathrm{d}\left[\int f(x)\mathrm{d}x\right]=f(x)\mathrm{d}x$；

(2) $\int \mathrm{d}f(x)=f(x)+C$；

(3) $\int kf(x)\mathrm{d}x=k\int f(x)\mathrm{d}x$（$k$ 为常数，$k\neq 0$）；

(4) $\int [f(x)+g(x)]\mathrm{d}x=\int f(x)\mathrm{d}x+\int g(x)\mathrm{d}x$.

3. 基本积分表

(1) $\int x^\alpha \mathrm{d}x=\begin{cases}\dfrac{1}{\alpha+1}x^{\alpha+1}+C, & \alpha\neq -1,\\ \ln|x|+C, & \alpha=-1;\end{cases}$

(2) $\int \ln x\mathrm{d}x=x(\ln x-1)+C$；

(3) $\int \dfrac{\mathrm{d}x}{1+x^2}=\arctan x+C=-\operatorname{arccot} x+C_1$；

(4) $\int \dfrac{\mathrm{d}x}{1-x^2}=\dfrac{1}{2}\ln\left|\dfrac{1+x}{1-x}\right|+C$；

(5) $\int \dfrac{\mathrm{d}x}{\sqrt{1-x^2}}=\arcsin x+C=-\arccos x+C_1$；

(6) $\int \dfrac{\mathrm{d}x}{\sqrt{x^2\pm 1}}=\ln\left|x+\sqrt{x^2\pm 1}\right|+C$；

(7) $\int a^x\mathrm{d}x=\dfrac{a^x}{\ln a}+C(a>0,a\neq 1)$；

(8) $\int \mathrm{e}^x\mathrm{d}x=\mathrm{e}^x+C$；

(9) $\int \sin x\mathrm{d}x=-\cos x+C$；

(10) $\int \cos x\mathrm{d}x=\sin x+C$；

(11) $\int \frac{dx}{\sin^2 x} = -\cot x + C$;　　(12) $\int \frac{dx}{\cos^2 x} = \tan x + C$;.

(13) $\int \text{sh}\, x dx = \text{ch}\, x + C$;　　(14) $\int \text{ch}\, x dx = \text{sh}\, x + C$;

(15) $\int \frac{dx}{\text{sh}^2 x} = -\coth x + C$;　　(16) $\int \frac{dx}{\text{ch}^2 x} = \text{th}\, x + C$.

习题 1628—1654 利用基本积分表求不定积分

【利用基本积分表，求下列不定积分(1628—1653)】

【1628】 $\int (3 - x^2)^3 dx$.

解 $\int (3 - x^2)^3 dx = \int (27 - 27x^2 + 9x^4 - x^6) dx = 27x - 9x^3 + \frac{9}{5}x^5 - \frac{1}{7}x^7 + C$.

【1629】 $\int x^2 (5 - x)^4 dx$.

解 方法一 $\int x^2 (5 - x)^4 dx = \int (625x^2 - 500x^3 + 150x^4 - 20x^5 + x^6) dx$

$$= \frac{625}{3}x^3 - 125x^4 + 30x^5 - \frac{10}{3}x^6 + \frac{1}{7}x^7 + C.$$

方法二 $\int x^2 (5 - x)^4 dx \xlongequal{t = x - 5} \int (t + 5)^2 t^4 dt = \int (t^6 + 10t^5 + 25t^4) dt$

$$= \frac{1}{7}t^7 + \frac{5}{3}t^6 + 5t^5 + C$$

$$= \frac{1}{7}(x - 5)^7 + \frac{5}{3}(x - 5)^6 + 5(x - 5)^5 + C.$$

【1630】 $\int (1 - x)(1 - 2x)(1 - 3x) dx$.

解 $\int (1 - x)(1 - 2x)(1 - 3x) dx = \int (1 - 6x + 11x^2 - 6x^3) dx = x - 3x^2 + \frac{11}{3}x^3 - \frac{3}{2}x^4 + C$.

【1631】 $\int \left(\frac{1 - x}{x}\right)^2 dx$.

解 $\int \left(\frac{1 - x}{x}\right)^2 dx = \int \left(\frac{1}{x^2} - \frac{2}{x} + 1\right) dx = -\frac{1}{x} - 2\ln|x| + x + C$.

【1632】 $\int \left(\frac{a}{x} + \frac{a^2}{x^2} + \frac{a^3}{x^3}\right) dx$.

解 $\int \left(\frac{a}{x} + \frac{a^2}{x^2} + \frac{a^3}{x^3}\right) dx = a\ln|x| - \frac{a^2}{x} - \frac{a^3}{2x^2} + C$.

【1633】 $\int \frac{x + 1}{\sqrt{x}} dx$.

解 $\int \frac{x + 1}{\sqrt{x}} dx = \int (x^{\frac{1}{2}} + x^{-\frac{1}{2}}) dx = \frac{2}{3}x\sqrt{x} + 2\sqrt{x} + C$.

【1634】 $\int \frac{\sqrt{x} - 2\sqrt[3]{x^2} + 1}{\sqrt[4]{x}} dx$.

解 $\int \frac{\sqrt{x} - 2\sqrt[3]{x^2} + 1}{\sqrt[4]{x}} dx = \int (x^{\frac{1}{4}} - 2x^{\frac{5}{12}} + x^{-\frac{1}{4}}) dx = \frac{4}{5}x\sqrt[4]{x} - \frac{24}{17}x\sqrt[12]{x^5} + \frac{4}{3}\sqrt[4]{x^3} + C$.

【1635】 $\int \frac{(1-x)^3}{x\sqrt[3]{x}}\mathrm{d}x.$

解 $\int \frac{(1-x)^3}{x\sqrt[3]{x}}\mathrm{d}x=\int(x^{-\frac{4}{3}}-3x^{-\frac{1}{3}}+3x^{\frac{2}{3}}-x^{\frac{5}{3}})\mathrm{d}x=-\frac{3}{\sqrt[3]{x}}\left(1+\frac{3}{2}x-\frac{3}{5}x^2+\frac{1}{8}x^3\right)+C.$

【1636】 $\int\left(1-\frac{1}{x^2}\right)\sqrt{x\sqrt{x}}\,\mathrm{d}x.$

解 $\int\left(1-\frac{1}{x^2}\right)\sqrt{x\sqrt{x}}\,\mathrm{d}x=\int(x^{\frac{3}{4}}-x^{-\frac{5}{4}})\mathrm{d}x=\frac{4}{7}x^{\frac{7}{4}}+4x^{-\frac{1}{4}}+C.$

【1637】 $\int\frac{(\sqrt{2x}-\sqrt[3]{3x})^2}{x}\mathrm{d}x.$

解 $\int\frac{(\sqrt{2x}-\sqrt[3]{3x})^2}{x}\mathrm{d}x=\int(2-2\sqrt[6]{72}x^{-\frac{1}{6}}+\sqrt[3]{9}x^{-\frac{1}{3}})\mathrm{d}x=2x-\frac{12}{5}\sqrt[6]{72x^5}+\frac{3}{2}\sqrt[3]{9x^2}+C.$

【1638】 $\int\frac{\sqrt{x^4+x^{-4}+2}}{x^3}\mathrm{d}x.$

解 $\int\frac{\sqrt{x^4+x^{-4}+2}}{x^3}\mathrm{d}x=\int\frac{x^2+\frac{1}{x^2}}{x^3}\mathrm{d}x=\int\left(\frac{1}{x}+\frac{1}{x^5}\right)\mathrm{d}x=\ln|x|-\frac{1}{4x^4}+C.$

【1639】 $\int\frac{x^2}{1+x^2}\mathrm{d}x.$

解 $\int\frac{x^2}{1+x^2}\mathrm{d}x=\int\left(1-\frac{1}{x^2+1}\right)\mathrm{d}x=x-\arctan x+C.$

【1640】 $\int\frac{x^2}{1-x^2}\mathrm{d}x.$

解 $\int\frac{x^2}{1-x^2}\mathrm{d}x=\int\left(-1+\frac{1}{1-x^2}\right)\mathrm{d}x=-x+\frac{1}{2}\ln\left|\frac{1+x}{1-x}\right|+C.$

【1641】 $\int\frac{x^2+3}{x^2-1}\mathrm{d}x.$

解 $\int\frac{x^2+3}{x^2-1}\mathrm{d}x=\int\left(1+\frac{4}{x^2-1}\right)\mathrm{d}x=x+2\ln\left|\frac{x-1}{x+1}\right|+C.$

【1642】 $\int\frac{\sqrt{1+x^2}+\sqrt{1-x^2}}{\sqrt{1-x^4}}\mathrm{d}x.$

解 $\int\frac{\sqrt{1+x^2}+\sqrt{1-x^2}}{\sqrt{1-x^4}}\mathrm{d}x=\int\left(\frac{1}{\sqrt{1-x^2}}+\frac{1}{\sqrt{1+x^2}}\right)\mathrm{d}x=\arcsin x+\ln(x+\sqrt{1+x^2})+C.$

【1643】 $\int\frac{\sqrt{x^2+1}-\sqrt{x^2-1}}{\sqrt{x^4-1}}\mathrm{d}x.$

解 $\int\frac{\sqrt{x^2+1}-\sqrt{x^2-1}}{\sqrt{x^4-1}}\mathrm{d}x=\int\left(\frac{1}{\sqrt{x^2-1}}-\frac{1}{\sqrt{x^2+1}}\right)\mathrm{d}x=\ln\left|\frac{x+\sqrt{x^2-1}}{x+\sqrt{x^2+1}}\right|+C.$

【1644】 $\int(2^x+3^x)^2\mathrm{d}x.$

解 $\int(2^x+3^x)^2\mathrm{d}x=\int(4^x+2\cdot 6^x+9^x)\mathrm{d}x=\frac{4^x}{\ln 4}+2\cdot\frac{6^x}{\ln 6}+\frac{9^x}{\ln 9}+C.$

【1645】 $\int\frac{2^{x+1}-5^{x-1}}{10^x}\mathrm{d}x.$

解 $\int\frac{2^{x+1}-5^{x-1}}{10^x}\mathrm{d}x=\int\left[2\left(\frac{1}{5}\right)^x-\frac{1}{5}\left(\frac{1}{2}\right)^x\right]\mathrm{d}x=-\frac{2}{\ln 5}\left(\frac{1}{5}\right)^x+\frac{1}{5\ln 2}\left(\frac{1}{2}\right)^x+C.$

【1646】 $\int \frac{e^{3x}+1}{e^x+1}dx$.

解 $\int \frac{e^{3x}+1}{e^x+1}dx = \int (e^{2x}-e^x+1)dx = \frac{1}{2}e^{2x}-e^x+x+C$.

【1647】 $\int (1+\sin x+\cos x)dx$.

解 $\int (1+\sin x+\cos x)dx = x-\cos x+\sin x+C$.

【1648】 $\int \sqrt{1-\sin 2x}\,dx$.

解 $\int \sqrt{1-\sin 2x}\,dx = \int |\sin x-\cos x|\,dx = (\sin x+\cos x)\operatorname{sgn}(\cos x-\sin x)+C$.

【1649】 $\int \cot^2 x dx$.

解 $\int \cot^2 x dx = \int (\csc^2 x-1)dx = -\cot x-x+C$.

【1650】 $\int \tan^2 x dx$.

解 $\int \tan^2 x dx = \int (\sec^2 x-1)dx = \tan x-x+C$.

【1651】 $\int (a\operatorname{sh} x+b\operatorname{ch} x)dx$.

解 $\int (a\operatorname{sh} x+b\operatorname{ch} x)dx = a\operatorname{ch} x+b\operatorname{sh} x+C$.

【1652】 $\int \operatorname{th}^2 x dx$.

解 $\int \operatorname{th}^2 x dx = \int \left(1-\frac{1}{\operatorname{ch}^2 x}\right)dx = x-\operatorname{th} x+C$.

【1653】 $\int \operatorname{coth}^2 x dx$.

解 $\int \operatorname{coth}^2 x dx = \int \left(1+\frac{1}{\operatorname{sh}^2 x}\right)dx = x-\operatorname{coth} x+C$.

【1654】 证明：若$\int f(x)dx = F(x)+C$，则$\int f(ax+b)dx = \frac{1}{a}F(ax+b)+C(a\neq 0)$.

证 由$\int f(x)dx = F(x)+C$，得 $F'(x)=f(x)$. 于是

$$\frac{d}{dx}\left[\frac{1}{a}F(ax+b)+C\right] = F'(ax+b) = f(ax+b),$$

故$\int f(ax+b)dx = \frac{1}{a}F(ax+b)+C$.

知识点2 积分的基本方法

1. 第一换元积分法 设 $f(t)$ 存在原函数 $F(t)$，又函数 $t=\varphi(x)$ 可微，则

$$\int f[\varphi(x)]\varphi'(x)dx = F[\varphi(x)]+C.$$

第一换元积分法也称为凑微分法或引入新变量法.

2. 第二换元积分法 设 $t=\varphi(x)$ 是严格单调的可微函数，并且 $\varphi'(x)\neq 0$，又

$$\int f[\varphi(x)]\varphi'(x)\mathrm{d}x = F(x)+C,$$

则$\int f(t)\mathrm{d}t = F[\varphi^{-1}(t)]+C$,其中 $\varphi^{-1}(t)$ 为函数 $\varphi(x)$ 的反函数.

第二换元积分法又称为拆微分法或代换(入)法.

3. 分部积分法 设函数 $u(x)$ 与 $v(x)$ 都可微,且$\int v(x)u'(x)\mathrm{d}x$ 存在,则$\int u(x)v'(x)\mathrm{d}x$ 也存在,并有以下分部积分公式

$$\int u(x)v'(x)\mathrm{d}x = u(x)v(x)-\int v(x)u'(x)\mathrm{d}x.$$

习题 1655—1720 用第一换元积分方法(凑微分法)求不定积分

【求下列不定积分(1655—1673)】

【1655】 $\int \frac{\mathrm{d}x}{x+a}$.

解 $\int \frac{\mathrm{d}x}{x+a} = \int \frac{\mathrm{d}(x+a)}{x+a} = \ln|x+a|+C.$

【1656】 $\int (2x-3)^{10}\mathrm{d}x$.

解 $\int (2x-3)^{10}\mathrm{d}x = \frac{1}{2}\int (2x-3)^{10}\mathrm{d}(2x-3) = \frac{1}{2}\cdot\frac{1}{11}(2x-3)^{11}+C = \frac{1}{22}(2x-3)^{11}+C.$

【1657】 $\int \sqrt[3]{1-3x}\,\mathrm{d}x$.

解 $\int \sqrt[3]{1-3x}\,\mathrm{d}x = -\frac{1}{3}\int \sqrt[3]{1-3x}\,\mathrm{d}(1-3x) = -\frac{1}{3}\cdot\frac{3}{4}(1-3x)^{\frac{4}{3}}+C = -\frac{1}{4}(1-3x)^{\frac{4}{3}}+C.$

【1658】 $\int \frac{\mathrm{d}x}{\sqrt{2-5x}}$.

解 $\int \frac{\mathrm{d}x}{\sqrt{2-5x}} = -\frac{1}{5}\int \frac{1}{\sqrt{2-5x}}\mathrm{d}(2-5x) = -\frac{1}{5}\cdot 2(2-5x)^{\frac{1}{2}}+C = -\frac{2}{5}\sqrt{2-5x}+C.$

【1659】 $\int \frac{\mathrm{d}x}{(5x-2)^{\frac{5}{2}}}$.

解 $\int \frac{\mathrm{d}x}{(5x-2)^{\frac{5}{2}}} = \frac{1}{5}\int \frac{1}{(5x-2)^{\frac{5}{2}}}\mathrm{d}(5x-2) = \frac{1}{5}\cdot\left(-\frac{2}{3}\right)(5x-2)^{-\frac{3}{2}}+C = -\frac{2}{15(5x-2)^{\frac{3}{2}}}+C.$

【1660】 $\int \frac{\sqrt[5]{1-2x+x^2}}{1-x}\mathrm{d}x$.

解 $\int \frac{\sqrt[5]{1-2x+x^2}}{1-x}\mathrm{d}x = -\int (1-x)^{-\frac{3}{5}}\mathrm{d}(1-x) = -\frac{5}{2}\sqrt[5]{(1-x)^2}+C.$

【1661】 $\int \frac{\mathrm{d}x}{2+3x^2}$.

解 $\int \frac{\mathrm{d}x}{2+3x^2} = \frac{1}{2}\int \frac{\mathrm{d}x}{1+\left(\sqrt{\frac{3}{2}}x\right)^2} = \frac{1}{2}\sqrt{\frac{2}{3}}\int \frac{\mathrm{d}\left(\sqrt{\frac{3}{2}}x\right)}{1+\left(\sqrt{\frac{3}{2}}x\right)^2} = \frac{1}{\sqrt{6}}\arctan\frac{\sqrt{6}x}{2}+C.$

【1662】 $\int \frac{\mathrm{d}x}{2-3x^2}$.

解 $\int \frac{dx}{2-3x^2} = \frac{1}{\sqrt{3}}\int \frac{1}{2-(\sqrt{3}x)^2}d(\sqrt{3}x) = \frac{1}{2\sqrt{2}} \cdot \frac{1}{\sqrt{3}}\ln\left|\frac{\sqrt{2}+\sqrt{3}x}{\sqrt{2}-\sqrt{3}x}\right| + C = \frac{1}{2\sqrt{6}}\ln\left|\frac{\sqrt{2}+\sqrt{3}x}{\sqrt{2}-\sqrt{3}x}\right| + C.$

【1663】 $\int \frac{dx}{\sqrt{2-3x^2}}.$

解 $\int \frac{dx}{\sqrt{2-3x^2}} = \frac{1}{\sqrt{2}}\int \frac{1}{\sqrt{1-\left(\sqrt{\frac{3}{2}}x\right)^2}}dx = \frac{1}{\sqrt{2}}\sqrt{\frac{2}{3}}\int \frac{1}{\sqrt{1-\left(\sqrt{\frac{3}{2}}x\right)^2}}d\left(\sqrt{\frac{3}{2}}x\right)$

$= \frac{1}{\sqrt{3}}\arcsin\frac{\sqrt{3}x}{\sqrt{2}} + C = \frac{1}{\sqrt{3}}\arcsin\frac{\sqrt{6}x}{2} + C.$

【1664】 $\int \frac{dx}{\sqrt{3x^2-2}}.$

解 $\int \frac{dx}{\sqrt{3x^2-2}} = \frac{1}{\sqrt{2}}\int \frac{dx}{\sqrt{\left(\sqrt{\frac{3}{2}}x\right)^2-1}} = \frac{1}{\sqrt{2}} \cdot \sqrt{\frac{2}{3}}\ln\left|\sqrt{\frac{3}{2}}x + \sqrt{\frac{3}{2}x^2-1}\right| + C_1$

$= \frac{1}{\sqrt{3}}\ln\left|\sqrt{3}x + \sqrt{3x^2-2}\right| + C.$

【1665】 $\int (e^{-x} + e^{-2x})dx.$

解 $\int (e^{-x} + e^{-2x})dx = -e^{-x} - \frac{1}{2}e^{-2x} + C.$

【1666】 $\int (\sin 5x - \sin 5\alpha)dx.$

解 $\int (\sin 5x - \sin 5\alpha)dx = -\frac{1}{5}\cos 5x - x\sin 5\alpha + C.$

【1667】 $\int \frac{dx}{\sin^2\left(2x+\frac{\pi}{4}\right)}.$

解 $\int \frac{dx}{\sin^2\left(2x+\frac{\pi}{4}\right)} = \frac{1}{2}\int \csc^2\left(2x+\frac{\pi}{4}\right)d\left(2x+\frac{\pi}{4}\right) = -\frac{1}{2}\cot\left(2x+\frac{\pi}{4}\right) + C$

【1668】 $\int \frac{dx}{1+\cos x}.$

解 $\int \frac{dx}{1+\cos x} = \frac{1}{2}\int \frac{dx}{\cos^2\frac{x}{2}} = \int \sec^2\frac{x}{2}d\frac{x}{2} = \tan\frac{x}{2} + C.$

【1669】 $\int \frac{dx}{1-\cos x}.$

解 $\int \frac{dx}{1-\cos x} = \frac{1}{2}\int \frac{dx}{\sin^2\frac{x}{2}} = -\cot\frac{x}{2} + C.$

【1670】 $\int \frac{dx}{1+\sin x}.$

解 $\int \frac{dx}{1+\sin x} = \int \frac{dx}{1+\cos\left(\frac{\pi}{2}-x\right)} = -\int \frac{1}{\cos^2\left(\frac{\pi}{4}-\frac{x}{2}\right)}d\left(\frac{\pi}{4}-\frac{x}{2}\right) = -\tan\left(\frac{\pi}{4}-\frac{x}{2}\right) + C.$

【1671】 $\int [\text{sh}(2x+1) + \text{ch}(2x-1)]dx.$

解 $\int[\operatorname{sh}(2x+1)+\operatorname{ch}(2x-1)]\mathrm{d}x=\frac{1}{2}[\operatorname{ch}(2x+1)+\operatorname{sh}(2x-1)]+C.$

【1672】 $\int\frac{\mathrm{d}x}{\operatorname{ch}^2\frac{x}{2}}.$

解 $\int\frac{\mathrm{d}x}{\operatorname{ch}^2\frac{x}{2}}=2\int\frac{1}{\operatorname{ch}^2\frac{x}{2}}\mathrm{d}\left(\frac{x}{2}\right)=2\operatorname{th}\frac{x}{2}+C.$

【1673】 $\int\frac{\mathrm{d}x}{\operatorname{sh}^2\frac{x}{2}}.$

解 $\int\frac{\mathrm{d}x}{\operatorname{sh}^2\frac{x}{2}}=2\int\frac{1}{\operatorname{sh}^2\frac{x}{2}}\mathrm{d}\left(\frac{x}{2}\right)=-2\operatorname{coth}\frac{x}{2}+C.$

【用适当地变换被积函数的方法，求下列不定积分(1674—1720)】

【1674】 $\int\frac{x\mathrm{d}x}{\sqrt{1-x^2}}.$

解 $\int\frac{x\mathrm{d}x}{\sqrt{1-x^2}}=-\int\frac{\mathrm{d}(1-x^2)}{2\sqrt{1-x^2}}=-\sqrt{1-x^2}+C.$

【1675】 $\int x^2\sqrt[3]{1+x^3}\,\mathrm{d}x.$

解 $\int x^2\sqrt[3]{1+x^3}\,\mathrm{d}x=\frac{1}{3}\int(1+x^3)^{\frac{1}{3}}\mathrm{d}(1+x^3)=\frac{1}{4}(1+x^3)^{\frac{4}{3}}+C.$

【1676】 $\int\frac{x\mathrm{d}x}{3-2x^2}.$

解 $\int\frac{x\mathrm{d}x}{3-2x^2}=-\frac{1}{4}\int\frac{\mathrm{d}(3-2x^2)}{3-2x^2}=-\frac{1}{4}\ln|3-2x^2|+C.$

【1677】 $\int\frac{x\mathrm{d}x}{(1+x^2)^2}.$

解 $\int\frac{x\mathrm{d}x}{(1+x^2)^2}=\frac{1}{2}\int\frac{\mathrm{d}(1+x^2)}{(1+x^2)^2}=-\frac{1}{2(1+x^2)}+C.$

【1678】 $\int\frac{x\mathrm{d}x}{4+x^4}.$

解 方法一 $\int\frac{x\mathrm{d}x}{4+x^4}=\frac{1}{4}\int\frac{\mathrm{d}\left(\frac{x^2}{2}\right)}{1+\left(\frac{x^2}{2}\right)^2}=\frac{1}{4}\arctan\frac{x^2}{2}+C$

方法二 $\int\frac{x\mathrm{d}x}{4+x^4}=\frac{1}{2}\int\frac{\mathrm{d}(x^2)}{2^2+(x^2)^2}=\frac{1}{4}\arctan\frac{x^2}{2}+C.$

【1679】 $\int\frac{x^3\mathrm{d}x}{x^8-2}.$

解 $\int\frac{x^3\mathrm{d}x}{x^8-2}=\frac{1}{4}\int\frac{\mathrm{d}(x^4)}{(x^4)^2-(\sqrt{2})^2}=\frac{1}{8\sqrt{2}}\ln\left|\frac{x^4-\sqrt{2}}{x^4+\sqrt{2}}\right|+C.$

【1680】 $\int\frac{\mathrm{d}x}{\sqrt{x}(1+x)}.$

解 方法一 $\int\frac{\mathrm{d}x}{\sqrt{x}(1+x)}=2\int\frac{\mathrm{d}(\sqrt{x})}{1+(\sqrt{x})^2}=2\arctan\sqrt{x}+C.$

方法二 $\int \frac{dx}{\sqrt{x}(1+x)} \xlongequal{t=\sqrt{x}} 2\int \frac{tdt}{t(1+t^2)} = 2\int \frac{dt}{1+t^2} = 2\arctan t + C = 2\arctan\sqrt{x} + C.$

【1681】 $\int \sin\frac{1}{x}\cdot\frac{dx}{x^2}.$

解 $\int \sin\frac{1}{x}\cdot\frac{dx}{x^2} = -\int \sin\frac{1}{x}d\left(\frac{1}{x}\right) = \cos\frac{1}{x} + C.$

【1682】 $\int \frac{dx}{x\sqrt{x^2+1}}.$

解 当 $x>0$ 时，$\int \frac{dx}{x\sqrt{x^2+1}} = \int \frac{dx}{x^2\sqrt{1+\frac{1}{x^2}}} = -\int \frac{d\left(\frac{1}{x}\right)}{\sqrt{1+\frac{1}{x^2}}}$

$$= -\ln\left(\frac{1}{x}+\sqrt{1+\frac{1}{x^2}}\right)+C = -\ln\left|\frac{1+\sqrt{x^2+1}}{x}\right|+C;$$

当 $x<0$ 时，$\int \frac{dx}{x\sqrt{x^2+1}} \xlongequal{t=-x} \int \frac{dt}{t\sqrt{t^2+1}} = -\ln\left|\frac{1}{t}+\sqrt{1+\frac{1}{t^2}}\right|+C$

$$= -\ln\left|\frac{1+\sqrt{x^2+1}}{-x}\right|+C = -\ln\left|\frac{1+\sqrt{x^2+1}}{x}\right|+C.$$

综上可得 $\int \frac{dx}{x\sqrt{x^2+1}} = -\ln\left|\frac{1+\sqrt{x^2+1}}{x}\right|+C.$

【1683】 $\int \frac{dx}{x\sqrt{x^2-1}}.$

解 当 $x>0$ 时，$\int \frac{dx}{x\sqrt{x^2-1}} = \int \frac{dx}{x^2\sqrt{1-\frac{1}{x^2}}} = -\int \frac{d\left(\frac{1}{x}\right)}{\sqrt{1-\frac{1}{x^2}}} = -\arcsin\frac{1}{x}+C;$

当 $x<0$ 时，$\int \frac{dx}{x\sqrt{x^2-1}} \xlongequal{t=-x} \int \frac{dt}{t\sqrt{t^2-1}} = -\arcsin\frac{1}{t}+C = \arcsin\frac{1}{x}+C.$

综上可得 $\int \frac{dx}{x\sqrt{x^2-1}} = -\arcsin\frac{1}{|x|}+C.$

【1684】 $\int \frac{dx}{(x^2+1)^{\frac{3}{2}}}.$

解 $\int \frac{dx}{(x^2+1)^{\frac{3}{2}}} = \int \frac{\operatorname{sgn} x dx}{x^3\left(1+\frac{1}{x^2}\right)^{\frac{3}{2}}} = -\frac{1}{2}\int \left(1+\frac{1}{x^2}\right)^{-\frac{3}{2}} \operatorname{sgn} x d\left(1+\frac{1}{x^2}\right)$

$$= \left(1+\frac{1}{x^2}\right)^{-\frac{1}{2}} \operatorname{sgn} x + C = \frac{x}{\sqrt{x^2+1}}+C.$$

【1685】 $\int \frac{xdx}{(x^2-1)^{\frac{3}{2}}}.$

解 $\int \frac{xdx}{(x^2-1)^{\frac{3}{2}}} = \frac{1}{2}\int (x^2-1)^{-\frac{3}{2}}d(x^2-1) = -\frac{1}{\sqrt{x^2-1}}+C.$

【1686】 $\int \frac{x^2dx}{(8x^3+27)^{\frac{2}{3}}}.$

解 $\int \frac{x^2dx}{(8x^3+27)^{\frac{2}{3}}} = \frac{1}{24}\int (8x^3+27)^{-\frac{2}{3}}d(8x^3+27) = \frac{1}{8}\sqrt[3]{8x^3+27}+C.$

【1687】 $\int \frac{dx}{\sqrt{x(1+x)}}$.

解 由 $x(1+x)>0$,知 $x>0$ 或 $x<-1$.

当 $x>0$ 时,$\int \frac{dx}{\sqrt{x(1+x)}} = 2\int \frac{d(\sqrt{x})}{\sqrt{1+(\sqrt{x})^2}} = 2\ln(\sqrt{x}+\sqrt{1+x})+C$

$$= \ln[2x+1+2\sqrt{x(1+x)}]+C.$$

当 $x<-1$ 时, $\int \frac{dx}{\sqrt{x(1+x)}} \xlongequal{t=-x} -\int \frac{dt}{\sqrt{t(t-1)}} = -2\int \frac{d\sqrt{t}}{\sqrt{(\sqrt{t})^2-1}}$

$$= -2\ln|\sqrt{t}+\sqrt{t-1}|+C = -\ln|2t-1+2\sqrt{t(t-1)}|+C$$

$$= -\ln|-2x-1+2\sqrt{x(1+x)}|+C$$

$$= \ln|2x+1+2\sqrt{x(1+x)}|+C.$$

综上可得$\int \frac{dx}{\sqrt{x(1+x)}} = \ln|2x+1+2\sqrt{x(1+x)}|+C.$

【1688】 $\int \frac{dx}{\sqrt{x(1-x)}}$.

解 由 $x(1-x)>0$,知 $0<x<1$. 于是

$$\int \frac{dx}{\sqrt{x(1-x)}} = 2\int \frac{d(\sqrt{x})}{\sqrt{1-(\sqrt{x})^2}} = 2\arcsin\sqrt{x}+C.$$

【1689】 $\int xe^{-x^2}dx$.

解 $\int xe^{-x^2}dx = -\frac{1}{2}\int e^{-x^2}d(-x^2) = -\frac{1}{2}e^{-x^2}+C.$

【1690】 $\int \frac{e^x dx}{2+e^x}$.

解 $\int \frac{e^x dx}{2+e^x} = \int \frac{d(2+e^x)}{2+e^x} = \ln(2+e^x)+C.$

【1691】 $\int \frac{dx}{e^x+e^{-x}}$.

解 $\int \frac{dx}{e^x+e^{-x}} = \int \frac{d(e^x)}{1+e^{2x}} = \arctan e^x+C.$

【1692】 $\int \frac{dx}{\sqrt{1+e^{2x}}}$.

解 $\int \frac{dx}{\sqrt{1+e^{2x}}} = -\int \frac{d(e^{-x})}{\sqrt{1+(e^{-x})^2}} = -\ln(e^{-x}+\sqrt{1+e^{-2x}})+C = x-\ln(1+\sqrt{1+e^{2x}})+C.$

【1693】 $\int \frac{\ln^2 x}{x}dx$.

解 $\int \frac{\ln^2 x}{x}dx = \int \ln^2 x\,d(\ln x) = \frac{1}{3}\ln^3 x+C.$

【1694】 $\int \frac{dx}{x\ln x\ln\ln x}$.

解 $\int \frac{dx}{x\ln x\ln\ln x} = \int \frac{d(\ln x)}{\ln x\ln\ln x} = \int \frac{d(\ln\ln x)}{\ln\ln x} = \ln|\ln\ln x|+C.$

【1695】 $\int \sin^5 x\cos x\,dx$.

解 $\int \sin^5 x\cos x\mathrm{d}x = \int \sin^5 x\mathrm{d}(\sin x) = \frac{1}{6}\sin^6 x + C.$

【1696】 $\int \frac{\sin x}{\sqrt{\cos^3 x}}\mathrm{d}x.$

解 $\int \frac{\sin x}{\sqrt{\cos^3 x}}\mathrm{d}x = -\int (\cos x)^{-\frac{3}{2}}\mathrm{d}(\cos x) = \frac{2}{\sqrt{\cos x}} + C.$

【1697】 $\int \tan x\mathrm{d}x.$

解 $\int \tan x\mathrm{d}x = \int \frac{\sin x}{\cos x}\mathrm{d}x = -\int \frac{\mathrm{d}(\cos x)}{\cos x} = -\ln|\cos x| + C.$

【1698】 $\int \cot x\mathrm{d}x.$

解 $\int \cot x\mathrm{d}x = \int \frac{\cos x}{\sin x}\mathrm{d}x = \int \frac{\mathrm{d}(\sin x)}{\sin x} = \ln|\sin x| + C.$

【1699】 $\int \frac{\sin x + \cos x}{\sqrt[3]{\sin x - \cos x}}\mathrm{d}x.$

解 $\int \frac{\sin x + \cos x}{\sqrt[3]{\sin x - \cos x}}\mathrm{d}x = \int (\sin x - \cos x)^{-\frac{1}{3}}\mathrm{d}(\sin x - \cos x)$

$$= \frac{3}{2}\sqrt[3]{(\sin x - \cos x)^2} + C = \frac{3}{2}\sqrt[3]{1 - \sin 2x} + C.$$

【1700】 $\int \frac{\sin x\cos x}{\sqrt{a^2\sin^2 x + b^2\cos^2 x}}\mathrm{d}x.$

解 当 $|a| = |b| \neq 0$ 时，

$$\int \frac{\sin x\cos x}{\sqrt{a^2\sin^2 x + b^2\cos^2 x}}\mathrm{d}x = \frac{1}{|a|}\int \sin x\cos x\mathrm{d}x = \frac{1}{2|a|}\sin^2 x + C.$$

当 $|a| \neq |b|$ 时，

$$\int \frac{\sin x\cos x}{\sqrt{a^2\sin^2 x + b^2\cos^2 x}}\mathrm{d}x = \frac{1}{2}\int \frac{\mathrm{d}(\sin^2 x)}{\sqrt{(a^2 - b^2)\sin^2 x + b^2}} = \frac{1}{a^2 - b^2}\sqrt{(a^2 - b^2)\sin^2 x + b^2} + C$$

$$= \frac{\sqrt{a^2\sin^2 x + b^2\cos^2 x}}{a^2 - b^2} + C.$$

【1701】 $\int \frac{\mathrm{d}x}{\sin^2 x\sqrt[4]{\cot x}}.$

解 $\int \frac{\mathrm{d}x}{\sin^2 x\sqrt[4]{\cot x}} = -\int (\cot x)^{-\frac{1}{4}}\mathrm{d}(\cot x) = -\frac{4}{3}\sqrt[4]{\cot^3 x} + C.$

【1702】 $\int \frac{\mathrm{d}x}{\sin^2 x + 2\cos^2 x}.$

解 $\int \frac{\mathrm{d}x}{\sin^2 x + 2\cos^2 x} = \int \frac{\frac{1}{\cos^2 x}}{\tan^2 x + 2}\mathrm{d}x = \int \frac{\mathrm{d}(\tan x)}{\tan^2 x + 2} = \frac{1}{\sqrt{2}}\arctan\frac{\tan x}{\sqrt{2}} + C.$

【1703】 $\int \frac{\mathrm{d}x}{\sin x}.$

解 $\int \frac{\mathrm{d}x}{\sin x} = \int \frac{\frac{1}{2\cos^2\frac{x}{2}}}{\tan\frac{x}{2}}\mathrm{d}x = \int \frac{\mathrm{d}\left(\tan\frac{x}{2}\right)}{\tan\frac{x}{2}} = \ln\left|\tan\frac{x}{2}\right| + C.$

【1704】 $\int \frac{dx}{\cos x}$.

解 $\int \frac{dx}{\cos x} = \int \frac{d\left(x+\frac{\pi}{2}\right)}{\sin\left(x+\frac{\pi}{2}\right)} = \ln\left|\tan\left(\frac{x}{2}+\frac{\pi}{4}\right)\right| + C.$

【1705】 $\int \frac{dx}{\operatorname{sh} x}$.

解 $\int \frac{dx}{\operatorname{sh} x} = \int \frac{\frac{1}{2\operatorname{ch}^2 \frac{x}{2}}}{\operatorname{th} \frac{x}{2}} dx = \int \frac{d\left(\operatorname{th} \frac{x}{2}\right)}{\operatorname{th} \frac{x}{2}} = \ln\left|\operatorname{th} \frac{x}{2}\right| + C.$

【1706】 $\int \frac{dx}{\operatorname{ch} x}$.

解 $\int \frac{dx}{\operatorname{ch} x} = \int \frac{2dx}{e^x + e^{-x}} = 2\int \frac{d(e^x)}{1+e^{2x}} = 2\arctan e^x + C.$

【1707】 $\int \frac{\operatorname{sh} x \operatorname{ch} x}{\sqrt{\operatorname{sh}^4 x + \operatorname{ch}^4 x}} dx$.

解 因为 $\operatorname{sh}^4 x + \operatorname{ch}^4 x = (\operatorname{sh}^2 x + \operatorname{ch}^2 x)^2 - 2\operatorname{sh}^2 x \operatorname{ch}^2 x = \operatorname{ch}^2 2x - \frac{1}{2}\operatorname{sh}^2 2x = \frac{1+\operatorname{ch}^2 2x}{2}$,所以

$$\int \frac{\operatorname{sh} x \operatorname{ch} x}{\sqrt{\operatorname{sh}^4 x + \operatorname{ch}^4 x}} dx = \int \frac{\frac{1}{4} d(\operatorname{ch} 2x)}{\frac{1}{\sqrt{2}}\sqrt{1+\operatorname{ch}^2 2x}} = \frac{1}{2\sqrt{2}} \ln(\operatorname{ch} 2x + \sqrt{1+\operatorname{ch}^2 2x}) + C_1$$

$$= \frac{1}{2\sqrt{2}} \ln\left(\frac{\operatorname{ch} 2x}{\sqrt{2}} + \sqrt{\operatorname{sh}^4 x + \operatorname{ch}^4 x}\right) + C.$$

【1708】 $\int \frac{dx}{\operatorname{ch}^2 x \sqrt[3]{\operatorname{th}^2 x}}$.

解 $\int \frac{dx}{\operatorname{ch}^2 x \sqrt[3]{\operatorname{th}^2 x}} = \int (\operatorname{th} x)^{-\frac{2}{3}} d(\operatorname{th} x) = 3\sqrt[3]{\operatorname{th} x} + C.$

【1709】 $\int \frac{\arctan x}{1+x^2} dx$.

解 $\int \frac{\arctan x}{1+x^2} dx = \int \arctan x \, d(\arctan x) = \frac{1}{2}(\arctan x)^2 + C.$

【1710】 $\int \frac{dx}{(\arcsin x)^2 \sqrt{1-x^2}}$.

解 $\int \frac{dx}{(\arcsin x)^2 \sqrt{1-x^2}} = \int \frac{d(\arcsin x)}{(\arcsin x)^2} = -\frac{1}{\arcsin x} + C.$

【1711】 $\int \sqrt{\frac{\ln(x+\sqrt{1+x^2})}{1+x^2}} dx$.

解 $\int \sqrt{\frac{\ln(x+\sqrt{1+x^2})}{1+x^2}} dx = \int [\ln(x+\sqrt{1+x^2})]^{\frac{1}{2}} d[\ln(x+\sqrt{1+x^2})]$

$$= \frac{2}{3}\ln^{\frac{3}{2}}(x+\sqrt{1+x^2}) + C.$$

【1712】 $\int \frac{x^2+1}{x^4+1} dx$.

解 $\int \frac{x^2+1}{x^4+1}dx = \int \frac{1+\frac{1}{x^2}}{x^2+\frac{1}{x^2}}dx = \int \frac{d\left(x-\frac{1}{x}\right)}{\left(x-\frac{1}{x}\right)^2+2} = \frac{1}{\sqrt{2}}\arctan\frac{x^2-1}{\sqrt{2}x}+C.$

【1713】 $\int \frac{x^2-1}{x^4+1}dx.$

解 $\int \frac{x^2-1}{x^4+1}dx = \int \frac{1-\frac{1}{x^2}}{x^2+\frac{1}{x^2}}dx = \int \frac{d\left(x+\frac{1}{x}\right)}{\left(x+\frac{1}{x}\right)^2-2} = \frac{1}{2\sqrt{2}}\ln\frac{x^2-\sqrt{2}x+1}{x^2+\sqrt{2}x+1}+C.$

【1714】 $\int \frac{x^{14}dx}{(x^5+1)^4}.$

解 $\int \frac{x^{14}dx}{(x^5+1)^4} = \int \frac{x^{14}dx}{x^{20}(1+x^{-5})^4} = -\frac{1}{5}\int (1+x^{-5})^{-4}d(1+x^{-5})$

$= \frac{1}{15}(1+x^{-5})^{-3}+C_1 = \frac{x^{15}}{15(x^5+1)^3}+C_1$

$= \frac{(x^5+1)^3-3x^{10}-3x^5-1}{15(x^5+1)^3}+C_1 = -\frac{3x^{10}+3x^5+1}{15(x^5+1)^3}+C.$

【1715】 $\int \frac{x^{\frac{n}{2}}dx}{\sqrt{1+x^{n+2}}}.$

解 当 $n=-2$ 时，$\int \frac{x^{\frac{n}{2}}}{\sqrt{1+x^{n+2}}}dx = \frac{1}{\sqrt{2}}\int \frac{dx}{x} = \frac{1}{\sqrt{2}}\ln|x|+C$；

当 $n\neq-2$ 时，$\int \frac{x^{\frac{n}{2}}}{\sqrt{1+x^{n+2}}}dx = \frac{2}{n+2}\int \frac{d(x^{\frac{n+2}{2}})}{\sqrt{1+(x^{\frac{n+2}{2}})^2}} = \frac{2}{n+2}\ln(x^{\frac{n+2}{2}}+\sqrt{1+x^{n+2}})+C.$

【1716】 $\int \frac{1}{1-x^2}\ln\frac{1+x}{1-x}dx.$

解 $\int \frac{1}{1-x^2}\ln\frac{1+x}{1-x}dx = \frac{1}{2}\int \ln\frac{1+x}{1-x}d\left(\ln\frac{1+x}{1-x}\right) = \frac{1}{4}\ln^2\frac{1+x}{1-x}+C.$

【1717】 $\int \frac{\cos x dx}{\sqrt{2+\cos 2x}}.$

解 $\int \frac{\cos x dx}{\sqrt{2+\cos 2x}} = \int \frac{d(\sin x)}{\sqrt{3-2\sin^2 x}} = \frac{1}{\sqrt{2}}\arcsin\left(\sqrt{\frac{2}{3}}\sin x\right)+C.$

【1718】 $\int \frac{\sin x\cos x}{\sin^4 x+\cos^4 x}dx.$

解 $\int \frac{\sin x\cos x}{\sin^4 x+\cos^4 x}dx = \frac{1}{2}\int \frac{\sin 2x dx}{1-\frac{1}{2}\sin^2 2x} = -\frac{1}{2}\int \frac{d(\cos 2x)}{1+\cos^2 2x} = -\frac{1}{2}\arctan(\cos 2x)+C.$

【1719】 $\int \frac{2^x\cdot 3^x}{9^x-4^x}dx.$

解 $\int \frac{2^x\cdot 3^x}{9^x-4^x}dx = \int \frac{\left(\frac{3}{2}\right)^x}{\left(\frac{3}{2}\right)^{2x}-1}dx = \frac{1}{\ln 3-\ln 2}\int \frac{d\left[\left(\frac{3}{2}\right)^x\right]}{\left(\frac{3}{2}\right)^{2x}-1} = \frac{1}{2(\ln 3-\ln 2)}\ln\left|\frac{3^x-2^x}{3^x+2^x}\right|+C.$

【1720】 $\int \frac{xdx}{\sqrt{1+x^2+\sqrt{(1+x^2)^3}}}.$

解 $\int \frac{xdx}{\sqrt{1+x^2+\sqrt{(1+x^2)^3}}} = \frac{1}{2}\int \frac{d(1+x^2)}{\sqrt{1+x^2}\sqrt{1+\sqrt{1+x^2}}} = \int \frac{d(1+\sqrt{1+x^2})}{\sqrt{1+\sqrt{1+x^2}}}$

$$= 2\sqrt{1+\sqrt{1+x^2}} + C.$$

习题 1721—1765 用分项积分法求不定积分

【用分项积分法，求下列不定积分(1721—1765)】

【1721】 $\int x^2(2-3x^2)^2\mathrm{d}x.$

解 $\int x^2(2-3x^2)^2\mathrm{d}x = \int(4x^2-12x^4+9x^6)\mathrm{d}x = \frac{4}{3}x^3 - \frac{12}{5}x^5 + \frac{9}{7}x^7 + C.$

【1722】 $\int \frac{1+x}{1-x}\mathrm{d}x.$

解 $\int \frac{1+x}{1-x}\mathrm{d}x = \int\left(-1+\frac{2}{1-x}\right)\mathrm{d}x = -x-2\ln|1-x|+C.$

【1723】 $\int \frac{x^2}{1+x}\mathrm{d}x.$

解 $\int \frac{x^2}{1+x}\mathrm{d}x = \int\left(x-1+\frac{1}{1+x}\right)\mathrm{d}x = \frac{1}{2}x^2 - x + \ln|1+x|+C.$

【1724】 $\int \frac{x^3}{3+x}\mathrm{d}x.$

解 $\int \frac{x^3}{3+x}\mathrm{d}x = \int\left(x^2-3x+9-\frac{27}{3+x}\right)\mathrm{d}x = \frac{1}{3}x^3 - \frac{3}{2}x^2 + 9x - 27\ln|3+x|+C.$

【1725】 $\int \frac{(1+x)^2}{1+x^2}\mathrm{d}x.$

解 $\int \frac{(1+x)^2}{1+x^2}\mathrm{d}x = \int\left(1+\frac{2x}{1+x^2}\right)\mathrm{d}x = x+\ln(1+x^2)+C.$

【1726】 $\int \frac{(2-x)^2}{2-x^2}\mathrm{d}x.$

解 $\int \frac{(2-x)^2}{2-x^2}\mathrm{d}x = \int \frac{(x^2-2)-4x+6}{2-x^2}\mathrm{d}x = \int\left(-1-\frac{4x}{2-x^2}+\frac{6}{2-x^2}\right)\mathrm{d}x$

$$= -x + 2\ln|2-x^2| + \frac{3}{\sqrt{2}}\ln\left|\frac{\sqrt{2}+x}{\sqrt{2}-x}\right| + C.$$

【1727】 $\int \frac{x^2}{(1-x)^{100}}\mathrm{d}x.$

解 $\int \frac{x^2}{(1-x)^{100}}\mathrm{d}x = \int \frac{(x-1+1)^2}{(x-1)^{100}}\mathrm{d}x = \int[(x-1)^{-98}+2(x-1)^{-99}+(x-1)^{-100}]\mathrm{d}x$

$$= -\frac{1}{97(x-1)^{97}} - \frac{1}{49(x-1)^{98}} - \frac{1}{99(x-1)^{99}} + C.$$

【1728】 $\int \frac{x^5}{x+1}\mathrm{d}x.$

解 $\int \frac{x^5}{x+1}\mathrm{d}x = \int\left(x^4-x^3+x^2-x+1-\frac{1}{x+1}\right)\mathrm{d}x$

$$= \frac{1}{5}x^5 - \frac{1}{4}x^4 + \frac{1}{3}x^3 - \frac{1}{2}x^2 + x - \ln|1+x| + C.$$

【1729】 $\int \frac{\mathrm{d}x}{\sqrt{x+1}+\sqrt{x-1}}.$

解 $\int \frac{\mathrm{d}x}{\sqrt{x+1}+\sqrt{x-1}} = \frac{1}{2}\int(\sqrt{x+1}-\sqrt{x-1})\mathrm{d}x = \frac{1}{3}[(x+1)^{\frac{3}{2}}-(x-1)^{\frac{3}{2}}]+C.$

【1730】 $\int x\sqrt{2-5x}\,dx$.

解 $\int x\sqrt{2-5x}\,dx=\int\left[-\frac{1}{5}(2-5x)+\frac{2}{5}\right](2-5x)^{\frac{1}{2}}dx=\int\left[-\frac{1}{5}(2-5x)^{\frac{3}{2}}+\frac{2}{5}(2-5x)^{\frac{1}{2}}\right]dx$

$=\frac{2}{125}(2-5x)^{\frac{5}{2}}-\frac{4}{75}(2-5x)^{\frac{3}{2}}+C=-\frac{8+30x}{375}(2-5x)^{\frac{3}{2}}+C.$

【1731】 $\int\frac{x\,dx}{\sqrt[3]{1-3x}}$.

解 $\int\frac{x\,dx}{\sqrt[3]{1-3x}}=-\frac{1}{3}\int\frac{(1-3x)-1}{(1-3x)^{\frac{1}{3}}}dx=-\frac{1}{3}\int[(1-3x)^{\frac{2}{3}}-(1-3x)^{-\frac{1}{3}}]dx$

$=\frac{1}{15}(1-3x)^{\frac{5}{3}}-\frac{1}{6}(1-3x)^{\frac{2}{3}}+C=-\frac{1+2x}{10}(1-3x)^{\frac{2}{3}}+C.$

【1732】 $\int x^3\sqrt[3]{1+x^2}\,dx$.

解 $\int x^3\sqrt[3]{1+x^2}\,dx=\frac{1}{2}\int[(1+x^2)-1](1+x^2)^{\frac{1}{3}}d(1+x^2)$

$=\frac{1}{2}\int[(1+x^2)^{\frac{4}{3}}-(1+x^2)^{\frac{1}{3}}]d(1+x^2)$

$=\frac{3}{14}(1+x^2)^{\frac{7}{3}}-\frac{3}{8}(1+x^2)^{\frac{4}{3}}+C=\frac{12x^2-9}{56}(1+x^2)^{\frac{4}{3}}+C.$

【1733】 $\int\frac{dx}{(x-1)(x+3)}$.

解 $\int\frac{dx}{(x-1)(x+3)}=\frac{1}{4}\int\left(\frac{1}{x-1}-\frac{1}{x+3}\right)dx=\frac{1}{4}\ln\left|\frac{x-1}{x+3}\right|+C.$

【1734】 $\int\frac{dx}{x^2+x-2}$.

解 $\int\frac{dx}{x^2+x-2}=\frac{1}{3}\int\left(\frac{1}{x-1}-\frac{1}{x+2}\right)dx=\frac{1}{3}\ln\left|\frac{x-1}{x+2}\right|+C.$

【1735】 $\int\frac{dx}{(x^2+1)(x^2+2)}$.

解 $\int\frac{dx}{(x^2+1)(x^2+2)}=\int\left(\frac{1}{x^2+1}-\frac{1}{x^2+2}\right)dx=\arctan x-\frac{1}{\sqrt{2}}\arctan\frac{x}{\sqrt{2}}+C.$

【1736】 $\int\frac{dx}{(x^2-2)(x^2+3)}$.

解 $\int\frac{dx}{(x^2-2)(x^2+3)}=\frac{1}{5}\int\left(\frac{1}{x^2-2}-\frac{1}{x^2+3}\right)dx=\frac{1}{10\sqrt{2}}\ln\left|\frac{x-\sqrt{2}}{x+\sqrt{2}}\right|-\frac{1}{5\sqrt{3}}\arctan\frac{x}{\sqrt{3}}+C.$

【1737】 $\int\frac{x\,dx}{(x+2)(x+3)}$.

解 $\int\frac{x\,dx}{(x+2)(x+3)}=\int\left(\frac{3}{x+3}-\frac{2}{x+2}\right)dx=\ln\frac{|x+3|^3}{(x+2)^2}+C.$

【1738】 $\int\frac{x\,dx}{x^4+3x^2+2}$.

解 $\int\frac{x\,dx}{x^4+3x^2+2}=\frac{1}{2}\int\frac{d(x^2)}{(x^2+1)(x^2+2)}=\frac{1}{2}\int\left(\frac{1}{x^2+1}-\frac{1}{x^2+2}\right)d(x^2)=\frac{1}{2}\ln\frac{x^2+1}{x^2+2}+C.$

【1739】 $\int\frac{dx}{(x+a)^2(x+b)^2}\ (a\neq b)$.

解 $\int\frac{dx}{(x+a)^2(x+b)^2}=\frac{1}{(a-b)^2}\int\left(\frac{1}{x+a}-\frac{1}{x+b}\right)^2dx$

$$=\frac{1}{(a-b)^2}\int\left[\frac{1}{(x+a)^2}+\frac{1}{(x+b)^2}-\frac{2}{(x+a)(x+b)}\right]\mathrm{d}x$$

$$=-\frac{1}{(a-b)^2}\left(\frac{1}{x+a}+\frac{1}{x+b}\right)-\frac{2}{(a-b)^2}\int\frac{\mathrm{d}x}{(x+a)(x+b)}$$

$$=-\frac{1}{(a-b)^2}\left(\frac{1}{x+a}+\frac{1}{x+b}\right)+\frac{2}{(a-b)^3}\int\left(\frac{1}{x+a}-\frac{1}{x+b}\right)\mathrm{d}x$$

$$=-\frac{2x+a+b}{(a-b)^2(x+a)(x+b)}+\frac{2}{(a-b)^3}\ln\left|\frac{x+a}{x+b}\right|+C.$$

【1740】 $\int\frac{\mathrm{d}x}{(x^2+a^2)(x^2+b^2)}(|a|\neq|b|)$.

解 当 $ab\neq0$ 时,有$\int\frac{\mathrm{d}x}{(x^2+a^2)(x^2+b^2)}=\frac{1}{a^2-b^2}\int\left(\frac{1}{x^2+b^2}-\frac{1}{x^2+a^2}\right)\mathrm{d}x$

$$=\frac{1}{a^2-b^2}\left(\frac{1}{b}\arctan\frac{x}{b}-\frac{1}{a}\arctan\frac{x}{a}\right)+C;$$

当 $ab=0$ 时,不妨设 $b=0$,则有

$$\int\frac{\mathrm{d}x}{x^2(x^2+a^2)}=\frac{1}{a^2}\int\left(\frac{1}{x^2}-\frac{1}{x^2+a^2}\right)\mathrm{d}x=-\frac{1}{a^2x}-\frac{1}{a^3}\arctan\frac{x}{a}+C.$$

【1741】 $\int\sin^2x\mathrm{d}x$.

解 $\int\sin^2x\mathrm{d}x=\int\frac{1-\cos 2x}{2}\mathrm{d}x=\frac{x}{2}-\frac{1}{4}\sin 2x+C.$

【1742】 $\int\cos^2x\mathrm{d}x$.

解 $\int\cos^2x\mathrm{d}x=\int\frac{1+\cos 2x}{2}\mathrm{d}x=\frac{x}{2}+\frac{1}{4}\sin 2x+C.$

【1743】 $\int\sin x\sin(x+\alpha)\mathrm{d}x$.

解 $\int\sin x\sin(x+\alpha)\mathrm{d}x=\frac{1}{2}\int[\cos\alpha-\cos(2x+\alpha)]\mathrm{d}x=\frac{x}{2}\cos\alpha-\frac{1}{4}\sin(2x+\alpha)+C.$

【1744】 $\int\sin 3x\sin 5x\mathrm{d}x$.

解 $\int\sin 3x\sin 5x\mathrm{d}x=\frac{1}{2}\int(\cos 2x-\cos 8x)\mathrm{d}x=\frac{1}{4}\sin 2x-\frac{1}{16}\sin 8x+C.$

【1745】 $\int\cos\frac{x}{2}\cos\frac{x}{3}\mathrm{d}x$.

解 $\int\cos\frac{x}{2}\cos\frac{x}{3}\mathrm{d}x=\frac{1}{2}\int\left(\cos\frac{5x}{6}+\cos\frac{x}{6}\right)\mathrm{d}x=\frac{3}{5}\sin\frac{5x}{6}+3\sin\frac{x}{6}+C.$

【1746】 $\int\sin\left(2x-\frac{\pi}{6}\right)\cos\left(3x+\frac{\pi}{4}\right)\mathrm{d}x$.

解 $\int\sin\left(2x-\frac{\pi}{6}\right)\cos\left(3x+\frac{\pi}{4}\right)\mathrm{d}x=\frac{1}{2}\int\left[\sin\left(5x+\frac{\pi}{12}\right)-\sin\left(x+\frac{5\pi}{12}\right)\right]\mathrm{d}x$

$$=-\frac{1}{10}\cos\left(5x+\frac{\pi}{12}\right)+\frac{1}{2}\cos\left(x+\frac{5\pi}{12}\right)+C.$$

【1747】 $\int\sin^3x\mathrm{d}x$.

解 $\int\sin^3x\mathrm{d}x=\int(\cos^2x-1)\mathrm{d}(\cos x)=\frac{1}{3}\cos^3x-\cos x+C.$

【1748】 $\int\cos^3x\mathrm{d}x$.

解 $\int\cos^3 x\mathrm{d}x=\int(1-\sin^2 x)\mathrm{d}(\sin x)=\sin x-\frac{1}{3}\sin^3 x+C.$

【1749】 $\int\sin^4 x\mathrm{d}x.$

解 $\int\sin^4 x\mathrm{d}x=\int\left(\frac{1-\cos 2x}{2}\right)^2\mathrm{d}x=\frac{1}{4}\int\left(1-2\cos 2x+\frac{1+\cos 4x}{2}\right)\mathrm{d}x$

$=\frac{1}{8}\int(3-4\cos 2x+\cos 4x)\mathrm{d}x=\frac{3}{8}x-\frac{1}{4}\sin 2x+\frac{1}{32}\sin 4x+C.$

【1750】 $\int\cos^4 x\mathrm{d}x.$

解 $\int\cos^4 x\mathrm{d}x=\int\left(\frac{1+\cos 2x}{2}\right)^2\mathrm{d}x=\frac{1}{4}\int\left(1+2\cos 2x+\frac{1+\cos 4x}{2}\right)\mathrm{d}x$

$=\frac{1}{8}\int(3+4\cos 2x+\cos 4x)\mathrm{d}x=\frac{3}{8}x+\frac{1}{4}\sin 2x+\frac{1}{32}\sin 4x+C.$

【1751】 $\int\cot^2 x\mathrm{d}x.$

解 $\int\cot^2 x\mathrm{d}x=\int(\csc^2 x-1)\mathrm{d}x=-\cot x-x+C.$

【1752】 $\int\tan^3 x\mathrm{d}x.$

解 $\int\tan^3 x\mathrm{d}x=\int\tan x(\sec^2 x-1)\mathrm{d}x=\int\tan x\mathrm{d}(\tan x)-\int\tan x\mathrm{d}x=\frac{1}{2}\tan^2 x+\ln|\cos x|+C.$

【1753】 $\int\sin^2 3x\sin^3 2x\mathrm{d}x.$

解 $\sin^2 3x\sin^3 2x=\frac{1}{2}(1-\cos 6x)\cdot\frac{1}{4}(3\sin 2x-\sin 6x)$

$=\frac{1}{8}(3\sin 2x-3\cos 6x\sin 2x-\sin 6x+\sin 6x\cos 6x)$

$=\frac{3}{8}\sin 2x+\frac{3}{16}\sin 4x-\frac{1}{8}\sin 6x-\frac{3}{16}\sin 8x+\frac{1}{16}\sin 12x,$

故 $\int\sin^2 3x\sin^3 2x\mathrm{d}x=-\frac{3}{16}\cos 2x-\frac{3}{64}\cos 4x+\frac{1}{48}\cos 6x+\frac{3}{128}\cos 8x-\frac{1}{192}\cos 12x+C.$

【1754】 $\int\frac{\mathrm{d}x}{\sin^2 x\cos^2 x}.$

解 $\int\frac{\mathrm{d}x}{\sin^2 x\cos^2 x}=\int\left(\frac{1}{\sin^2 x}+\frac{1}{\cos^2 x}\right)\mathrm{d}x=-\cot x+\tan x+C.$

【1755】 $\int\frac{\mathrm{d}x}{\sin^2 x\cos x}.$

解 $\int\frac{\mathrm{d}x}{\sin^2 x\cos x}=\int\left(\frac{1}{\cos x}+\frac{\cos x}{\sin^2 x}\right)\mathrm{d}x=\int\frac{\mathrm{d}x}{\cos x}+\int\frac{\mathrm{d}(\sin x)}{\sin^2 x}=\ln\left|\tan\left(\frac{x}{2}+\frac{\pi}{4}\right)\right|-\frac{1}{\sin x}+C.$

注 本题用到1704题的结果.

【1756】 $\int\frac{\mathrm{d}x}{\sin x\cos^3 x}.$

解 $\int\frac{\mathrm{d}x}{\sin x\cos^3 x}=\int\left(\frac{\sin x}{\cos^3 x}+\frac{1}{\sin x\cos x}\right)\mathrm{d}x=-\int\frac{\mathrm{d}(\cos x)}{\cos^3 x}+\int\frac{\mathrm{d}(2x)}{\sin 2x}=\frac{1}{2\cos^2 x}+\ln|\tan x|+C.$

注 本题用到1703题的结果.

【1757】 $\int \frac{\cos^3 x}{\sin x} dx$.

解 $\int \frac{\cos^3 x}{\sin x} dx = \int \frac{1-\sin^2 x}{\sin x} \cos x dx = \int \left(\frac{1}{\sin x} - \sin x\right) d(\sin x) = \ln|\sin x| - \frac{1}{2}\sin^2 x + C$.

【1758】 $\int \frac{dx}{\cos^4 x}$.

解 $\int \frac{dx}{\cos^4 x} = \int \sec^2 x \cdot \sec^2 x dx = \int (1+\tan^2 x) d(\tan x) = \tan x + \frac{1}{3}\tan^3 x + C$.

【1759】 $\int \frac{dx}{1+e^x}$.

解 $\int \frac{dx}{1+e^x} = \int \left(1 - \frac{e^x}{1+e^x}\right) dx = x - \ln(1+e^x) + C$.

【1760】 $\int \frac{(1+e^x)^2}{1+e^{2x}} dx$.

解 $\int \frac{(1+e^x)^2}{1+e^{2x}} dx = \int \left(1 + \frac{2e^x}{1+e^{2x}}\right) dx = x + 2\arctan e^x + C$.

【1761】 $\int \mathrm{sh}^2 x dx$.

解 $\int \mathrm{sh}^2 x dx = \int \frac{\mathrm{ch}\, 2x - 1}{2} dx = \frac{1}{4}\mathrm{sh}\, 2x - \frac{x}{2} + C$.

【1762】 $\int \mathrm{ch}^2 x dx$.

解 $\int \mathrm{ch}^2 x dx = \int \frac{\mathrm{ch}\, 2x + 1}{2} dx = \frac{1}{4}\mathrm{sh}\, 2x + \frac{x}{2} + C$.

【1763】 $\int \mathrm{sh}\, x \mathrm{sh}\, 2x dx$.

解 $\int \mathrm{sh}\, x \mathrm{sh}\, 2x dx = 2\int \mathrm{sh}^2 x \mathrm{ch}\, x dx = 2\int \mathrm{sh}^2 x d(\mathrm{sh}\, x) = \frac{2}{3}\mathrm{sh}^3 x + C$.

【1764】 $\int \mathrm{ch}\, x \mathrm{ch}\, 3x dx$.

解 $\int \mathrm{ch}\, x \mathrm{ch}\, 3x dx = \frac{1}{2}\int (\mathrm{ch}\, 4x + \mathrm{ch}\, 2x) dx = \frac{1}{8}\mathrm{sh}\, 4x + \frac{1}{4}\mathrm{sh}\, 2x + C$.

【1765】 $\int \frac{dx}{\mathrm{sh}^2 x \mathrm{ch}^2 x}$.

解 $\int \frac{dx}{\mathrm{sh}^2 x \mathrm{ch}^2 x} = \int \left(\frac{1}{\mathrm{sh}^2 x} - \frac{1}{\mathrm{ch}^2 x}\right) dx = -(\coth x + \mathrm{th}\, x) + C$.

习题 1766—1790 用第二换元法(代换法)求不定积分

【用适当的代换,求下列积分(1766—1777)】

【1766】 $\int x^2 \sqrt[3]{1-x} dx$.

解 **方法一** 设 $1-x=t$,则 $x=1-t$,$dx=-dt$,从而

$$\int x^2 \sqrt[3]{1-x} dx = -\int (1-t)^2 t^{\frac{1}{3}} dt = -\int (t^{\frac{1}{3}} - 2t^{\frac{4}{3}} + t^{\frac{7}{3}}) dt$$

$$= -\frac{3}{4}t^{\frac{4}{3}} + \frac{6}{7}t^{\frac{7}{3}} - \frac{3}{10}t^{\frac{10}{3}} + C = -\frac{3}{140}(9+12x+14x^2)(1-x)^{\frac{4}{3}} + C.$$

方法二 设 $\sqrt[3]{1-x}=t$，则 $x=1-t^3$，$\mathrm{d}x=-3t^2\mathrm{d}t$，从而

$$\int x^2\sqrt[3]{1-x}\,\mathrm{d}x=\int(1-t^3)^2t(-3t^2)\mathrm{d}t=-3\int(1-t^3)^2t^3\mathrm{d}t$$

$$=-3\int(t^3-2t^6+t^9)\mathrm{d}t=-\frac{3}{4}t^4+\frac{6}{7}t^7-\frac{3}{10}t^{10}+C$$

$$=-\frac{3}{140}(9+12x+14x^2)(1-x)^{\frac{4}{3}}+C.$$

【1767】 $\int x^3(1-5x^2)^{10}\mathrm{d}x.$

解 设 $1-5x^2=t$，则 $x^2=\frac{1}{5}(1-t)$，$2x\mathrm{d}x=-\frac{1}{5}\mathrm{d}t$，从而

$$\int x^3(1-5x^2)^{10}\mathrm{d}x=-\frac{1}{50}\int(t^{10}-t^{11})\mathrm{d}t=-\frac{1}{550}t^{11}+\frac{1}{600}t^{12}+C=-\frac{1+55x^2}{6\,600}(1-5x^2)^{11}+C.$$

【1768】 $\int\frac{x^2}{\sqrt{2-x}}\mathrm{d}x.$

解 设 $\sqrt{2-x}=t$，则 $x=2-t^2$，$\mathrm{d}x=-2t\mathrm{d}t$，从而

$$\int\frac{x^2}{\sqrt{2-x}}\mathrm{d}x=\int\frac{(2-t^2)^2}{t}(-2t)\mathrm{d}t=-2\int(2-t^2)^2\mathrm{d}t=-2\int(4-4t^2+t^4)\mathrm{d}t=-8t+\frac{8}{3}t^3-\frac{2}{5}t^5+C$$

$$=-\frac{2}{15}(32+8x+3x^2)\sqrt{2-x}+C.$$

【1769】 $\int\frac{x^5}{\sqrt{1-x^2}}\mathrm{d}x.$

解 设 $\sqrt{1-x^2}=t$，则 $x^2=1-t^2$，$x\mathrm{d}x=-t\mathrm{d}t$，从而

$$\int\frac{x^5}{\sqrt{1-x^2}}\mathrm{d}x=\int\frac{(1-t^2)^2}{t}(-t)\mathrm{d}t=-\int(1-2t^2+t^4)\mathrm{d}t=-t+\frac{2}{3}t^3-\frac{1}{5}t^5+C$$

$$=-\frac{1}{15}(8+4x^2+3x^4)\sqrt{1-x^2}+C.$$

【1770】 $\int x^5(2-5x^3)^{\frac{2}{3}}\mathrm{d}x.$

解 设 $\sqrt[3]{2-5x^3}=t$，则 $x^3=\frac{1}{5}(2-t^3)$，$x^2\mathrm{d}x=-\frac{1}{5}t^2\mathrm{d}t$，从而

$$\int x^5(2-5x^3)^{\frac{2}{3}}\mathrm{d}x=-\frac{1}{25}\int(2t^4-t^7)\mathrm{d}t=-\frac{2}{125}t^5+\frac{1}{200}t^8+C=-\frac{6+25x^3}{1\,000}(2-5x^3)^{\frac{5}{3}}+C.$$

【1771】 $\int\cos^5x\sqrt{\sin x}\,\mathrm{d}x.$

解 设 $\sqrt{\sin x}=t$，则 $\cos x\mathrm{d}x=2t\mathrm{d}t$，从而

$$\int\cos^5x\sqrt{\sin x}\,\mathrm{d}x=2\int(1-t^4)^2t^2\mathrm{d}t=2\int(1-2t^4+t^8)t^2\mathrm{d}t=\frac{2}{3}t^3-\frac{4}{7}t^7+\frac{2}{11}t^{11}+C$$

$$=\left(\frac{2}{3}-\frac{4}{7}\sin^2x+\frac{2}{11}\sin^4x\right)\sqrt{\sin^3x}+C.$$

【1772】 $\int\frac{\sin x\cos^3x}{1+\cos^2x}\mathrm{d}x.$

解 设 $\cos^2x=t$，则 $\sin x\cos x\mathrm{d}x=-\frac{1}{2}\mathrm{d}t$，从而

$$\int\frac{\sin x\cos^3x}{1+\cos^2x}\mathrm{d}x=-\frac{1}{2}\int\frac{t}{1+t}\mathrm{d}t=-\frac{1}{2}\int\left(1-\frac{1}{1+t}\right)\mathrm{d}t=-\frac{1}{2}t+\frac{1}{2}\ln(1+t)+C$$

$$=-\frac{1}{2}\cos^2x+\frac{1}{2}\ln(1+\cos^2x)+C.$$

【1773】 $\int \frac{\sin^2 x}{\cos^6 x}\mathrm{d}x$.

解 设 $\tan x = t$,则

$$\int \frac{\sin^2 x}{\cos^6 x}\mathrm{d}x = \int \tan^2 x\sec^4 x\mathrm{d}x = \int \tan^2 x(\tan^2 x + 1)\mathrm{d}(\tan x)$$

$$= \int (t^4 + t^2)\mathrm{d}t = \frac{1}{5}t^5 + \frac{1}{3}t^3 + C = \frac{1}{5}\tan^5 x + \frac{1}{3}\tan^3 x + C.$$

【1774】 $\int \frac{\ln x\mathrm{d}x}{x\sqrt{1+\ln x}}$.

解 设 $\sqrt{1+\ln x} = t$,则$\frac{\mathrm{d}x}{x} = 2t\mathrm{d}t$,从而

$$\int \frac{\ln x\mathrm{d}x}{x\sqrt{1+\ln x}} = \int \frac{\ln x\mathrm{d}(1+\ln x)}{\sqrt{1+\ln x}} = 2\int \frac{(t^2-1)}{t}\cdot t\mathrm{d}t = 2\int (t^2-1)\mathrm{d}t$$

$$= \frac{2}{3}t^3 - 2t + C = \frac{2}{3}(\ln x - 2)\sqrt{1+\ln x} + C.$$

【1775】 $\int \frac{\mathrm{d}x}{\mathrm{e}^{\frac{x}{2}} + \mathrm{e}^x}$.

解 设 $\mathrm{e}^{\frac{x}{2}} = t$,则 $\mathrm{e}^x = t^2$,$\mathrm{d}x = \frac{2}{t}\mathrm{d}t$,从而

$$\int \frac{\mathrm{d}x}{\mathrm{e}^{\frac{x}{2}} + \mathrm{e}^x} = 2\int \frac{\mathrm{d}t}{t^2(1+t)} = 2\int \left(\frac{1}{t^2} - \frac{1}{t} + \frac{1}{1+t}\right)\mathrm{d}t = -\frac{2}{t} - 2\ln t + 2\ln(1+t) + C$$

$$= -2\mathrm{e}^{-\frac{x}{2}} - x + 2\ln(1+\mathrm{e}^{\frac{x}{2}}) + C.$$

【1776】 $\int \frac{\mathrm{d}x}{\sqrt{1+\mathrm{e}^x}}$.

解 设 $\sqrt{1+\mathrm{e}^x} = t$,则 $x = \ln(t^2-1)$,$\mathrm{d}x = \frac{2t}{t^2-1}\mathrm{d}t$,从而

$$\int \frac{\mathrm{d}x}{\sqrt{1+\mathrm{e}^x}} = 2\int \frac{\mathrm{d}t}{t^2-1} = \ln\frac{t-1}{t+1} + C = \ln\frac{\sqrt{1+\mathrm{e}^x}-1}{\sqrt{1+\mathrm{e}^x}+1} + C$$

$$= x - 2\ln(1+\sqrt{1+\mathrm{e}^x}) + C.$$

【1777】 $\int \frac{\arctan\sqrt{x}}{\sqrt{x}}\cdot\frac{\mathrm{d}x}{1+x}$.

解 设 $\arctan\sqrt{x} = t$,则 $x = \tan^2 t$,$\mathrm{d}t = \frac{1}{1+x}\cdot\frac{1}{2\sqrt{x}}\mathrm{d}x$,从而

$$\int \frac{\arctan\sqrt{x}}{\sqrt{x}}\cdot\frac{\mathrm{d}x}{1+x} = 2\int t\mathrm{d}t = t^2 + C = (\arctan\sqrt{x})^2 + C.$$

【运用三角函数代换,求下列不定积分(参数为正)(1778—1785)】

【1778】 $\int \frac{\mathrm{d}x}{(1-x^2)^{\frac{3}{2}}}$.

解 由于被积函数的存在域为 $-1 < x < 1$,因此,可设 $x = \sin t$,并限制 $-\frac{\pi}{2} < t < \frac{\pi}{2}$.从而

$$\int \frac{\mathrm{d}x}{(1-x^2)^{\frac{3}{2}}} = \int \frac{\mathrm{d}t}{\cos^2 t} = \tan t + C = \frac{x}{\sqrt{1-x^2}} + C.$$

【1779】 $\int \frac{x^2\mathrm{d}x}{\sqrt{x^2-2}}$.

解 被积函数的存在域为 $x>\sqrt{2}$ 及 $x<-\sqrt{2}$，分别考虑以下 2 种情况.

(1) 当 $x>\sqrt{2}$ 时，令 $x=\sqrt{2}\sec t$，并限制 $0<t<\frac{\pi}{2}$，则 $\mathrm{d}x=\sqrt{2}\sec t\tan t\mathrm{d}t$，从而

$$\begin{aligned}\int\frac{x^2\mathrm{d}x}{\sqrt{x^2-2}}&=\int\frac{2\sec^2 t}{\sqrt{2}\tan t}\cdot\sqrt{2}\sec t\tan t\mathrm{d}t=2\int\sec^3 t\mathrm{d}t\\&=2\int\frac{\mathrm{d}(\sin t)}{(1-\sin^2 t)^2}=\frac{1}{2}\int\left(\frac{1}{1+\sin t}+\frac{1}{1-\sin t}\right)^2\mathrm{d}(\sin t)\\&=\frac{1}{2}\int\frac{\mathrm{d}(1+\sin t)}{(1+\sin t)^2}-\frac{1}{2}\int\frac{\mathrm{d}(1-\sin t)}{(1-\sin t)^2}+\int\frac{\mathrm{d}(\sin t)}{1-\sin^2 t}\\&=\frac{1}{2}\left(\frac{1}{1-\sin t}-\frac{1}{1+\sin t}\right)+\frac{1}{2}\ln\frac{1+\sin t}{1-\sin t}+C_1\\&=\tan t\sec t+\ln(\sec t+\tan t)+C_1\\&=\frac{x}{2}\sqrt{x^2-2}+\ln(x+\sqrt{x^2-2})+C.\end{aligned}$$

(2) 当 $x<-\sqrt{2}$ 时，仍令 $x=\sqrt{2}\sec t$，但限制 $\pi<t<\frac{3\pi}{2}$，则 $\mathrm{d}x=\sqrt{2}\sec t\tan t\mathrm{d}t$，其余步骤同上，注意到，此时 $\sec t+\tan t<0$. 因此，在对数符号里要加绝对值，即结果为

$$\frac{x}{2}\sqrt{x^2-2}+\ln|x+\sqrt{x^2-2}|+C.$$

总之，当 $|x|>\sqrt{2}$ 时，$\int\frac{x^2\mathrm{d}x}{\sqrt{x^2-2}}=\frac{x}{2}\sqrt{x^2-2}+\ln|x+\sqrt{x^2-2}|+C.$

【1780】 $\int\sqrt{a^2-x^2}\mathrm{d}x.$

解 被积函数的存在域为 $-a\leqslant x\leqslant a$，因此，令 $x=a\sin t$，并限制 $-\frac{\pi}{2}\leqslant t\leqslant\frac{\pi}{2}$. 从而

$$\sqrt{a^2-x^2}=a\cos t,\mathrm{d}x=a\cos t\mathrm{d}t,$$

$$\begin{aligned}\int\sqrt{a^2-x^2}\mathrm{d}x&=a^2\int\cos^2 t\mathrm{d}t=\frac{a^2}{2}\int(1+\cos 2t)\mathrm{d}t=\frac{a^2}{2}\left(t+\frac{1}{2}\sin 2t\right)+C\\&=\frac{a^2}{2}t+\frac{a^2}{2}\sin t\cos t+C=\frac{a^2}{2}\arcsin\frac{x}{a}+\frac{x}{2}\sqrt{a^2-x^2}+C.\end{aligned}$$

【1781】 $\int\frac{\mathrm{d}x}{(x^2+a^2)^{\frac{3}{2}}}.$

解 被积函数的存在域为 $-\infty<x<+\infty$，因此，令 $x=a\tan t$，并限制 $-\frac{\pi}{2}<t<\frac{\pi}{2}$. 从而

$$\int\frac{\mathrm{d}x}{(x^2+a^2)^{\frac{3}{2}}}=\frac{1}{a^2}\int\cos t\mathrm{d}t=\frac{1}{a^2}\sin t+C=\frac{x}{a^2\sqrt{a^2+x^2}}+C.$$

【1782】 $\int\sqrt{\frac{a+x}{a-x}}\mathrm{d}x.$

解 被积函数的存在域为 $-a\leqslant x<a$，因此，令 $x=a\sin t$，并限制 $-\frac{\pi}{2}<t<\frac{\pi}{2}$. 从而

$$\begin{aligned}\int\sqrt{\frac{a+x}{a-x}}\mathrm{d}x&=a\int\sqrt{\frac{1+\sin t}{1-\sin t}}\cos t\mathrm{d}t=a\int(1+\sin t)\mathrm{d}t\\&=a(t-\cos t)+C=a\arcsin\frac{x}{a}-\sqrt{a^2-x^2}+C.\end{aligned}$$

【1783】 $\int x\sqrt{\frac{x}{2a-x}}\mathrm{d}x.$

解 被积函数的存在域为 $0\leqslant x<2a$，因此，令 $x=2a\sin^2 t$，并限制 $0\leqslant t<\frac{\pi}{2}$. 从而

$$\int x\sqrt{\frac{x}{2a-x}} = 8a^2\int \sin^4 t\mathrm{d}t = 8a^2\int\left(\frac{1-\cos 2t}{2}\right)^2\mathrm{d}t$$
$$= 2a^2\int(1-2\cos 2t+\cos^2 2t)\mathrm{d}t = 2a^2\int\left(1-2\cos 2t+\frac{1+\cos 4t}{2}\right)\mathrm{d}t$$
$$= a^2\int(3-4\cos 2t+\cos 4t)\mathrm{d}t = 3a^2 t-2a^2\sin 2t+\frac{a^2}{4}\sin 4t+C.$$

注意到

$$\sin 2t = 2\sin t\cos t = 2\sqrt{\frac{x}{2a}}\sqrt{1-\frac{x}{2a}} = \frac{1}{a}\sqrt{x(2a-x)},$$

及

$$\sin 4t = 2\sin 2t\cos 2t = 4\sin t\cos t(1-2\sin^2 t) = \frac{2}{a^2}(a-x)\sqrt{x(2a-x)},$$

最后得

$$\int x\sqrt{\frac{x}{2a-x}}\mathrm{d}x = 3a^2\arcsin\sqrt{\frac{x}{2a}}-2a^2\frac{1}{a}\sqrt{x(2a-x)}+\frac{1}{4}a^2\frac{2}{a^2}(a-x)\sqrt{x(2a-x)}+C$$
$$= 3a^2\arcsin\sqrt{\frac{x}{2a}}-\frac{3a+x}{2}\sqrt{x(2a-x)}+C.$$

【1784】 $\displaystyle\int\frac{\mathrm{d}x}{\sqrt{(x-a)(b-x)}}$.

解 不妨设 $a<b$. 被积函数的存在域为 $a<x<b$,故令 $x-a=(b-a)\sin^2 t$,并限制 $0<t<\frac{\pi}{2}$.

则

$$\int\frac{\mathrm{d}x}{\sqrt{(x-a)(b-x)}} = \int\frac{2(b-a)\sin t\cos t}{(b-a)\sin t\cos t}\mathrm{d}t = 2\int\mathrm{d}t = 2t+C = 2\arcsin\sqrt{\frac{x-a}{b-a}}+C.$$

【1785】 $\displaystyle\int\sqrt{(x-a)(b-x)}\mathrm{d}x$.

解 不妨设 $a<b$. 被积函数的存在域为 $a<x<b$,令 $x-a=(b-a)\sin^2 t$,并限制 $0<t<\frac{\pi}{2}$. 则

$$\int\sqrt{(x-a)(b-x)}\mathrm{d}x = 2(b-a)^2\int\sin^2 t\cos^2 t\mathrm{d}t = \frac{(b-a)^2}{2}\int\sin^2 2t\mathrm{d}t = \frac{(b-a)^2}{4}\int(1-\cos 4t)\mathrm{d}t$$
$$= \frac{(b-a)^2}{4}\left(t-\frac{1}{4}\sin 4t\right)+C$$
$$= \frac{(b-a)^2}{4}\arcsin\sqrt{\frac{x-a}{b-a}}+\frac{2x-(a+b)}{4}\sqrt{(x-a)(b-x)}+C,$$

其中

$$\frac{1}{4}\sin 4t = \sin t\cos t(1-2\sin^2 t) = \sqrt{\frac{x-a}{b-a}}\sqrt{1-\frac{x-a}{b-a}}\left(1-2\frac{x-a}{b-a}\right)$$
$$= -\frac{2x-(a+b)}{(b-a)^2}\sqrt{(x-a)(b-x)}.$$

【运用双曲函数代换,求下列积分(参数为正)(1786—1790)】

【1786】 $\displaystyle\int\sqrt{a^2+x^2}\mathrm{d}x$.

解 被积函数的存在域为 $-\infty<x<+\infty$,因此,令 $x=a\operatorname{sh} t$. 从而

$$\int\sqrt{a^2+x^2}\mathrm{d}x = \int a\operatorname{ch} t\cdot a\operatorname{ch} t\mathrm{d}t = a^2\int\operatorname{ch}^2 t\mathrm{d}t = a^2\left(\frac{t}{2}+\frac{1}{4}\operatorname{sh} 2t\right)+C_1.$$

注意到 $x+\sqrt{a^2+x^2}=a(\operatorname{sh} t+\operatorname{ch} t)=ae^t$,即 $t=\ln\dfrac{x+\sqrt{a^2+x^2}}{a}$ 及

$$\operatorname{sh} 2t = 2\operatorname{sh} t\operatorname{ch} t = \frac{2x\sqrt{a^2+x^2}}{a^2}.$$

最后得$\int \sqrt{a^2+x^2}\,dx = \frac{a^2}{2}\ln(x+\sqrt{a^2+x^2}) + \frac{x}{2}\sqrt{a^2+x^2} + C.$

注 本题用到 1762 题的结果.

【1787】$\int \frac{x^2}{\sqrt{a^2+x^2}}dx.$

解 令 $x = a\operatorname{sh} t$，则

$$\int \frac{x^2}{\sqrt{a^2+x^2}}dx = \int \frac{a\operatorname{sh}^2 t}{\operatorname{ch} t}\cdot a\operatorname{ch} t dt = a^2\int \operatorname{sh}^2 t dt = a^2\left(\frac{1}{4}\operatorname{sh} 2t - \frac{t}{2}\right) + C_1.$$

注意到 $x+\sqrt{a^2+x^2} = a(\operatorname{sh} t + \operatorname{ch} t) = ae^t$，即 $t = \ln\frac{x+\sqrt{a^2+x^2}}{a}$ 及

$$\operatorname{sh} 2t = 2\operatorname{sh} t\operatorname{ch} t = \frac{2x\sqrt{a^2+x^2}}{a^2}.$$

最后得$\int \frac{x^2}{\sqrt{a^2+x^2}}dx = \frac{x}{2}\sqrt{a^2+x^2} - \frac{a^2}{2}\ln(x+\sqrt{a^2+x^2}) + C.$

注 本题用到 1761 题的结果.

【1788】$\int \sqrt{\frac{x-a}{x+a}}dx.$

解 被积函数的存在域为 $x \geqslant a$ 及 $x < -a$.

(1) 当 $x > a$ 时，令 $x = a\operatorname{ch} t$，并限制 $t > 0$. 从而

$$\begin{aligned}\int \sqrt{\frac{x-a}{x+a}}dx &= \int \frac{\operatorname{ch} t - 1}{\operatorname{sh} t}\cdot a\operatorname{sh} t dt = a\int(\operatorname{ch} t - 1)dt = a\operatorname{sh} t - at + C_1\\ &= a\sqrt{\operatorname{ch}^2 t - 1} - at + C_1 = a\sqrt{\left(\frac{x}{a}\right)^2 - 1} - a\ln\left[\sqrt{\left(\frac{x}{a}\right)^2 - 1} + \frac{x}{a}\right] + C_1\\ &= \sqrt{x^2-a^2} - a\ln(\sqrt{x^2-a^2} + x) + C_2\\ &= \sqrt{x^2-a^2} - 2a\ln(\sqrt{x-a} + \sqrt{x+a}) + C.\end{aligned}$$

(2) 当 $x < -a$ 时，可设 $x = -a\operatorname{ch} t$，并限制 $t > 0$. 从而

$$\begin{aligned}\int \sqrt{\frac{x-a}{x+a}}dx &= \int \frac{\operatorname{ch} t + 1}{\operatorname{sh} t}\cdot(-a\operatorname{sh} t)dt = -a\int(\operatorname{ch} t + 1)dt = -a\operatorname{sh} t - at + C_1\\ &= -a\sqrt{\left(\frac{x}{a}\right)^2 - 1} - a\ln\left[\sqrt{\left(\frac{x}{a}\right)^2 - 1} - \frac{x}{a}\right] + C_1\\ &= -\sqrt{x^2-a^2} - a\ln(\sqrt{x^2-a^2} - x) + C_2\\ &= -\sqrt{x^2-a^2} - 2a\ln(\sqrt{-x+a} + \sqrt{-x-a}) + C.\end{aligned}$$

总之，当 $|x| > a$ 时，有

$$\int \sqrt{\frac{x-a}{x+a}}dx = \sqrt{x^2-a^2}\operatorname{sgn} x - 2a\ln(\sqrt{|x-a|} + \sqrt{|x+a|}) + C.$$

【1789】$\int \frac{dx}{\sqrt{(x+a)(x+b)}}.$

解 不妨设 $a < b$. 被积函数的存在域为 $x > -a$ 及 $x < -b$.

(1) 当 $x>-a$ 时,可设 $x+a=(b-a)\mathrm{sh}^2 t$,并限制 $t>0$. 从而

$$\int\frac{\mathrm{d}x}{\sqrt{(x+a)(x+b)}}=\int\frac{2(b-a)\mathrm{sh}\,t\mathrm{ch}\,t}{(b-a)\mathrm{sh}\,t\mathrm{ch}\,t}\mathrm{d}t=2\int\mathrm{d}t=2t+C_1.$$

注意到 $\sqrt{x+a}+\sqrt{x+b}=\sqrt{b-a}(\mathrm{sh}\,t+\mathrm{ch}\,t)=\sqrt{b-a}\,\mathrm{e}^t$,则

$$t=\ln\frac{\sqrt{x+a}+\sqrt{x+b}}{\sqrt{b-a}}.$$

最后得 $\displaystyle\int\frac{\mathrm{d}x}{\sqrt{(x+a)(x+b)}}=2\ln(\sqrt{x+a}+\sqrt{x+b})+C.$

(2) 当 $x<-b$ 时,可设 $x+b=(a-b)\mathrm{sh}^2 t$,并限制 $t>0$. 从而

$$\int\frac{\mathrm{d}x}{\sqrt{(x+a)(x+b)}}=\int\frac{-2(b-a)\mathrm{sh}\,t\mathrm{ch}\,t}{(b-a)\mathrm{sh}\,t\mathrm{ch}\,t}\mathrm{d}t=-2\int\mathrm{d}t=-2t+C_1$$

$$=-2\ln[\sqrt{-(x+a)}+\sqrt{-(x+b)}]+C.$$

总之

$$\int\frac{\mathrm{d}x}{\sqrt{(x+a)(x+b)}}=\begin{cases}2\ln(\sqrt{x+a}+\sqrt{x+b}), & x+a>0\text{ 且 }x+b>0,\\ -2\ln(\sqrt{-x-a}+\sqrt{-x-b}), & x+a<0\text{ 且 }x+b<0.\end{cases}$$

【1790】 $\displaystyle\int\sqrt{(x+a)(x+b)}\,\mathrm{d}x.$

解 不妨设 $a<b$. 被积函数的存在域为 $x>-a$ 及 $x<-b$.

(1) 当 $x>-a$ 时,可设 $x+a=(b-a)\mathrm{sh}^2 t$,并限制 $t>0$.

$$\int\sqrt{(x+a)(x+b)}\,\mathrm{d}x=2(b-a)^2\int\mathrm{sh}^2 t\mathrm{ch}^2 t\mathrm{d}t=\frac{1}{2}(b-a)^2\int\mathrm{sh}^2 2t\mathrm{d}t$$

$$=\frac{1}{4}(b-a)^2\int(\mathrm{ch}\,4t-1)\mathrm{d}t=\frac{1}{4}(b-a)^2\left(\frac{1}{4}\mathrm{sh}\,4t-t\right)+C_1$$

$$=\frac{1}{4}(b-a)^2[\mathrm{sh}\,t\mathrm{ch}\,t(1+2\mathrm{sh}^2 t)-t]+C_1$$

$$=\frac{1}{4}(b-a)^2\left[\sqrt{\frac{x+a}{b-a}}\sqrt{1+\frac{x+a}{b-a}}\left(1+2\cdot\frac{x+a}{b-a}\right)-\ln(\sqrt{x+a}+\sqrt{x+b})\right]+C$$

$$=\frac{2x+a+b}{4}\sqrt{(x+a)(x+b)}-\frac{(b-a)^2}{4}\ln(\sqrt{x+a}+\sqrt{x+b})+C.$$

(2) 当 $x<-b$ 时,可设 $x+b=(a-b)\mathrm{sh}^2 t$,并限制 $t>0$. 从而

$$\int\sqrt{(x+a)(x+b)}\,\mathrm{d}x=-2(b-a)^2\int\mathrm{sh}^2 t\mathrm{ch}^2 t\mathrm{d}t=-\frac{1}{2}(b-a)^2\int\mathrm{sh}^2 2t\mathrm{d}t$$

$$=-\frac{1}{4}(b-a)^2\int(\mathrm{ch}\,4t-1)\mathrm{d}t=-\frac{1}{4}(b-a)^2\left(\frac{1}{4}\mathrm{sh}\,4t-t\right)+C_1$$

$$=-\frac{1}{4}(b-a)^2[\mathrm{sh}\,t\mathrm{ch}\,t(1+2\mathrm{sh}^2 t)-t]+C_1$$

$$=-\frac{1}{4}(b-a)^2\left[\sqrt{\frac{x+b}{a-b}}\sqrt{1+\frac{x+b}{a-b}}\left(1+2\cdot\frac{x+b}{a-b}\right)-\ln(\sqrt{-x-a}+\sqrt{-x-b})\right]+C$$

$$=\frac{2x+a+b}{4}\sqrt{(x+a)(x+b)}+\frac{(b-a)^2}{4}\ln(\sqrt{-x-a}+\sqrt{-x-b})+C.$$

总之

$$\int\sqrt{(x+a)(x+b)}\,\mathrm{d}x=$$

$$\begin{cases}\dfrac{2x+a+b}{4}\sqrt{(x+a)(x+b)}-\dfrac{(b-a)^2}{4}\ln(\sqrt{x+a}+\sqrt{x+b})+C, & x+a>0\text{ 且 }x+b>0,\\ \dfrac{2x+a+b}{4}\sqrt{(x+a)(x+b)}+\dfrac{(b-a)^2}{4}\ln(\sqrt{-x-a}+\sqrt{-x-b})+C, & x+a<0\text{ 且 }x+b<0.\end{cases}$$

习题 1791—1835 用分部积分方法求不定积分

【用分部积分法，求下列不定积分(1791—1810)】

【1791】 $\int \ln x\mathrm{d}x.$

解 $\int \ln x\mathrm{d}x = x\ln x - \int x \cdot \frac{1}{x}\mathrm{d}x = x(\ln x - 1) + C.$

【1792】 $\int x^n \ln x\mathrm{d}x (n \neq -1).$

解 $\int x^n \ln x\mathrm{d}x = \frac{1}{n+1}\int \ln x\mathrm{d}(x^{n+1}) = \frac{1}{n+1}x^{n+1}\ln x - \frac{1}{n+1}\int x^{n+1} \cdot \frac{1}{x}\mathrm{d}x$

$= \frac{x^{n+1}}{n+1}\ln x - \frac{x^{n+1}}{(n+1)^2} + C.$

【1793】 $\int \left(\frac{\ln x}{x}\right)^2 \mathrm{d}x.$

解 $\int \left(\frac{\ln x}{x}\right)^2 \mathrm{d}x = -\int \ln^2 x\mathrm{d}\left(\frac{1}{x}\right) = -\frac{\ln^2 x}{x} + \int \frac{1}{x} \cdot 2\ln x \cdot \frac{1}{x}\mathrm{d}x = -\frac{\ln^2 x}{x} - 2\int \ln x\mathrm{d}\left(\frac{1}{x}\right)$

$= -\frac{\ln^2 x}{x} - \frac{2\ln x}{x} + 2\int \frac{1}{x} \cdot \frac{1}{x}\mathrm{d}x = -\frac{\ln^2 x + 2\ln x + 2}{x} + C.$

【1794】 $\int \sqrt{x}\ln^2 x\mathrm{d}x.$

解 $\int \sqrt{x}\ln^2 x\mathrm{d}x = \frac{2}{3}\int \ln^2 x\mathrm{d}(x^{\frac{3}{2}}) = \frac{2}{3}x^{\frac{3}{2}}\ln^2 x - \frac{4}{3}\int x^{\frac{3}{2}}\ln x \cdot \frac{1}{x}\mathrm{d}x$

$= \frac{2}{3}x^{\frac{3}{2}}\ln^2 x - \frac{8}{9}\int \ln x\mathrm{d}(x^{\frac{3}{2}}) = \frac{2}{3}x^{\frac{3}{2}}\ln^2 x - \frac{8}{9}x^{\frac{3}{2}}\ln x + \frac{8}{9}\int x^{\frac{3}{2}} \cdot \frac{1}{x}\mathrm{d}x$

$= \frac{2}{3}x^{\frac{3}{2}}\left(\ln^2 x - \frac{4}{3}\ln x + \frac{8}{9}\right) + C.$

【1795】 $\int x\mathrm{e}^{-x}\mathrm{d}x.$

解 $\int x\mathrm{e}^{-x}\mathrm{d}x = -\int x\mathrm{d}(\mathrm{e}^{-x}) = -x\mathrm{e}^{-x} + \int \mathrm{e}^{-x}\mathrm{d}x = -\mathrm{e}^{-x}(x+1) + C.$

【1796】 $\int x^2\mathrm{e}^{-2x}\mathrm{d}x$

解 $\int x^2\mathrm{e}^{-2x}\mathrm{d}x = -\frac{1}{2}\int x^2\mathrm{d}(\mathrm{e}^{-2x}) = -\frac{1}{2}x^2\mathrm{e}^{-2x} + \frac{1}{2}\int \mathrm{e}^{-2x}2x\mathrm{d}x = -\frac{1}{2}x^2\mathrm{e}^{-2x} - \frac{1}{2}\int x\mathrm{d}(\mathrm{e}^{-2x})$

$= -\frac{1}{2}x^2\mathrm{e}^{-2x} - \frac{1}{2}x\mathrm{e}^{-2x} + \frac{1}{2}\int \mathrm{e}^{-2x}\mathrm{d}x = -\frac{\mathrm{e}^{-2x}(2x^2 + 2x + 1)}{4} + C.$

【1797】 $\int x^3\mathrm{e}^{-x^2}\mathrm{d}x.$

解 $\int x^3\mathrm{e}^{-x^2}\mathrm{d}x = -\frac{1}{2}\int x^2\mathrm{d}(\mathrm{e}^{-x^2}) = -\frac{1}{2}x^2\mathrm{e}^{-x^2} + \frac{1}{2}\int \mathrm{e}^{-x^2}\mathrm{d}(x^2) = -\frac{x^2+1}{2}\mathrm{e}^{-x^2} + C.$

【1798】 $\int x\cos x\mathrm{d}x.$

解 $\int x\cos x\mathrm{d}x = \int x\mathrm{d}(\sin x) = x\sin x - \int \sin x\mathrm{d}x = x\sin x + \cos x + C.$

【1799】 $\int x^2\sin 2x\mathrm{d}x.$

解 $\int x^2\sin 2x\mathrm{d}x=-\frac{1}{2}\int x^2\mathrm{d}(\cos 2x)=-\frac{1}{2}x^2\cos 2x+\frac{1}{2}\int x\mathrm{d}(\sin 2x)$

$$=-\frac{1}{2}x^2\cos 2x+\frac{1}{2}x\sin 2x-\frac{1}{2}\int\sin 2x\mathrm{d}x$$

$$=-\frac{2x^2-1}{4}\cos 2x+\frac{1}{2}x\sin 2x+C.$$

【1800】 $\int x\operatorname{sh}x\mathrm{d}x.$

解 $\int x\operatorname{sh}x\mathrm{d}x=\int x\mathrm{d}(\operatorname{ch}x)=x\operatorname{ch}x-\int\operatorname{ch}x\mathrm{d}x=x\operatorname{ch}x-\operatorname{sh}x+C.$

【1801】 $\int x^3\operatorname{ch}3x\mathrm{d}x.$

解 $\int x^3\operatorname{ch}3x\mathrm{d}x=\frac{1}{3}\int x^3\mathrm{d}(\operatorname{sh}3x)=\frac{1}{3}x^3\operatorname{sh}3x-\int x^2\operatorname{sh}3x\mathrm{d}x$

$$=\frac{1}{3}x^3\operatorname{sh}3x-\frac{1}{3}\int x^2\mathrm{d}(\operatorname{ch}3x)=\frac{1}{3}x^3\operatorname{sh}3x-\frac{1}{3}x^2\operatorname{ch}3x+\frac{2}{3}\int x\operatorname{ch}3x\mathrm{d}x$$

$$=\frac{1}{3}x^3\operatorname{sh}3x-\frac{1}{3}x^2\operatorname{ch}3x+\frac{2}{9}\int x\mathrm{d}(\operatorname{sh}3x)$$

$$=\frac{1}{3}x^3\operatorname{sh}3x-\frac{1}{3}x^2\operatorname{ch}3x+\frac{2}{9}x\operatorname{sh}3x-\frac{2}{9}\int\operatorname{sh}3x\mathrm{d}x$$

$$=\left(\frac{x^3}{3}+\frac{2x}{9}\right)\operatorname{sh}3x-\left(\frac{x^2}{3}+\frac{2}{27}\right)\operatorname{ch}3x+C.$$

【1802】 $\int\arctan x\mathrm{d}x.$

解 $\int\arctan x\mathrm{d}x=x\arctan x-\int\frac{x}{1+x^2}\mathrm{d}x=x\arctan x-\frac{1}{2}\ln(1+x^2)+C.$

【1803】 $\int\arcsin x\mathrm{d}x.$

解 $\int\arcsin x\mathrm{d}x=x\arcsin x-\int\frac{x}{\sqrt{1-x^2}}\mathrm{d}x=x\arcsin x+\sqrt{1-x^2}+C.$

【1804】 $\int x\arctan x\mathrm{d}x.$

解 $\int x\arctan x\mathrm{d}x=\frac{1}{2}\int\arctan x\mathrm{d}(x^2)=\frac{1}{2}x^2\arctan x-\frac{1}{2}\int\frac{x^2}{1+x^2}\mathrm{d}x$

$$=\frac{1}{2}x^2\arctan x-\frac{1}{2}\int\left(1-\frac{1}{1+x^2}\right)\mathrm{d}x=\frac{1+x^2}{2}\arctan x-\frac{x}{2}+C.$$

【1805】 $\int x^2\arccos x\mathrm{d}x.$

解 $\int x^2\arccos x\mathrm{d}x=\frac{1}{3}\int\arccos x\mathrm{d}(x^3)=\frac{1}{3}x^3\arccos x+\frac{1}{3}\int\frac{x^3}{\sqrt{1-x^2}}\mathrm{d}x$

$$=\frac{1}{3}x^3\arccos x-\frac{1}{6}\int\frac{x^2}{\sqrt{1-x^2}}\mathrm{d}(1-x^2)$$

$$=\frac{1}{3}x^3\arccos x-\frac{1}{6}\int\left(\frac{1}{\sqrt{1-x^2}}-\sqrt{1-x^2}\right)\mathrm{d}(1-x^2)$$

$$=\frac{1}{3}x^3\arccos x-\frac{1}{3}\sqrt{1-x^2}+\frac{1}{9}(1-x^2)^{\frac{3}{2}}+C$$

$$=\frac{1}{3}x^3\arccos x-\frac{x^2+2}{9}\sqrt{1-x^2}+C.$$

【1806】 $\int \frac{\arcsin x}{x^2}\mathrm{d}x.$

解 $\int \frac{\arcsin x}{x^2}\mathrm{d}x = -\int \arcsin x\mathrm{d}\left(\frac{1}{x}\right) = -\frac{1}{x}\arcsin x + \int \frac{\mathrm{d}x}{x\sqrt{1-x^2}}.$

对最后一个积分作代换 $x=\sin t$，得

$$\int \frac{\mathrm{d}x}{x\sqrt{1-x^2}} = \int \frac{\cos t\mathrm{d}t}{\sin t\cos t} = \int \frac{\mathrm{d}t}{\sin t} = \ln\left|\tan\frac{t}{2}\right| + C = \ln\left|\frac{\sin t}{1+\cos t}\right| + C$$

$$= -\ln\left|\frac{1+\cos t}{\sin t}\right| + C = -\ln\left|\frac{1+\sqrt{1-x^2}}{x}\right| + C.$$

最后得

$$\int \frac{\arcsin x}{x^2}\mathrm{d}x = -\frac{1}{x}\arcsin x - \ln\left|\frac{1+\sqrt{1-x^2}}{x}\right| + C.$$

注 本题用到1703题的结果.

【1807】 $\int \ln(x+\sqrt{1+x^2})\mathrm{d}x.$

解 $\int \ln(x+\sqrt{1+x^2})\mathrm{d}x = x\ln(x+\sqrt{1+x^2}) - \int \frac{x}{\sqrt{1+x^2}}\mathrm{d}x$

$$= x\ln(x+\sqrt{1+x^2}) - \sqrt{1+x^2} + C.$$

【1808】 $\int x\ln\frac{1+x}{1-x}\mathrm{d}x.$

解 $\int x\ln\frac{1+x}{1-x}\mathrm{d}x = \frac{1}{2}\int \ln\frac{1+x}{1-x}\mathrm{d}(x^2) = \frac{x^2}{2}\ln\frac{1+x}{1-x} - \int \frac{x^2}{1-x^2}\mathrm{d}x$

$$= \frac{x^2}{2}\ln\frac{1+x}{1-x} + \int\left(1-\frac{1}{1-x^2}\right)\mathrm{d}x = x - \frac{1-x^2}{2}\ln\frac{1+x}{1-x} + C.$$

【1809】 $\int \arctan\sqrt{x}\mathrm{d}x.$

解 方法一 $\int \arctan\sqrt{x}\mathrm{d}x = x\arctan\sqrt{x} - \frac{1}{2}\int \frac{x}{\sqrt{x}(1+x)}\mathrm{d}x = x\arctan\sqrt{x} - \int\left(1-\frac{1}{1+x}\right)\mathrm{d}(\sqrt{x})$

$$= (x+1)\arctan\sqrt{x} - \sqrt{x} + C.$$

方法二 令 $t=\arctan\sqrt{x}$，则

$$\int \arctan\sqrt{x}\mathrm{d}x = \int t\mathrm{d}(\tan^2 t) = t\cdot\tan^2 t - \int \tan^2 t\mathrm{d}t = t\cdot\tan^2 t - \int(\sec^2 t - 1)\mathrm{d}t$$

$$= (\tan^2 t + 1)t - \tan t + C = (x+1)\arctan\sqrt{x} - \sqrt{x} + C.$$

【1810】 $\int \sin x\ln(\tan x)\mathrm{d}x.$

解 $\int \sin x\ln(\tan x)\mathrm{d}x = -\int \ln(\tan x)\mathrm{d}(\cos x) = -\cos x\ln(\tan x) + \int \cos x\cot x\sec^2 x\mathrm{d}x$

$$= -\cos x\ln(\tan x) + \int \frac{\mathrm{d}x}{\sin x} = -\cos x\ln(\tan x) + \ln\left|\tan\frac{x}{2}\right| + C.$$

【求下列不定积分(1811—1835)】

【1811】 $\int x^5 \mathrm{e}^{x^3}\mathrm{d}x.$

解 $\int x^5\mathrm{e}^{x^3}\mathrm{d}x = \frac{1}{3}\int x^3\mathrm{d}(\mathrm{e}^{x^3}) = \frac{1}{3}x^3\mathrm{e}^{x^3} - \frac{1}{3}\int \mathrm{e}^{x^3}\mathrm{d}(x^3) = \frac{1}{3}(x^3-1)\mathrm{e}^{x^3} + C.$

【1812】 $\int(\arcsin x)^2\mathrm{d}x$.

解 $\int(\arcsin x)^2\mathrm{d}x = x(\arcsin x)^2 - 2\int\frac{x\arcsin x}{\sqrt{1-x^2}}\mathrm{d}x = x(\arcsin x)^2 + 2\int\arcsin x\mathrm{d}(\sqrt{1-x^2})$

$= x(\arcsin x)^2 + 2\sqrt{1-x^2}\arcsin x - 2\int\mathrm{d}x$

$= x(\arcsin x)^2 + 2\sqrt{1-x^2}\arcsin x - 2x + C$.

【1813】 $\int x(\arctan x)^2\mathrm{d}x$.

解 $\int x(\arctan x)^2\mathrm{d}x = \frac{1}{2}\int(\arctan x)^2\mathrm{d}(x^2) = \frac{x^2}{2}(\arctan x)^2 - \int\frac{x^2\arctan x}{1+x^2}\mathrm{d}x$

$= \frac{x^2}{2}(\arctan x)^2 - \int\left(1-\frac{1}{1+x^2}\right)\arctan x\mathrm{d}x$

$= \frac{x^2}{2}(\arctan x)^2 - \int\arctan x\mathrm{d}x + \int\arctan x\mathrm{d}(\arctan x)$

$= \frac{x^2}{2}(\arctan x)^2 - x\arctan x + \int\frac{x\mathrm{d}x}{1+x^2} + \frac{1}{2}(\arctan x)^2$

$= \frac{x^2+1}{2}(\arctan x)^2 - x\arctan x + \frac{1}{2}\ln(1+x^2) + C$.

【1814】 $\int x^2\ln\frac{1-x}{1+x}\mathrm{d}x$.

解 $\int x^2\ln\frac{1-x}{1+x}\mathrm{d}x = \frac{1}{3}\int\ln\frac{1-x}{1+x}\mathrm{d}(x^3) = \frac{x^3}{3}\ln\frac{1-x}{1+x} + \frac{2}{3}\int\frac{x^3}{1-x^2}\mathrm{d}x$

$= \frac{x^3}{3}\ln\frac{1-x}{1+x} + \frac{2}{3}\int\left(-x+\frac{x}{1-x^2}\right)\mathrm{d}x$

$= \frac{x^3}{3}\ln\frac{1-x}{1+x} - \frac{1}{3}x^2 - \frac{1}{3}\ln(1-x^2) + C$.

【1815】 $\int\frac{x\ln(x+\sqrt{1+x^2})}{\sqrt{1+x^2}}\mathrm{d}x$.

解 $\int\frac{x\ln(x+\sqrt{1+x^2})}{\sqrt{1+x^2}}\mathrm{d}x = \int\ln(x+\sqrt{1+x^2})\mathrm{d}(\sqrt{1+x^2})$

$= \sqrt{1+x^2}\ln(x+\sqrt{1+x^2}) - \int\sqrt{1+x^2}\cdot\frac{1}{\sqrt{1+x^2}}\mathrm{d}x$

$= \sqrt{1+x^2}\ln(x+\sqrt{1+x^2}) - x + C$.

【1816】 $\int\frac{x^2}{(1+x^2)^2}\mathrm{d}x$.

解 $\int\frac{x^2}{(1+x^2)^2}\mathrm{d}x = \frac{1}{2}\int\frac{x}{(1+x^2)^2}\mathrm{d}(1+x^2) = -\frac{1}{2}\int x\mathrm{d}\left(\frac{1}{1+x^2}\right)$

$= -\frac{x}{2(1+x^2)} + \frac{1}{2}\int\frac{\mathrm{d}x}{1+x^2} = -\frac{x}{2(1+x^2)} + \frac{1}{2}\arctan x + C$.

【1817】 $\int\frac{\mathrm{d}x}{(a^2+x^2)^2}$.

解 当 $a=0$ 时，有 $\int\frac{\mathrm{d}x}{(a^2+x^2)^2} = \int\frac{\mathrm{d}x}{x^4} = -\frac{1}{3x^3} + C$.

当 $a\neq 0$ 时，由于

$\frac{1}{a}\arctan\frac{x}{a} = \int\frac{\mathrm{d}x}{x^2+a^2} = \frac{x}{x^2+a^2} + 2\int\frac{x^2+a^2-a^2}{(x^2+a^2)^2}\mathrm{d}x = \frac{x}{x^2+a^2} + 2\int\frac{\mathrm{d}x}{x^2+a^2} - 2a^2\int\frac{1}{(x^2+a^2)^2}\mathrm{d}x$,

故$\int \frac{\mathrm{d}x}{(x^2+a^2)^2} = \frac{1}{2a^2}\left(\frac{x}{x^2+a^2}+\frac{1}{a}\arctan\frac{x}{a}\right)+C.$

【1818】 $\int \sqrt{a^2-x^2}\,\mathrm{d}x.$

解 $$\int \sqrt{a^2-x^2}\,\mathrm{d}x = x\sqrt{a^2-x^2}+\int \frac{x^2}{\sqrt{a^2-x^2}}\mathrm{d}x = x\sqrt{a^2-x^2}+\int \frac{a^2-(a^2-x^2)}{\sqrt{a^2-x^2}}\mathrm{d}x$$

$$= x\sqrt{a^2-x^2}+a^2\arcsin\frac{x}{|a|}-\int \sqrt{a^2-x^2}\,\mathrm{d}x.$$

于是$\int \sqrt{a^2-x^2}\,\mathrm{d}x = \frac{x}{2}\sqrt{a^2-x^2}+\frac{a^2}{2}\arcsin\frac{x}{|a|}+C.$

【1819】 $\int \sqrt{x^2+a}\,\mathrm{d}x.$

解 $$\int \sqrt{x^2+a}\,\mathrm{d}x = x\sqrt{x^2+a}-\int \frac{x^2\mathrm{d}x}{\sqrt{x^2+a}} = x\sqrt{x^2+a}-\int \sqrt{x^2+a}\,\mathrm{d}x+a\int \frac{\mathrm{d}x}{\sqrt{x^2+a}}.$$

于是$\int \sqrt{x^2+a}\,\mathrm{d}x = \frac{x}{2}\sqrt{x^2+a}+\frac{a}{2}\int \frac{\mathrm{d}x}{\sqrt{x^2+a}} = \frac{x}{2}\sqrt{x^2+a}+\frac{a}{2}\ln|x+\sqrt{x^2+a}|+C.$

【1820】 $\int x^2\sqrt{a^2+x^2}\,\mathrm{d}x.$

解 $$\int x^2\sqrt{a^2+x^2}\,\mathrm{d}x = \frac{1}{2}\int x(a^2+x^2)^{\frac{1}{2}}\mathrm{d}(a^2+x^2) = \frac{1}{3}\int x\mathrm{d}[(a^2+x^2)^{\frac{3}{2}}]$$

$$= \frac{1}{3}x(a^2+x^2)^{\frac{3}{2}}-\frac{1}{3}\int (a^2+x^2)^{\frac{3}{2}}\mathrm{d}x$$

$$= \frac{1}{3}x(a^2+x^2)\sqrt{a^2+x^2}-\frac{a^2}{3}\int \sqrt{a^2+x^2}\,\mathrm{d}x-\frac{1}{3}\int x^2\sqrt{a^2+x^2}\,\mathrm{d}x.$$

于是

$$\int x^2\sqrt{a^2+x^2}\,\mathrm{d}x = \frac{3}{4}\left[\frac{1}{3}x(a^2+x^2)\sqrt{a^2+x^2}-\frac{a^2}{3}\int \sqrt{a^2+x^2}\,\mathrm{d}x\right]$$

$$= \frac{1}{4}x(a^2+x^2)\sqrt{a^2+x^2}-\frac{a^2}{4}\left[\frac{x}{2}\sqrt{a^2+x^2}+\frac{a^2}{2}\ln(x+\sqrt{a^2+x^2})\right]+C$$

$$= \frac{x(2x^2+a^2)}{8}\sqrt{a^2+x^2}-\frac{a^4}{8}\ln(x+\sqrt{x^2+a^2})+C.$$

注 本题用到1786题的结果.

【1821】 $\int x\sin^2 x\,\mathrm{d}x.$

解 $$\int x\sin^2 x\,\mathrm{d}x = \frac{1}{2}\int x(1-\cos 2x)\mathrm{d}x = \frac{1}{2}\int x\mathrm{d}x-\frac{1}{2}\int x\cos 2x\mathrm{d}x$$

$$= \frac{1}{4}x^2-\frac{1}{4}\int x\mathrm{d}(\sin 2x) = \frac{1}{4}x^2-\frac{1}{4}x\sin 2x+\frac{1}{4}\int \sin 2x\mathrm{d}x$$

$$= \frac{1}{4}x^2-\frac{x}{4}\sin 2x-\frac{1}{8}\cos 2x+C.$$

【1822】 $\int \mathrm{e}^{\sqrt{x}}\mathrm{d}x.$

解 设$\sqrt{x}=t$，则$x=t^2$，$\mathrm{d}x=2t\mathrm{d}t$，代入得

$$\int \mathrm{e}^{\sqrt{x}}\mathrm{d}x = 2\int t\mathrm{e}^t\mathrm{d}t = 2\int t\mathrm{d}(\mathrm{e}^t) = 2t\mathrm{e}^t-2\int \mathrm{e}^t\mathrm{d}t = 2t\mathrm{e}^t-2\mathrm{e}^t+C = 2(\sqrt{x}-1)\mathrm{e}^{\sqrt{x}}+C.$$

【1823】 $\int x\sin\sqrt{x}\,\mathrm{d}x.$

解 设$\sqrt{x}=t$,则$x=t^2$,$\mathrm{d}x=2t\mathrm{d}t$,于是

$$\int x\sin\sqrt{x}\mathrm{d}x=2\int t^3\sin t\mathrm{d}t=-2\int t^3\mathrm{d}(\cos t)=-2t^3\cos t+6\int t^2\cos t\mathrm{d}t=-2t^3\cos t+6\int t^2\mathrm{d}(\sin t)$$

$$=-2t^3\cos t+6t^2\sin t-12\int t\sin t\mathrm{d}t=-2t^3\cos t+6t^2\sin t+12\int t\mathrm{d}(\cos t)$$

$$=-2t^3\cos t+6t^2\sin t+12t\cos t-12\int\cos t\mathrm{d}t$$

$$=-2t^3\cos t+6t^2\sin t+12t\cos t-12\sin t+C$$

$$=2\sqrt{x}(6-x)\cos\sqrt{x}+6(x-2)\sin\sqrt{x}+C.$$

【1824】 $\int\sin(\ln x)\mathrm{d}x.$

解 $\int\sin(\ln x)\mathrm{d}x=x\sin(\ln x)-\int\cos(\ln x)\mathrm{d}x=x\sin(\ln x)-x\cos(\ln x)-\int\sin(\ln x)\mathrm{d}x.$

于是$\int\sin(\ln x)\mathrm{d}x=\frac{x}{2}[\sin(\ln x)-\cos(\ln x)]+C.$

【1825】 $\int\cos(\ln x)\mathrm{d}x.$

解 $\int\cos(\ln x)\mathrm{d}x=x\cos(\ln x)+\int\sin(\ln x)\mathrm{d}x=x\cos(\ln x)+x\sin(\ln x)-\int\cos(\ln x)\mathrm{d}x.$

于是$\int\cos(\ln x)\mathrm{d}x=\frac{x}{2}[\sin(\ln x)+\cos(\ln x)]+C.$

注 本题用到1824题的结果.

【1826】 $\int e^{ax}\cos bx\mathrm{d}x.$

解 如果$a=0,b=0$,积分为$x+C$;若$a=0,b\neq0$,积分为$\frac{1}{b}\sin bx+C$. 以下设$a\neq0$.

$$\int e^{ax}\cos bx\mathrm{d}x=\frac{1}{a}\int\cos bx\mathrm{d}(e^{ax})=\frac{1}{a}e^{ax}\cos bx+\frac{b}{a}\int e^{ax}\sin bx\mathrm{d}x$$

$$=\frac{1}{a}e^{ax}\cos bx+\frac{b}{a^2}\int\sin bx\mathrm{d}(e^{ax})=\frac{1}{a}e^{ax}\cos bx+\frac{b}{a^2}e^{ax}\sin bx-\frac{b^2}{a^2}\int e^{ax}\cos bx\mathrm{d}x,$$

于是$\int e^{ax}\cos bx\mathrm{d}x=\frac{e^{ax}(a\cos bx+b\sin bx)}{a^2+b^2}+C.$

【1827】 $\int e^{ax}\sin bx\mathrm{d}x.$

解 若$a=b=0$,则积分为$x+C$;若$a=0,b\neq0$,则积分为$-\frac{1}{b}\cos bx+C$. 以下设$a\neq0$.

$$\int e^{ax}\sin bx\mathrm{d}x=\frac{1}{a}\int\sin bx\mathrm{d}(e^{ax})=\frac{1}{a}e^{ax}\sin bx-\frac{b}{a}\int e^{ax}\cos bx\mathrm{d}x=\frac{1}{a}e^{ax}\sin bx-\frac{b}{a^2}\int\cos bx\mathrm{d}(e^{ax})$$

$$=\frac{1}{a}e^{ax}\sin bx-\frac{b}{a^2}e^{ax}\cos bx-\frac{b^2}{a^2}\int e^{ax}\sin bx\mathrm{d}x.$$

于是$\int e^{ax}\sin bx\mathrm{d}x=\frac{e^{ax}(a\sin bx-b\cos bx)}{a^2+b^2}+C.$

【1828】 $\int\frac{xe^{\arctan x}}{(1+x^2)^{\frac{3}{2}}}\mathrm{d}x.$

解 **方法一** 记$I_1=\int\frac{xe^{\arctan x}}{(1+x^2)^{\frac{3}{2}}}\mathrm{d}x,I_2=\int\frac{e^{\arctan x}}{(1+x^2)^{\frac{3}{2}}}\mathrm{d}x.$

$$I_1=-\int e^{\arctan x}d\left(\frac{1}{\sqrt{1+x^2}}\right)=-\frac{e^{\arctan x}}{\sqrt{1+x^2}}+I_2,I_1=\int\frac{x}{\sqrt{1+x^2}}d(e^{\arctan x})=\frac{xe^{\arctan x}}{\sqrt{1+x^2}}-I_2,$$

则两式相加得$\int\frac{xe^{\arctan x}}{(1+x^2)^{\frac{3}{2}}}dx=\frac{x-1}{2\sqrt{1+x^2}}e^{\arctan x}+C.$

方法二 设 $t=\arctan x$，则 $x=\tan t$，于是

$$\int\frac{xe^{\arctan x}}{(1+x^2)^{\frac{3}{2}}}dx=\int\frac{\tan t\cdot e^t}{\sec^3 t}\cdot\sec^2 tdt=\int e^t\sin tdt=\frac{e^t(\sin t-\cos t)}{2}+C=\frac{x-1}{2\sqrt{1+x^2}}e^{\arctan x}+C.$$

注 方法二用到1827题的结果.

【1829】 $\int\frac{e^{\arctan x}}{(1+x^2)^{\frac{3}{2}}}dx.$

解 **方法一** 记 $I_1=\int\frac{xe^{\arctan x}}{(1+x^2)^{\frac{3}{2}}}dx,I_2=\int\frac{e^{\arctan x}}{(1+x^2)^{\frac{3}{2}}}dx.$

$$I_1=-\int e^{\arctan x}d\left(\frac{1}{\sqrt{1+x^2}}\right)=-\frac{e^{\arctan x}}{\sqrt{1+x^2}}+I_2,$$

$$I_1=\int\frac{x}{\sqrt{1+x^2}}d(e^{\arctan x})=\frac{xe^{\arctan x}}{\sqrt{1+x^2}}-I_2,$$

两式相减得$\int\frac{e^{\arctan x}}{(1+x^2)^{\frac{3}{2}}}dx=\frac{x+1}{2\sqrt{1+x^2}}e^{\arctan x}+C.$

方法二 设 $t=\arctan x$，则 $x=\tan t$，于是

$$\int\frac{e^{\arctan x}}{(1+x^2)^{\frac{3}{2}}}dx=\int\frac{e^t}{\sec^3 t}\cdot\sec^2 tdt=\int e^t\cos tdt=\frac{e^t(\sin t+\cos t)}{2}+C=\frac{x+1}{2\sqrt{1+x^2}}e^{\arctan x}+C.$$

注 方法二用到1826题的结果.

【1830】 $\int e^{2x}\sin^2 xdx.$

解
$$\begin{aligned}\int e^{2x}\sin^2 xdx&=\frac{1}{2}\int e^{2x}(1-\cos 2x)dx=\frac{1}{2}\int e^{2x}dx-\frac{1}{2}\int e^{2x}\cos 2xdx\\&=\frac{1}{4}e^{2x}-\frac{1}{2}\left(\frac{\cos 2x+\sin 2x}{4}e^{2x}\right)+C=\frac{1}{8}e^{2x}(2-\cos 2x-\sin 2x)+C,\end{aligned}$$

其中$\int e^{2x}\cos 2xdx=\frac{e^{2x}(\cos 2x+\sin 2x)}{4}+C_1.$

注 本题用到1826题的结果.

【1831】 $\int(e^x-\cos x)^2dx.$

解
$$\begin{aligned}\int(e^x-\cos x)^2dx&=\int(e^{2x}-2e^x\cos x+\cos^2 x)dx\\&=\frac{1}{2}e^{2x}-2\cdot\frac{e^x(\cos x+\sin x)}{2}+\left(\frac{x}{2}+\frac{1}{4}\sin 2x\right)+C,\end{aligned}$$

其中$\int e^x\cos xdx=\frac{e^x(\cos x+\sin x)}{2}+C_1,\int\cos^2 xdx=\frac{x}{2}+\frac{1}{4}\sin 2x+C_2.$

注 本题用到1826题和1742题的结果.

【1832】 $\int \frac{\operatorname{arccot}(e^x)}{e^x}dx$.

解 $\int \frac{\operatorname{arccot}(e^x)}{e^x}dx = -\int \operatorname{arccot}(e^x)d(e^{-x}) = -e^{-x}\operatorname{arccot}(e^x) - \int \frac{dx}{1+e^{2x}}$

$= -e^{-x}\operatorname{arccot}(e^x) - \frac{1}{2}[2x - \ln(1+e^{2x})] + C$

$= -e^{-x}\operatorname{arccot}(e^x) - x + \frac{1}{2}\ln(1+e^{2x}) + C.$

注 本题用到 1759 题的结果.

【1833】 $\int \frac{\ln(\sin x)}{\sin^2 x}dx$.

解 $\int \frac{\ln(\sin x)}{\sin^2 x}dx = -\int \ln(\sin x)d(\cot x) = -\cot x\ln(\sin x) + \int \cot^2 x dx$

$= -\cot x\ln(\sin x) + (-\cot x - x) + C$

$= -x - \cot x - \cot x \cdot \ln(\sin x) + C.$

注 本题用到 1751 题的结果.

【1834】 $\int \frac{xdx}{\cos^2 x}$.

解 $\int \frac{xdx}{\cos^2 x} = \int xd(\tan x) = x\tan x - \int \tan xdx = x\tan x + \ln|\cos x| + C.$

【1835】 $\int \frac{xe^x}{(x+1)^2}dx$.

解 $\int \frac{xe^x}{(x+1)^2}dx = -\int xe^x d\left(\frac{1}{1+x}\right) = -\frac{x}{1+x}e^x + \int e^x dx = -\frac{x}{1+x}e^x + e^x + C = \frac{e^x}{1+x} + C.$

知识点 3 常用不定积分公式

(1) $\int \frac{dx}{a^2+x^2} = \frac{1}{a}\arctan\frac{x}{a} + C\ (a\neq 0)$;

(2) $\int \frac{dx}{a^2-x^2} = \frac{1}{2a}\ln\left|\frac{a+x}{a-x}\right| + C\ (a\neq 0)$;

(3) $\int \frac{xdx}{a^2\pm x^2} = \pm\frac{1}{2}\ln|a^2\pm x^2| + C$;

(4) $\int \frac{dx}{\sqrt{a^2-x^2}} = \arcsin\frac{x}{a} + C\ (a>0)$;

(5) $\int \frac{dx}{\sqrt{x^2\pm a^2}} = \ln\left|x+\sqrt{x^2\pm a^2}\right| + C$;

(6) $\int \frac{xdx}{\sqrt{a^2\pm x^2}} = \pm\sqrt{a^2\pm x^2} + C$;

(7) $\int \sqrt{a^2-x^2}dx = \frac{x}{2}\sqrt{a^2-x^2} + \frac{a^2}{2}\arcsin\frac{x}{a} + C\ (a>0)$;

(8) $\int \sqrt{x^2\pm a^2}dx = \frac{x}{2}\sqrt{x^2\pm a^2} \pm \frac{a^2}{2}\ln\left|x+\sqrt{x^2\pm a^2}\right| + C.$

习题 1836—1865 含有二次三项式的不定积分

【求下列不定积分(1836—1865)】

【1836】 $\int \frac{dx}{a+bx^2}\ (ab\neq 0)$.

解 当 $ab>0$ 时，

$$\int\frac{dx}{a+bx^2}=\frac{1}{b}\int\frac{dx}{x^2+\frac{a}{b}}=\frac{1}{b}\cdot\frac{1}{\sqrt{\frac{a}{b}}}\arctan\left(\sqrt{\frac{b}{a}}x\right)+C=\frac{1}{\sqrt{ab}}\arctan\frac{\sqrt{ab}x}{a}+C.$$

当 $ab<0$ 时，不妨设 $a<0,b>0$，则

$$\int\frac{dx}{a+bx^2}=\frac{1}{b}\int\frac{dx}{x^2-\frac{-a}{b}}=\frac{1}{b}\cdot\frac{1}{2\sqrt{\frac{-a}{b}}}\ln\left|\frac{x-\sqrt{\frac{-a}{b}}}{x+\sqrt{\frac{-a}{b}}}\right|=\frac{1}{2\sqrt{-ab}}\ln\left|\frac{\sqrt{b}x-\sqrt{-a}}{\sqrt{b}x+\sqrt{-a}}\right|+C.$$

【1837】 $\displaystyle\int\frac{dx}{x^2-x+2}.$

解 $$\int\frac{dx}{x^2-x+2}=\int\frac{d\left(x-\frac{1}{2}\right)}{\left(x-\frac{1}{2}\right)^2+\left(\frac{\sqrt{7}}{2}\right)^2}=\frac{2}{\sqrt{7}}\arctan\frac{2x-1}{\sqrt{7}}+C.$$

【1838】 $\displaystyle\int\frac{dx}{3x^2-2x-1}.$

解 $$\int\frac{dx}{3x^2-2x-1}=\frac{1}{3}\int\frac{dx}{x^2-\frac{2}{3}x-\frac{1}{3}}=\frac{1}{3}\int\frac{d\left(x-\frac{1}{3}\right)}{\left(x-\frac{1}{3}\right)^2-\left(\frac{2}{3}\right)^2}$$

$$=-\frac{1}{3}\cdot\frac{3}{4}\ln\left|\frac{\frac{2}{3}+\left(x-\frac{1}{3}\right)}{\frac{2}{3}-\left(x-\frac{1}{3}\right)}\right|+C_1=\frac{1}{4}\ln\left|\frac{x-1}{3x+1}\right|+C.$$

【1839】 $\displaystyle\int\frac{x\,dx}{x^4-2x^2-1}.$

解 $$\int\frac{x\,dx}{x^4-2x^2-1}=\frac{1}{2}\int\frac{d(x^2-1)}{(x^2-1)^2-(\sqrt{2})^2}=\frac{1}{4\sqrt{2}}\ln\left|\frac{x^2-\sqrt{2}-1}{x^2+\sqrt{2}-1}\right|+C.$$

【1840】 $\displaystyle\int\frac{x+1}{x^2+x+1}dx.$

解 $$\int\frac{x+1}{x^2+x+1}dx=\int\frac{\frac{1}{2}(2x+1)+\frac{1}{2}}{x^2+x+1}dx=\frac{1}{2}\int\frac{2x+1}{x^2+x+1}dx+\frac{1}{2}\int\frac{d\left(x+\frac{1}{2}\right)}{\left(x+\frac{1}{2}\right)^2+\left(\frac{\sqrt{3}}{2}\right)^2}$$

$$=\frac{1}{2}\ln(x^2+x+1)+\frac{1}{\sqrt{3}}\arctan\frac{2x+1}{\sqrt{3}}+C.$$

【1841】 $\displaystyle\int\frac{x\,dx}{x^2-2x\cos\alpha+1}.$

解 $$\int\frac{x\,dx}{x^2-2x\cos\alpha+1}=\int\frac{x-\cos\alpha+\cos\alpha}{(x-\cos\alpha)^2+\sin^2\alpha}dx$$

$$=\frac{1}{2}\int\frac{d[(x-\cos\alpha)^2+\sin^2\alpha]}{(x-\cos\alpha)^2+\sin^2\alpha}+\cos\alpha\int\frac{d(x-\cos\alpha)}{(x-\cos\alpha)^2+\sin^2\alpha}$$

$$=\frac{1}{2}\ln(x^2-2x\cos\alpha+1)+\cot\alpha\cdot\arctan\frac{x-\cos\alpha}{\sin\alpha}+C.$$

【1842】 $\displaystyle\int\frac{x^3\,dx}{x^4-x^2+2}.$

解 $$\int\frac{x^3\,dx}{x^4-x^2+2}=\frac{1}{2}\int\frac{x^2\,d(x^2)}{\left(x^2-\frac{1}{2}\right)^2+\frac{7}{4}}=\frac{1}{2}\int\frac{\left(x^2-\frac{1}{2}\right)+\frac{1}{2}}{\left(x^2-\frac{1}{2}\right)^2+\frac{7}{4}}d\left(x^2-\frac{1}{2}\right)$$

$$=\frac{1}{4}\int\frac{d\left(x^2-\frac{1}{2}\right)^2}{\left(x^2-\frac{1}{2}\right)^2+\frac{7}{4}}+\frac{1}{4}\int\frac{d\left(x^2-\frac{1}{2}\right)}{\left(x^2-\frac{1}{2}\right)^2+\left(\frac{\sqrt{7}}{2}\right)^2}$$

$$=\frac{1}{4}\ln(x^4-x^2+2)+\frac{1}{2\sqrt{7}}\arctan\frac{2x^2-1}{\sqrt{7}}+C.$$

【1843】 $\int\frac{x^5dx}{x^6-x^3-2}$.

解　方法一 $\int\frac{x^5dx}{x^6-x^3-2}=\frac{1}{3}\int\frac{x^3d(x^3)}{\left(x^3-\frac{1}{2}\right)^2-\frac{9}{4}}=\frac{1}{3}\int\frac{\left(x^3-\frac{1}{2}\right)+\frac{1}{2}}{\left(x^3-\frac{1}{2}\right)^2-\frac{9}{4}}d\left(x^3-\frac{1}{2}\right)$

$$=\frac{1}{6}\int\frac{d\left(x^3-\frac{1}{2}\right)^2}{\left(x^3-\frac{1}{2}\right)^2-\frac{9}{4}}-\frac{1}{6}\int\frac{d\left(x^3-\frac{1}{2}\right)}{\left(\frac{3}{2}\right)^2-\left(x^3-\frac{1}{2}\right)^2}$$

$$=\frac{1}{6}\ln|x^6-x^3-2|-\frac{1}{18}\ln\left|\frac{\frac{3}{2}+\left(x^3-\frac{1}{2}\right)}{\frac{3}{2}-\left(x^3-\frac{1}{2}\right)}\right|+C$$

$$=\frac{1}{9}\ln[(x^3-2)^2|x^3+1|]+C.$$

方法二 $\int\frac{x^5dx}{x^6-x^3-2}=\frac{1}{3}\int\frac{x^3d(x^3)}{(x^3-2)(x^3+1)}=\frac{1}{9}\int\left(\frac{2}{x^3-2}+\frac{1}{x^3+1}\right)d(x^3)$

$$=\frac{1}{9}\ln[(x^3-2)^2|x^3+1|]+C.$$

方法三　令 $t=x^3$,则有

$$\int\frac{x^5dx}{x^6-x^3-2}=\frac{1}{3}\int\frac{tdt}{t^2-t-2}=\frac{1}{6}\int\frac{(2t-1)dt}{t^2-t-2}+\frac{1}{6}\int\frac{dt}{t^2-t-2}$$

$$=\frac{1}{6}\ln|t^2-t-2|+\frac{1}{6}\int\frac{dt}{\left(t-\frac{1}{2}\right)^2-\frac{9}{4}}$$

$$=\frac{1}{6}\ln|t^2-t-2|+\frac{1}{18}\ln\left|\frac{t-2}{t+1}\right|+C$$

$$=\frac{1}{6}\ln|x^6-x^3-2|+\frac{1}{18}\ln\left|\frac{x^3-2}{x^3+1}\right|+C$$

$$=\frac{1}{9}\ln[(x^3-2)^2|x^3+1|]+C.$$

【1844】 $\int\frac{dx}{3\sin^2x-8\sin x\cos x+5\cos^2x}$.

解 $\int\frac{dx}{3\sin^2x-8\sin x\cos x+5\cos^2x}=\int\frac{d(\tan x)}{3\tan^2x-8\tan x+5}$

$$=\frac{1}{3}\int\frac{d\left(\tan x-\frac{4}{3}\right)}{\left(\tan x-\frac{4}{3}\right)^2-\left(\frac{1}{3}\right)^2}=\frac{1}{2}\ln\left|\frac{\frac{1}{3}-\left(\tan x-\frac{4}{3}\right)}{\frac{1}{3}+\left(\tan x-\frac{4}{3}\right)}\right|+C_1=\frac{1}{2}\ln\left|\frac{3\sin x-5\cos x}{\sin x-\cos x}\right|+C.$$

【1845】 $\int\frac{dx}{\sin x+2\cos x+3}$.

解　令 $t=\tan\frac{x}{2}$,则 $\sin x=\frac{2t}{1+t^2}$,$\cos x=\frac{1-t^2}{1+t^2}$,$dx=\frac{2}{1+t^2}dt$,因而有

$$\int \frac{dx}{\sin x+2\cos x+3}=\int \frac{1}{\frac{2t}{1+t^2}+2\cdot\frac{1-t^2}{1+t^2}+3}\cdot\frac{2}{1+t^2}dt=\int \frac{2}{t^2+2t+5}dt$$

$$=2\int \frac{1}{(t+1)^2+4}d(t+1)=\arctan\frac{t+1}{2}+C$$

$$=\arctan\frac{\tan\frac{x}{2}+1}{2}+C.$$

【1846】 $\int \frac{dx}{\sqrt{a+bx^2}}(b\neq 0)$.

解 当 $b>0$ 时，$\int \frac{dx}{\sqrt{a+bx^2}}=\frac{1}{\sqrt{b}}\ln\left|\sqrt{b}x+\sqrt{a+bx^2}\right|+C$.

当 $a>0$ 及 $b<0$ 时，$\int \frac{dx}{\sqrt{a+bx^2}}=\frac{1}{\sqrt{-b}}\int \frac{d(\sqrt{-b}x)}{\sqrt{(\sqrt{a})^2-(\sqrt{-b}x)^2}}=\frac{1}{\sqrt{-b}}\arcsin\frac{\sqrt{-b}x}{\sqrt{a}}+C$.

【1847】 $\int \frac{dx}{\sqrt{1-2x-x^2}}$.

解 $\int \frac{dx}{\sqrt{1-2x-x^2}}=\int \frac{d(x+1)}{\sqrt{2-(x+1)^2}}=\arcsin\frac{x+1}{\sqrt{2}}+C$.

【1848】 $\int \frac{dx}{\sqrt{x+x^2}}$.

解 $\int \frac{dx}{\sqrt{x+x^2}}=\int \frac{d\left(x+\frac{1}{2}\right)}{\sqrt{\left(x+\frac{1}{2}\right)^2-\frac{1}{4}}}=\ln\left|x+\frac{1}{2}+\sqrt{x+x^2}\right|+C$.

注 本题即1687题，注意不同的解法及不同形式的结果.

【1849】 $\int \frac{dx}{\sqrt{2x^2-x+2}}$.

解 $\int \frac{dx}{\sqrt{2x^2-x+2}}=\frac{1}{\sqrt{2}}\int \frac{d\left(x-\frac{1}{4}\right)}{\sqrt{\left(x-\frac{1}{4}\right)^2+\frac{15}{16}}}=\frac{1}{\sqrt{2}}\ln\left(x-\frac{1}{4}+\sqrt{x^2-\frac{x}{2}+1}\right)+C$.

【1850】 证明：若 $y=ax^2+bx+c(a\neq 0)$，则

(1) 当 $a>0$ 时，$\int \frac{dx}{\sqrt{y}}=\frac{1}{\sqrt{a}}\ln\left|\frac{y'}{2}+\sqrt{ay}\right|+C$；

(2) 当 $a<0$ 时，$\int \frac{dx}{\sqrt{y}}=\frac{1}{\sqrt{-a}}\arcsin\frac{-y'}{\sqrt{b^2-4ac}}+C$.

证 (1) 当 $a>0$ 时，有

$$\int \frac{dx}{\sqrt{y}}=\frac{1}{\sqrt{a}}\int \frac{dx}{\sqrt{x^2+\frac{b}{a}x+\frac{c}{a}}}=\frac{1}{\sqrt{a}}\int \frac{d\left(x+\frac{b}{2a}\right)}{\sqrt{\left(x+\frac{b}{2a}\right)^2+\frac{4ac-b^2}{4a^2}}}$$

$$=\frac{1}{\sqrt{a}}\ln\left|x+\frac{b}{2a}+\sqrt{x^2+\frac{b}{a}x+\frac{c}{a}}\right|+C_1=\frac{1}{\sqrt{a}}\ln\left|\frac{y'}{2}+\sqrt{ay}\right|+C.$$

(2) 当 $a<0$ 时，有

$$\int\frac{dx}{\sqrt{y}}=\frac{1}{\sqrt{-a}}\int\frac{dx}{\sqrt{-x^2-\frac{b}{a}x-\frac{c}{a}}}=\frac{1}{\sqrt{-a}}\int\frac{d\left(x+\frac{b}{2a}\right)}{\sqrt{\frac{b^2-4ac}{4a^2}-\left(x+\frac{b}{2a}\right)^2}}$$

$$=\frac{1}{\sqrt{-a}}\arcsin\frac{x+\frac{b}{2a}}{\frac{\sqrt{b^2-4ac}}{-2a}}+C=\frac{1}{\sqrt{-a}}\arcsin\frac{-y'}{\sqrt{b^2-4ac}}+C.$$

【1851】 $\int\frac{x\,dx}{\sqrt{5+x-x^2}}$.

解 $$\int\frac{x\,dx}{\sqrt{5+x-x^2}}=\int\frac{\left(x-\frac{1}{2}\right)+\frac{1}{2}}{\sqrt{\frac{21}{4}-\left(x-\frac{1}{2}\right)^2}}dx$$

$$=-\frac{1}{2}\int\frac{d\left[\frac{21}{4}-\left(x-\frac{1}{2}\right)^2\right]}{\sqrt{\frac{21}{4}-\left(x-\frac{1}{2}\right)^2}}+\frac{1}{2}\int\frac{d\left(x-\frac{1}{2}\right)}{\sqrt{\frac{21}{4}-\left(x-\frac{1}{2}\right)^2}}$$

$$=-\sqrt{5+x-x^2}+\frac{1}{2}\arcsin\frac{2x-1}{\sqrt{21}}+C.$$

【1852】 $\int\frac{x+1}{\sqrt{x^2+x+1}}dx$.

解 $$\int\frac{x+1}{\sqrt{x^2+x+1}}dx=\int\frac{\left(x+\frac{1}{2}\right)+\frac{1}{2}}{\sqrt{\left(x+\frac{1}{2}\right)^2+\frac{3}{4}}}dx$$

$$=\frac{1}{2}\int\frac{d\left[\left(x+\frac{1}{2}\right)^2+\frac{3}{4}\right]}{\sqrt{\left(x+\frac{1}{2}\right)^2+\frac{3}{4}}}+\frac{1}{2}\int\frac{d\left(x+\frac{1}{2}\right)}{\sqrt{\left(x+\frac{1}{2}\right)^2+\frac{3}{4}}}$$

$$=\sqrt{x^2+x+1}+\frac{1}{2}\ln\left(x+\frac{1}{2}+\sqrt{x^2+x+1}\right)+C.$$

【1853】 $\int\frac{x\,dx}{\sqrt{1-3x^2-2x^4}}$.

解 $$\int\frac{x\,dx}{\sqrt{1-3x^2-2x^4}}=\frac{1}{2\sqrt{2}}\int\frac{d\left(x^2+\frac{3}{4}\right)}{\sqrt{\frac{17}{16}-\left(x^2+\frac{3}{4}\right)^2}}=\frac{1}{2\sqrt{2}}\arcsin\frac{4x^2+3}{\sqrt{17}}+C.$$

【1854】 $\int\frac{x^3\,dx}{\sqrt{x^4-2x^2-1}}$.

解 $$\int\frac{x^3\,dx}{\sqrt{x^4-2x^2-1}}=\frac{1}{2}\int\frac{x^2\,d(x^2)}{\sqrt{(x^2-1)^2-2}}$$

$$=\frac{1}{2}\int\frac{(x^2-1)d(x^2-1)}{\sqrt{(x^2-1)^2-2}}+\frac{1}{2}\int\frac{d(x^2-1)}{\sqrt{(x^2-1)^2-2}}$$

$$=\frac{1}{2}\sqrt{x^4-2x^2-1}+\frac{1}{2}\ln\left|x^2-1+\sqrt{x^4-2x^2-1}\right|+C.$$

【1855】 $\int\frac{x+x^3}{\sqrt{1+x^2-x^4}}dx$.

解 $\int \frac{x+x^3}{\sqrt{1+x^2-x^4}}\mathrm{d}x = \frac{1}{2}\int \frac{(1+x^2)\mathrm{d}(x^2)}{\sqrt{\frac{5}{4}-\left(x^2-\frac{1}{2}\right)^2}}$

$$= \frac{1}{2}\int \frac{\left(x^2-\frac{1}{2}\right)\mathrm{d}\left(x^2-\frac{1}{2}\right)}{\sqrt{\frac{5}{4}-\left(x^2-\frac{1}{2}\right)^2}} + \frac{3}{4}\int \frac{\mathrm{d}\left(x^2-\frac{1}{2}\right)}{\sqrt{\frac{5}{4}-\left(x^2-\frac{1}{2}\right)^2}}$$

$$= -\frac{1}{2}\sqrt{1+x^2-x^4} + \frac{3}{4}\arcsin\frac{2x^2-1}{\sqrt{5}} + C.$$

【1856】 $\int \frac{\mathrm{d}x}{x\sqrt{x^2+x+1}}$.

解 当 $x>0$，设 $x=\frac{1}{t}$，$t>0$，则

$$\int \frac{\mathrm{d}x}{x\sqrt{x^2+x+1}} = -\int \frac{\mathrm{d}t}{\sqrt{t^2+t+1}} = -\int \frac{\mathrm{d}\left(t+\frac{1}{2}\right)}{\sqrt{\left(t+\frac{1}{2}\right)^2+\frac{3}{4}}} = -\ln\left|t+\frac{1}{2}+\sqrt{t^2+t+1}\right|+C_1$$

$$= -\ln\left|\frac{x+2+2\sqrt{x^2+x+1}}{x}\right|+C_2;$$

当 $x<0$，设 $x=-\frac{1}{t}$，$t>0$，则

$$\int \frac{\mathrm{d}x}{x\sqrt{x^2+x+1}} = -\int \frac{\mathrm{d}t}{\sqrt{t^2-t+1}} = -\int \frac{\mathrm{d}\left(t-\frac{1}{2}\right)}{\sqrt{\left(t-\frac{1}{2}\right)^2+\frac{3}{4}}} = -\ln\left|t-\frac{1}{2}+\sqrt{t^2-t+1}\right|+C_3$$

$$= -\ln\left|\frac{-x-2-2\sqrt{x^2+x+1}}{x}\right|+C_4 = -\ln\left|\frac{x+2+2\sqrt{x^2+x+1}}{x}\right|+C_4.$$

总之，不论 x 为正或为负，均有 $\int \frac{\mathrm{d}x}{x\sqrt{x^2+x+1}} = -\ln\left|\frac{x+2+2\sqrt{x^2+x+1}}{x}\right|+C.$

【1857】 $\int \frac{\mathrm{d}x}{x^2\sqrt{x^2+x-1}}$.

解 当 $x>0$，设 $x=\frac{1}{t}$，$t>0$，则

$$\int \frac{\mathrm{d}x}{x^2\sqrt{x^2+x-1}} = -\int \frac{t}{\sqrt{-t^2+t+1}}\mathrm{d}t = \frac{1}{2}\int \frac{\mathrm{d}(-t^2+t+1)}{\sqrt{-t^2+t+1}} - \frac{1}{2}\int \frac{\mathrm{d}t}{\sqrt{-t^2+t+1}}$$

$$= \sqrt{-t^2+t+1} - \frac{1}{2}\int \frac{\mathrm{d}t}{\sqrt{\frac{5}{4}-\left(t-\frac{1}{2}\right)^2}} = \sqrt{-t^2+t+1} - \frac{1}{2}\arcsin\frac{2t-1}{\sqrt{5}}+C$$

$$= \frac{\sqrt{x^2+x-1}}{x} + \frac{1}{2}\arcsin\frac{x-2}{\sqrt{5}x}+C.$$

当 $x<0$，设 $x=-\frac{1}{t}$，$t>0$，则

$$\int \frac{\mathrm{d}x}{x^2\sqrt{x^2+x-1}} = \int \frac{t}{\sqrt{-t^2-t+1}}\mathrm{d}t = -\frac{1}{2}\int \frac{\mathrm{d}(-t^2-t+1)}{\sqrt{-t^2-t+1}} - \frac{1}{2}\int \frac{\mathrm{d}t}{\sqrt{-t^2-t+1}}$$

$$= -\sqrt{-t^2-t+1} - \frac{1}{2}\int \frac{\mathrm{d}t}{\sqrt{\frac{5}{4}-\left(t+\frac{1}{2}\right)^2}}$$

$$=-\sqrt{-t^2-t+1}-\frac{1}{2}\arcsin\frac{2t+1}{\sqrt{5}}+C=\frac{\sqrt{x^2+x-1}}{x}-\frac{1}{2}\arcsin\frac{x-2}{\sqrt{5}x}+C.$$

总之$\int\frac{\mathrm{d}x}{x^2\sqrt{x^2+x-1}}=\frac{\sqrt{x^2+x-1}}{x}+\frac{1}{2}\arcsin\frac{x-2}{\sqrt{5}\,|x|}+C$,其存在域为$\left|x+\frac{1}{2}\right|>\frac{\sqrt{5}}{2}$.

注 本题用到 1850 题的结果.

【1858】 $\int\frac{\mathrm{d}x}{(x+1)\sqrt{x^2+1}}$.

解 令 $y=x+1$,则$\int\frac{\mathrm{d}x}{(x+1)\sqrt{x^2+1}}=\int\frac{\mathrm{d}y}{y\sqrt{y^2-2y+2}}$.

当 $y>0$ 时,令 $y=\frac{1}{t}$,$t>0$,则

$$\int\frac{\mathrm{d}y}{y\sqrt{y^2-2y+2}}=-\frac{1}{\sqrt{2}}\int\frac{\mathrm{d}t}{\sqrt{t^2-t+\frac{1}{2}}}=-\frac{1}{\sqrt{2}}\int\frac{\mathrm{d}t}{\sqrt{\left(t-\frac{1}{2}\right)^2+\frac{1}{4}}}$$

$$=-\frac{1}{\sqrt{2}}\ln\left(t-\frac{1}{2}+\sqrt{t^2-t+\frac{1}{2}}\right)+C_1$$

$$=-\frac{1}{\sqrt{2}}\ln\left(\frac{1}{y}-\frac{1}{2}+\sqrt{\frac{1}{y^2}-\frac{1}{y}+\frac{1}{2}}\right)+C_1$$

$$=-\frac{1}{\sqrt{2}}\ln\left|\frac{1-x+\sqrt{2(x^2+1)}}{x+1}\right|+C_2.$$

当 $y<0$ 时,令 $y=-\frac{1}{t}$,$t>0$,则

$$\int\frac{\mathrm{d}y}{y\sqrt{y^2-2y+2}}=\frac{1}{\sqrt{2}}\int\frac{\mathrm{d}t}{\sqrt{t^2+t+\frac{1}{2}}}=\frac{1}{\sqrt{2}}\int\frac{\mathrm{d}t}{\sqrt{\left(t+\frac{1}{2}\right)^2+\frac{1}{4}}}$$

$$=\frac{1}{\sqrt{2}}\ln\left(t+\frac{1}{2}+\sqrt{t^2+t+\frac{1}{2}}\right)+C_3$$

$$=\frac{1}{\sqrt{2}}\ln\left(-\frac{1}{y}+\frac{1}{2}+\sqrt{\frac{1}{y^2}-\frac{1}{y}+\frac{1}{2}}\right)+C_3=\frac{1}{\sqrt{2}}\ln\left|\frac{x-1+\sqrt{2(x^2+1)}}{x+1}\right|+C_4$$

$$=-\frac{1}{\sqrt{2}}\ln\left|\frac{1-x+\sqrt{2(x^2+1)}}{x+1}\right|+C_4.$$

综上$\int\frac{\mathrm{d}x}{(x+1)\sqrt{x^2+1}}=-\frac{1}{\sqrt{2}}\ln\left|\frac{1-x+\sqrt{2(x^2+1)}}{x+1}\right|+C.$

【1859】 $\int\frac{\mathrm{d}x}{(x-1)\sqrt{x^2-2}}$.

解 设 $x-1=y$,则

$$\int\frac{\mathrm{d}x}{(x-1)\sqrt{x^2-2}}=\int\frac{\mathrm{d}y}{y\sqrt{y^2+2y-1}}.$$

当 $y>0$ 时,令 $y=\frac{1}{t}$,$t>0$,则

$$\int\frac{\mathrm{d}y}{y\sqrt{y^2+2y-1}}=-\int\frac{\mathrm{d}t}{\sqrt{1+2t-t^2}}=-\int\frac{\mathrm{d}t}{\sqrt{2-(t-1)^2}}$$

$$=-\arcsin\frac{t-1}{\sqrt{2}}+C=-\arcsin\frac{\frac{1}{y}-1}{\sqrt{2}}+C=\arcsin\frac{x-2}{\sqrt{2}(x-1)}+C.$$

当 $y<0$ 时,令 $y=-\frac{1}{t},t>0$,则

$$\int\frac{dy}{y\sqrt{y^2+2y-1}}=-\int\frac{dt}{\sqrt{1-2t-t^2}}=-\int\frac{dt}{\sqrt{2-(t+1)^2}}$$

$$=-\arcsin\frac{t+1}{\sqrt{2}}+C=-\arcsin\frac{-\frac{1}{y}+1}{\sqrt{2}}+C=\arcsin\frac{x-2}{\sqrt{2}(1-x)}+C.$$

综上 $\int\frac{dx}{(x-1)\sqrt{x^2-2}}=\arcsin\frac{x-2}{\sqrt{2}\,|x-1|}+C(|x|>\sqrt{2})$.

【1860】 $\int\frac{dx}{(x+2)^2\sqrt{x^2+2x-5}}$.

解 设 $x+2=y$,则 $\int\frac{dx}{(x+2)^2\sqrt{x^2+2x-5}}=\int\frac{dy}{y^2\sqrt{y^2-2y-5}}$.

当 $y>0$ 时,令 $y=\frac{1}{t},t>0$,则

$$\int\frac{dy}{y^2\sqrt{y^2-2y-5}}=-\int\frac{t\,dt}{\sqrt{1-2t-5t^2}}=-\frac{1}{\sqrt{5}}\int\frac{\left(t+\frac{1}{5}\right)dt}{\sqrt{\frac{6}{25}-\left(t+\frac{1}{5}\right)^2}}+\frac{1}{5\sqrt{5}}\int\frac{dt}{\sqrt{\frac{6}{25}-\left(t+\frac{1}{5}\right)^2}}$$

$$=\frac{1}{\sqrt{5}}\sqrt{\frac{6}{25}-\left(t+\frac{1}{5}\right)^2}+\frac{1}{5\sqrt{5}}\arcsin\frac{t+\frac{1}{5}}{\frac{\sqrt{6}}{5}}+C$$

$$=\frac{1}{5}\sqrt{1-2t-5t^2}+\frac{1}{5\sqrt{5}}\arcsin\frac{5t+1}{\sqrt{6}}+C$$

$$=\frac{\sqrt{x^2+2x-5}}{5(x+2)}+\frac{1}{5\sqrt{5}}\arcsin\frac{x+7}{\sqrt{6}(x+2)}+C.$$

当 $y<0$ 时,令 $y=-\frac{1}{t},t>0$,则

$$\int\frac{dy}{y^2\sqrt{y^2-2y-5}}=\int\frac{t\,dt}{\sqrt{1+2t-5t^2}}=\frac{1}{\sqrt{5}}\int\frac{\left(t-\frac{1}{5}\right)dt}{\sqrt{\frac{6}{25}-\left(t-\frac{1}{5}\right)^2}}+\frac{1}{5\sqrt{5}}\int\frac{dt}{\sqrt{\frac{6}{25}-\left(t-\frac{1}{5}\right)^2}}$$

$$=-\frac{1}{\sqrt{5}}\sqrt{\frac{6}{25}-\left(t-\frac{1}{5}\right)^2}+\frac{1}{5\sqrt{5}}\arcsin\frac{t-\frac{1}{5}}{\frac{\sqrt{6}}{5}}+C$$

$$=-\frac{1}{5}\sqrt{1+2t-5t^2}+\frac{1}{5\sqrt{5}}\arcsin\frac{5t-1}{\sqrt{6}}+C$$

$$=\frac{\sqrt{x^2+2x-5}}{5(x+2)}-\frac{1}{5\sqrt{5}}\arcsin\frac{x+7}{\sqrt{6}(x+2)}+C.$$

综上 $\int\frac{dx}{(x+2)^2\sqrt{x^2+2x-5}}=\frac{\sqrt{x^2+2x-5}}{5(x+2)}+\frac{1}{5\sqrt{5}}\arcsin\frac{x+7}{\sqrt{6}\,|x+2|}+C$,其存在域为满足不等式 $x^2+2x-5>0$ 的一切 x 值,即 $|x+1|>\sqrt{6}$.

【1861】 $\int \sqrt{2+x-x^2}\,dx.$

解 $\int \sqrt{2+x-x^2}\,dx = \int\sqrt{\frac{9}{4}-\left(x-\frac{1}{2}\right)^2}\,d\left(x-\frac{1}{2}\right)$

$$= \frac{2x-1}{4}\sqrt{2+x-x^2}+\frac{9}{8}\arcsin\frac{2x-1}{3}+C.$$

【1862】 $\int \sqrt{2+x+x^2}\,dx.$

解 $\int \sqrt{2+x+x^2}\,dx = \int\sqrt{\frac{7}{4}+\left(x+\frac{1}{2}\right)^2}\,d\left(x+\frac{1}{2}\right)$

$$= \frac{2x+1}{4}\sqrt{2+x+x^2}+\frac{7}{8}\ln\left(x+\frac{1}{2}+\sqrt{2+x+x^2}\right)+C.$$

【1863】 $\int \sqrt{x^4+2x^2-1}\,x\,dx.$

解 $\int \sqrt{x^4+2x^2-1}\,x\,dx = \frac{1}{2}\int\sqrt{(x^2+1)^2-2}\,d(x^2+1)$

$$= \frac{x^2+1}{4}\sqrt{x^4+2x^2-1}-\frac{1}{2}\ln(x^2+1+\sqrt{x^4+2x^2-1})+C.$$

【1864】 $\int \frac{1-x+x^2}{x\sqrt{1+x-x^2}}\,dx.$

解 $\int \frac{1-x+x^2}{x\sqrt{1+x-x^2}}\,dx = \int\frac{dx}{x\sqrt{1+x-x^2}}-\int\frac{dx}{\sqrt{1+x-x^2}}+\int\frac{x\,dx}{\sqrt{1+x-x^2}}.$

(1) 仿照 1856 题作倒代换可得$\int\frac{dx}{x\sqrt{1+x-x^2}}=-\ln\left|\frac{2+x+2\sqrt{1+x-x^2}}{x}\right|+C_1.$

(2)$\int\frac{dx}{\sqrt{1+x-x^2}}=\int\frac{d\left(x-\frac{1}{2}\right)}{\sqrt{\frac{5}{4}-\left(x-\frac{1}{2}\right)^2}}=\arcsin\frac{2x-1}{\sqrt{5}}+C_2.$

(3)$\int\frac{x\,dx}{\sqrt{1+x-x^2}}=\int\frac{\left(x-\frac{1}{2}\right)+\frac{1}{2}}{\sqrt{\frac{5}{4}-\left(x-\frac{1}{2}\right)^2}}d\left(x-\frac{1}{2}\right)=-\sqrt{1+x-x^2}+\frac{1}{2}\arcsin\frac{2x-1}{\sqrt{5}}+C_3$，故

$$\int\frac{1-x+x^2}{x\sqrt{1+x-x^2}}dx=\int\frac{dx}{x\sqrt{1+x-x^2}}-\int\frac{dx}{\sqrt{1+x-x^2}}+\int\frac{x\,dx}{\sqrt{1+x-x^2}}$$

$$=-\ln\left|\frac{2+x+2\sqrt{1+x-x^2}}{x}\right|+\frac{1}{2}\arcsin\frac{1-2x}{\sqrt{5}}-\sqrt{1+x-x^2}+C,$$

其中存在域为满足不等式 $1+x-x^2>0$ 且 $x\neq 0$ 的一切 x 值，即 $\left|x-\frac{1}{2}\right|<\frac{\sqrt{5}}{2}$ 及 $x\neq 0$.

【1865】 $\int \frac{x^2+1}{x\sqrt{x^4+1}}\,dx.$

解 当 $x>0$ 时，有

$$\int\frac{x^2+1}{x\sqrt{x^4+1}}dx=\int\frac{1+\frac{1}{x^2}}{\sqrt{x^2+\frac{1}{x^2}}}dx=\int\frac{d\left(x-\frac{1}{x}\right)}{\sqrt{\left(x-\frac{1}{x}\right)^2+2}}$$

$$=\ln\left(x-\frac{1}{x}+\sqrt{\left(x-\frac{1}{x}\right)^2+2}\right)+C=\ln\left|\frac{x^2-1+\sqrt{x^4+1}}{x}\right|+C.$$

当 $x<0$ 时，有

$$\int \frac{x^2+1}{x\sqrt{x^4+1}}\mathrm{d}x=-\int \frac{1+\frac{1}{x^2}}{\sqrt{x^2+\frac{1}{x^2}}}\mathrm{d}x=-\int \frac{\mathrm{d}\left(x-\frac{1}{x}\right)}{\sqrt{\left(x-\frac{1}{x}\right)^2+2}}$$

$$=-\ln\left|x-\frac{1}{x}+\sqrt{\left(x-\frac{1}{x}\right)^2+2}\right|+C_1=\ln\left|\frac{x^2-1+\sqrt{x^4+1}}{x}\right|+C.$$

综上 $\int \frac{x^2+1}{x\sqrt{x^4+1}}\mathrm{d}x=\ln\left|\frac{x^2-1+\sqrt{x^4+1}}{x}\right|+C.$

第2节 有理函数的积分法（习题1866—1925）

知识点预览

序号	知识点	题目序号	所在页码
1	有理函数及分解原理	1866—1890	P41
2	奥斯特罗格拉茨基方法	1891—1902	P53
3	其他积分方法	1903—1925	P59

知识点1 有理函数及分解原理

1. 有理函数(有理分式) 设 $P(x)$ 与 $Q(x)$ 是没有公因式的实系数多项式，则称函数 $\frac{P(x)}{Q(x)}$ 为有理函数.

如果 $P(x)$ 的次数大于或等于 $Q(x)$ 的次数，则称 $\frac{P(x)}{Q(x)}$ 为假分式；如果 $P(x)$ 的次数小于 $Q(x)$ 的次数，则称为真分式.

2. 分解原理

$$\frac{P(x)}{Q(x)}=\left[\frac{A_1^{(1)}}{x-a_1}+\frac{A_2^{(1)}}{(x-a_1)^2}+\cdots+\frac{A_{\lambda_1}^{(1)}}{(x-a_1)^{\lambda_1}}\right]+\cdots+$$
$$\left[\frac{A_1^{(k)}}{x-a_k}+\frac{A_2^{(k)}}{(x-a_k)^2}+\cdots+\frac{A_{\lambda_k}^{(k)}}{(x-a_k)^{\lambda_k}}\right]+$$
$$\left[\frac{B_1^{(1)}x+C_1^{(1)}}{x^2+p_1x+q_1}+\frac{B_2^{(1)}x+C_2^{(1)}}{(x^2+p_1x+q_1)^2}+\cdots+\frac{B_{\mu_1}^{(1)}x+C_{\mu_1}^{(1)}}{(x^2+p_1x+q_1)^{\mu_1}}\right]+\cdots+$$
$$\left[\frac{B_1^{(n)}x+C_1^{(n)}}{x^2+p_nx+q_n}+\frac{B_2^{(n)}x+C_2^{(n)}}{(x^2+p_nx+q_n)^2}+\cdots+\frac{B_{\mu_n}^{(n)}x+C_{\mu_n}^{(n)}}{(x^2+p_nx+q_n)^{\mu_n}}\right].$$

· 知识拓展 ·

(1) 任何一个假分式总可以化为整式与有理真分式和的形式.

(2) 首项系数为 1 的 m 次实系数多项式 $Q(x)$ 必可唯一地分解为以下形式:

$$Q(x)=(x-a_1)^{\lambda_1}(x-a_2)^{\lambda_2}\cdots(x-a_k)^{\lambda_k}(x^2+p_1x+q_1)^{\mu_1}(x^2+p_2x+q_2)^{\mu_2}\cdots(x^2+p_nx+q_n)^{\mu_n},$$

其中 $\lambda_1,\lambda_2,\cdots,\lambda_k,\mu_1,\mu_2,\cdots,\mu_n$ 是正整数,$(\lambda_1+\lambda_2+\cdots+\lambda_k)+2(\mu_1+\mu_2+\cdots+\mu_n)=m$,且二次三项式 $x^2+p_ix+q_i$ 满足 $p_i^2-4q_i<0(i=1,2,\cdots,n)$.

习题 1866—1890　用待定系数法求有理函数的不定积分

【利用待定系数法,求下列不定积分(1866—1890)】

【1866】 $\displaystyle\int\frac{2x+3}{(x-2)(x+5)}\mathrm{d}x.$

解　设 $\dfrac{2x+3}{(x-2)(x+5)}=\dfrac{A}{x-2}+\dfrac{B}{x+5}$,通分后应有

$$2x+3\equiv A(x+5)+B(x-2),$$

令 $x=2$,得 $7=7A,A=1$;令 $x=-5$,得 $-7=-7B,B=1$. 于是

$$\int\frac{2x+3}{(x-2)(x+5)}\mathrm{d}x=\int\left(\frac{1}{x-2}+\frac{1}{x+5}\right)\mathrm{d}x=\ln|(x-2)(x+5)|+C.$$

【1867】 $\displaystyle\int\frac{x\mathrm{d}x}{(x+1)(x+2)(x+3)}.$

解　设 $\dfrac{x}{(x+1)(x+2)(x+3)}=\dfrac{A}{x+1}+\dfrac{B}{x+2}+\dfrac{C}{x+3}$,通分后应有

$$x\equiv A(x+2)(x+3)+B(x+1)(x+3)+C(x+1)(x+2),$$

令 $x=-1$,得 $-1=2A,A=-\dfrac{1}{2}$;令 $x=-2$,得 $-2=-B,B=2$;

令 $x=-3$,得 $-3=2C,C=-\dfrac{3}{2}$.

于是

$$\begin{aligned}\int\frac{x\mathrm{d}x}{(x+1)(x+2)(x+3)}&=\int\left(\frac{-\frac{1}{2}}{x+1}+\frac{2}{x+2}+\frac{-\frac{3}{2}}{x+3}\right)\mathrm{d}x\\&=-\frac{1}{2}\ln|x+1|+2\ln|x+2|-\frac{3}{2}\ln|x+3|+C\\&=\frac{1}{2}\ln\left|\frac{(x+2)^4}{(x+1)(x+3)^3}\right|+C.\end{aligned}$$

【1868】 $\displaystyle\int\frac{x^{10}}{x^2+x-2}\mathrm{d}x.$

解　$\dfrac{x^{10}}{x^2+x-2}=x^8-x^7+3x^6-5x^5+11x^4-21x^3+43x^2-85x+171+\dfrac{-341x+342}{x^2+x-2}.$

设 $\dfrac{-341x+342}{x^2+x-2}=\dfrac{A}{x+2}+\dfrac{B}{x-1}$,通分后应有

$$-341x+342\equiv A(x-1)+B(x+2),$$

令 $x=-2$，得 $1\,024=-3A, A=-\frac{1\,024}{3}$；令 $x=1$，得 $1=3B, B=\frac{1}{3}$. 于是

$$\int\frac{x^{10}}{x^2+x-2}dx=\int\left[x^8-x^7+3x^6-5x^5+11x^4-21x^3+43x^2-85x+171-\frac{1\,024}{3(x+2)}+\frac{1}{3(x-1)}\right]dx$$

$$=\frac{x^9}{9}-\frac{x^8}{8}+\frac{3x^7}{7}-\frac{5x^6}{6}+\frac{11x^5}{5}-\frac{21x^4}{4}+\frac{43x^3}{3}-\frac{85x^2}{2}+171x+\frac{1}{3}\ln\left|\frac{x-1}{(x+2)^{1\,024}}\right|+C.$$

【1869】 $\int\frac{x^3+1}{x^3-5x^2+6x}dx.$

解 $\frac{x^3+1}{x^3-5x^2+6x}=1+\frac{5x^2-6x+1}{x^3-5x^2+6x}=1+\frac{5x^2-6x+1}{x(x-2)(x-3)}.$

设 $\frac{5x^2-6x+1}{x(x-2)(x-3)}=\frac{A}{x}+\frac{B}{x-2}+\frac{C}{x-3}$，通分后应有

$$5x^2-6x+1\equiv A(x-2)(x-3)+Bx(x-3)+Cx(x-2),$$

令 $x=0$，得 $1=6A, A=\frac{1}{6}$；令 $x=2$，得 $9=-2B, B=-\frac{9}{2}$；令 $x=3$，得 $28=3C, C=\frac{28}{3}$. 于是

$$\int\frac{x^3+1}{x^3-5x^2+6x}dx=\int\left[1+\frac{1}{6x}-\frac{9}{2(x-2)}+\frac{28}{3(x-3)}\right]dx$$

$$=x+\frac{1}{6}\ln|x|-\frac{9}{2}\ln|x-2|+\frac{28}{3}\ln|x-3|+C.$$

【1870】 $\int\frac{x^4}{x^4+5x^2+4}dx.$

解 $\frac{x^4}{x^4+5x^2+4}=1-\frac{5x^2+4}{(x^2+1)(x^2+4)}.$

设 $\frac{5x^2+4}{(x^2+1)(x^2+4)}=\frac{A_1x+B_1}{x^2+1}+\frac{A_2x+B_2}{x^2+4}$，通分后应有

$$5x^2+4\equiv(A_1x+B_1)(x^2+4)+(A_2x+B_2)(x^2+1),$$

整理可得

$$5x^2+4\equiv(A_1+A_2)x^3+(B_1+B_2)x^2+(4A_1+A_2)x+(4B_1+B_2),$$

比较等式两端 x 的同次幂的系数，得

$$\begin{cases}A_1+A_2=0,\\B_1+B_2=5,\\4A_1+A_2=0,\\4B_1+B_2=4,\end{cases}$$

解得 $A_1=0, A_2=0, B_1=-\frac{1}{3}, B_2=\frac{16}{3}$. 于是

$$\int\frac{x^4}{x^4+5x^2+4}dx=\int\left[1+\frac{1}{3(x^2+1)}-\frac{16}{3(x^2+4)}\right]dx=x+\frac{1}{3}\arctan x-\frac{8}{3}\arctan\frac{x}{2}+C.$$

【1871】 $\int\frac{xdx}{x^3-3x+2}.$

解 $\frac{x}{x^3-3x+2}=\frac{x}{(x-1)^2(x-2)}=\frac{A}{x-1}+\frac{B}{(x-1)^2}+\frac{C}{x+2}$，通分后应有

$$x\equiv A(x-1)(x+2)+B(x+2)+C(x-1)^2,$$

令 $x=1$，得 $1=3B, B=\frac{1}{3}$；令 $x=-2$，得 $-2=9C, C=-\frac{2}{9}$；

令 $x=0$，得 $0=-2A+\frac{2}{3}-\frac{2}{9}, A=\frac{2}{9}$. 于是

$$\int\frac{xdx}{x^3-3x+2}=\int\left[\frac{2}{9(x-1)}+\frac{1}{3(x-1)^2}-\frac{2}{9(x+2)}\right]dx=-\frac{1}{3(x-1)}+\frac{2}{9}\ln\left|\frac{x-1}{x+2}\right|+C.$$

【1872】 $\int \frac{x^2+1}{(x+1)^2(x-1)}\mathrm{d}x$.

解 设 $\frac{x^2+1}{(x+1)^2(x-1)}=\frac{A}{x+1}+\frac{B}{(x+1)^2}+\frac{C}{x-1}$，通分后应有

$$x^2+1\equiv A(x+1)(x-1)+B(x-1)+C(x+1)^2.$$

令 $x=-1$，得 $2=-2B,B=-1$；令 $x=1$，得 $2=4C,C=\frac{1}{2}$；令 $x=0$，得 $1=-A+1+\frac{1}{2},A=\frac{1}{2}$.

于是

$$\int\frac{x^2+1}{(x+1)^2(x-1)}\mathrm{d}x=\int\left[\frac{1}{2(x+1)}-\frac{1}{(x+1)^2}+\frac{1}{2(x-1)}\right]\mathrm{d}x=\frac{1}{2}\ln|x^2-1|+\frac{1}{x+1}+C.$$

【1873】 $\int\left(\frac{x}{x^2-3x+2}\right)^2\mathrm{d}x$.

解 $\left(\frac{x}{x^2-3x+2}\right)^2=\frac{x^2}{(x-1)^2(x-2)^2}=\frac{A}{x-1}+\frac{B}{(x-1)^2}+\frac{C}{x-2}+\frac{D}{(x-2)^2}$，

通分后应有

$$x^2\equiv A(x-1)(x-2)^2+B(x-2)^2+C(x-2)(x-1)^2+D(x-1)^2. \quad ①$$

令 $x=1$，得 $B=1$；令 $x=2$，得 $D=4$. 将 $B=1,D=4$ 代入 ① 式并整理得

$$-4=A(x-2)+C(x-1),$$

再令 $x=1$，得 $A=4$；令 $x=2$，得 $C=-4$. 于是

$$\begin{aligned}\int\left(\frac{x}{x^2-3x+2}\right)^2\mathrm{d}x&=\int\left[\frac{4}{x-1}+\frac{1}{(x-1)^2}-\frac{4}{x-2}+\frac{4}{(x-2)^2}\right]\mathrm{d}x\\&=4\ln|x-1|-\frac{1}{x-1}-4\ln|x-2|-\frac{4}{x-2}+C\\&=4\ln\left|\frac{x-1}{x-2}\right|-\frac{5x-6}{x^2-3x+2}+C.\end{aligned}$$

【1874】 $\int\frac{\mathrm{d}x}{(x+1)(x+2)^2(x+3)^3}$.

解 设 $\frac{1}{(x+1)(x+2)^2(x+3)^3}=\frac{A}{x+1}+\frac{B}{x+2}+\frac{C}{(x+2)^2}+\frac{D}{x+3}+\frac{E}{(x+3)^2}+\frac{F}{(x+3)^3}$，通分后应有

$$\begin{aligned}1\equiv{}&A(x+2)^2(x+3)^3+B(x+1)(x+2)(x+3)^3+C(x+1)(x+3)^3+\\&D(x+1)(x+2)^2(x+3)^2+E(x+1)(x+2)^2(x+3)+F(x+1)(x+2)^2,\end{aligned} \quad ①$$

令 $x=-1$，得 $1=8A,A=\frac{1}{8}$；令 $x=-2$，得 $1=-C,C=-1$；令 $x=-3$，得 $1=-2F,F=-\frac{1}{2}$；
比较 x^5 的系数得 $A+B+D=0$，比较 x^4 的系数得 $13A+12B+C+11D+E=0$，
比较 x^3 的系数得 $67A+56B+10C+47D+8E+F=0$.

由此可得，$B=2,D=-\frac{17}{8},E=-\frac{5}{4}$. 于是

$$\begin{aligned}\int\frac{\mathrm{d}x}{(x+1)(x+2)^2(x+3)^3}&=\int\left[\frac{1}{8(x+1)}+\frac{2}{x+2}-\frac{1}{(x+2)^2}-\frac{17}{8(x+3)}-\frac{5}{4(x+3)^2}-\frac{1}{2(x+3)^3}\right]\mathrm{d}x\\&=\frac{1}{8}\ln|x+1|+2\ln|x+2|+\frac{1}{x+2}-\frac{17}{8}\ln|x+3|+\frac{5}{4(x+3)}+\\&\quad\frac{1}{4(x+3)^2}+C\\&=\frac{1}{8}\ln\left|\frac{(x+1)(x+2)^{16}}{(x+3)^{17}}\right|+\frac{9x^2+50x+68}{4(x+2)(x+3)^2}+C.\end{aligned}$$

【1875】 $\int\frac{\mathrm{d}x}{x^5+x^4-2x^3-2x^2+x+1}$.

解 设$\frac{1}{x^5+x^4-2x^3-2x^2+x+1}=\frac{1}{(x-1)^2(x+1)^3}$

$$=\frac{A}{x-1}+\frac{B}{(x-1)^2}+\frac{C}{x+1}+\frac{D}{(x+1)^2}+\frac{E}{(x+1)^3},$$

通分后有

$$1\equiv A(x-1)(x+1)^3+B(x+1)^3+C(x-1)^2(x+1)^2+D(x-1)^2(x+1)+E(x-1)^2,$$

令 $x=1$，得 $1=8B$，$B=\frac{1}{8}$；令 $x=-1$，得 $1=4E$，$E=\frac{1}{4}$；

令 $x=0$，得 $-A+B+C+D+E=1$；令 $x=2$，得 $27A+27B+9C+3D+E=1$；

令 $x=-2$，得 $3A-B+9C-9D+9E=1$；

由此可得 $A=-\frac{3}{16}$，$C=\frac{3}{16}$，$D=\frac{1}{4}$. 于是

$$\begin{aligned}&\int\frac{\mathrm{d}x}{x^5+x^4-2x^3-2x^2+x+1}\\&=\int\left[-\frac{3}{16(x-1)}+\frac{1}{8(x-1)^2}+\frac{3}{16(x+1)}+\frac{1}{4(x+1)^2}+\frac{1}{4(x+1)^3}\right]\mathrm{d}x\\&=-\frac{3}{16}\ln|x-1|-\frac{1}{8(x-1)}+\frac{3}{16}\ln|x+1|-\frac{1}{4(x+1)}-\frac{1}{8(x+1)^2}+C\\&=\frac{3}{16}\ln\left|\frac{x+1}{x-1}\right|-\frac{3x^2+3x-2}{8(x-1)(x+1)^2}+C.\end{aligned}$$

【1876】 $\int\frac{x^2+5x+4}{x^4+5x^2+4}\mathrm{d}x$.

解 **方法一** 设$\frac{x^2+5x+4}{x^4+5x^2+4}=\frac{Ax+B}{x^2+1}+\frac{Cx+D}{x^2+4}$，通分后应有

$$x^2+5x+4\equiv(Ax+B)(x^2+4)+(Cx+D)(x^2+1).$$

整理可得

$$x^2+5x+4\equiv(A+C)x^3+(B+D)x^2+(4A+C)x+(4B+D),$$

比较等式两端 x 的同次幂的系数，得

$$\begin{cases}A+C=0,\\B+D=1,\\4A+C=5,\\4B+D=4,\end{cases}$$

解得 $A=\frac{5}{3}$，$B=1$，$C=-\frac{5}{3}$，$D=0$. 于是

$$\int\frac{x^2+5x+4}{x^4+5x^2+4}\mathrm{d}x=\int\left(\frac{\frac{5}{3}x+1}{x^2+1}-\frac{\frac{5}{3}x}{x^2+4}\right)\mathrm{d}x=\frac{5}{6}\ln\frac{x^2+1}{x^2+4}+\arctan x+C.$$

方法二

$$\begin{aligned}\int\frac{x^2+5x+4}{x^4+5x^2+4}\mathrm{d}x&=\int\frac{x^2+4}{(x^2+1)(x^2+4)}\mathrm{d}x+5\int\frac{x\mathrm{d}x}{(x^2+1)(x^2+4)}\\&=\int\frac{\mathrm{d}x}{x^2+1}+\frac{5}{2}\int\frac{\mathrm{d}(x^2)}{(x^2+1)(x^2+4)}\\&=\arctan x+\frac{5}{6}\int\left(\frac{1}{x^2+1}-\frac{1}{x^2+4}\right)\mathrm{d}(x^2)=\arctan x+\frac{5}{6}\ln\frac{x^2+1}{x^2+4}+C.\end{aligned}$$

【1877】 $\int\frac{\mathrm{d}x}{(x+1)(x^2+1)}$.

解 设$\frac{1}{(x+1)(x^2+1)}=\frac{A}{x+1}+\frac{Bx+C}{x^2+1}$，通分后有

$$1 \equiv A(x^2+1)+(Bx+C)(x+1).$$

整理可得

$$1 \equiv (A+B)x^2+(B+C)x+(A+C),$$

比较等式两端 x 的同次幂的系数，得

$$\begin{cases} A+B=0, \\ B+C=0, \\ A+C=1, \end{cases}$$

由此可得 $A=\frac{1}{2}, B=-\frac{1}{2}, C=\frac{1}{2}$. 于是

$$\int \frac{dx}{(x+1)(x^2+1)} = \int\left[\frac{1}{2(x+1)}-\frac{x-1}{2(x^2+1)}\right]dx = \frac{1}{2}\ln|x+1|-\frac{1}{4}\ln(x^2+1)+\frac{1}{2}\arctan x+C$$

$$= \frac{1}{4}\ln\frac{(x+1)^2}{x^2+1}+\frac{1}{2}\arctan x+C.$$

【1878】 $\int \frac{dx}{(x^2-4x+4)(x^2-4x+5)}$.

解 因 $\frac{1}{(x^2-4x+4)(x^2-4x+5)} = \frac{(x^2-4x+5)-(x^2-4x+4)}{(x^2-4x+4)(x^2-4x+5)} = \frac{1}{(x-2)^2}-\frac{1}{x^2-4x+5}$，故

$$\int \frac{dx}{(x^2-4x+4)(x^2-4x+5)} = \int\left[\frac{1}{(x-2)^2}-\frac{1}{x^2-4x+5}\right]dx = -\frac{1}{x-2}-\int\frac{d(x-2)}{(x-2)^2+1}$$

$$= -\frac{1}{x-2}-\arctan(x-2)+C.$$

> **注** 本题若用待定系数法，较麻烦一些，但也可获得同样的结果.

【1879】 $\int \frac{x dx}{(x-1)^2(x^2+2x+2)}$.

解 设 $\frac{x}{(x-1)^2(x^2+2x+2)} = \frac{A}{x-1}+\frac{B}{(x-1)^2}+\frac{Cx+D}{x^2+2x+2}$，通分后应有

$$x \equiv A(x-1)(x^2+2x+2)+B(x^2+2x+2)+(Cx+D)(x-1)^2.$$

整理可得

$$x \equiv (A+C)x^3+(A+B-2C+D)x^2+(2B+C-2D)x+(-2A+2B+D),$$

比较等式两端 x 的同次幂系数，得

$$\begin{cases} A+C=0, \\ A+B-2C+D=0, \\ 2B+C-2D=1, \\ -2A+2B+D=0, \end{cases}$$

解得 $A=\frac{1}{25}, B=\frac{1}{5}, C=-\frac{1}{25}, D=-\frac{8}{25}$. 于是

$$\int \frac{x dx}{(x-1)^2(x^2+2x+2)} = \int\left[\frac{1}{25(x-1)}+\frac{1}{5(x-1)^2}-\frac{x+8}{25(x^2+2x+2)}\right]dx$$

$$= \frac{1}{25}\ln|x-1|-\frac{1}{5(x-1)}-\frac{1}{50}\int\frac{2x+2}{x^2+2x+2}dx-\frac{7}{25}\int\frac{d(x+1)}{(x+1)^2+1}$$

$$= \frac{1}{25}\ln|x-1|-\frac{1}{5(x-1)}-\frac{1}{50}\ln(x^2+2x+2)-\frac{7}{25}\arctan(x+1)+C$$

$$= \frac{1}{50}\ln\frac{(x-1)^2}{x^2+2x+2}-\frac{1}{5(x-1)}-\frac{7}{25}\arctan(x+1)+C.$$

【1880】 $\int \frac{dx}{x(1+x)(1+x+x^2)}$.

解 **方法一** 设 $\frac{1}{x(1+x)(1+x+x^2)}=\frac{A}{x}+\frac{B}{x+1}+\frac{Cx+D}{x^2+x+1}$,通分后应有

$$1\equiv A(x+1)(1+x+x^2)+Bx(1+x+x^2)+x(x+1)(Cx+D).$$

整理可得

$$1\equiv(A+B+C)x^3+(2A+B+C+D)x^2+(2A+B+D)x+A,$$

比较等式两端 x 的同次幂系数,得

$$\begin{cases}A+B+C=0,\\2A+B+C+D=0,\\2A+B+D=0,\\A=1,\end{cases}$$

解得 $A=1,B=-1,C=0,D=-1$. 于是

$$\int\frac{dx}{x(1+x)(1+x+x^2)}=\int\left(\frac{1}{x}-\frac{1}{1+x}-\frac{1}{1+x+x^2}\right)dx=\ln\left|\frac{x}{1+x}\right|-\frac{2}{\sqrt{3}}\arctan\frac{2x+1}{\sqrt{3}}+C.$$

方法二

$$\int\frac{1}{x(1+x)(1+x+x^2)}dx=\int\frac{1}{(x+x^2)(1+x+x^2)}dx=\int\left(\frac{1}{x+x^2}-\frac{1}{1+x+x^2}\right)dx$$

$$=\int\left(\frac{1}{x}-\frac{1}{1+x}-\frac{1}{1+x+x^2}\right)dx=\ln\left|\frac{x}{1+x}\right|-\frac{2}{\sqrt{3}}\arctan\frac{2x+1}{\sqrt{3}}+C.$$

【1881】 $\int\frac{dx}{x^3+1}$.

解 设 $\frac{1}{x^3+1}=\frac{A}{x+1}+\frac{Bx+C}{x^2-x+1}$,通分后应有

$$1\equiv A(x^2-x+1)+(Bx+C)(x+1).$$

整理可得

$$1\equiv(A+B)x^2+(-A+B+C)x+(A+C),$$

比较等式两端 x 的同次幂系数,得

$$\begin{cases}A+B=0,\\-A+B+C=0,\\A+C=1,\end{cases}$$

解得 $A=\frac{1}{3},B=-\frac{1}{3},C=\frac{2}{3}$. 于是

$$\int\frac{dx}{x^3+1}=\int\left[\frac{1}{3(x+1)}-\frac{x-2}{3(x^2-x+1)}\right]dx=\frac{1}{3}\int\frac{dx}{x+1}-\frac{1}{6}\int\frac{2x-1}{x^2-x+1}dx+\frac{1}{2}\int\frac{d\left(x-\frac{1}{2}\right)}{\left(x-\frac{1}{2}\right)^2+\frac{3}{4}}$$

$$=\frac{1}{6}\ln\frac{(x+1)^2}{x^2-x+1}+\frac{1}{\sqrt{3}}\arctan\frac{2x-1}{\sqrt{3}}+C.$$

【1882】 $\int\frac{x\,dx}{x^3-1}$.

解 设 $\frac{x}{x^3-1}=\frac{A}{x-1}+\frac{Bx+C}{x^2+x+1}$,通分后应有

$$x\equiv A(x^2+x+1)+(Bx+C)(x-1).$$

整理可得

$$x\equiv(A+B)x^2+(A-B+C)x+(A-C),$$

比较等式两端 x 的同次幂系数,得

$$\begin{cases}A+B=0,\\ A-B+C=1,\\ A-C=0,\end{cases}$$

解得 $A=\frac{1}{3}, B=-\frac{1}{3}, C=\frac{1}{3}$. 于是

$$\begin{aligned}\int\frac{x}{x^3-1}\mathrm{d}x&=\int\left[\frac{1}{3(x-1)}-\frac{x-1}{3(x^2+x+1)}\right]\mathrm{d}x\\&=\frac{1}{3}\int\frac{\mathrm{d}x}{x-1}-\frac{1}{6}\int\frac{2x+1}{x^2+x+1}\mathrm{d}x+\frac{1}{2}\int\frac{\mathrm{d}\left(x+\frac{1}{2}\right)}{\left(x+\frac{1}{2}\right)^2+\frac{3}{4}}\\&=\frac{1}{6}\ln\frac{(x-1)^2}{x^2+x+1}+\frac{1}{\sqrt{3}}\arctan\frac{2x+1}{\sqrt{3}}+C.\end{aligned}$$

【1883】 $\int\frac{\mathrm{d}x}{x^4-1}$.

解 $\int\frac{\mathrm{d}x}{x^4-1}=\frac{1}{2}\int\left(\frac{1}{x^2-1}-\frac{1}{x^2+1}\right)\mathrm{d}x=\frac{1}{4}\ln\left|\frac{x-1}{x+1}\right|-\frac{1}{2}\arctan x+C.$

注 本题若用待定系数法,则较麻烦.

【1884】 $\int\frac{\mathrm{d}x}{x^4+1}$

解 **方法一** $\int\frac{\mathrm{d}x}{x^4+1}=\frac{1}{2}\int\left(\frac{x^2+1}{x^4+1}-\frac{x^2-1}{x^4+1}\right)\mathrm{d}x=\frac{1}{2}\int\frac{x^2+1}{x^4+1}\mathrm{d}x-\frac{1}{2}\int\frac{x^2-1}{x^4+1}\mathrm{d}x$

$$\begin{aligned}&=\frac{1}{2}\int\frac{1+\frac{1}{x^2}}{x^2+\frac{1}{x^2}}\mathrm{d}x-\frac{1}{2}\int\frac{1-\frac{1}{x^2}}{x^2+\frac{1}{x^2}}\mathrm{d}x\\&=\frac{1}{2}\int\frac{1}{\left(x-\frac{1}{x}\right)^2+2}\mathrm{d}\left(x-\frac{1}{x}\right)-\frac{1}{2}\int\frac{1}{\left(x+\frac{1}{x}\right)^2-2}\mathrm{d}\left(x+\frac{1}{x}\right)\\&=\frac{1}{2\sqrt{2}}\arctan\frac{x-\frac{1}{x}}{\sqrt{2}}-\frac{1}{4\sqrt{2}}\ln\left|\frac{x+\frac{1}{x}-\sqrt{2}}{x+\frac{1}{x}+\sqrt{2}}\right|+C\\&=\frac{1}{2\sqrt{2}}\arctan\frac{x^2-1}{\sqrt{2}x}-\frac{1}{4\sqrt{2}}\ln\left|\frac{x^2-\sqrt{2}x+1}{x^2+\sqrt{2}x+1}\right|+C.\end{aligned}$$

方法二 利用待定系数法.

设 $\frac{1}{x^4+1}=\frac{Ax+B}{x^2+\sqrt{2}x+1}+\frac{Cx+D}{x^2-\sqrt{2}x+1}$,通分后应有

$$1\equiv(Ax+B)(x^2-\sqrt{2}x+1)+(Cx+D)(x^2+\sqrt{2}x+1),$$

整理可得

$$1\equiv(A+C)x^3+(-\sqrt{2}A+B+\sqrt{2}C+D)x^2+(A-\sqrt{2}B+C+\sqrt{2}D)x+(B+D),$$

比较等式两端 x 的同次幂系数,得

$$\begin{cases}A+C=0,\\ -\sqrt{2}A+B+\sqrt{2}C+D=0,\\ A-\sqrt{2}B+C+\sqrt{2}D=0,\\ B+D=1,\end{cases}$$

解得 $A=\frac{\sqrt{2}}{4},B=\frac{1}{2},C=-\frac{\sqrt{2}}{4},D=\frac{1}{2}$. 于是

$$\int\frac{\mathrm{d}x}{x^4+1}=\int\frac{\frac{\sqrt{2}}{4}x+\frac{1}{2}}{x^2+\sqrt{2}x+1}\mathrm{d}x+\int\frac{-\frac{\sqrt{2}}{4}x+\frac{1}{2}}{x^2-\sqrt{2}x+1}\mathrm{d}x$$

$$=\frac{\sqrt{2}}{4}\int\frac{\left(x+\frac{\sqrt{2}}{2}\right)\mathrm{d}x}{\left(x+\frac{\sqrt{2}}{2}\right)^2+\frac{1}{2}}+\frac{1}{4}\int\frac{\mathrm{d}x}{\left(x+\frac{\sqrt{2}}{2}\right)^2+\frac{1}{2}}-\frac{\sqrt{2}}{4}\int\frac{\left(x-\frac{\sqrt{2}}{2}\right)\mathrm{d}x}{\left(x-\frac{\sqrt{2}}{2}\right)^2+\frac{1}{2}}+$$

$$\frac{1}{4}\int\frac{\mathrm{d}x}{\left(x-\frac{\sqrt{2}}{2}\right)^2+\frac{1}{2}}$$

$$=\frac{1}{4\sqrt{2}}[\ln(x^2+\sqrt{2}x+1)-\ln(x^2-\sqrt{2}x+1)]+\frac{\sqrt{2}}{4}[\arctan(\sqrt{2}x+1)+$$

$$\arctan(\sqrt{2}x-1)]+C$$

$$=\frac{1}{4\sqrt{2}}\ln\frac{x^2+\sqrt{2}x+1}{x^2-\sqrt{2}x+1}+\frac{\sqrt{2}}{4}\arctan\frac{\sqrt{2}x}{1-x^2}+C.$$

【1885】 $\int\frac{\mathrm{d}x}{x^4+x^2+1}$.

解　方法一　设 $\frac{1}{x^4+x^2+1}=\frac{Ax+B}{x^2+x+1}+\frac{Cx+D}{x^2-x+1}$,通分后应有

$$1\equiv(Ax+B)(x^2-x+1)+(Cx+D)(x^2+x+1).$$

整理可得

$$1\equiv(A+C)x^3+(-A+B+C+D)x^2+(A-B+C+D)x+(B+D),$$

比较等式两端 x 的同次幂系数,得

$$\begin{cases}A+C=0,\\-A+B+C+D=0,\\A-B+C+D=0,\\B+D=1,\end{cases}$$

解得 $A=\frac{1}{2},B=\frac{1}{2},C=-\frac{1}{2},D=\frac{1}{2}$. 于是

$$\int\frac{\mathrm{d}x}{x^4+x^2+1}=\frac{1}{2}\int\frac{x+1}{x^2+x+1}\mathrm{d}x-\frac{1}{2}\int\frac{x-1}{x^2-x+1}\mathrm{d}x$$

$$=\frac{1}{4}\int\frac{(2x+1)\mathrm{d}x}{x^2+x+1}+\frac{1}{4}\int\frac{\mathrm{d}\left(x+\frac{1}{2}\right)}{\left(x+\frac{1}{2}\right)^2+\frac{3}{4}}-\frac{1}{4}\int\frac{(2x-1)\mathrm{d}x}{x^2-x+1}+\frac{1}{4}\int\frac{\mathrm{d}\left(x-\frac{1}{2}\right)}{\left(x-\frac{1}{2}\right)^2+\frac{3}{4}}$$

$$=\frac{1}{4}[\ln(x^2+x+1)-\ln(x^2-x+1)]+\frac{1}{2\sqrt{3}}\left[\arctan\frac{2x+1}{\sqrt{3}}+\arctan\frac{2x-1}{\sqrt{3}}\right]+C_1$$

$$=\frac{1}{4}\ln\frac{x^2+x+1}{x^2-x+1}+\frac{1}{2\sqrt{3}}\arctan\frac{\sqrt{3}x}{1-x^2}+C.$$

方法二　$\int\frac{\mathrm{d}x}{x^4+x^2+1}=\frac{1}{2}\int\frac{x^2+1}{x^4+x^2+1}\mathrm{d}x-\frac{1}{2}\int\frac{x^2-1}{x^4+x^2+1}\mathrm{d}x$

$$=\frac{1}{2}\int\frac{1+\frac{1}{x^2}}{x^2+1+\frac{1}{x^2}}\mathrm{d}x-\frac{1}{2}\int\frac{1-\frac{1}{x^2}}{x^2+1+\frac{1}{x^2}}\mathrm{d}x$$

$$=\frac{1}{2}\int\frac{\mathrm{d}\left(x-\frac{1}{x}\right)}{\left(x-\frac{1}{x}\right)^2+3}-\frac{1}{2}\int\frac{\mathrm{d}\left(x+\frac{1}{x}\right)}{\left(x+\frac{1}{x}\right)^2-1}$$

$$=\frac{1}{2\sqrt{3}}\arctan\frac{x^2-1}{\sqrt{3}x}+\frac{1}{4}\ln\frac{x^2+x+1}{x^2-x+1}+C_1$$

$$=\frac{1}{4}\ln\frac{x^2+x+1}{x^2-x+1}+\frac{1}{2\sqrt{3}}\arctan\frac{\sqrt{3}x}{1-x^2}+C.$$

【1886】 $\int\frac{\mathrm{d}x}{x^6+1}$.

解　方法一　设 $\frac{1}{x^6+1}=\frac{Ax+B}{x^2+1}+\frac{Cx+D}{x^2+\sqrt{3}x+1}+\frac{Ex+F}{x^2-\sqrt{3}x+1}$，通分后应有

$$1\equiv(Ax+B)(x^2+\sqrt{3}x+1)(x^2-\sqrt{3}x+1)+(Cx+D)(x^2+1)(x^2-\sqrt{3}x+1)+(Ex+F)(x^2+1)(x^2+\sqrt{3}x+1).$$

整理可得

$$1\equiv(A+C+E)x^5+(B-\sqrt{3}C+D+\sqrt{3}E+F)x^4+(-A+2C-\sqrt{3}D+2E+\sqrt{3}F)x^3+(-B-\sqrt{3}C+2D+\sqrt{3}E+2F)x^2+(A+C-\sqrt{3}D+E+\sqrt{3}F)x+(B+D+F),$$

比较等式两端 x 的同次幂系数，得

$$\begin{cases}A+C+E=0,\\B-\sqrt{3}C+D+\sqrt{3}E+F=0,\\-A+2C-\sqrt{3}D+2E+\sqrt{3}F=0,\\-B-\sqrt{3}C+2D+\sqrt{3}E+2F=0,\\A+C-\sqrt{3}D+E+\sqrt{3}F=0,\\B+D+F=1,\end{cases}$$

解得 $A=0,B=\frac{1}{3},C=\frac{\sqrt{3}}{6},D=\frac{1}{3},E=-\frac{\sqrt{3}}{6},F=\frac{1}{3}$. 于是

$$\int\frac{\mathrm{d}x}{x^6+1}=\int\frac{1}{3(x^2+1)}\mathrm{d}x+\int\frac{\frac{\sqrt{3}}{6}x+\frac{1}{3}}{x^2+\sqrt{3}x+1}\mathrm{d}x+\int\frac{\frac{-\sqrt{3}}{6}x+\frac{1}{3}}{x^2-\sqrt{3}x+1}\mathrm{d}x$$

$$=\frac{1}{3}\arctan x+\frac{\sqrt{3}}{12}\int\frac{2x+\sqrt{3}}{x^2+\sqrt{3}x+1}\mathrm{d}x+\frac{1}{12}\int\frac{1}{x^2+\sqrt{3}x+1}\mathrm{d}x-\frac{\sqrt{3}}{12}\int\frac{2x-\sqrt{3}}{x^2-\sqrt{3}x+1}\mathrm{d}x+\frac{1}{12}\int\frac{1}{x^2-\sqrt{3}x+1}\mathrm{d}x$$

$$=\frac{1}{3}\arctan x+\frac{\sqrt{3}}{12}\ln(x^2+\sqrt{3}x+1)+\frac{1}{6}\arctan(2x+\sqrt{3})-\frac{\sqrt{3}}{12}\ln(x^2-\sqrt{3}x+1)+\frac{1}{6}\arctan(2x-\sqrt{3})+C$$

$$=\frac{1}{2}\arctan x+\frac{1}{6}\arctan x^3+\frac{1}{4\sqrt{3}}\ln\frac{x^2+\sqrt{3}x+1}{x^2-\sqrt{3}x+1}+C.$$

方法二

$$\int\frac{\mathrm{d}x}{x^6+1}=\frac{1}{2}\int\frac{x^4+1}{x^6+1}\mathrm{d}x-\frac{1}{2}\int\frac{x^4-1}{x^6+1}\mathrm{d}x$$

$$=\frac{1}{2}\int\frac{x^2+(x^4-x^2+1)}{x^6+1}\mathrm{d}x-\frac{1}{2}\int\frac{(x^2-1)(x^2+1)}{(x^2+1)(x^4-x^2+1)}\mathrm{d}x$$

$$= \frac{1}{2}\int \frac{x^2}{x^6+1}dx + \frac{1}{2}\int \frac{dx}{1+x^2} - \frac{1}{2}\int \frac{x^2-1}{x^4-x^2+1}dx$$

$$= \frac{1}{6}\int \frac{d(x^3)}{1+(x^3)^2} + \frac{1}{2}\arctan x - \frac{1}{2}\int \frac{d\left(x+\frac{1}{x}\right)}{\left(x+\frac{1}{x}\right)^2-3}$$

$$= \frac{1}{6}\arctan(x^3) + \frac{1}{2}\arctan x + \frac{1}{4\sqrt{3}}\ln\frac{x^2+\sqrt{3}x+1}{x^2-\sqrt{3}x+1} + C.$$

方法三 由于$\frac{1}{x^6+1} = \frac{1}{3(x^2+1)} - \frac{x^2-2}{3(x^4-x^2+1)}$，故

$$\int \frac{dx}{x^6+1} = \frac{1}{3}\int \frac{dx}{x^2+1} - \frac{1}{3}\int \frac{(x^2-2)dx}{x^4-x^2+1}$$

$$= \frac{1}{3}\arctan x - \frac{1}{6}\int \frac{(x^2+1)+(x^2-1)}{x^4-x^2+1}dx + \frac{1}{3}\int \frac{(x^2+1)-(x^2-1)}{x^4-x^2+1}dx$$

$$= \frac{1}{3}\arctan x + \frac{1}{6}\int \frac{x^2+1}{x^4-x^2+1}dx - \frac{1}{2}\int \frac{x^2-1}{x^4-x^2+1}dx$$

$$= \frac{1}{3}\arctan x + \frac{1}{6}\int \frac{d\left(x-\frac{1}{x}\right)}{\left(x-\frac{1}{x}\right)^2+1} - \frac{1}{2}\int \frac{d\left(x+\frac{1}{x}\right)}{\left(x+\frac{1}{x}\right)^2-3}$$

$$= \frac{1}{3}\arctan x + \frac{1}{6}\arctan\frac{x^2-1}{x} + \frac{1}{4\sqrt{3}}\ln\frac{x^2+\sqrt{3}x+1}{x^2-\sqrt{3}x+1} + C.$$

注 两种答案形式不同，实质上是一致的.

【1887】 $\int \frac{dx}{(1+x)(1+x^2)(1+x^3)}$.

解 设$\frac{1}{(1+x)(1+x^2)(1+x^3)} = \frac{A}{x+1} + \frac{B}{(x+1)^2} + \frac{Cx+D}{x^2+1} + \frac{Ex+F}{x^2-x+1}$，通分后应有

$$1 \equiv A(x+1)(x^2+1)(x^2-x+1) + B(x^2+1)(x^2-x+1) +$$
$$(Cx+D)(x+1)^2(x^2-x+1) + (Ex+F)(x+1)^2(x^2+1),$$

整理可得

$$1 \equiv (A+C+E)x^5 + (B+C+D+2E+F)x^4 + (A-B+D+2E+2F)x^3 +$$
$$(A+2B+C+2E+2F)x^2 + (-B+C+D+E+2F)x + (A+B+D+F),$$

比较等式两端 x 的同次幂系数，得

$$\begin{cases} A+C+E=0, \\ B+C+D+2E+F=0, \\ A-B+D+2E+2F=0, \\ A+2B+C+2E+2F=0, \\ -B+C+D+E+2F=0, \\ A+B+D+F=1, \end{cases}$$

解得 $A=\frac{1}{3}, B=\frac{1}{6}, C=0, D=\frac{1}{2}, E=-\frac{1}{3}, F=0$. 于是

$$\int \frac{dx}{(1+x)(1+x^2)(1+x^3)} = \int\left[\frac{1}{3(x+1)} + \frac{1}{6(x+1)^2} + \frac{1}{2(x^2+1)} - \frac{x}{3(x^2-x+1)}\right]dx$$

$$= \frac{1}{3}\ln|1+x| - \frac{1}{6(x+1)} + \frac{1}{2}\arctan x - \frac{1}{6}\int \frac{(2x-1)dx}{x^2-x+1} - \frac{1}{6}\int \frac{d\left(x-\frac{1}{2}\right)}{\left(x-\frac{1}{2}\right)^2+\frac{3}{4}}$$

$$=\frac{1}{6}\ln\frac{(x+1)^2}{x^2-x+1}-\frac{1}{6(x+1)}+\frac{1}{2}\arctan x-\frac{1}{3\sqrt{3}}\arctan\frac{2x-1}{\sqrt{3}}+C.$$

【1888】 $\displaystyle\int\frac{\mathrm{d}x}{x^5-x^4+x^3-x^2+x-1}$.

解 设

$$\frac{1}{x^5-x^4+x^3-x^2+x-1}=\frac{1}{(x-1)(x^2-x+1)(x^2+x+1)}=\frac{A}{x-1}+\frac{Bx+C}{x^2+x+1}+\frac{Dx+E}{x^2-x+1},$$

通分后应有

$$1\equiv A(x^2+x+1)(x^2-x+1)+(Bx+C)(x-1)(x^2-x+1)+(Dx+E)(x-1)(x^2+x+1),$$

整理可得

$$1\equiv(A+B+D)x^4+(-2B+C+E)x^3+(A+2B-2C)x^2+(-B+2C-D)x+(A-C-E),$$

比较等式两端 x 的同次幂系数，得

$$\begin{cases}A+B+D=0,\\-2B+C+E=0,\\A+2B-2C=0,\\-B+2C-D=0,\\A-C-E=1,\end{cases}$$

解得 $A=\frac{1}{3}$，$B=-\frac{1}{3}$，$C=-\frac{1}{6}$，$D=0$，$E=-\frac{1}{2}$. 于是

$$\begin{aligned}\int\frac{\mathrm{d}x}{x^5-x^4+x^3-x^2+x-1}&=\int\left[\frac{1}{3(x-1)}-\frac{2x+1}{6(x^2+x+1)}-\frac{1}{2(x^2-x+1)}\right]\mathrm{d}x\\&=\frac{1}{6}\ln\frac{(x-1)^2}{x^2+x+1}-\frac{1}{\sqrt{3}}\arctan\frac{2x-1}{\sqrt{3}}+C.\end{aligned}$$

【1889】 $\displaystyle\int\frac{x^2\mathrm{d}x}{x^4+3x^3+\frac{9}{2}x^2+3x+1}$.

解 设 $\dfrac{x^2}{x^4+3x^3+\frac{9}{2}x^2+3x+1}=\dfrac{Ax+B}{x^2+2x+2}+\dfrac{Cx+D}{x^2+x+\frac{1}{2}}$，通分后应有

$$x^2\equiv(Ax+B)\left(x^2+x+\frac{1}{2}\right)+(Cx+D)(x^2+2x+2).$$

整理可得

$$x^2\equiv(A+C)x^3+(A+B+2C+D)x^2+\left(\frac{A}{2}+B+2C+2D\right)x+\left(\frac{B}{2}+2D\right),$$

比较等式两端 x 的同次幂系数，得

$$\begin{cases}A+C=0,\\A+B+2C+D=1,\\\frac{A}{2}+B+2C+2D=0,\\\frac{B}{2}+2D=0,\end{cases}$$

解得 $A=\frac{4}{5}$，$B=\frac{12}{5}$，$C=-\frac{4}{5}$，$D=-\frac{3}{5}$. 于是

$$\int\frac{x^2\mathrm{d}x}{x^4+3x^3+\frac{9}{2}x^2+3x+1}=\int\left[\frac{4(x+3)}{5(x^2+2x+2)}-\frac{4x+3}{5\left(x^2+x+\frac{1}{2}\right)}\right]\mathrm{d}x$$

$$= \frac{2}{5}\int \frac{(2x+2)\mathrm{d}x}{x^2+2x+2} + \frac{8}{5}\int \frac{\mathrm{d}(x+1)}{(x+1)^2+1} - \frac{2}{5}\int \frac{(2x+1)\mathrm{d}x}{x^2+x+\frac{1}{2}} - \frac{1}{5}\int \frac{\mathrm{d}\left(x+\frac{1}{2}\right)}{\left(x+\frac{1}{2}\right)^2+\frac{1}{4}}$$

$$= \frac{2}{5}\ln\frac{x^2+2x+2}{x^2+x+\frac{1}{2}} + \frac{8}{5}\arctan(x+1) - \frac{2}{5}\arctan(2x+1) + C.$$

【1890】 在什么条件下，积分$\int \frac{ax^2+bx+c}{x^3(x-1)^2}\mathrm{d}x$ 为有理函数?

解 设$\frac{ax^2+bx+c}{x^3(x-1)^2} = \frac{A}{x} + \frac{B}{x^2} + \frac{C}{x^3} + \frac{D}{x-1} + \frac{E}{(x-1)^2}$，通分后应有

$$ax^2+bx+c \equiv Ax^2(x-1)^2 + Bx(x-1)^2 + C(x-1)^2 + Dx^3(x-1) + Ex^3.$$

整理可得

$$ax^2+bx+c \equiv (A+D)x^4 + (-2A+B-D+E)x^3 + (A-2B+C)x^2 + (B-2C)x + C,$$

比较等式两端 x 的同次幂系数，得

$$\begin{cases} A+D=0, \\ -2A+B-D+E=0, \\ A-2B+C=a, \\ B-2C=b, \\ C=c, \end{cases}$$

解得 $A=a+2b+3c, B=b+2c, C=c, D=-(a+2b+3c), E=a+b+c$. 于是

$$\int \frac{ax^2+bx+c}{x^3(x-1)^2}\mathrm{d}x = \int\left[\frac{a+2b+3c}{x} + \frac{b+2c}{x^2} + \frac{c}{x^3} - \frac{a+2b+3c}{x-1} + \frac{a+b+c}{(x-1)^2}\right]\mathrm{d}x$$

$$= (a+2b+3c)\ln|x| - \frac{b+2c}{x} - \frac{c}{2x^2} - (a+2b+3c)\ln|x-1| - \frac{a+b+c}{x-1} + C.$$

故当 $a+2b+3c=0$ 时，积分$\int \frac{ax^2+bx+c}{x^3(x-1)^2}\mathrm{d}x = -\frac{b+2c}{x} - \frac{c}{2x^2} - \frac{a+b+c}{x-1} + C$ 为有理函数.

知识点2 奥斯特罗格拉茨基方法

定义 奥斯特罗格拉茨基方法简称奥式方法，是一种直接求出有理函数积分的有理部分的方法. 具体来说是指关于有理真分式$\frac{P(x)}{Q(x)}$的积分，可以借助代数方法来分离成一个真分式与另一个真分式积分的和，使在新的被积真分式函数中，其分母次数达到最低状态，也即在公式

$$\int \frac{P(x)}{Q(x)}\mathrm{d}x = \frac{P_1(x)}{Q_1(x)} + \int \frac{P_2(x)}{Q_2(x)}\mathrm{d}x \qquad ①$$

中，如果 $P(x)$，$Q(x)$ 已知，且设分母 $Q(x)$ 可以分解成一次与二次类型的实因式

$$Q(x) = (x-a)^k\cdots(x^2+px+q)^m\cdots,$$

其中 $k,\cdots,m,\cdots$ 是正整数. 在公式 ① 的右端分母已知，形如：

$$Q_1(x) = (x-a)^{k-1}\cdots(x^2+px+q)^{m-1}\cdots, Q_2(x) = (x-a)\cdots(x^2+px+q)\cdots,$$

且满足 $Q_1(x)\cdot Q_2(x) = Q(x)$. 而 $P_1(x)$ 和 $P_2(x)$ 为相应比 $Q_1(x)$ 和 $Q_2(x)$ 更低次的多项式，一般可用待定系数法求得. 这种利用公式 ① 求积分的方法，就是所谓的奥斯特罗格拉茨基方法.

习题 1891—1902 利用奥斯特罗格拉茨基方法求积分

【求下列函数的积分(1891—1897)】

【1891】 $\int \frac{x\mathrm{d}x}{(x-1)^2(x+1)^3}$.

解 $Q=(x-1)^2(x+1)^3$,

$Q_1=(x-1)(x+1)^2=x^3+x^2-x-1, Q_2=(x-1)(x+1)=x^2-1$.

设 $\frac{x}{(x-1)^2(x+1)^3}=\left(\frac{Ax^2+Bx+C}{x^3+x^2-x-1}\right)'+\frac{Dx+E}{x^2-1}$,从而

$$x\equiv(2Ax+B)(x-1)(x+1)-(3x-1)(Ax^2+Bx+C)+(Dx+E)(x-1)(x+1)^2,$$

整理可得

$$x\equiv Dx^4+(-A+D+E)x^3+(A-2B-D+E)x^2+(-2A+B-3C-D-E)x+(-B+C-E),$$

比较等式两端 x 的同次幂系数,得

$$\begin{cases}D=0,\\-A+D+E=0,\\A-2B-D+E=0,\\-2A+B-3C-D-E=1,\\-B+C-E=0,\end{cases}$$

解得 $A=-\frac{1}{8}, B=-\frac{1}{8}, C=-\frac{1}{4}, D=0, E=-\frac{1}{8}$. 于是

$$\int\frac{x\mathrm{d}x}{(x-1)^2(x+1)^3}=-\frac{x^2+x+2}{8(x-1)(x+1)^2}-\frac{1}{8}\int\frac{\mathrm{d}x}{x^2-1}=-\frac{x^2+x+2}{8(x-1)(x+1)^2}+\frac{1}{16}\ln\left|\frac{x+1}{x-1}\right|+C.$$

【1892】 $\int\frac{\mathrm{d}x}{(x^3+1)^2}$.

解 $Q=(x+1)^2(x^2-x+1)^2, Q_1=Q_2=x^3+1$. 设

$$\frac{1}{(x^3+1)^2}=\left(\frac{Ax^2+Bx+C}{x^3+1}\right)'+\frac{Dx^2+Ex+F}{x^3+1},$$

从而

$$1\equiv(2Ax+B)(x^3+1)-3x^2(Ax^2+Bx+C)+(Dx^2+Ex+F)(x^3+1),$$

整理可得

$$1\equiv Dx^5+(-A+E)x^4+(-2B+F)x^3+(-3C+D)x^2+(2A+E)x+(B+F).$$

比较等式两端 x 的同次幂系数,得

$$\begin{cases}D=0,\\-A+E=0,\\-2B+F=0,\\-3C+D=0,\\2A+E=0,\\B+F=1,\end{cases}$$

解得 $A=0, B=\frac{1}{3}, C=0, D=0, E=0, F=\frac{2}{3}$. 于是

$$\int\frac{\mathrm{d}x}{(x^3+1)^2}=\frac{x}{3(x^3+1)}+\frac{2}{3}\int\frac{\mathrm{d}x}{x^3+1}=\frac{x}{3(x^3+1)}+\frac{1}{9}\ln\frac{(x+1)^2}{x^2-x+1}+\frac{2}{3\sqrt{3}}\arctan\frac{2x-1}{\sqrt{3}}+C,$$

其中

$$\int\frac{\mathrm{d}x}{x^3+1}=\int\left[\frac{1}{3(x+1)}-\frac{x-2}{3(x^2-x+1)}\right]\mathrm{d}x=\frac{1}{3}\int\frac{\mathrm{d}x}{x+1}-\frac{1}{6}\int\frac{2x-1}{x^2-x+1}\mathrm{d}x+\frac{1}{2}\int\frac{\mathrm{d}\left(x-\frac{1}{2}\right)}{\left(x-\frac{1}{2}\right)^2+\frac{3}{4}}$$

$$=\frac{1}{6}\ln\frac{(x+1)^2}{x^2-x+1}+\frac{1}{\sqrt{3}}\arctan\frac{2x-1}{\sqrt{3}}+C_1.$$

注 本题用到 1881 题的结果.

【1893】 $\int\frac{\mathrm{d}x}{(x^2+1)^3}$.

解 $Q=(x^2+1)^3,Q_1=(x^2+1)^2,Q_2=x^2+1$.

设$\frac{1}{(x^2+1)^3}=\left[\frac{Ax^3+Bx^2+Cx+D}{(x^2+1)^2}\right]'+\frac{Ex+F}{x^2+1}$,从而

$1\equiv(3Ax^2+2Bx+C)(x^2+1)-4x(Ax^3+Bx^2+Cx+D)+(Ex+F)(x^2+1)^2$,

整理可得 $1\equiv Ex^5+(-A+F)x^4+(-2B+2E)x^3+(3A-3C+2F)x^2+(2B-4D+E)x+(C+F)$,

比较等式两端 x 的同次幂系数,得

$$\begin{cases}E=0,\\-A+F=0,\\-2B+2E=0,\\3A-3C+2F=0,\\2B-4D+E=0,\\C+F=1,\end{cases}$$

解得 $A=\frac{3}{8},B=0,C=\frac{5}{8},D=0,E=0,F=\frac{3}{8}$. 于是

$$\int\frac{\mathrm{d}x}{(x^2+1)^3}=\frac{x(3x^2+5)}{8(x^2+1)^2}+\frac{3}{8}\int\frac{\mathrm{d}x}{x^2+1}=\frac{x(3x^2+5)}{8(x^2+1)^2}+\frac{3}{8}\arctan x+C.$$

【1894】 $\int\frac{x^2\mathrm{d}x}{(x^2+2x+2)^2}$.

解 **方法一** $Q=(x^2+2x+2)^2,Q_1=Q_2=x^2+2x+2$.

设$\frac{x^2}{(x^2+2x+2)^2}=\left(\frac{Ax+B}{x^2+2x+2}\right)'+\frac{Cx+D}{x^2+2x+2}$,从而

$$x^2\equiv A(x^2+2x+2)-2(x+1)(Ax+B)+(Cx+D)(x^2+2x+2),$$

整理可得

$$x^2\equiv Cx^3+(-A+2C+D)x^2+(-2B+2C+2D)x+(2A-2B+2D),$$

比较等式两端 x 的同次幂系数,得

$$\begin{cases}C=0,\\-A+2C+D=1,\\-2B+2C+2D=0,\\2A-2B+2D=0,\end{cases}$$

解得 $A=0,B=1,C=0,D=1$. 于是

$$\int\frac{x^2\mathrm{d}x}{(x^2+2x+2)^2}=\frac{1}{x^2+2x+2}+\int\frac{\mathrm{d}x}{x^2+2x+2}=\frac{1}{x^2+2x+2}+\int\frac{\mathrm{d}(x+1)}{(x+1)^2+1}$$

$$=\frac{1}{x^2+2x+2}+\arctan(x+1)+C.$$

方法二 $\int\frac{x^2\mathrm{d}x}{(x^2+2x+2)^2}=\int\frac{(x^2+2x+2)-(2x+2)}{(x^2+2x+2)^2}\mathrm{d}x=\int\frac{\mathrm{d}x}{x^2+2x+2}-\int\frac{2x+2}{(x^2+2x+2)^2}\mathrm{d}x$

$$=\int\frac{\mathrm{d}(x+1)}{(x+1)^2+1}-\int\frac{\mathrm{d}(x^2+2x+2)}{(x^2+2x+2)^2}=\arctan(x+1)+\frac{1}{x^2+2x+2}+C.$$

【1895】 $\int\frac{\mathrm{d}x}{(x^4+1)^2}$.

解 $Q=(x^4+1)^2, Q_1=Q_2=x^4+1$.

设 $\frac{1}{(x^4+1)^2}=\left(\frac{Ax^3+Bx^2+Cx+D}{x^4+1}\right)'+\frac{Ex^3+Fx^2+Gx+H}{x^4+1}$，从而

$$1\equiv(3Ax^2+2Bx+C)(x^4+1)-4x^3(Ax^3+Bx^2+Cx+D)+(Ex^3+Fx^2+Gx+H)(x^4+1),$$

整理可得

$$1\equiv Ex^7+(-A+F)x^6+(-2B+G)x^5+(-3C+H)x^4+(-4D+E)x^3+(3A+F)x^2+(2B+G)x+(C+H),$$

比较等式两端 x 的同次幂系数，得

$$\begin{cases}E=0,\\-A+F=0,\\-2B+G=0,\\-3C+H=0,\\-4D+E=0,\\3A+F=0,\\2B+G=0,\\C+H=1,\end{cases}$$

解得 $A=0,B=0,C=\frac{1}{4},D=0,E=0,F=0,G=0,H=\frac{3}{4}$. 于是

$$\int\frac{\mathrm{d}x}{(x^4+1)^2}=\frac{x}{4(x^4+1)}+\frac{3}{4}\int\frac{\mathrm{d}x}{x^4+1}=\frac{x}{4(x^4+1)}+\frac{3}{16\sqrt{2}}\ln\frac{x^2+\sqrt{2}x+1}{x^2-\sqrt{2}x+1}+\frac{3}{8\sqrt{2}}\arctan\frac{x^2-1}{\sqrt{2}x}+C,$$

其中

$$\int\frac{\mathrm{d}x}{x^4+1}=\frac{1}{2}\int\left(\frac{x^2+1}{x^4+1}-\frac{x^2-1}{x^4+1}\right)\mathrm{d}x=\frac{1}{2}\int\frac{x^2+1}{x^4+1}\mathrm{d}x-\frac{1}{2}\int\frac{x^2-1}{x^4+1}\mathrm{d}x$$
$$=\frac{1}{2\sqrt{2}}\arctan\frac{x^2-1}{\sqrt{2}x}-\frac{1}{4\sqrt{2}}\ln\left|\frac{x^2-\sqrt{2}x+1}{x^2+\sqrt{2}x+1}\right|+C.$$

注 本题用到1884题的结果.

【1896】 $\int\frac{x^2+3x-2}{(x-1)(x^2+x+1)^2}\mathrm{d}x$.

解 $Q=(x-1)(x^2+x+1)^2, Q_1=x^2+x+1, Q_2=(x-1)(x^2+x+1)$.

设 $\frac{x^2+3x-2}{(x-1)(x^2+x+1)^2}=\left(\frac{Ax+B}{x^2+x+1}\right)'+\frac{Cx^2+Dx+E}{(x-1)(x^2+x+1)}$，从而

$$x^2+3x-2\equiv A(x-1)(x^2+x+1)-(2x+1)(Ax+B)(x-1)+(Cx^2+Dx+E)(x^2+x+1)$$

整理可得

$$x^2+3x-2\equiv Cx^4+(-A+C+D)x^3+(A-2B+C+D+E)x^2+(A+B+D+E)x+(-A+B+E),$$

比较等式两端 x 的同次幂系数，得

$$\begin{cases}C=0,\\-A+C+D=0,\\A-2B+C+D+E=1,\\A+B+D+E=3,\\-A+B+E=-2,\end{cases}$$

解得 $A=\frac{5}{3}, B=\frac{2}{3}, C=0, D=\frac{5}{3}, E=-1$，再将 $\frac{\frac{5}{3}x-1}{(x-1)(x^2+x+1)}$ 分解，可得

$$\frac{\frac{5}{3}x-1}{(x-1)(x^2+x+1)}=\frac{2}{9(x-1)}-\frac{2x-11}{9(x^2+x+1)}.$$

于是

$$\begin{aligned}\int\frac{x^2+3x-2}{(x-1)(x^2+x+1)^2}dx&=\frac{5x+2}{3(x^2+x+1)}+\frac{2}{9}\int\frac{dx}{x-1}-\frac{1}{9}\int\frac{2x-11}{x^2+x+1}dx\\&=\frac{5x+2}{3(x^2+x+1)}+\frac{2}{9}\ln|x-1|-\frac{1}{9}\int\frac{2x+1}{x^2+x+1}dx+\\&\quad\frac{4}{3}\int\frac{d\left(x+\frac{1}{2}\right)}{\left(x+\frac{1}{2}\right)^2+\frac{3}{4}}\\&=\frac{5x+2}{3(x^2+x+1)}+\frac{1}{9}\ln\frac{(x-1)^2}{x^2+x+1}+\frac{8}{3\sqrt{3}}\arctan\frac{2x+1}{\sqrt{3}}+C.\end{aligned}$$

【1897】 $\int\frac{dx}{(x^4-1)^3}$.

解 $Q=(x^4-1)^3, Q_1=(x^4-1)^2, Q_2=x^4-1$. 设

$$\frac{1}{(x^4-1)^3}=\left[\frac{P(x)}{(x^4-1)^2}\right]'+\frac{P_1(x)}{x^4-1},$$

其中 $P(x)=Ax^7+Bx^6+Cx^5+Dx^4+Ex^3+Fx^2+Gx+H, P_1(x)=A_1x^3+B_1x^2+C_1x+D_1$.

利用待定系数法，可求出

$$A=0, B=0, C=\frac{7}{32}, D=0, E=0, F=0, G=-\frac{11}{32}, H=0, A_1=0, B_1=0, C_1=0, D_1=\frac{21}{32}.$$

于是

$$\int\frac{dx}{(x^4-1)^2}=\frac{7x^5-11x}{32(x^4-1)^2}+\frac{21}{32}\int\frac{dx}{x^4-1}=\frac{7x^5-11x}{32(x^4-1)^2}+\frac{21}{128}\ln\left|\frac{x-1}{x+1}\right|-\frac{21}{64}\arctan x+C,$$

其中 $\int\frac{dx}{x^4-1}=\frac{1}{2}\int\left(\frac{1}{x^2-1}-\frac{1}{x^2+1}\right)dx=\frac{1}{4}\ln\left|\frac{x-1}{x+1}\right|-\frac{1}{2}\arctan x+C.$

注 本题用到1883题的结果.

【分出下列积分的代数部分(1898—1900)】

【1898】 $\int\frac{x^2+1}{(x^4+x^2+1)^2}dx$.

解 设 $\int\frac{x^2+1}{(x^4+x^2+1)^2}dx=\frac{Ax^3+Bx^2+Cx+D}{x^4+x^2+1}+\int\frac{A_1x^3+B_1x^2+C_1x+D_1}{x^4+x^2+1}dx.$

上述等式右端的积分为非代数部分，因此，只需要求出 A、B、C、D 就可以了. 等式两端求导并通分，得

$$\begin{aligned}x^2+1\equiv&(3Ax^2+2Bx+C)(x^4+x^2+1)-(4x^3+2x)(Ax^3+Bx^2+Cx+D)+\\&(A_1x^3+B_1x^2+C_1x+D_1)(x^4+x^2+1).\end{aligned}$$

比较等式两端 x 的同次幂系数，可求出

$$A=\frac{1}{6}, B=0, C=\frac{1}{3}, D=0, A_1=0, B_1=\frac{1}{6}, C_1=0, D_1=\frac{2}{3}.$$

因此，所求积分的代数部分为 $\frac{x^3+2x}{6(x^4+x^2+1)}$.

【1899】 $\int\frac{dx}{(x^3+x+1)^3}$.

解 设$\int\frac{\mathrm{d}x}{(x^3+x+1)^3}=\frac{Ax^5+Bx^4+Cx^3+Dx^2+Ex+F}{(x^3+x+1)^2}+\int\frac{Gx^2+Hx+L}{x^3+x+1}\mathrm{d}x$. 对上述等式两端求导并通分，得

$$1\equiv(5Ax^4+4Bx^3+3Cx^2+2Dx+E)(x^3+x+1)-2(3x^2+1)(Ax^5+Bx^4+Cx^3+Dx^2+Ex+F)+(Gx^2+Hx+L)(x^3+x+1)^2,$$

比较等式两端 x 的同次幂系数，可求出

$$A=-\frac{243}{961},B=\frac{357}{1922},C=-\frac{405}{961},D=-\frac{315}{1922},E=\frac{156}{961},F=-\frac{224}{961},G=0,H=-\frac{243}{961},L=\frac{357}{961}.$$

因此，所求积分的代数部分为

$$-\frac{486x^5-357x^4+810x^3+315x^2-312x+448}{1\,922(x^3+x+1)^2}.$$

【1900】 $\int\frac{4x^5-1}{(x^5+x+1)^2}\mathrm{d}x$.

解 设$\int\frac{4x^5-1}{(x^5+x+1)^2}\mathrm{d}x=\frac{Ax^4+Bx^3+Cx^2+Dx+E}{x^5+x+1}+\int\frac{Fx^4+Gx^3+Hx^2+Lx+M}{x^5+x+1}\mathrm{d}x$.

对上述等式两端求导再通分，得

$$4x^5-1\equiv(4Ax^3+3Bx^2+2Cx+D)(x^5+x+1)-(5x^4+1)(Ax^4+Bx^3+Cx^2+Dx+E)+(Fx^4+Gx^3+Hx^2+Lx+M)(x^5+x+1).$$

比较等式两端 x 的同次幂系数，可求出

$$A=0,B=0,C=0,D=-1,E=0,F=0,G=0,H=0,L=0,M=0.$$

因此，所求积分的代数部分为$-\frac{x}{x^5+x+1}$(全部积分).

【1901】 计算积分$\int\frac{\mathrm{d}x}{x^4+2x^3+3x^2+2x+1}$.

解 $Q=x^4+2x^3+3x^2+2x+1=(x^2+x+1)^2,Q_1=Q_2=x^2+x+1$.

设$\frac{1}{x^4+2x^3+3x^2+2x+1}=\left(\frac{Ax+B}{x^2+x+1}\right)'+\frac{Cx+D}{x^2+x+1}$,从而

$$1\equiv A(x^2+x+1)-(2x+1)(Ax+B)+(Cx+D)(x^2+x+1),$$

整理可得

$$1\equiv Cx^3+(-A+C+D)x^2+(-2B+D+C)x+(A-B+D),$$

比较等式两端 x 的同次幂系数，得

$$\begin{cases}C=0,\\-A+C+D=0,\\-2B+D+C=0,\\A-B+D=1,\end{cases}$$

解得 $A=\frac{2}{3},B=\frac{1}{3},C=0,D=\frac{2}{3}$. 于是

$$\int\frac{\mathrm{d}x}{x^4+2x^3+3x^2+2x+1}=\frac{2x+1}{3(x^2+x+1)}+\frac{2}{3}\int\frac{\mathrm{d}x}{x^2+x+1}=\frac{2x+1}{3(x^2+x+1)}+\frac{2}{3}\int\frac{\mathrm{d}\left(x+\frac{1}{2}\right)}{\left(x+\frac{1}{2}\right)^2+\frac{3}{4}}$$

$$=\frac{2x+1}{3(x^2+x+1)}+\frac{4}{3\sqrt{3}}\arctan\frac{2x+1}{\sqrt{3}}+C.$$

【1902】 在什么条件下，积分$\int\frac{\alpha x^2+2\beta x+\gamma}{(ax^2+2bx+c)^2}\mathrm{d}x$ 为有理函数?

解 (1) 当 $a\neq0$ 且 $b^2-ac=0$ 时，$ax^2+2bx+c=a(x-x_0)^2$，其中 x_0 为实数. 此时

$$\frac{\alpha x^2+2\beta x+\gamma}{(ax^2+2bx+c)^2}=\frac{\alpha(x-x_0)^2+2\alpha x_0(x-x_0)+\alpha x_0^2+2\beta(x-x_0)+2\beta x_0+\gamma}{a^2(x-x_0)^4}$$

$$=\frac{\alpha}{a^2(x-x_0)^2}+\frac{2\alpha x_0+2\beta}{a^2(x-x_0)^3}+\frac{\alpha x_0^2+2\beta x_0+\gamma}{a^2(x-x_0)^4},$$

从而，积分为有理函数.

(2) 当 $a\neq 0$ 且 $b^2-ac\neq 0$ 时，则设

$$\frac{\alpha x^2+2\beta x+\gamma}{(ax^2+2bx+c)^2}=\left(\frac{Ax+B}{ax^2+2bx+c}\right)'+\frac{Cx+D}{ax^2+2bx+c},$$

从而

$$\alpha x^2+2\beta x+\gamma\equiv A(ax^2+2bx+c)-(2ax+2b)(Ax+B)+(Cx+D)(ax^2+2bx+c),$$

整理可得

$$\alpha x^2+2\beta x+\gamma\equiv aCx^3+(-Aa+2bC+aD)x^2+(-2aB+2bD+cC)x+Ac-2bB+Dc,$$

比较等式两端 x 的同次幂系数，得

$$\begin{cases}aC=0,\\-Aa+2bC+aD=\alpha,\\-2aB+2bD+cC=2\beta,\\Ac-2bB+Dc=\gamma,\end{cases}$$

可解得 $C=0,D=\dfrac{2b\beta-a\gamma-c\alpha}{2(b^2-ac)}$.

故当 $a\gamma+c\alpha=2b\beta$ 时，$D=0$，此时积分为有理函数.

(3) 当 $a=0,b\neq 0$ 时，

$$\frac{\alpha x^2+2\beta x+\gamma}{(ax^2+2bx+c)^2}=\frac{\alpha\left(x+\frac{c}{2b}\right)^2-\frac{\alpha c}{b}\left(x+\frac{c}{2b}\right)+\frac{\alpha c^2}{4b^2}+2\beta\left(x+\frac{c}{2b}\right)-\frac{\beta c}{b}+\gamma}{4b^2\left(x+\frac{c}{2b}\right)^2}$$

$$=\frac{\alpha}{4b^2}+\frac{2\beta-\frac{\alpha c}{b}}{4b^2\left(x+\frac{c}{2b}\right)}+\frac{\frac{\alpha c^2}{4b^2}-\frac{\beta c}{b}+\gamma}{4b^2\left(x+\frac{c}{2b}\right)^2},$$

故当 $2\beta-\dfrac{\alpha c}{b}=0$ 即 $\alpha c=2b\beta$ 时，积分为有理函数. 这种情况可归并到 $a\gamma+c\alpha=2b\beta$ 中去.

(4) 当 $a=b=0,c\neq 0$ 时，积分显然为有理函数. 这种情况可归并到 $b^2-ac=0$ 中去.

综上所述，当 $b^2-ac=0$ 或 $a\gamma+c\alpha=2b\beta$ 时，积分为有理函数.

知识点3 其他积分方法

根据被积函数的特点选择合适的方法可以有效的简化计算过程，例如：分式代换、递推公式、泰勒公式等.

习题 1903—1925 利用不同方法计算不定积分

【利用不同方法，计算下列积分(1903—1920)**】**

【1903】 $\displaystyle\int\frac{x^3}{(x-1)^{100}}\mathrm{d}x.$

解 $\displaystyle\int\frac{x^3}{(x-1)^{100}}\mathrm{d}x=\int\frac{[(x-1)+1]^3}{(x-1)^{100}}\mathrm{d}x=\int\left[\frac{1}{(x-1)^{97}}+\frac{3}{(x-1)^{98}}+\frac{3}{(x-1)^{99}}+\frac{1}{(x-1)^{100}}\right]\mathrm{d}x$

$$=-\frac{1}{96(x-1)^{96}}-\frac{3}{97(x-1)^{97}}-\frac{3}{98(x-1)^{98}}-\frac{1}{99(x-1)^{99}}+C.$$

【1904】 $\int\frac{x\mathrm{d}x}{x^8-1}$.

解 $\int\frac{x\mathrm{d}x}{x^8-1}=\frac{1}{2}\int\frac{\mathrm{d}(x^2)}{(x^2)^4-1}=\frac{1}{8}\ln\left|\frac{x^2-1}{x^2+1}\right|-\frac{1}{4}\arctan(x^2)+C.$

注 本题用到 1883 题的结果.

【1905】 $\int\frac{x^3\mathrm{d}x}{x^8+3}$.

解 $\int\frac{x^3\mathrm{d}x}{x^8+3}=\frac{1}{4}\int\frac{\mathrm{d}(x^4)}{(x^4)^2+3}=\frac{1}{4\sqrt{3}}\arctan\frac{x^4}{\sqrt{3}}+C.$

【1906】 $\int\frac{x^2+x}{x^6+1}\mathrm{d}x$.

解 $\int\frac{x^2+x}{x^6+1}\mathrm{d}x=\frac{1}{3}\int\frac{\mathrm{d}(x^3)}{(x^3)^2+1}+\frac{1}{2}\int\frac{\mathrm{d}(x^2)}{(x^2)^3+1}$

$$=\frac{1}{3}\arctan x^3+\frac{1}{2}\left[\frac{1}{6}\ln\frac{(x^2+1)^2}{x^4-x^2+1}+\frac{1}{\sqrt{3}}\arctan\frac{2x^2-1}{\sqrt{3}}\right]+C$$

$$=\frac{1}{3}\arctan x^3+\frac{1}{12}\ln\frac{(x^2+1)^2}{x^4-x^2+1}+\frac{1}{2\sqrt{3}}\arctan\frac{2x^2-1}{\sqrt{3}}+C.$$

注 本题用到 1881 题的结果.

【1907】 $\int\frac{x^4-3}{x(x^8+3x^4+2)}\mathrm{d}x$.

解 $\int\frac{x^4-3}{x(x^8+3x^4+2)}\mathrm{d}x=\int\frac{\left(1-\frac{3}{x^4}\right)\mathrm{d}x}{x^5\left(1+\frac{3}{x^4}+\frac{2}{x^8}\right)}=\int\frac{-\frac{1}{4}\left(1-\frac{3}{x^4}\right)\mathrm{d}\left(\frac{1}{x^4}\right)}{\frac{2}{x^8}+\frac{3}{x^4}+1}$

$$=-\frac{1}{4}\int\left(\frac{5}{\frac{2}{x^4}+1}-\frac{4}{\frac{1}{x^4}+1}\right)\mathrm{d}\left(\frac{1}{x^4}\right)$$

$$=-\frac{5}{8}\ln\left(\frac{2}{x^4}+1\right)+\ln\left(\frac{1}{x^4}+1\right)+C$$

$$=\frac{5}{8}\ln\frac{x^4}{x^4+2}-\ln\frac{x^4}{x^4+1}+C.$$

【1908】 $\int\frac{x^4\mathrm{d}x}{(x^{10}-10)^2}$.

解 $\int\frac{x^4\mathrm{d}x}{(x^{10}-10)^2}=\frac{1}{5}\int\frac{\mathrm{d}(x^5)}{[(x^5-\sqrt{10})(x^5+\sqrt{10})]^2}$

$$=\frac{1}{200}\int\frac{[(x^5-\sqrt{10})-(x^5+\sqrt{10})]^2}{[(x^5-\sqrt{10})(x^5+\sqrt{10})]^2}\mathrm{d}(x^5)$$

$$=\frac{1}{200}\int\left(\frac{1}{x^5-\sqrt{10}}-\frac{1}{x^5+\sqrt{10}}\right)^2\mathrm{d}(x^5)$$

$$=\frac{1}{200}\int\frac{\mathrm{d}(x^5-\sqrt{10})}{(x^5-\sqrt{10})^2}-\frac{1}{100}\int\frac{\mathrm{d}(x^5)}{(x^5)^2-10}+\frac{1}{200}\int\frac{\mathrm{d}(x^5+\sqrt{10})}{(x^5+\sqrt{10})^2}$$

$$=-\frac{1}{200(x^5-\sqrt{10})}-\frac{1}{200\sqrt{10}}\ln\left|\frac{x^5-\sqrt{10}}{x^5+\sqrt{10}}\right|-\frac{1}{200(x^5+\sqrt{10})}+C$$

$$=-\frac{x^5}{100(x^{10}-10)}-\frac{1}{200\sqrt{10}}\ln\left|\frac{x^5-\sqrt{10}}{x^5+\sqrt{10}}\right|+C.$$

【1909】 $\int\frac{x^{11}\mathrm{d}x}{x^8+3x^4+2}$.

解 $\int\frac{x^{11}}{x^8+3x^4+2}\mathrm{d}x=\frac{1}{4}\int\frac{x^8\mathrm{d}(x^4)}{(x^4+1)(x^4+2)}=\frac{1}{4}\int\left[1-\frac{3x^4+2}{(x^4+1)(x^4+2)}\right]\mathrm{d}(x^4)$

$$=\frac{1}{4}\int\left(1+\frac{1}{x^4+1}-\frac{4}{x^4+2}\right)\mathrm{d}(x^4)=\frac{x^4}{4}+\frac{1}{4}\ln\frac{x^4+1}{(x^4+2)^4}+C.$$

【1910】 $\int\frac{x^9\mathrm{d}x}{(x^{10}+2x^5+2)^2}$.

解 $\int\frac{x^9\mathrm{d}x}{(x^{10}+2x^5+2)^2}=\frac{1}{5}\int\frac{x^5\mathrm{d}(x^5)}{[(x^5+1)^2+1]^2}=\frac{1}{5}\int\frac{(x^5+1)\mathrm{d}(x^5+1)}{[(x^5+1)^2+1]^2}-\frac{1}{5}\int\frac{\mathrm{d}(x^5+1)}{[(x^5+1)^2+1]^2}$

$$=\frac{1}{10}\int\frac{\mathrm{d}[(x^5+1)^2+1]}{[(x^5+1)^2+1]^2}-\frac{1}{5}\int\frac{\mathrm{d}(x^5+1)}{[(x^5+1)^2+1]^2}$$

$$=-\frac{1}{10[(x^5+1)^2+1]}-\frac{1}{5}\left[\frac{x^5+1}{2(x^5+1)^2+2}+\frac{1}{2}\arctan(x^5+1)\right]+C$$

$$=-\frac{x^5+2}{10(x^{10}+2x^5+2)}-\frac{1}{10}\arctan(x^5+1)+C.$$

注 本题用到1817题的结果.

【1911】 $\int\frac{x^{2n-1}}{x^n+1}\mathrm{d}x$.

解 当 $n\neq0$ 时，

$$\int\frac{x^{2n-1}}{x^n+1}\mathrm{d}x=\int\frac{x^n\cdot x^{n-1}\mathrm{d}x}{x^n+1}=\frac{1}{n}\int\frac{x^n\mathrm{d}(x^n)}{x^n+1}=\frac{1}{n}\int\left(1-\frac{1}{x^n+1}\right)\mathrm{d}(x^n)=\frac{1}{n}(x^n-\ln|x^n+1|)+C.$$

当 $n=0$ 时，$\int\frac{x^{2n-1}}{x^n+1}\mathrm{d}x=\int\frac{\mathrm{d}x}{2x}=\frac{1}{2}\ln|x|+C$.

【1912】 $\int\frac{x^{3n-1}}{(x^{2n}+1)^2}\mathrm{d}x$.

解 当 $n\neq0$ 时，

$$\int\frac{x^{3n-1}}{(x^{2n}+1)^2}\mathrm{d}x=\int\frac{x^{2n}\cdot x^{n-1}\mathrm{d}x}{(x^{2n}+1)^2}=\frac{1}{n}\int\frac{x^{2n}\mathrm{d}(x^n)}{(x^{2n}+1)^2}=\frac{1}{n}\int\frac{(x^{2n}+1)-1}{(x^{2n}+1)^2}\mathrm{d}(x^n)$$

$$=\frac{1}{n}\int\frac{\mathrm{d}(x^n)}{x^{2n}+1}-\frac{1}{n}\int\frac{\mathrm{d}(x^n)}{(x^{2n}+1)^2}$$

$$=\frac{1}{n}\arctan x^n-\frac{1}{n}\left[\frac{x^n}{2(x^{2n}+1)}+\frac{1}{2}\arctan x^n\right]+C$$

$$=\frac{1}{2n}\left(\arctan x^n-\frac{x^n}{x^{2n}+1}\right)+C.$$

当 $n=0$ 时，$\int\frac{x^{3n-1}}{(x^{2n}+1)^2}\mathrm{d}x=\frac{1}{4}\int\frac{\mathrm{d}x}{x}=\frac{1}{4}\ln|x|+C$.

注 本题用到1817题的结果.

【1913】 $\int\frac{\mathrm{d}x}{x(x^{10}+2)}$.

解 方法一 $\int\frac{\mathrm{d}x}{x(x^{10}+2)}=\int\frac{1}{2}\left(\frac{1}{x}-\frac{x^9}{x^{10}+2}\right)\mathrm{d}x=\frac{1}{2}\ln|x|-\frac{1}{20}\int\frac{\mathrm{d}(x^{10}+2)}{x^{10}+2}$

$$=\frac{1}{2}\ln|x|-\frac{1}{20}\ln(x^{10}+2)+C=\frac{1}{20}\ln\frac{x^{10}}{x^{10}+2}+C.$$

方法二 $\int\frac{1}{x(x^{10}+2)}\mathrm{d}x=\int\frac{x^9}{x^{10}(x^{10}+2)}\mathrm{d}x=\frac{1}{10}\int\frac{1}{x^{10}(x^{10}+2)}\mathrm{d}(x^{10})$

$$=\frac{1}{20}\int\left(\frac{1}{x^{10}}-\frac{1}{x^{10}+2}\right)\mathrm{d}(x^{10})=\frac{1}{20}\ln\frac{x^{10}}{x^{10}+2}+C.$$

【1914】 $\int\frac{\mathrm{d}x}{x(x^{10}+1)^2}.$

解 **方法一** 由于

$$\frac{1}{x(x^{10}+1)^2}=\frac{x^{10}+1-x^{10}}{x(x^{10}+1)^2}=\frac{1}{x(x^{10}+1)}-\frac{x^9}{(x^{10}+1)^2}=\frac{1}{x}-\frac{x^9}{x^{10}+1}-\frac{x^9}{(x^{10}+1)^2},$$

所以

$$\int\frac{\mathrm{d}x}{x(x^{10}+1)^2}=\int\left[\frac{1}{x}-\frac{x^9}{x^{10}+1}-\frac{x^9}{(x^{10}+1)^2}\right]\mathrm{d}x=\ln|x|-\frac{1}{10}\int\frac{\mathrm{d}(x^{10}+1)}{x^{10}+1}-\frac{1}{10}\int\frac{\mathrm{d}(x^{10}+1)}{(x^{10}+1)^2}$$

$$=\ln|x|-\frac{1}{10}\ln(x^{10}+1)+\frac{1}{10(x^{10}+1)}+C=\frac{1}{10}\ln\frac{x^{10}}{x^{10}+1}+\frac{1}{10(x^{10}+1)}+C.$$

方法二 $\int\frac{1}{x(x^{10}+1)^2}\mathrm{d}x=\int\frac{x^9}{x^{10}(x^{10}+1)^2}\mathrm{d}x=\frac{1}{10}\int\frac{1}{x^{10}(x^{10}+1)^2}\mathrm{d}(x^{10})$

$$=\frac{1}{10}\int\left[\frac{1}{x^{10}}-\frac{1}{x^{10}+1}-\frac{1}{(x^{10}+1)^2}\right]\mathrm{d}(x^{10})$$

$$=\frac{1}{10}\ln\frac{x^{10}}{x^{10}+1}+\frac{1}{10(x^{10}+1)}+C.$$

【1915】 $\int\frac{1-x^7}{x(1+x^7)}\mathrm{d}x.$

解 $\int\frac{1-x^7}{x(1+x^7)}\mathrm{d}x=\int\left(\frac{1}{x}-\frac{2x^6}{1+x^7}\right)\mathrm{d}x=\ln|x|-\frac{2}{7}\int\frac{\mathrm{d}(1+x^7)}{1+x^7}$

$$=\ln|x|-\frac{2}{7}\ln|1+x^7|+C=\frac{1}{7}\ln\frac{|x|^7}{(1+x^7)^2}+C.$$

【1916】 $\int\frac{x^4-1}{x(x^4-5)(x^5-5x+1)}\mathrm{d}x.$

解 $\int\frac{x^4-1}{x(x^4-5)(x^5-5x+1)}\mathrm{d}x=\frac{1}{5}\int\frac{\mathrm{d}(x^5-5x)}{(x^5-5x)(x^5-5x+1)}$

$$=\frac{1}{5}\int\left(\frac{1}{x^5-5x}-\frac{1}{x^5-5x+1}\right)\mathrm{d}(x^5-5x)$$

$$=\frac{1}{5}\int\frac{\mathrm{d}(x^5-5x)}{x^5-5x}-\frac{1}{5}\int\frac{\mathrm{d}(x^5-5x-1)}{x^5-5x+1}$$

$$=\frac{1}{5}\ln\left|\frac{x(x^4-5)}{x^5-5x+1}\right|+C.$$

【1917】 $\int\frac{x^2+1}{x^4+x^2+1}\mathrm{d}x.$

解 由于$\frac{x^2+1}{x^4+x^2+1}=\frac{x^2+1}{(x^2+1)^2-x^2}=\frac{x^2+1}{(x^2-x+1)(x^2+x+1)}$

$$=\frac{1}{2}\left(\frac{1}{x^2-x+1}+\frac{1}{x^2+x+1}\right),$$

所以

$$\int\frac{x^2+1}{x^4+x^2+1}\mathrm{d}x=\frac{1}{2}\int\frac{\mathrm{d}x}{x^2-x+1}+\frac{1}{2}\int\frac{\mathrm{d}x}{x^2+x+1}=\frac{1}{2}\int\frac{\mathrm{d}\left(x-\frac{1}{2}\right)}{\left(x-\frac{1}{2}\right)^2+\frac{3}{4}}+\frac{1}{2}\int\frac{\mathrm{d}\left(x+\frac{1}{2}\right)}{\left(x+\frac{1}{2}\right)^2+\frac{3}{4}}$$

$$=\frac{1}{\sqrt{3}}\arctan\frac{2x-1}{\sqrt{3}}+\frac{1}{\sqrt{3}}\arctan\frac{2x+1}{\sqrt{3}}+C=\frac{1}{\sqrt{3}}\arctan\frac{\sqrt{3}x}{1-x^2}+C.$$

【1918】 $\int\frac{x^2-1}{x^4+x^3+x^2+x+1}\mathrm{d}x.$

解 $$\int\frac{x^2-1}{x^4+x^3+x^2+x+1}\mathrm{d}x=\int\frac{\left(1-\frac{1}{x^2}\right)\mathrm{d}x}{\left(x^2+\frac{1}{x^2}\right)+\left(x+\frac{1}{x}\right)+1}=\int\frac{\mathrm{d}\left(x+\frac{1}{x}\right)}{\left(x+\frac{1}{x}\right)^2+\left(x+\frac{1}{x}\right)-1}$$

$$=\int\frac{\mathrm{d}\left(x+\frac{1}{x}+\frac{1}{2}\right)}{\left[\left(x+\frac{1}{x}\right)+\frac{1}{2}\right]^2-\frac{5}{4}}=\frac{1}{\sqrt{5}}\ln\frac{x+\frac{1}{x}+\frac{1}{2}-\frac{\sqrt{5}}{2}}{x+\frac{1}{x}+\frac{1}{2}+\frac{\sqrt{5}}{2}}+C$$

$$=\frac{1}{\sqrt{5}}\ln\frac{2x^2+(1-\sqrt{5})x+2}{2x^2+(1+\sqrt{5})x+2}+C.$$

【1919】 $\int\frac{x^5-x}{x^8+1}\mathrm{d}x.$

解 $$\int\frac{x^5-x}{x^8+1}\mathrm{d}x=\frac{1}{2}\int\frac{(x^2)^2-1}{(x^2)^4+1}\mathrm{d}(x^2)=\frac{1}{4\sqrt{2}}\ln\frac{x^4-\sqrt{2}x^2+1}{x^4+\sqrt{2}x^2+1}+C.$$

注 本题用到 1713 题的结果.

【1920】 $\int\frac{x^4+1}{x^6+1}\mathrm{d}x.$

解 $$\int\frac{x^4+1}{x^6+1}\mathrm{d}x=\int\frac{(x^4-x^2+1)+x^2}{x^6+1}\mathrm{d}x=\int\frac{x^4-x^2+1}{(x^2+1)(x^4-x^2+1)}\mathrm{d}x+\int\frac{x^2\mathrm{d}x}{x^6+1}$$

$$=\int\frac{1}{x^2+1}\mathrm{d}x+\frac{1}{3}\int\frac{\mathrm{d}(x^3)}{(x^3)^2+1}=\arctan x+\frac{1}{3}\arctan x^3+C.$$

【1921】 试导出用于计算积分 $I_n=\int\frac{\mathrm{d}x}{(ax^2+bx+c)^n}(a\neq0)$ 的递推公式，并利用这个公式计算

$$I_3=\int\frac{\mathrm{d}x}{(x^2+x+1)^3}.$$

解 由于 $4a(ax^2+bx+c)=(2ax+b)^2+(4ac-b^2)=t^2+\Delta$，其中 $t=2ax+b$，$\Delta=4ac-b^2$. 故

$$I_n=\int\frac{\mathrm{d}x}{(ax^2+bx+c)^n}=\int\frac{(4a)^n\mathrm{d}x}{[(2ax+b)^2+\Delta]^n}=2^{2n-1}a^{n-1}\int\frac{\mathrm{d}t}{(t^2+\Delta)^n}.$$

当 $\Delta\neq0$ 时，对于积分 $\int\frac{\mathrm{d}t}{(t^2+\Delta)^n}$ 利用分部积分法，有

$$\int\frac{\mathrm{d}t}{(t^2+\Delta)^n}=\frac{t}{(t^2+\Delta)^n}+2n\int\frac{t^2\mathrm{d}t}{(t^2+\Delta)^{n+1}}=\frac{t}{(t^2+\Delta)^n}+2n\int\frac{(t^2+\Delta)-\Delta}{(t^2+\Delta)^{n+1}}\mathrm{d}t$$

$$=\frac{t}{(t^2+\Delta)^n}+2n\int\frac{\mathrm{d}t}{(t^2+\Delta)^n}-2n\Delta\int\frac{\mathrm{d}t}{(t^2+\Delta)^{n+1}}.$$

若令 $\bar{I}_n=\int\frac{\mathrm{d}t}{(t^2+\Delta)^n}$，则有 $\bar{I}_n=\frac{t}{(t^2+\Delta)^n}+2n\bar{I}_n-2n\Delta\bar{I}_{n+1}$ 或 $\bar{I}_{n+1}=\frac{1}{2n\Delta}\cdot\frac{t}{(t^2+\Delta)^n}+\frac{2n-1}{2n}\cdot\frac{1}{\Delta}\bar{I}_n$，从而，

$$\bar{I}_n=\frac{1}{2(n-1)\Delta}\cdot\frac{t}{(t^2+\Delta)^{n-1}}+\frac{2n-3}{2n-2}\cdot\frac{1}{\Delta}\bar{I}_{n-1}.$$

代入 I_n，可得

$$I_n = 2^{2n-1}a^{n-1}\left[\frac{1}{2(n-1)\Delta}\cdot\frac{t}{(t^2+\Delta)^{n-1}}+\frac{2n-3}{2n-2}\cdot\frac{1}{\Delta}\bar{I}_{n-1}\right]$$

$$= 2^{2n-1}a^{n-1}\left[\frac{1}{2(n-1)\Delta}\cdot\frac{2ax+b}{(4a)^{n-1}(ax^2+bx+c)^{n-1}}+\frac{2n-3}{2n-2}\cdot\frac{1}{\Delta}\cdot\frac{2a}{(4a)^{n-1}}\int\frac{dx}{(ax^2+bx+c)^{n-1}}\right]$$

$$= \frac{1}{(n-1)\Delta}\cdot\frac{2ax+b}{(ax^2+bx+c)^{n-1}}+\frac{2n-3}{n-1}\cdot\frac{2a}{\Delta}I_{n-1},$$

最后得递推公式

$$I_n = \frac{1}{(n-1)\Delta}\cdot\frac{2ax+b}{(ax^2+bx+c)^{n-1}}+\frac{2n-3}{n-1}\cdot\frac{2a}{\Delta}I_{n-1}.$$

当 $\Delta = 0$ 时，则有

$$I_n = \int\frac{(4a)^n dx}{(2ax+b)^{2n}} = 2^{2n-1}a^{n-1}\int\frac{d(2ax+b)}{(2ax+b)^{2n}} = \frac{1}{a^n(1-2n)}\left(x+\frac{b}{2a}\right)^{1-2n}+C.$$

对于 I_3，$\Delta\neq 0$，两次运用上述递推公式，可得

$$I_3 = \int\frac{dx}{(x^2+x+1)^3} = \frac{2x+1}{6(x^2+x+1)^2}+\int\frac{dx}{(x^2+x+1)^2}$$

$$= \frac{2x+1}{6(x^2+x+1)^2}+\frac{2x+1}{3(x^2+x+1)}+\frac{2}{3}\int\frac{dx}{x^2+x+1}$$

$$= \frac{2x+1}{6(x^2+x+1)^2}+\frac{2x+1}{3(x^2+x+1)}+\frac{4}{3\sqrt{3}}\arctan\frac{2x+1}{\sqrt{3}}+C.$$

【1922】 利用代换 $t = \frac{x+a}{x+b}$ 计算积分：

$$I = \int\frac{dx}{(x+a)^m(x+b)^n}(m \text{ 及 } n \text{ 为正整数}).$$

利用这个代换，求 $\int\frac{dx}{(x-2)^2(x+3)^3}$.

解 设 $t = \frac{x+a}{x+b}$，则 $1-t = \frac{b-a}{x+b}$，$x+b = \frac{b-a}{1-t}$，$x+a = t(x+b) = \frac{t(b-a)}{1-t}$，且

$$dt = \frac{b-a}{(x+b)^2}dx = \frac{(1-t)^2}{b-a}dx, dx = \frac{b-a}{(1-t)^2}dt.$$

代入 I，即得

$$I = \frac{1}{(b-a)^{m+n-1}}\int\frac{(1-t)^{m+n-2}}{t^m}dt(a\neq b).$$

将 $(1-t)^{m+n-2}$ 展开，即可分项积分求得 I.

如果 $b = a$，则

$$I = \int\frac{dx}{(x+a)^{m+n}} = \frac{1}{1-m-n}(x+a)^{1-m-n}+C.$$

令 $a=-2$，$b=3$，$m=2$ 及 $n=3$，并设 $t = \frac{x-2}{x+3}$，即得

$$\int\frac{dx}{(x-2)^2(x+3)^3} = \frac{1}{5^4}\int\frac{(1-t)^3}{t^2}dt = \frac{1}{5^4}\int\left(\frac{1}{t^2}-\frac{3}{t}+3-t\right)dt$$

$$= \frac{1}{625}\left(-\frac{1}{t}-3\ln|t|+3t-\frac{t^2}{2}\right)+C$$

$$= \frac{1}{625}\left[-\frac{x+3}{x-2}-3\ln\left|\frac{x-2}{x+3}\right|+\frac{3(x-2)}{x+3}-\frac{(x-2)^2}{2(x+3)^2}\right]+C.$$

【1923】 若 $P_n(x)$ 为 x 的 n 次多项式，计算 $\int\frac{P_n(x)}{(x-a)^{n+1}}dx$.

解 因 $P_n(x)$ 为 x 的 n 次多项式，故 $P_n(x) = \sum_{k=0}^{n}\frac{P_n^{(k)}(a)}{k!}(x-a)^k$，其中 $P_n^{(0)}(a) = P_n(a)$. 于是

$$\int \frac{P_n(x)}{(x-a)^{n+1}}\mathrm{d}x = \sum_{k=0}^{n-1}\frac{1}{k!}P_n^{(k)}(a)\int\frac{\mathrm{d}x}{(x-a)^{n-k+1}} + \frac{1}{n!}P_n^{(n)}(a)\int\frac{\mathrm{d}x}{x-a}$$
$$= -\sum_{k=0}^{n-1}\frac{P_n^{(k)}(a)}{k!(n-k)(x-a)^{n-k}} + \frac{1}{n!}P_n^{(n)}(a)\ln|x-a| + C,$$

其中$\frac{P_n^{(n)}(a)}{n!} = a_0$为$P_n(x)$的首项系数，即

$$P_n(x) = a_0(x-a)^n + a_1(x-a)^{n-1} + \cdots + a_{n-1}(x-a) + a_n.$$

【1924】 设$R(x) = R^*(x^2)$，其中R^*为有理函数，则函数$R(x)$分解为有理分式时有什么特性？

解 设$R^*(x) = P(x) + H(x)$，其中$P(x)$是多项式.

若$R^*(x)$本身也为多项式，则$H(x) \equiv 0$，否则$H(x) = \frac{P_1(x)}{Q_1(x)}$是真分式，而$P_1(x)$，$Q_1(x)$也均为多项式.

设$Q_1(x)$有非负实根为a_i^2，其重数为$\alpha_i(i = 1,2,\cdots,m)$；负根为$-b_k^2$，其重数为$\beta_k(k = 1,2,\cdots,t)$；二次因式为$x^2 + C_p x + D_p$，其重数为$\gamma_p$，其中$C_p^2 - 4D_p < 0(p = 1,2,\cdots,s)$，于是

$$Q_1(x) = \begin{cases} a_0\prod_{i=1}^{m}(x-a_i^2)^{\alpha_i}\prod_{k=1}^{t}(x+b_k^2)^{\beta_k}\prod_{p=1}^{s}(x^2+C_px+D_p)^{\gamma_p}, & m\neq 0,t\neq 0,s\neq 0,\\ a_0\prod_{k=1}^{t}(x+b_k^2)^{\beta_k}\prod_{p=1}^{s}(x^2+C_px+D_p)^{\gamma_p}, & m=0,t\neq 0,s\neq 0,\\ a_0\prod_{i=1}^{m}(x-a_i^2)^{\alpha_i}\prod_{p=1}^{s}(x^2+C_px+D_p)^{\gamma_p}, & m\neq 0,t=0,s\neq 0,\\ a_0\prod_{i=1}^{m}(x-a_i^2)^{\alpha_i}\prod_{k=1}^{t}(x+b_k^2)^{\beta_k}, & m\neq 0,t\neq 0,s=0,\\ a_0\prod_{i=1}^{m}(x-a_i^2)^{\alpha_i}, & m\neq 0,t=0,s=0,\\ a_0\prod_{k=1}^{t}(x+b_k^2)^{\beta_k}, & m=0,t\neq 0,s=0,\\ a_0\prod_{p=1}^{s}(x^2+C_px+D_p)^{\gamma_p}, & m=0,t=0,s\neq 0. \end{cases}$$

以下就$Q_1(x)$表达式中的第一种情形予以论证.

由$C_p^2 - 4D_p < 0$，可得

$$x^4 + C_p x^2 + D_p = (x^2 + E_p x + F_p)(x^2 - E_p x + F_p)(p = 1,2,\cdots,s),$$

$$Q_1(x^2) = a_0\prod_{i=1}^{m}(x-a_i)^{\alpha_i}(x+a_i)^{\alpha_i}\prod_{k=1}^{t}(x^2+b_k^2)^{\beta_k}\prod_{p=1}^{s}(x^2+E_px+F_p)^{\gamma_p}(x^2-E_px+F_p)^{\gamma_p},$$

$$H(x^2) = \frac{P_1(x^2)}{Q_1(x^2)} = \sum_{i=1}^{m}\sum_{\tau=1}^{\alpha_i}\left[\frac{A_{i\tau}}{(a_i-x)^{\tau}} + \frac{A'_{i\tau}}{(a_i+x)^{\tau}}\right] + \sum_{k=1}^{t}\sum_{\tau=1}^{\beta_k}\frac{B_{k\tau}x + C_{k\tau}}{(x^2+b_k^2)^{\tau}} +$$
$$\sum_{p=1}^{s}\sum_{\tau=1}^{\gamma_p}\left[\frac{M_{p\tau}x+N_{p\tau}}{(x^2+E_px+F_p)^{\tau}} + \frac{M'_{p\tau}x+N'_{p\tau}}{(x^2-E_px+F_p)^{\tau}}\right].$$

显然有$H(x^2) = H[(-x)^2]$，由$H(x^2)$的分解式的唯一性，比较系数，即得

$$A'_{i\tau_1} = A_{i\tau_1}, M'_{p\tau_2} = -M_{p\tau_2}, N'_{p\tau_2} = N_{p\tau_2}, B_{k\tau_3} = 0,$$

其中$\tau_1 = 1,2,\cdots,\alpha_i, i = 1,2,\cdots,m, \tau_2 = 1,2,\cdots,\gamma_p, p = 1,2,\cdots,s, \tau_3 = 1,2,\cdots,\beta_k, k = 1,2,\cdots,t.$

最后得

$$R(x) = P(x^2) + H(x^2) = P(x^2) + \sum_{i=1}^{m}\sum_{\tau=1}^{\alpha_i}A_{i\tau}\left[\frac{1}{(a_i-x)^{\tau}} + \frac{1}{(a_i+x)^{\tau}}\right] + \sum_{k=1}^{\tau}\sum_{\tau=1}^{\beta_k}\frac{C_{k\tau}}{(x^2+b_k^2)^{\tau}} +$$

$$\sum_{p=1}^{s}\sum_{\tau=1}^{\gamma_p}\left[\frac{M_{p\tau}x+N_{p\tau}}{(x^2+E_px+F_p)^\tau}-\frac{M_{p\tau}x-N_{p\tau}}{(x^2-E_px+F_p)^\tau}\right].$$

如若 $H(x)\neq 0$，而 $m-0$，但 $t\neq 0, s\neq 0$ 时，则在上述表达式中就应缺少第二项的和式，形如

$$R(x)=P(x^2)+\sum_{k=1}^{\tau}\sum_{\tau=1}^{\beta_k}+\sum_{p=1}^{s}\sum_{\tau=1}^{\gamma_p},$$

其他情形可以类似推导. 至于当 $H(x)\equiv 0$ 时，当然有 $R(x)=P(x^2)$.

另外，本题也可在复数域上作分解考虑.

仍记 $R^*(x)=P(x)+H(x)$，其中 $P(x)$ 为多项式，而 $H(x)$ 要么是零(当 $R^*(x)$ 为多项式时)，要么是一个真分式，例如 $H(x)\neq 0$ 时，记 $H(x)=\dfrac{P_1(x)}{Q_1(x)}$ 是其真分式. $P_1(x)$，$Q_1(x)$ 为多项式. 若记 $Q_1(x)$ 在复数域中的根为 α_i，其相应重数记为 $n_i(i=1,2,\cdots,m$；显然 $m\geqslant 1)$，即

$$Q_1(x)=a_0\prod_{i=1}^{m}(x-\alpha_i)^{n_i},$$

那么 $Q_1(x^2)$ 中的每一项 $x^2-\alpha_i$ 可分解为一次式乘积

$$x^2-a_i=(x-b_i)(x+b_i),$$

于是

$$Q_1(x^2)=a_0\prod_{i=1}^{m}(x-b_i)^{n_i}(x+b_i)^{n_i}.$$

相应地有 $H(x^2)=\dfrac{P_1(x^2)}{Q_1(x^2)}=\displaystyle\sum_{i=1}^{m}\sum_{k=1}^{n_i}\left[\frac{B_{ik}}{(x-b_i)^k}+\frac{B'_{ik}}{(x+b_i)^k}\right]=\sum_{i=1}^{m}\sum_{k=1}^{n_i}\left[\frac{A_{ik}}{(x-b_i)^k}+\frac{A'_{ik}}{(x+b_i)^k}\right].$

由 $H(x^2)=H[(-x)^2]$，从 $H(x^2)$ 的分解式的唯一性，比较系数，即得

$$A'_{ik}=A_{ik}(k=1,2,\cdots,n_i;i=1,2,\cdots,m),$$

$$R(x)=P(x^2)+H(x^2)=P(x^2)+\sum_{i=1}^{m}\sum_{k=1}^{n_i}\left[\frac{A_{ik}}{(b_i-x)^k}+\frac{A_{ik}}{(b_i+x)^k}\right],$$

其中 b_i 为分母 $Q_1(x^2)$ 的根，A_{ik} 为常系数.

【1925】 计算 $\displaystyle\int\frac{\mathrm{d}x}{1+x^{2n}}$，其中 n 为正整数.

解 先将被积函数分解成部分分式之和，可以证明

$$\frac{1}{1+x^{2n}}=\frac{1}{n}\sum_{k=1}^{n}\frac{1-x\cos\dfrac{2k-1}{2n}\pi}{x^2-2x\cos\dfrac{2k-1}{2n}\pi+1}.$$

事实上，记多项式 $x^{2n}+1$ 的 $2n$ 个根为 $a_k(k=1,2,\cdots,2n)$，则 $a_k=\cos\dfrac{2k-1}{2n}\pi+\mathrm{i}\sin\dfrac{2k-1}{2n}\pi$，其中 $\mathrm{i}^2=-1$.

于是

$$|a_k|=1, a_k^{2n}=-1, \bar{a}_k=a_{2n-k+1}, a_k\bar{a}_k=1, a_k+\bar{a}_k=2\cos\frac{2k-1}{2n}\pi.$$

设 $\dfrac{1}{1+x^{2n}}=\displaystyle\sum_{k=1}^{2n}\frac{A_k}{x-a_k}$，即 $1=\displaystyle\sum_{k=1}^{2n}\frac{A_k(1+x^{2n})}{x-a_k}$. 令 $x\to a_i$，并应用洛必达法则，即得

$$1=\lim_{x\to a_i}\sum_{k=1}^{2n}\frac{A_k(1+x^{2n})}{x-a_k}=\lim_{x\to a_i}\frac{A_i(1+x^{2n})}{x-a_i}=\lim_{x\to a_i}(2nA_ix^{2n-1})=2nA_i\frac{a_i^{2n}}{a_i}=-\frac{2nA_i}{a_i}(i=1,2,\cdots,2n),$$

即 $A_k=-\dfrac{a_k}{2n}(k=1,2,\cdots,2n)$. 于是

$$\frac{1}{1+x^{2n}}=-\frac{1}{2n}\sum_{k=1}^{2n}\frac{a_k}{x-a_k}=-\frac{1}{2n}\sum_{k=1}^{n}\left(\frac{a_k}{x-a_k}+\frac{\bar{a}_k}{x-\bar{a}_k}\right)$$

$$=-\frac{1}{2n}\sum_{k=1}^{n}\frac{(a_k+\bar{a}_k)x-2a_k\bar{a}_k}{x^2-(a_k+\bar{a}_k)x+a_k\bar{a}_k}=\frac{1}{n}\sum_{k=1}^{n}\frac{1-x\cos\frac{2k-1}{2n}\pi}{x^2-2x\cos\frac{2k-1}{2n}\pi+1}.$$

因而有

$$\int\frac{\mathrm{d}x}{1+x^{2n}}=\frac{1}{n}\sum_{k=1}^{n}\int\frac{1-x\cos\frac{2k-1}{2n}\pi}{x^2-2x\cos\frac{2k-1}{2n}\pi+1}\mathrm{d}x$$

$$=-\frac{1}{2n}\sum_{k=1}^{n}\left(\cos\frac{2k-1}{2n}\pi\int\frac{2x-2\cos\frac{2k-1}{2n}\pi}{x^2-2x\cos\frac{2k-1}{2n}\pi+1}\mathrm{d}x\right)+$$

$$\frac{1}{n}\sum_{k=1}^{n}\left[\sin^2\frac{2k-1}{2n}\pi\int\frac{\mathrm{d}x}{\left(x-\cos\frac{2k-1}{2n}\pi\right)^2+\sin^2\frac{2k-1}{2n}\pi}\right]$$

$$=-\frac{1}{2n}\sum_{k=1}^{n}\left[\cos\frac{2k-1}{2n}\pi\cdot\ln\left(x^2-2x\cos\frac{2k-1}{2n}\pi+1\right)\right]+$$

$$\frac{1}{n}\sum_{k=1}^{n}\left(\sin\frac{2k-1}{2n}\pi\cdot\arctan\frac{x-\cos\frac{2k-1}{2n}\pi}{\sin\frac{2k-1}{2n}\pi}\right)+C.$$

第3节 无理函数的积分法（习题1926—1990）

知识点预览

序号	知识点	题目序号	所在页码
1	无理函数有理化	1926—1936	P67
2	求二次无理式不定积分的基本方法	1937—1980	P71
3	二项微分式的积分	1981—1990	P88

知识点 1 无理函数有理化

求解无理函数不定积分的关键是将无理函数转换为有理函数.

求解普通无理函数的不定积分，可以通过简单的代换，将无理函数有理化后再进行求解.

习题 1926—1936 将被积函数有理化求不定积分

【利用化被积函数为有理函数的方法，求下列积分(1926—1935)**】**

【1926】 $\displaystyle\int\frac{\mathrm{d}x}{1+\sqrt{x}}.$

解 设$\sqrt{x}=t$，则$x=t^2$，$\mathrm{d}x=2t\mathrm{d}t$，代入得

$$\int\frac{\mathrm{d}x}{1+\sqrt{x}}=2\int\frac{t\mathrm{d}t}{1+t}=2\int\left(1-\frac{1}{1+t}\right)\mathrm{d}t=2[t-\ln(1+t)]+C=2\sqrt{x}-2\ln(1+\sqrt{x})+C.$$

【1927】 $\displaystyle\int\frac{\mathrm{d}x}{x(1+2\sqrt{x}+\sqrt[3]{x})}$.

解 设$\sqrt[6]{x}=t$，则$x=t^6$，$\mathrm{d}x=6t^5\mathrm{d}t$，代入得

$$\begin{aligned}
\int\frac{\mathrm{d}x}{x(1+2\sqrt{x}+\sqrt[3]{x})}&=6\int\frac{\mathrm{d}t}{t(1+2t^3+t^2)}=6\int\frac{\mathrm{d}t}{t(1+t)(2t^2-t+1)}\\
&=6\int\left[\frac{1}{t}-\frac{1}{4(1+t)}-\frac{6t-1}{4(2t^2-t+1)}\right]\mathrm{d}t\\
&=6\left[\ln|t|-\frac{1}{4}\ln|1+t|-\frac{3}{8}\int\frac{4t-1}{2t^2-t+1}\mathrm{d}t-\frac{1}{16}\int\frac{\mathrm{d}\left(t-\frac{1}{4}\right)}{\left(t-\frac{1}{4}\right)^2+\frac{7}{16}}\right]\\
&=6\left[\ln|t|-\frac{1}{4}\ln|1+t|-\frac{3}{8}\ln(2t^2-t+1)-\frac{1}{4\sqrt{7}}\arctan\frac{4t-1}{\sqrt{7}}\right]+C\\
&=\frac{3}{4}\ln\frac{t^8}{(1+t)^2(2t^2-t+1)^3}-\frac{3}{2\sqrt{7}}\arctan\frac{4t-1}{\sqrt{7}}+C\\
&=\frac{3}{4}\ln\frac{x\sqrt[3]{x}}{(1+\sqrt[6]{x})^2(2\sqrt[3]{x}-\sqrt[6]{x}+1)^3}-\frac{3}{2\sqrt{7}}\arctan\frac{4\sqrt[6]{x}-1}{\sqrt{7}}+C.
\end{aligned}$$

【1928】 $\displaystyle\int\frac{x\sqrt[3]{2+x}}{x+\sqrt[3]{2+x}}\mathrm{d}x$.

解 设$\sqrt[3]{2+x}=t$，则$x=t^3-2$，$\mathrm{d}x=3t^2\mathrm{d}t$，代入得

$$\begin{aligned}
\int\frac{x\sqrt[3]{2+x}}{x+\sqrt[3]{2+x}}\mathrm{d}x&=3\int\frac{t^6-2t^3}{t^3+t-2}\mathrm{d}t=3\int\left(t^3-t+\frac{t^2-2t}{t^3+t-2}\right)\mathrm{d}t\\
&=\frac{3}{4}t^4-\frac{3}{2}t^2+3\int\left[-\frac{1}{4(t-1)}+\frac{\frac{5}{4}t-\frac{1}{2}}{t^2+t+2}\right]\mathrm{d}t\\
&=\frac{3}{4}t^4-\frac{3}{2}t^2-\frac{3}{4}\ln|t-1|+\frac{15}{8}\int\frac{2t+1}{t^2+t+2}\mathrm{d}t-\frac{27}{8}\int\frac{\mathrm{d}\left(t+\frac{1}{2}\right)}{\left(t+\frac{1}{2}\right)^2+\frac{7}{4}}\\
&=\frac{3}{4}t^4-\frac{3}{2}t^2-\frac{3}{4}\ln|t-1|+\frac{15}{8}\ln(t^2+t+2)-\frac{27}{4\sqrt{7}}\arctan\frac{2t+1}{\sqrt{7}}+C,
\end{aligned}$$

其中$t=\sqrt[3]{2+x}$.

【1929】 $\displaystyle\int\frac{1-\sqrt{x+1}}{1+\sqrt[3]{x+1}}\mathrm{d}x$.

解 设$\sqrt[6]{x+1}=t$，则$x=t^6-1$，$\mathrm{d}x=6t^5\mathrm{d}t$，代入得

$$\begin{aligned}
\int\frac{1-\sqrt{x+1}}{1+\sqrt[3]{x+1}}\mathrm{d}x&=6\int\frac{t^5(1-t^3)}{1+t^2}\mathrm{d}t=6\int\left(-t^6+t^4+t^3-t^2-t+1+\frac{t-1}{1+t^2}\right)\mathrm{d}t\\
&=-\frac{6}{7}t^7+\frac{6}{5}t^5+\frac{3}{2}t^4-2t^3-3t^2+6t+3\ln(1+t^2)-6\arctan t+C,
\end{aligned}$$

其中$t=\sqrt[6]{x+1}$.

【1930】 $\displaystyle\int\frac{\mathrm{d}x}{\sqrt{x}(1+\sqrt[4]{x})^3}$.

解 设$\sqrt[4]{x}=t$，则$x=t^4$，$\mathrm{d}x=4t^3\mathrm{d}t$，代入得

$$\int\frac{\mathrm{d}x}{\sqrt{x}(1+\sqrt[4]{x})^3}=4\int\frac{t\mathrm{d}t}{(1+t)^3}=4\int\left[\frac{1}{(1+t)^2}-\frac{1}{(1+t)^3}\right]\mathrm{d}t$$

$$=-\frac{4}{1+t}+\frac{2}{(1+t)^2}+C=\frac{2}{(1+\sqrt[4]{x})^2}-\frac{4}{1+\sqrt[4]{x}}+C.$$

【1931】 $\displaystyle\int\frac{\sqrt{x+1}-\sqrt{x-1}}{\sqrt{x+1}+\sqrt{x-1}}\mathrm{d}x.$

解 **方法一** 设$\sqrt{\dfrac{x+1}{x-1}}=t$，则$x=\dfrac{t^2+1}{t^2-1}$，$\mathrm{d}x=-\dfrac{4t}{(t^2-1)^2}\mathrm{d}t$，代入得

$$\int\frac{\sqrt{x+1}-\sqrt{x-1}}{\sqrt{x+1}+\sqrt{x-1}}\mathrm{d}x=\int\frac{\sqrt{\frac{x+1}{x-1}}-1}{\sqrt{\frac{x+1}{x-1}}+1}\mathrm{d}x=-4\int\frac{t\mathrm{d}t}{(t-1)(t+1)^3}$$

$$=\int\left[-\frac{2}{(t+1)^3}+\frac{1}{(t+1)^2}+\frac{1}{2(t+1)}-\frac{1}{2(t-1)}\right]\mathrm{d}t$$

$$=\frac{1}{(t+1)^2}-\frac{1}{t+1}+\frac{1}{2}\ln\left|\frac{t+1}{t-1}\right|+C_1$$

$$=\frac{1}{2}x^2-\frac{1}{2}x\sqrt{x^2-1}+\frac{1}{2}\ln\left|x+\sqrt{x^2-1}\right|+C.$$

方法二 $$\int\frac{\sqrt{x+1}-\sqrt{x-1}}{\sqrt{x+1}+\sqrt{x-1}}\mathrm{d}x=\int\frac{(\sqrt{x+1}-\sqrt{x-1})^2}{(x+1)-(x-1)}\mathrm{d}x=\int(x-\sqrt{x^2-1})\mathrm{d}x$$

$$=\frac{1}{2}x^2-\frac{1}{2}x\sqrt{x^2-1}+\frac{1}{2}\ln\left|x+\sqrt{x^2-1}\right|+C.$$

【1932】 $\displaystyle\int\frac{\mathrm{d}x}{\sqrt[3]{(x+1)^2(x-1)^4}}.$

解 设$\sqrt[3]{\dfrac{x+1}{x-1}}=t$，则$x=\dfrac{t^3+1}{t^3-1}$，$\mathrm{d}x=-\dfrac{6t^2}{(t^3-1)^2}\mathrm{d}t$，代入得

$$\int\frac{\mathrm{d}x}{\sqrt[3]{(x+1)^2(x-1)^4}}=-\frac{3}{2}\int\mathrm{d}t=-\frac{3}{2}t+C=-\frac{3}{2}\sqrt[3]{\frac{x+1}{x-1}}+C.$$

【1933】 $\displaystyle\int\frac{x\mathrm{d}x}{\sqrt[4]{x^3(a-x)}}(a>0).$

解 设$\sqrt[4]{\dfrac{a-x}{x}}=t$，则$x=\dfrac{a}{1+t^4}$，$\mathrm{d}x=-\dfrac{4at^3}{(1+t^4)^2}\mathrm{d}t$，代入得

$$\int\frac{x\mathrm{d}x}{\sqrt[4]{x^3(a-x)}}=\int\frac{\mathrm{d}x}{\sqrt[4]{\frac{a-x}{x}}}=-4a\int\frac{t^2}{(1+t^4)^2}\mathrm{d}t=-4a\int\left[\frac{t}{(t^2-\sqrt{2}t+1)(t^2+\sqrt{2}t+1)}\right]^2\mathrm{d}t$$

$$=-\frac{a}{2}\int\left(\frac{1}{t^2-\sqrt{2}t+1}-\frac{1}{t^2+\sqrt{2}t+1}\right)^2\mathrm{d}t$$

$$=-\frac{a}{2}\int\frac{\mathrm{d}t}{(t^2-\sqrt{2}t+1)^2}-\frac{a}{2}\int\frac{\mathrm{d}t}{(t^2+\sqrt{2}t+1)^2}+a\int\frac{\mathrm{d}t}{t^4+1}.$$

现在分别求上述积分，利用1921题的递推公式，即得

$$\int\frac{\mathrm{d}t}{(t^2-\sqrt{2}t+1)^2}=\frac{2t-\sqrt{2}}{2(t^2-\sqrt{2}t+1)}+\int\frac{\mathrm{d}t}{t^2-\sqrt{2}t+1}=\frac{2t-\sqrt{2}}{2(t^2-\sqrt{2}t+1)}+\int\frac{\mathrm{d}\left(t-\frac{\sqrt{2}}{2}\right)}{\left(t-\frac{\sqrt{2}}{2}\right)^2+\frac{1}{2}}$$

$$=\frac{2t-\sqrt{2}}{2(t^2-\sqrt{2}t+1)}+\sqrt{2}\arctan(\sqrt{2}t-1)+C_1,$$

$$\int\frac{dt}{(t^2+\sqrt{2}t+1)^2}=\frac{2t+\sqrt{2}}{2(t^2+\sqrt{2}t+1)}+\int\frac{dt}{t^2+\sqrt{2}t+1}=\frac{2t+\sqrt{2}}{2(t^2+\sqrt{2}t+1)}+\int\frac{d\left(t+\frac{\sqrt{2}}{2}\right)}{\left(t+\frac{\sqrt{2}}{2}\right)^2+\frac{1}{2}}$$

$$=\frac{2t+\sqrt{2}}{2(t^2+\sqrt{2}t+1)}+\sqrt{2}\arctan(\sqrt{2}t+1)+C_2.$$

利用 1884 题的结果，即得$\int\frac{dt}{t^4+1}=\frac{1}{4\sqrt{2}}\ln\frac{t^2+\sqrt{2}t+1}{t^2-\sqrt{2}t+1}+\frac{1}{2\sqrt{2}}\arctan\frac{\sqrt{2}t}{1-t^2}+C_3.$

最后得到

$$\int\frac{xdx}{\sqrt[4]{x^3(a-x)}}=-\frac{a}{2}\left[\frac{2t-\sqrt{2}}{2(t^2-\sqrt{2}t+1)}+\frac{2t+\sqrt{2}}{2(t^2+\sqrt{2}t+1)}\right]-\frac{\sqrt{2}}{2}a[\arctan(\sqrt{2}t-1)+$$

$$\arctan(\sqrt{2}t+1)]+\frac{a}{4\sqrt{2}}\ln\frac{t^2+\sqrt{2}t+1}{t^2-\sqrt{2}t+1}+\frac{a}{2\sqrt{2}}\arctan\frac{\sqrt{2}t}{1-t^2}+C_4$$

$$=-\frac{at^3}{1+t^4}+\frac{a}{4\sqrt{2}}\ln\frac{t^2+\sqrt{2}t+1}{t^2-\sqrt{2}t+1}-\frac{a}{2\sqrt{2}}\arctan\frac{\sqrt{2}t}{1-t^2}+C_4$$

$$=-\frac{at^3}{1+t^4}+\frac{a}{4\sqrt{2}}\ln\frac{t^2+\sqrt{2}t+1}{t^2-\sqrt{2}t+1}+\frac{a}{2\sqrt{2}}\arctan\frac{1-t^2}{t\sqrt{2}}+C\text{，其中 }t=\sqrt[4]{\frac{a-x}{x}}.$$

【1934】 $\int\frac{dx}{\sqrt[n]{(x-a)^{n+1}(x-b)^{n-1}}}$（$n$ 为正整数）.

解 当 $a=b$ 时，显然被积函数为 $(x-a)^{-2}$，因此，所求的积分为 $-\frac{1}{x-a}+C$；

当 $a\neq b$ 时，设 $\sqrt[n]{\frac{x-b}{x-a}}=t$，则 $x=a+\frac{a-b}{t^n-1}$，$dx=-\frac{n(a-b)t^{n-1}}{(t^n-1)^2}dt$，$x-a=\frac{a-b}{t^n-1}$，$x-b=\frac{(a-b)t^n}{t^n-1}$，

代入得

$$\int\frac{dx}{\sqrt[n]{(x-a)^{n+1}(x-b)^{n-1}}}=-\frac{n}{a-b}\int dt=-\frac{n}{a-b}t+C=-\frac{n}{a-b}\sqrt[n]{\frac{x-b}{x-a}}+C.$$

【1935】 $\int\frac{dx}{1+\sqrt{x}+\sqrt{1+x}}$.

解 设 $\sqrt{x}=\frac{t^2-1}{2t}$，并限制 $t>1$，则 $x=\left(\frac{t^2-1}{2t}\right)^2$，$dx=\frac{t^4-1}{2t^3}dt$，$\sqrt{x+1}=\frac{t^2+1}{2t}$，$t=\sqrt{x}+\sqrt{x+1}$，代入得

$$\int\frac{dx}{1+\sqrt{x}+\sqrt{x+1}}=\frac{1}{2}\int\frac{t^4-1}{t^3(t+1)}dt=\frac{1}{2}\int\left(1-\frac{1}{t}+\frac{1}{t^2}-\frac{1}{t^3}\right)dt$$

$$=\frac{1}{2}\left(t-\ln t-\frac{1}{t}+\frac{1}{2t^2}\right)+C_1$$

$$=\sqrt{x}-\frac{1}{2}\ln(\sqrt{x}+\sqrt{x+1})+\frac{x}{2}-\frac{1}{2}\sqrt{x(x+1)}+C.$$

【1936】 证明：若 $p+q=kn$，式中 k 为整数，则积分

$$\int R[x,(x-a)^{\frac{p}{n}}(x-b)^{\frac{q}{n}}]dx$$

（式中 R 为有理函数及 p,q,n 为整数）为初等函数.

证 当 $a=b$ 时，$(x-a)^{\frac{p}{n}}(x-b)^{\frac{q}{n}}=(x-a)^k$，则积分显然为初等函数.

当 $a\neq b$ 时，设 $\frac{x-a}{x-b}=y$，则 $x=\frac{a-by}{1-y}$，$dx=\frac{a-b}{(1-y)^2}dy$，$x-a=\frac{(a-b)y}{1-y}$，$x-b=\frac{a-b}{1-y}$. 代入得

$$\int R\left[x,(x-a)^{\frac{p}{n}}(x-b)^{\frac{q}{n}}\right]\mathrm{d}x=(a-b)\int R\left[\frac{a-by}{1-y},y^{\frac{p}{n}}\left(\frac{a-b}{1-y}\right)^{k}\right]\frac{\mathrm{d}y}{(1-y)^2}.$$

再设$\sqrt[n]{y}=t$，则 $y=t^n$，$\mathrm{d}y=nt^{n-1}\mathrm{d}t$. 从而，上述积分化为

$$\int R\left[x,(x-a)^{\frac{p}{n}}(x-b)^{\frac{q}{n}}\right]\mathrm{d}x=n(a-b)\int R\left[\frac{a-bt^n}{1-t^n},t^{p}\left(\frac{a-b}{1-t^n}\right)^{k}\right]\frac{t^n-1}{(1-t^n)^2}\mathrm{d}t,$$

因为被积函数为 t 的有理函数，所以积分$\int R\left[x,(x-a)^{\frac{p}{n}}(x-b)^{\frac{q}{n}}\right]\mathrm{d}x$ 是初等函数.

知识点2 求二次无理式不定积分的基本方法

1. 凑微分法 关键是根据被积函数的特点，采用适当的凑微分，然后求出积分.

2. 倒代换法 形如$\int\frac{\sqrt{a^2\pm x^2}}{x^4}\mathrm{d}x$，$\int\frac{\mathrm{d}x}{x^2\sqrt{x^2-a^2}}$等不定积分，除了可以用三角函数换元法外，还可以用倒代换 $x=\frac{1}{u}$ 来求解.

3. 根式变换法 在被积函数含有根式时，常采用最小公倍数的根式变换，将无理函数转换成常见的形式再进行计算.

4. 分部积分法 对于被积函数分母中出现$(x\pm a)^2$，而分子较复杂时，常利用$\frac{\mathrm{d}x}{(x\pm a)^2}=-\mathrm{d}\left(\frac{1}{x\pm a}\right)$，先将被积表达式化为$\int u\mathrm{d}v$ 形式，进行分部积分.

5. 分项积分法 分母仅含一个因式或仅是一个因式的方幂，为将其分子凑成该因式的组合，常在分子中加减相同项（常为常数 1），进行恒等变形，再分项积分.

6. 欧拉代换法 二次三项式 ax^2+bx+c 中

(1) 若 $a>0$，可令$\sqrt{ax^2+bx+c}=\sqrt{a}x\pm t$；

(2) 若 $c>0$，可令$\sqrt{ax^2+bx+c}=xt\pm\sqrt{c}$；

(3) 若 $ax^2+bx+c=0$ 有两个相异实根 x_1，x_2，则令$\sqrt{ax^2+bx+c}=t(x-x_1)$ 或 $t(x-x_2)$，即 $t=\sqrt{\frac{x-x_2}{x-x_1}}$，或 $t=\sqrt{\frac{x-x_1}{x-x_2}}$.

习题 1937—1970 求二次无理式的不定积分

【求最简单二次无理式的不定积分(1937—1942)**】**

【1937】 $\int\frac{x^2}{\sqrt{1+x+x^2}}\mathrm{d}x.$

解

$$\int\frac{x^2}{\sqrt{1+x+x^2}}\mathrm{d}x=\int\frac{x^2+x+1}{\sqrt{x^2+x+1}}\mathrm{d}x-\frac{1}{2}\int\frac{2x+1}{\sqrt{1+x+x^2}}\mathrm{d}x-\frac{1}{2}\int\frac{\mathrm{d}x}{\sqrt{1+x+x^2}}$$

$$=\int\sqrt{\left(x+\frac{1}{2}\right)^2+\frac{3}{4}}\,\mathrm{d}\left(x+\frac{1}{2}\right)-\frac{1}{2}\int\frac{\mathrm{d}(1+x+x^2)}{\sqrt{1+x+x^2}}-$$

$$\frac{1}{2}\int\frac{\mathrm{d}\left(x+\frac{1}{2}\right)}{\sqrt{\left(x+\frac{1}{2}\right)^2+\frac{3}{4}}}$$

$$=\frac{2x+1}{4}\sqrt{1+x+x^2}+\frac{3}{8}\ln\left(x+\frac{1}{2}+\sqrt{1+x+x^2}\right)-$$

$$\sqrt{1+x+x^2}-\frac{1}{2}\ln\left(x+\frac{1}{2}+\sqrt{1+x+x^2}\right)+C$$

$$=\frac{2x-3}{4}\sqrt{1+x+x^2}-\frac{1}{8}\ln\left(x+\frac{1}{2}+\sqrt{1+x+x^2}\right)+C.$$

【1938】 $\displaystyle\int\frac{\mathrm{d}x}{(1+x)\sqrt{x^2+x+1}}$.

解 设 $x+1=y$，则 $\displaystyle\int\frac{\mathrm{d}x}{(1+x)\sqrt{x^2+x+1}}=\int\frac{\mathrm{d}y}{y\sqrt{y^2-y+1}}$.

当 $y>0$ 时，令 $y=\dfrac{1}{t}>0$，则

$$\int\frac{\mathrm{d}y}{y\sqrt{y^2-y+1}}=-\int\frac{\mathrm{d}t}{\sqrt{t^2-t+1}}=-\int\frac{\mathrm{d}t}{\sqrt{\left(t-\frac{1}{2}\right)^2+\frac{3}{4}}}$$

$$=-\ln\left(t-\frac{1}{2}+\sqrt{\left(t-\frac{1}{2}\right)^2+\frac{3}{4}}\right)+C_1=-\ln\left(t-\frac{1}{2}+\sqrt{t^2-t+1}\right)+C_1$$

$$=-\ln\left(\frac{1}{y}-\frac{1}{2}+\frac{\sqrt{y^2-y+1}}{y}\right)+C_1=-\ln\frac{2-y+2\sqrt{y^2-y+1}}{2y}+C_1$$

$$=-\ln\frac{1-x+2\sqrt{x^2+x+1}}{1+x}+C.$$

当 $y<0$ 时，令 $y=-\dfrac{1}{t}$，$t>0$，则

$$\int\frac{\mathrm{d}y}{y\sqrt{y^2-y+1}}=-\int\frac{\mathrm{d}t}{\sqrt{t^2+t+1}}=-\int\frac{\mathrm{d}t}{\sqrt{\left(t+\frac{1}{2}\right)^2+\frac{3}{4}}}$$

$$=-\ln\left(t+\frac{1}{2}+\sqrt{\left(t+\frac{1}{2}\right)^2+\frac{3}{4}}\right)+C_1=-\ln\left|\frac{1}{y}-\frac{1}{2}+\frac{\sqrt{y^2-y+1}}{y}\right|+C_1$$

$$=-\ln\left|\frac{1}{x+1}-\frac{1}{2}+\frac{\sqrt{x^2+x+1}}{x+1}\right|+C_1=-\ln\left|\frac{1-x+2\sqrt{x^2+x+1}}{1+x}\right|+C.$$

总之 $\displaystyle\int\frac{\mathrm{d}x}{(1+x)\sqrt{x^2+x+1}}=-\ln\left|\frac{1-x+2\sqrt{x^2+x+1}}{x+1}\right|+C.$

【1939】 $\displaystyle\int\frac{\mathrm{d}x}{(1-x)^2\sqrt{1-x^2}}$.

解 设 $\sqrt{\dfrac{1-x}{1+x}}=t$，则 $x=\dfrac{1-t^2}{1+t^2}$，$\mathrm{d}x=-\dfrac{4t}{(1+t^2)^2}\mathrm{d}t$，$1-x=\dfrac{2t^2}{1+t^2}$，$\sqrt{1-x^2}=\dfrac{2t}{1+t^2}$.

代入得 $\displaystyle\int\frac{\mathrm{d}x}{(1-x)^2\sqrt{1-x^2}}=-\frac{1}{2}\int\frac{1+t^2}{t^4}\mathrm{d}t=\frac{1}{6t^3}+\frac{1}{2t}+C=\frac{2-x}{3(1-x)^2}\sqrt{1-x^2}+C.$

【1940】 $\displaystyle\int\frac{\sqrt{x^2+2x+2}}{x}\mathrm{d}x$.

解 设 $\sqrt{x^2+2x+2}=t-x$，则

$$x=\frac{t^2-2}{2(t+1)},\mathrm{d}x=\frac{t^2+2t+2}{2(t+1)^2}\mathrm{d}t,\sqrt{x^2+2x+2}=\frac{t^2+2t+2}{2(t+1)},$$

代入得

$$\int\frac{\sqrt{x^2+2x+2}}{x}\mathrm{d}x=\frac{1}{2}\int\frac{(t^2+2t+2)^2}{(t^2-2)(t+1)^2}\mathrm{d}t=\frac{1}{2}\int\left[1+\frac{2}{t+1}-\frac{1}{(t+1)^2}-\frac{2\sqrt{2}}{t+\sqrt{2}}+\frac{2\sqrt{2}}{t-\sqrt{2}}\right]\mathrm{d}t$$

$$= \frac{t}{2} + \ln|t+1| + \frac{1}{2(t+1)} - \sqrt{2}\ln\left|\frac{t+\sqrt{2}}{t-\sqrt{2}}\right| + C_1$$

$$= \sqrt{x^2+2x+2} + \ln(x+1+\sqrt{x^2+2x+2}) -$$

$$\sqrt{2}\ln\left|\frac{x+2+\sqrt{2(x^2+2x+2)}}{x}\right| + C.$$

【1941】 $\int \frac{x\mathrm{d}x}{(1+x)\sqrt{1-x-x^2}}$.

解 设 $1+x=\frac{1}{t}$，当 $t>0$ 时，有

$$\int \frac{x\mathrm{d}x}{(1+x)\sqrt{1-x-x^2}} = \int\left(\frac{1}{\sqrt{1-x-x^2}} - \frac{1}{(1+x)\sqrt{1-x-x^2}}\right)\mathrm{d}x$$

$$= \int \frac{\mathrm{d}x}{\sqrt{1-x-x^2}} + \int \frac{\mathrm{d}t}{\sqrt{t^2+t-1}}$$

$$= \arcsin\frac{2x+1}{\sqrt{5}} + \ln\left|\frac{3+x+2\sqrt{1-x-x^2}}{2(1+x)}\right| + C.$$

当 $t<0$ 时，有

$$\int \frac{x\mathrm{d}x}{(1+x)\sqrt{1-x-x^2}} = \int\left(\frac{1}{\sqrt{1-x-x^2}} - \frac{1}{(1+x)\sqrt{1-x-x^2}}\right)\mathrm{d}x$$

$$= \int \frac{\mathrm{d}x}{\sqrt{1-x-x^2}} - \int \frac{\mathrm{d}t}{\sqrt{t^2+t-1}}$$

$$= \arcsin\frac{2x+1}{\sqrt{5}} - \ln\left|\frac{3+x-2\sqrt{1-x-x^2}}{2(1+x)}\right| + C_1$$

$$= \arcsin\frac{2x+1}{\sqrt{5}} + \ln\left|\frac{3+x+2\sqrt{1-x-x^2}}{2(1+x)}\right| + C.$$

总之 $\int \frac{x\mathrm{d}x}{(1+x)\sqrt{1-x-x^2}} = \arcsin\frac{2x+1}{\sqrt{5}} + \ln\left|\frac{3+x+2\sqrt{1-x-x^2}}{2(1+x)}\right| + C.$

注 以后题目中，出现二次无理式时也会碰到开方的问题，可参照本题类似地处理. 在解这类习题时，不妨就开方后取正值求解.

【1942】 $\int \frac{1-x+x^2}{\sqrt{1+x-x^2}}\mathrm{d}x$.

解 $\int \frac{1-x+x^2}{\sqrt{1+x-x^2}}\mathrm{d}x = \int \frac{(x^2-x-1)+2}{\sqrt{1+x-x^2}}\mathrm{d}x$

$$= -\int\sqrt{\frac{5}{4}-\left(x-\frac{1}{2}\right)^2}\,\mathrm{d}\left(x-\frac{1}{2}\right) + 2\int\frac{\mathrm{d}\left(x-\frac{1}{2}\right)}{\sqrt{\frac{5}{4}-\left(x-\frac{1}{2}\right)^2}}$$

$$= \frac{1-2x}{4}\sqrt{1+x-x^2} - \frac{5}{8}\arcsin\frac{2x-1}{\sqrt{5}} + 2\arcsin\frac{2x-1}{\sqrt{5}} + C$$

$$= \frac{1-2x}{4}\sqrt{1+x-x^2} - \frac{11}{8}\arcsin\frac{1-2x}{\sqrt{5}} + C.$$

【求下列不定积分(1943—1951)】

提示 利用公式 $\int \frac{P_n(x)}{y}\mathrm{d}x = Q_{n-1}(x)y + \lambda\int\frac{\mathrm{d}x}{y}$，其中 $y=\sqrt{ax^2+bx+c}$，$P_n(x)$ 为 n

次多项式，$Q_{n-1}(x)$ 为 $n-1$ 次多项式及 λ 为常数.

【1943】 $\int \frac{x^3}{\sqrt{1+2x-x^2}}dx$.

解 设 $\int \frac{x^3}{\sqrt{1+2x-x^2}}dx = (ax^2+bx+c)\sqrt{1+2x-x^2}+\lambda\int \frac{dx}{\sqrt{1+2x-x^2}}$，两边对 x 求导数，得

$$\frac{x^3}{\sqrt{1+2x-x^2}} = (2ax+b)\sqrt{1+2x-x^2}+\frac{(ax^2+bx+c)(1-x)}{\sqrt{1+2x-x^2}}+\frac{\lambda}{\sqrt{1+2x-x^2}}.$$

从而有

$$x^3 \equiv (2ax+b)(1+2x-x^2)+(ax^2+bx+c)(1-x)+\lambda,$$

整理可得

$$x^3 \equiv (-3a)x^3+(5a-2b)x^2+(2a+3b-c)x+(b+c+\lambda),$$

比较等式两端 x 的同次幂系数，得

$$\begin{cases} -3a=1, \\ 5a-2b=0, \\ 2a+3b-c=0, \\ b+c+\lambda=0, \end{cases}$$

解得 $a=-\frac{1}{3}, b=-\frac{5}{6}, c=-\frac{19}{6}, \lambda=4$. 于是

$$\int \frac{x^3}{\sqrt{1+2x-x^2}}dx = -\frac{19+5x+2x^2}{6}\sqrt{1+2x-x^2}+4\int \frac{dx}{\sqrt{1+2x-x^2}}$$
$$= -\frac{19+5x+2x^2}{6}\sqrt{1+2x-x^2}+4\arcsin\frac{x-1}{\sqrt{2}}+C.$$

【1944】 $\int \frac{x^{10}}{\sqrt{1+x^2}}dx$.

解 设 $\int \frac{x^{10}}{\sqrt{1+x^2}}dx = (ax^9+bx^8+cx^7+dx^6+ex^5+fx^4+gx^3+hx^2+lx+m)\sqrt{1+x^2}+$

$$\lambda\int \frac{dx}{\sqrt{1+x^2}},$$

从而有

$$x^{10} \equiv (9ax^8+8bx^7+7cx^6+6dx^5+5ex^4+4fx^3+3gx^2+2hx+l)(1+x^2)+$$
$$x(ax^9+bx^8+cx^7+dx^6+ex^5+fx^4+gx^3+hx^2+lx+m)+\lambda,$$

比较等式两端 x 的同次幂系数，可得

$$a=\frac{1}{10}, b=0, c=-\frac{9}{80}, d=0, e=\frac{21}{160}, f=0,$$

$$g=-\frac{21}{128}, h=0, l=\frac{63}{256}, m=0, \lambda=-\frac{63}{256}.$$

于是

$$\int \frac{x^{10}}{\sqrt{1+x^2}}dx = \left(\frac{63}{256}x-\frac{21}{128}x^3+\frac{21}{160}x^5-\frac{9}{80}x^7+\frac{1}{10}x^9\right)\sqrt{1+x^2}-\frac{63}{256}\ln(x+\sqrt{1+x^2})+C.$$

【1945】 $\int x^4\sqrt{a^2-x^2}\,dx$.

解 设

$$\int x^4\sqrt{a^2-x^2}\,dx = \int \frac{x^4(a^2-x^2)}{\sqrt{a^2-x^2}}dx$$

$$=(Ax^5+Bx^4+Cx^3+Dx^2+Ex+F)\sqrt{a^2-x^2}+\lambda\int\frac{dx}{\sqrt{a^2-x^2}},$$

从而有

$$x^4(a^2-x^2)\equiv(5Ax^4+4Bx^3+3Cx^2+2Dx+E)(a^2-x^2)-x(Ax^5+Bx^4+Cx^3+Dx^2+Ex+F)+\lambda.$$

比较等式两端 x 同次幂的系数,可得

$$A=\frac{1}{6},B=0,C=-\frac{a^2}{24},D=0,E=-\frac{a^4}{16},F=0,\lambda=\frac{a^4}{16}.$$

于是

$$\int x^4\sqrt{a^2-x^2}\,dx=\left(\frac{1}{6}x^5-\frac{a^2}{24}x^3-\frac{a^4}{16}x\right)\sqrt{a^2-x^2}+\frac{a^4}{16}\arcsin\frac{x}{|a|}+C.$$

【1946】 $\int\frac{x^3-6x^2+11x-6}{\sqrt{x^2+4x+3}}dx.$

解 设 $\int\frac{x^3-6x^2+11x-6}{\sqrt{x^2+4x+3}}dx=(ax^2+bx+c)\sqrt{x^2+4x+3}+\lambda\int\frac{dx}{\sqrt{x^2+4x+3}}$,

从而有

$$x^3-6x^2+11x-6\equiv(2ax+b)(x^2+4x+3)+(x+2)(ax^2+bx+c)+\lambda,$$

比较等式两端 x 同次幂的系数,可得 $a=\frac{1}{3},b=-\frac{14}{3},c=37,\lambda=-66$. 于是

$$\int\frac{x^3-6x^2+11x-6}{\sqrt{x^2+4x+3}}dx=\left(\frac{1}{3}x^2-\frac{14}{3}x+37\right)\sqrt{x^2+4x+3}-66\ln|x+2+\sqrt{x^2+4x+3}|+C.$$

【1947】 $\int\frac{dx}{x^3\sqrt{x^2+1}}.$

解 设 $x=\frac{1}{t}$,则 $dx=-\frac{1}{t^2}dt$,这里碰到二次无理式 $\sqrt{x^2+1}$ 开方的问题,不妨设 $x>0$,

$$\int\frac{dx}{x^3\sqrt{x^2+1}}=-\int\frac{t^2}{\sqrt{t^2+1}}dt=-\int\frac{(t^2+1)-1}{\sqrt{t^2+1}}dt=-\int\sqrt{t^2+1}\,dt+\int\frac{dt}{\sqrt{t^2+1}}$$

$$=-\frac{t}{2}\sqrt{t^2+1}-\frac{1}{2}\ln\left|t+\sqrt{t^2+1}\right|+\ln\left|t+\sqrt{t^2+1}\right|+C$$

$$=-\frac{\sqrt{x^2+1}}{2x^2}+\frac{1}{2}\ln\frac{1+\sqrt{x^2+1}}{x}+C.$$

【1948】 $\int\frac{dx}{x^4\sqrt{x^2-1}}.$

解 不妨设 $x=\frac{1}{t}>0$,则 $dx=-\frac{1}{t^2}dt$. 由 $|x|>1$ 知必有 $|t|<1$,则有

$$\int\frac{dx}{x^4\sqrt{x^2-1}}=-\int\frac{t^3dt}{\sqrt{1-t^2}}\xlongequal{u=t^2}-\frac{1}{2}\int\frac{udu}{\sqrt{1-u}}\xlongequal{y=\sqrt{1-u}}\int(1-y^2)dy$$

$$=y-\frac{1}{3}y^3+C=\sqrt{1-t^2}-\frac{1}{3}(1-t^2)^{\frac{3}{2}}+C=\frac{\sqrt{x^2-1}}{x}-\frac{1}{3}\left(\frac{\sqrt{x^2-1}}{x}\right)^{\frac{3}{2}}+C$$

$$=\frac{1+2x^2}{3x^3}\sqrt{x^2-1}+C.$$

【1949】 $\int\frac{dx}{(x-1)^3\sqrt{x^2+3x+1}}.$

解 设 $x-1=\frac{1}{t}$,则 $dx=-\frac{1}{t^2}dt$. 不妨设 $t>0$,则有

$$\int\frac{dx}{(x-1)^3\sqrt{x^2+3x+1}}=-\int\frac{t^2}{\sqrt{5t^2+5t+1}}dt=(at+b)\sqrt{5t^2+5t+1}+\lambda\int\frac{dt}{\sqrt{5t^2+5t+1}},$$

从而有

$$-t^2\equiv a(1+5t+5t^2)+\left(5t+\frac{5}{2}\right)(at+b)+\lambda,$$

整理可得

$$-t^2\equiv 10at^2+\left(\frac{15}{2}a+5b\right)t+\left(a+\frac{5}{2}b+\lambda\right),$$

比较等式两端 t 的同次幂系数，求得 $a=-\frac{1}{10}$，$b=\frac{3}{20}$，$\lambda=-\frac{11}{40}$. 于是

$$\begin{aligned}\int\frac{dx}{(x-1)^3\sqrt{x^2+3x+1}}&=\left(-\frac{t}{10}+\frac{3}{20}\right)\sqrt{5t^2+5t+1}-\frac{11}{40}\int\frac{dt}{\sqrt{5t^2+5t+1}}\\&=\frac{3-2t}{20}\sqrt{5t^2+5t+1}-\frac{11}{40\sqrt{5}}\ln\left|t+\frac{1}{2}+\sqrt{t^2+t+\frac{1}{5}}\right|+C_1\\&=\frac{3x-5}{20(x-1)^2}\sqrt{x^2+3x+1}-\frac{11}{40\sqrt{5}}\ln\left|\frac{\sqrt{5}(x+1)+2\sqrt{x^2+3x+1}}{x-1}\right|+C.\end{aligned}$$

【1950】 $\int\frac{dx}{(x+1)^5\sqrt{x^2+2x}}$.

解 设 $x+1=\frac{1}{t}$，则 $dx=-\frac{1}{t^2}dt$. 当 $t>0$ 时，有

$$\int\frac{dx}{(x+1)^5\sqrt{x^2+2x}}=-\int\frac{t^4}{\sqrt{1-t^2}}dt=(at^3+bt^2+ct+e)\sqrt{1-t^2}+\lambda\int\frac{dt}{\sqrt{1-t^2}}.$$

从而有

$$-t^4\equiv(3at^2+2bt+c)(1-t^2)-t(at^3+bt^2+ct+e)+\lambda.$$

整理可得

$$-t^4\equiv-4at^4-3bt^3+(3a-2c)t^2+(2b-e)t+(c+\lambda),$$

比较等式两端 t 的同次幂系数，得

$$\begin{cases}-4a=-1,\\-3b=0,\\3a-2c=0,\\2b-e=0,\\c+\lambda=0,\end{cases}$$

解得 $a=\frac{1}{4}$，$b=0$，$c=\frac{3}{8}$，$e=0$，$\lambda=-\frac{3}{8}$. 于是

$$\begin{aligned}\int\frac{dx}{(x+1)^5\sqrt{x^2+2x}}&=\left(\frac{1}{4}t^3+\frac{3}{8}t\right)\sqrt{1-t^2}-\frac{3}{8}\int\frac{dt}{\sqrt{1-t^2}}\\&=\frac{3x^2+6x+5}{8(x+1)^4}\sqrt{x^2+2x}-\frac{3}{8}\arcsin\frac{1}{x+1}+C.\end{aligned}$$

当 $t<0$ 时，有

$$\int\frac{dx}{(x+1)^5\sqrt{x^2+2x}}=\int\frac{t^4}{\sqrt{1-t^2}}dt=(at^3+bt^2+ct+e)\sqrt{1-t^2}+\lambda\int\frac{dt}{\sqrt{1-t^2}}.$$

从而有

$$t^4\equiv(3at^2+2bt+c)(1-t^2)-t(at^3+bt^2+ct+e)+\lambda.$$

整理可得

$$t^4\equiv-4at^4-3bt^3+(3a-2c)t^2+(2b-e)t+(c+\lambda),$$

比较等式两端 t 的同次幂系数，得

$$\begin{cases}-4a=1,\\ -3b=0,\\ 3a-2c=0,\\ 2b-e=0,\\ c+\lambda=0,\end{cases}$$

解得 $a=-\frac{1}{4}, b=0, c=-\frac{3}{8}, e=0, \lambda=\frac{3}{8}$. 于是

$$\begin{aligned}\int\frac{dx}{(x+1)^5\sqrt{x^2+2x}}&=-\left(\frac{1}{4}t^3+\frac{3}{8}t\right)\sqrt{1-t^2}+\frac{3}{8}\int\frac{dt}{\sqrt{1-t^2}}\\&=\frac{3x^2+6x+5}{8(x+1)^4}\sqrt{x^2+2x}+\frac{3}{8}\arcsin\frac{1}{x+1}+C.\end{aligned}$$

因此，最后得到

$$\int\frac{dx}{(x+1)^5\sqrt{x^2+2x}}=\frac{3x^2+6x+5}{8(x+1)^4}\sqrt{x^2+2x}-\frac{3}{8}\arcsin\frac{1}{|x+1|}+C,$$

其中 $x>0$ 或 $x<-2$.

【1951】 在什么条件下，积分$\int\frac{a_1x^2+b_1x+c_1}{\sqrt{ax^2+bx+c}}dx$ 是代数函数？

解 设$\int\frac{a_1x^2+b_1x+c_1}{\sqrt{ax^2+bx+c}}dx=(Ax+B)\sqrt{ax^2+bx+c}+\lambda\int\frac{dx}{\sqrt{ax^2+bx+c}}$,

从而有

$$a_1x^2+b_1x+c_1\equiv A(ax^2+bx+c)+\left(ax+\frac{b}{2}\right)(Ax+B)+\lambda.$$

整理可得

$$a_1x^2+b_1x+c_1\equiv 2Aax^2+\left(\frac{3}{2}Ab+Ba\right)x+\left(Ac+\frac{Bb}{2}+\lambda\right),$$

比较等式两端 x 的同次幂系数，得

$$\begin{cases}2Aa=a_1,\\ \frac{3}{2}Ab+Ba=b_1,\\ Ac+\frac{Bb}{2}+\lambda=c_1,\end{cases}$$

当 $a\neq0$ 时可得

$$A=\frac{a_1}{2a}, B=\frac{4ab_1-3a_1b}{4a^2}, \lambda=\frac{8a^2c_1+3a_1b^2-4a(a_1c+bb_1)}{8a^2},$$

故当 $a\neq0$ 且 $8a^2c_1+3a_1b^2=4a(a_1c+bb_1)$ 时，$\lambda=0$，积分为代数函数；当 $a=0$ 时积分为代数函数.

【求下列不定积分(1952—1960)】

提示 分解有理函数$\frac{P(x)}{Q(x)}$为最简分式，求积分$\int\frac{P(x)}{Q(x)y}dx$，其中 $y=\sqrt{ax^2+bx+c}$.

【1952】 $\int\frac{x\,dx}{(x-1)^2\sqrt{1+2x-x^2}}$.

解 $\int\frac{x\,dx}{(x-1)^2\sqrt{1+2x-x^2}}=\int\frac{dx}{(x-1)^2\sqrt{1+2x-x^2}}+\int\frac{dx}{(x-1)\sqrt{1+2x-x^2}}$.

设 $x-1=\frac{1}{t}$，则 $dx=-\frac{1}{t^2}dt$. 不妨设 $t>0$，则有

$$\int \frac{x\mathrm{d}x}{(x-1)^2\sqrt{1+2x-x^2}} = -\int \frac{t\mathrm{d}t}{\sqrt{2t^2-1}} - \int \frac{\mathrm{d}t}{\sqrt{2t^2-1}}$$

$$= -\frac{1}{2}\sqrt{2t^2-1} - \frac{1}{\sqrt{2}}\ln\left|\sqrt{2}t+\sqrt{2t^2-1}\right| + C$$

$$= \frac{\sqrt{1+2x-x^2}}{2(1-x)} - \frac{1}{\sqrt{2}}\ln\left|\frac{\sqrt{2}+\sqrt{1+2x-x^2}}{1-x}\right| + C.$$

【1953】 $\displaystyle\int \frac{x\mathrm{d}x}{(x^2-1)\sqrt{x^2-x-1}}$.

解 $\displaystyle\int \frac{x\mathrm{d}x}{(x^2-1)\sqrt{x^2-x-1}} = \frac{1}{2}\int\left(\frac{1}{x+1}+\frac{1}{x-1}\right)\frac{\mathrm{d}x}{\sqrt{x^2-x-1}}$

$$= \frac{1}{2}\int \frac{\mathrm{d}x}{(x+1)\sqrt{x^2-x-1}} + \frac{1}{2}\int \frac{\mathrm{d}x}{(x-1)\sqrt{x^2-x-1}}$$

$$= \frac{1}{2}I_1 + \frac{1}{2}I_2.$$

对于 I_1，设 $x+1=\frac{1}{t}$，则 $\mathrm{d}x=-\frac{1}{t^2}\mathrm{d}t$. 不妨设 $t>0$，则有

$$I_1 = \int \frac{\mathrm{d}x}{(x+1)\sqrt{x^2-x-1}} = -\int \frac{\mathrm{d}t}{\sqrt{t^2-3t+1}}$$

$$= -\ln\left|t-\frac{3}{2}+\sqrt{t^2-3t+1}\right| + C_1 = -\ln\left|\frac{3x+1-2\sqrt{x^2-x-1}}{x+1}\right| + C_2.$$

对于 I_2，设 $x-1=\frac{1}{t}$，不妨设 $t>0$，同上可得

$$I_2 = \int \frac{\mathrm{d}x}{(x-1)\sqrt{x^2-x-1}} = \arcsin\frac{x-3}{\sqrt{5}\,|x-1|} + C_3.$$

于是

$$\int \frac{x\mathrm{d}x}{(x^2-1)\sqrt{x^2-x-1}} = -\frac{1}{2}\ln\left|\frac{3x+1-2\sqrt{x^2-x-1}}{x+1}\right| + \frac{1}{2}\arcsin\frac{x-3}{\sqrt{5}\,|x-1|} + C.$$

【1954】 $\displaystyle\int \frac{\sqrt{x^2+x+1}}{(x+1)^2}\mathrm{d}x$.

解 方法一

$$\int \frac{\sqrt{x^2+x+1}}{(x+1)^2}\mathrm{d}x = \int \frac{x^2+x+1}{(x+1)^2}\cdot\frac{\mathrm{d}x}{\sqrt{x^2+x+1}} = \int \frac{(x+1)^2-(x+1)+1}{(x+1)^2}\cdot\frac{\mathrm{d}x}{\sqrt{x^2+x+1}}$$

$$= \int \frac{\mathrm{d}x}{\sqrt{x^2+x+1}} - \int \frac{\mathrm{d}x}{(x+1)\sqrt{x^2+x+1}} + \int \frac{\mathrm{d}x}{(x+1)^2\sqrt{x^2+x+1}}$$

$$= I_1 - I_2 + I_3.$$

对于 I_1，显然有 $\displaystyle I_1 = \int \frac{\mathrm{d}x}{\sqrt{x^2+x+1}} = \ln\left(x+\frac{1}{2}+\sqrt{x^2+x+1}\right)+C_1$.

对于 I_2，由 1938 题可得 $\displaystyle I_2 = \int \frac{\mathrm{d}x}{(x+1)\sqrt{x^2+x+1}} = -\ln\left|\frac{1-x+2\sqrt{x^2+x+1}}{x+1}\right| + C_2$.

对于 I_3，设 $x+1=\frac{1}{t}$，则 $\mathrm{d}x=-\frac{1}{t^2}\mathrm{d}t$. 不妨设 $t>0$，则有

$$I_3 = -\int \frac{t\mathrm{d}t}{\sqrt{t^2-t+1}} = -\frac{1}{2}\int \frac{(2t-1)\mathrm{d}t}{\sqrt{t^2-t+1}} - \frac{1}{2}\int \frac{\mathrm{d}t}{\sqrt{t^2-t+1}}$$

$$= -\sqrt{t^2-t+1} - \frac{1}{2}\ln\left|t-\frac{1}{2}+\sqrt{t^2-t+1}\right| + C_3$$

$$=-\frac{\sqrt{x^2+x+1}}{x+1}-\frac{1}{2}\ln\left|\frac{1-x+2\sqrt{x^2+x+1}}{x+1}\right|+C_4.$$

于是，最后得到

$$\int\frac{\sqrt{x^2+x+1}}{(x+1)^2}\mathrm{d}x=\ln\left(x+\frac{1}{2}+\sqrt{x^2+x+1}\right)-\frac{\sqrt{x^2+x+1}}{x+1}+\frac{1}{2}\ln\left|\frac{1-x+2\sqrt{x^2+x+1}}{x+1}\right|+C.$$

方法二 $\int\frac{\sqrt{x^2+x+1}}{(x+1)^2}\mathrm{d}x=-\int\sqrt{x^2+x+1}\,\mathrm{d}\left(\frac{1}{x+1}\right)=-\frac{\sqrt{x^2+x+1}}{x+1}+\int\frac{\left(x+\frac{1}{2}\right)\mathrm{d}x}{(x+1)\sqrt{x^2+x+1}}$

$$=-\frac{\sqrt{x^2+x+1}}{x+1}+\int\frac{\mathrm{d}x}{\sqrt{x^2+x+1}}-\frac{1}{2}\int\frac{\mathrm{d}x}{(x+1)\sqrt{x^2+x+1}}$$

$$=-\frac{\sqrt{x^2+x+1}}{x+1}+\ln\left(x+\frac{1}{2}+\sqrt{x^2+x+1}\right)+$$

$$\frac{1}{2}\ln\left|\frac{1-x+2\sqrt{x^2+x+1}}{x+1}\right|+C.$$

这里用到 $\int\frac{\mathrm{d}x}{(x+1)\sqrt{x^2+x+1}}=-\ln\left|\frac{1-x+2\sqrt{x^2+x+1}}{x+1}\right|+C_1$.

【1955】 $\int\frac{x^3}{(1+x)\sqrt{1+2x-x^2}}\mathrm{d}x.$

解 $\int\frac{x^3}{(1+x)\sqrt{1+2x-x^2}}\mathrm{d}x=\int\frac{(x^3+1)-1}{(1+x)\sqrt{1+2x-x^2}}\mathrm{d}x$

$$=\int\frac{x^2-x+1}{\sqrt{1+2x-x^2}}\mathrm{d}x-\int\frac{\mathrm{d}x}{(1+x)\sqrt{1+2x-x^2}}$$

$$=-\int\frac{1+2x-x^2}{\sqrt{1+2x-x^2}}\mathrm{d}x+\frac{1}{2}\int\frac{(2x-2)\mathrm{d}x}{\sqrt{1+2x-x^2}}+3\int\frac{\mathrm{d}x}{\sqrt{1+2x-x^2}}-\int\frac{\mathrm{d}x}{(x+1)\sqrt{1+2x-x^2}}$$

$$=-\int\sqrt{2-(x-1)^2}\,\mathrm{d}(x-1)-\frac{1}{2}\int\frac{\mathrm{d}(1+2x-x^2)}{\sqrt{1+2x-x^2}}+3\int\frac{\mathrm{d}(x-1)}{\sqrt{2-(x-1)^2}}-I_1$$

$$=\frac{1-x}{2}\sqrt{1+2x-x^2}-\arcsin\frac{x-1}{\sqrt{2}}-\sqrt{1+2x-x^2}+3\arcsin\frac{x-1}{\sqrt{2}}-I_1$$

$$=-\frac{x+1}{2}\sqrt{1+2x-x^2}+2\arcsin\frac{x-1}{\sqrt{2}}-I_1.$$

对于 I_1，设 $x+1=\frac{1}{t}$，可得 $I_1=\int\frac{\mathrm{d}x}{(x+1)\sqrt{1+2x-x^2}}=\frac{1}{\sqrt{2}}\arcsin\frac{\sqrt{2}x}{x+1}+C_1$.

于是，最后得到

$$\int\frac{x^3}{(x+1)\sqrt{1+2x-x^2}}\mathrm{d}x=-\frac{1+x}{2}\sqrt{1+2x-x^2}-2\arcsin\frac{1-x}{\sqrt{2}}-\frac{1}{\sqrt{2}}\arcsin\frac{\sqrt{2}x}{1+x}+C.$$

【1956】 $\int\frac{x\mathrm{d}x}{(x^2-3x+2)\sqrt{x^2-4x+3}}.$

解 $\int\frac{x\mathrm{d}x}{(x^2-3x+2)\sqrt{x^2-4x+3}}=\int\left(\frac{2}{x-2}-\frac{1}{x-1}\right)\frac{\mathrm{d}x}{\sqrt{x^2-4x+3}}$

$$=2\int\frac{\mathrm{d}x}{(x-2)\sqrt{x^2-4x+3}}-\int\frac{\mathrm{d}x}{(x-1)\sqrt{x^2-4x+3}}$$

$$=2I_1-I_2.$$

对于 I_1，设 $x-2=\frac{1}{t}$，可得 $I_1=\int\frac{\mathrm{d}x}{(x-2)\sqrt{x^2-4x+3}}=-\arcsin\frac{1}{|x-2|}+C_1$.

对于 I_2，设 $x-1=\dfrac{1}{t}$，可得 $I_2=\displaystyle\int\frac{dx}{(x-1)\sqrt{x^2-4x+3}}=\frac{\sqrt{x^2-4x+3}}{x-1}+C_2$.

于是，最后得到

$$\int\frac{xdx}{(x^2-3x+2)\sqrt{x^2-4x+3}}=-2\arcsin\frac{1}{|x-2|}-\frac{\sqrt{x^2-4x+3}}{x-1}+C,$$

其中 $x<1$ 或 $x>3$.

【1957】 $\displaystyle\int\frac{dx}{(1+x^2)\sqrt{1-x^2}}$.

解 设 $x=\sin t$，$-\dfrac{\pi}{2}<t<\dfrac{\pi}{2}$，则

$$\int\frac{dx}{(1+x^2)\sqrt{1-x^2}}=\int\frac{dt}{1+\sin^2 t}=\int\frac{dt}{2\sin^2 t+\cos^2 t}=\frac{1}{\sqrt{2}}\int\frac{d(\sqrt{2}\tan t)}{(\sqrt{2}\tan t)^2+1}$$

$$=\frac{1}{\sqrt{2}}\arctan(\sqrt{2}\tan t)+C=\frac{1}{\sqrt{2}}\arctan\frac{\sqrt{2}x}{\sqrt{1-x^2}}+C.$$

【1958】 $\displaystyle\int\frac{dx}{(x^2+1)\sqrt{x^2-1}}$.

解 当 $x>1$ 时，设 $x=\sec t$，$0<t<\dfrac{\pi}{2}$，则

$$\int\frac{dx}{(x^2+1)\sqrt{x^2-1}}=\int\frac{\sec t dt}{1+\sec^2 t}=\int\frac{\cos t}{\cos^2 t+1}dt=\int\frac{d(\sin t)}{2-\sin^2 t}$$

$$=\frac{1}{2\sqrt{2}}\ln\left|\frac{\sqrt{2}+\sin t}{\sqrt{2}-\sin t}\right|+C=\frac{1}{2\sqrt{2}}\ln\left|\frac{\sqrt{2}x+\sqrt{x^2-1}}{\sqrt{2}x-\sqrt{x^2-1}}\right|+C.$$

当 $x<-1$ 时，设 $x=\sec t$，$\pi<t<\dfrac{3}{2}\pi$，则

$$\int\frac{dx}{(x^2+1)\sqrt{x^2-1}}=-\int\frac{\sec t dt}{1+\sec^2 t}=-\int\frac{\cos t}{\cos^2 t+1}dt=-\int\frac{d(\sin t)}{2-\sin^2 t}$$

$$=\frac{1}{2\sqrt{2}}\ln\left|\frac{\sqrt{2}-\sin t}{\sqrt{2}+\sin t}\right|+C=\frac{1}{2\sqrt{2}}\ln\left|\frac{\sqrt{2}x+\sqrt{x^2-1}}{\sqrt{2}x-\sqrt{x^2-1}}\right|+C.$$

总之，当 $|x|>1$ 时，有 $\displaystyle\int\frac{dx}{(x^2+1)\sqrt{x^2-1}}=\frac{1}{2\sqrt{2}}\ln\left|\frac{\sqrt{2}x+\sqrt{x^2-1}}{\sqrt{2}x-\sqrt{x^2-1}}\right|+C.$

【1959】 $\displaystyle\int\frac{dx}{(1-x^4)\sqrt{1+x^2}}$.

解 设 $x=\tan t$，$-\dfrac{\pi}{2}<t<\dfrac{\pi}{2}$ 且 $|t|\neq\dfrac{\pi}{4}$，则

$$\int\frac{dx}{(1-x^4)\sqrt{x^2+1}}=\int\frac{\sec^2 t dt}{(1-\tan^4 t)\sec t}=\int\frac{\cos^3 t dt}{1-2\sin^2 t}=\int\frac{1-\sin^2 t}{1-2\sin^2 t}d(\sin t)$$

$$=\frac{1}{2}\int\frac{1-2\sin^2 t}{1-2\sin^2 t}d(\sin t)+\frac{1}{2}\int\frac{d(\sin t)}{1-2\sin^2 t}$$

$$=\frac{1}{2}\sin t+\frac{1}{4\sqrt{2}}\ln\left|\frac{1+\sqrt{2}\sin t}{1-\sqrt{2}\sin t}\right|+C$$

$$=\frac{x}{2\sqrt{1+x^2}}+\frac{1}{4\sqrt{2}}\ln\left|\frac{\sqrt{1+x^2}+\sqrt{2}x}{\sqrt{1+x^2}-\sqrt{2}x}\right|+C.$$

【1960】 $\displaystyle\int\frac{\sqrt{x^2+2}}{x^2+1}dx$.

解 $\int \frac{\sqrt{x^2+2}}{x^2+1}dx = \int \frac{(x^2+2)dx}{(x^2+1)\sqrt{x^2+2}} = \int\left(1+\frac{1}{x^2+1}\right)\frac{dx}{\sqrt{x^2+2}}$

$$= \int \frac{dx}{\sqrt{x^2+2}} + \int \frac{dx}{(x^2+1)\sqrt{x^2+2}} = \ln(x+\sqrt{x^2+2}) + I_1.$$

对于 I_1，设 $x=\sqrt{2}\tan t, -\frac{\pi}{2}<t<\frac{\pi}{2}$，则

$$I_1 = \int \frac{dx}{(x^2+1)\sqrt{x^2+2}} = \int \frac{\sec t dt}{1+2\tan^2 t} = \int \frac{\cos t dt}{1+\sin^2 t} = \int \frac{d(\sin t)}{1+\sin^2 t}$$

$$= \arctan(\sin t) + C_1 = \arctan\frac{x}{\sqrt{2+x^2}} + C$$

于是，最后得到 $\int \frac{\sqrt{x^2+2}}{x^2+1}dx = \ln(x+\sqrt{x^2+2}) + \arctan\frac{x}{\sqrt{2+x^2}} + C.$

【化二次三项式为标准形式求下列不定积分(1961—1963)】

【1961】 $\int \frac{dx}{(x^2+x+1)\sqrt{x^2+x-1}}.$

解 $\int \frac{dx}{(x^2+x+1)\sqrt{x^2+x-1}} = \int \frac{dx}{\left[\left(x+\frac{1}{2}\right)^2+\frac{3}{4}\right]\sqrt{\left(x+\frac{1}{2}\right)^2-\frac{5}{4}}}.$

当 $x+\frac{1}{2}>\frac{\sqrt{5}}{2}$ 时，设 $x+\frac{1}{2}=\frac{\sqrt{5}}{2}\sec t, 0<t<\frac{\pi}{2}$，则

$$\int \frac{dx}{(x^2+x+1)\sqrt{x^2+x-1}} = 4\int \frac{\sec t dt}{5\sec^2 t+3} = 4\int \frac{\cos t dt}{5+3\cos^2 t} = \frac{4}{\sqrt{3}}\int \frac{d(\sqrt{3}\sin t)}{(\sqrt{8})^2-(\sqrt{3}\sin t)^2}$$

$$= \frac{4}{\sqrt{3}}\cdot\frac{1}{2\sqrt{8}}\ln\left|\frac{\sqrt{8}+\sqrt{3}\sin t}{\sqrt{8}-\sqrt{3}\sin t}\right| + C$$

$$= \frac{1}{\sqrt{6}}\ln\left|\frac{\sqrt{2}(2x+1)+\sqrt{3(x^2+x-1)}}{\sqrt{2}(2x+1)-\sqrt{3(x^2+x-1)}}\right| + C.$$

当 $x+\frac{1}{2}<-\frac{\sqrt{5}}{2}$ 时，仍设 $x+\frac{1}{2}=\frac{\sqrt{5}}{2}\sec t, \pi<t<\frac{3}{2}\pi$. 经计算可获同样的结果.

总之，当 $\left|x+\frac{1}{2}\right|>\frac{\sqrt{5}}{2}$ 时，有

$$\int \frac{dx}{(x^2+x+1)\sqrt{x^2+x-1}} = \frac{1}{\sqrt{6}}\ln\left|\frac{\sqrt{2}(2x+1)+\sqrt{3(x^2+x-1)}}{\sqrt{2}(2x+1)-\sqrt{3(x^2+x-1)}}\right| + C.$$

【1962】 $\int \frac{x^2 dx}{(4-2x+x^2)\sqrt{2+2x-x^2}}.$

解 $\int \frac{x^2 dx}{(4-2x+x^2)\sqrt{2+2x-x^2}} = \int \frac{(x-1)^2+2(x-1)+1}{[3+(x-1)^2]\sqrt{3-(x-1)^2}}dx.$

设 $x-1=\sqrt{3}\sin t$，并限制 $-\frac{\pi}{2}<t<\frac{\pi}{2}$，则

$$\int \frac{x^2 dx}{(4-2x+x^2)\sqrt{2+2x-x^2}} = \int \frac{1+2\sqrt{3}\sin t+3\sin^2 t}{3(1+\sin^2 t)}dt$$

$$= \int dt + \frac{2}{\sqrt{3}}\int \frac{\sin t}{1+\sin^2 t}dt - \frac{2}{3}\int \frac{dt}{1+\sin^2 t} = t - \frac{2}{\sqrt{3}}\int \frac{d(\cos t)}{2-\cos^2 t} - \frac{2}{3}\int \frac{d(\tan t)}{1+2\tan^2 t}$$

$$= t - \frac{1}{\sqrt{6}}\ln\left|\frac{\sqrt{2}+\cos t}{\sqrt{2}-\cos t}\right| - \frac{\sqrt{2}}{3}\arctan(\sqrt{2}\tan t) + C$$

$$= \arcsin\frac{x-1}{\sqrt{3}}-\frac{1}{\sqrt{6}}\ln\frac{\sqrt{6}+\sqrt{2+2x-x^2}}{\sqrt{6}-\sqrt{2+2x-x^2}}-\frac{\sqrt{2}}{3}\arctan\frac{\sqrt{2}(x-1)}{\sqrt{2+2x-x^2}}+C.$$

【1963】 $\displaystyle\int\frac{(x+1)\mathrm{d}x}{(x^2+x+1)\sqrt{x^2+x+1}}$.

解
$$\int\frac{(x+1)\mathrm{d}x}{(x^2+x+1)\sqrt{x^2+x+1}}=\int\frac{\left(x+\frac{1}{2}\right)+\frac{1}{2}}{\left[\left(x+\frac{1}{2}\right)^2+\frac{3}{4}\right]^{\frac{3}{2}}}\mathrm{d}\left(x+\frac{1}{2}\right)$$
$$=\int\frac{\left(x+\frac{1}{2}\right)\mathrm{d}\left(x+\frac{1}{2}\right)}{\left[\left(x+\frac{1}{2}\right)^2+\frac{3}{2}\right]^{\frac{3}{2}}}+\frac{1}{2}\int\frac{\mathrm{d}\left(x+\frac{1}{2}\right)}{\left[\left(x+\frac{1}{2}\right)^2+\frac{3}{4}\right]^{\frac{3}{2}}}$$
$$=\frac{1}{2}\int\frac{\mathrm{d}\left[\left(x+\frac{1}{2}\right)^2+\frac{3}{4}\right]}{\left[\left(x+\frac{1}{2}\right)^2+\frac{3}{4}\right]^{\frac{3}{2}}}+\frac{1}{2}\cdot\frac{x+\frac{1}{2}}{\frac{3}{4}\sqrt{x^2+x+1}}$$
$$=-\frac{1}{\sqrt{x^2+x+1}}+\frac{2x+1}{3\sqrt{x^2+x+1}}+C$$
$$=\frac{2(x-1)}{3\sqrt{x^2+x+1}}+C.$$

注 本题用到1781题的结果.

【利用分式线性代换求下列不定积分(1964—1965)】

【1964】 利用分式线性代换 $x=\dfrac{\alpha+\beta t}{1+t}$,计算积分$\displaystyle\int\frac{\mathrm{d}x}{(x^2-x+1)\sqrt{x^2+x+1}}$.

解 做分式线性代换 $x=\frac{\alpha+\beta t}{1+t}$,则

$$x^2\pm x+1=\frac{(\beta^2\pm\beta+1)t^2+[2\alpha\beta\pm(\alpha+\beta)+2]t+(\alpha^2\pm\alpha+1)}{(1+t)^2}.$$

要求 $2\alpha\beta\pm(\alpha+\beta)+2=0$ 即化成标准形式,当 $\alpha+\beta=0$ 及 $\alpha\beta=-1$ 时即得上式.

例如,取 $\alpha=-1,\beta=1$,有 $x=\frac{t-1}{t+1}$ 或 $t=\frac{1+x}{1-x}$,$\mathrm{d}x=\frac{2\mathrm{d}t}{(1+t)^2}$,$x^2-x+1=\frac{t^2+3}{(t+1)^2}$,$\sqrt{x^2+x+1}$ $=\frac{\sqrt{1+3t^2}}{t+1}$,其中不妨设 $t+1>0$. 于是

$$\int\frac{\mathrm{d}x}{(x^2-x+1)\sqrt{x^2+x+1}}=2\int\frac{t+1}{(t^2+3)\sqrt{1+3t^2}}\mathrm{d}t=2\int\frac{t\mathrm{d}t}{(t^2+3)\sqrt{1+3t^2}}+2\int\frac{\mathrm{d}t}{(t^2+3)\sqrt{1+3t^2}}$$
$$=2(I_1+I_2).$$

对于 I_1,设 $u=\sqrt{1+3t^2}$,则 $\mathrm{d}u=\frac{3t\mathrm{d}t}{\sqrt{1+3t^2}}$,$t^2+3=\frac{u^2+8}{3}$,代入 I_1,得

$$I_1=\int\frac{t\mathrm{d}t}{(t^2+3)\sqrt{1+3t^2}}=\int\frac{\mathrm{d}u}{u^2+8}=\frac{1}{2\sqrt{2}}\arctan\frac{u}{2\sqrt{2}}+C_1=\frac{1}{2\sqrt{2}}\arctan\frac{\sqrt{x^2+x+1}}{\sqrt{2}(1-x)}+C_1.$$

对于 I_2,设 $u=\frac{3t}{\sqrt{1+3t^2}}$,则$\frac{\mathrm{d}t}{\sqrt{1+3t^2}}=\frac{\mathrm{d}u}{3-u^2}$,$t^2+3=\frac{27-8u^2}{3(3-u^2)}$,代入 I_2,得

$$I_2=\int\frac{\mathrm{d}t}{(t^2+3)\sqrt{1+3t^2}}=3\int\frac{\mathrm{d}u}{27-8u^2}=\frac{1}{4\sqrt{6}}\ln\left|\frac{3\sqrt{3}+2\sqrt{2}u}{3\sqrt{3}-2\sqrt{2}u}\right|+C_2$$

$$=\frac{1}{4\sqrt{6}}\ln\left|\frac{\sqrt{3(x^2+x+1)}+\sqrt{2}(x+1)}{\sqrt{3(x^2+x+1)}-\sqrt{2}(x+1)}\right|+C_2=\frac{1}{2\sqrt{6}}\ln\left|\frac{\sqrt{x^2-x+1}}{\sqrt{3(x^2+x+1)}-\sqrt{2}(x+1)}\right|+C_2.$$

于是，最后得到

$$\int\frac{dx}{(x^2-x+1)\sqrt{x^2+x+1}}=-\frac{1}{\sqrt{2}}\arctan\frac{\sqrt{x^2+x+1}}{\sqrt{2}(x-1)}+\frac{1}{\sqrt{6}}\ln\left|\frac{\sqrt{x^2-x+1}}{\sqrt{3(x^2+x+1)}-\sqrt{2}(x+1)}\right|+C.$$

【1965】 $\displaystyle\int\frac{dx}{(x^2+2)\sqrt{2x^2-2x+5}}$.

解 此题与1964题均属于下述类型的积分

$$\int\frac{Mx+N}{(x^2+px+q)^m\sqrt{ax^2+bx+c}}dx.$$

设 $x=\dfrac{\alpha+\beta t}{1+t}$，适当选择 α 与 β，使得在两个三项式中同时消去一次项. 为此，将 $x=\dfrac{\alpha+\beta t}{1+t}$ 分别代入 x^2+2 及 $2x^2-2x+5$ 中，并令一次项的系数等于零，求得 $\alpha=-1,\beta=2$.

即设 $x=\dfrac{2t-1}{1+t}$，从而有

$$dx=\frac{3}{(t+1)^2}dt,x^2+2=\frac{3(2t^2+1)}{(t+1)^2},\sqrt{2x^2-2x+5}=\frac{3\sqrt{t^2+1}}{|t+1|}.$$

以下不妨设 $t+1>0$，代入得

$$\int\frac{dx}{(x^2+2)\sqrt{2x^2-2x+5}}=\frac{1}{3}\int\frac{t+1}{(2t^2+1)\sqrt{t^2+1}}dt$$
$$=\frac{1}{3}\int\frac{tdt}{(2t^2+1)\sqrt{t^2+1}}+\frac{1}{3}\int\frac{dt}{(2t^2+1)\sqrt{t^2+1}}.$$

对于右端的第一个积分，设 $u=\sqrt{t^2+1}$，则有

$$\frac{1}{3}\int\frac{tdt}{(2t^2+1)\sqrt{t^2+1}}=\frac{1}{3}\int\frac{du}{2u^2-1}=\frac{1}{6\sqrt{2}}\ln\frac{\sqrt{2}u-1}{\sqrt{2}u+1}+C_1$$
$$=\frac{1}{6\sqrt{2}}\ln\frac{\sqrt{2(2x^2-2x+5)}+(x-2)}{\sqrt{2(2x^2-2x+5)}-(x-2)}+C_1.$$

对于右端的第二个积分，设 $u=\dfrac{t}{\sqrt{t^2+1}}$，则有

$$\frac{1}{3}\int\frac{dt}{(2t^2+1)\sqrt{t^2+1}}=\frac{1}{3}\int\frac{du}{1+u^2}=\frac{1}{3}\arctan u+C_2=\frac{1}{3}\arctan\frac{1+x}{\sqrt{2x^2-2x+5}}+C_2$$

于是，最后得到

$$\int\frac{dx}{(x^2+2)\sqrt{2x^2-2x+5}}$$
$$=\frac{1}{6\sqrt{2}}\ln\frac{\sqrt{2(2x^2-2x+5)}+(x-2)}{\sqrt{2(2x^2-2x+5)}-(x-2)}+\frac{1}{3}\arctan\frac{1+x}{\sqrt{2x^2-2x+5}}+C.$$

【利用欧拉代换求下列不定积分(1966—1970)】

【1966】 $\displaystyle\int\frac{dx}{x+\sqrt{x^2+x+1}}$.

解 设 $\sqrt{x^2+x+1}=z-x$，则 $x=\dfrac{z^2-1}{1+2z}$，$dx=\dfrac{2(z^2+z+1)}{(1+2z)^2}dz$，$\sqrt{x^2+x+1}=\dfrac{z^2+z+1}{1+2z}$，代入得

$$\int\frac{dx}{x+\sqrt{x^2+x+1}}=\frac{1}{2}\int\frac{z^2+z+1}{z\left(z+\frac{1}{2}\right)^2}dz=\frac{1}{2}\int\left[\frac{4}{z}-\frac{3}{z+\frac{1}{2}}-\frac{3}{2\left(z+\frac{1}{2}\right)^2}\right]dz$$

$$=\frac{1}{2}\ln\frac{z^4}{\left|z+\frac{1}{2}\right|^3}+\frac{3}{4\left(z+\frac{1}{2}\right)}+C_1=\frac{1}{2}\ln\frac{z^4}{|2z+1|^3}+\frac{3}{2(2z+1)}+C,$$

其中 $z=x+\sqrt{x^2+x+1}$.

【1967】 $\int\frac{dx}{1+\sqrt{1-2x-x^2}}$.

解 设 $\sqrt{1-2x-x^2}=xz-1$,则

$$z=\frac{1+\sqrt{1-2x-x^2}}{x},x=\frac{2(z-1)}{z^2+1},dx=\frac{2(1+2z-z^2)}{(z^2+1)^2}dz,\sqrt{1-2x-x^2}+1=\frac{2z(z-1)}{z^2+1},$$

代入得

$$\int\frac{dx}{1+\sqrt{1-2x-x^2}}=\int\frac{z^2+1}{2z(z-1)}\cdot\frac{2(1+2z-z^2)}{(z^2+1)^2}dz=\int\frac{1+2z-z^2}{z(z-1)(z^2+1)}dz$$

$$=\int\left(\frac{1}{z-1}-\frac{1}{z}-\frac{2}{z^2+1}\right)dz=\ln\left|\frac{z-1}{z}\right|-2\arctan z+C,$$

其中 $z=\frac{1+\sqrt{1-2x-x^2}}{x}$.

【1968】 $\int x\sqrt{x^2-2x+2}\,dx$.

解 设 $\sqrt{x^2-2x+2}=z-x$,则

$$x=\frac{z^2-2}{2(z-1)},dx=\frac{z^2-2z+2}{2(z-1)^2}dz,\sqrt{x^2-2x+2}=\frac{z^2-2z+2}{2(z-1)},\text{代入得}$$

$$\int x\sqrt{x^2-2x+2}\,dx=\int\frac{z^2-2}{2(z-1)}\cdot\frac{z^2-2z+2}{2(z-1)}\cdot\frac{z^2-2z+2}{2(z-1)^2}dz$$

$$=\frac{1}{8}\int\frac{(z^2-2)(z^2-2z+2)^2}{(z-1)^4}dz$$

$$=\frac{1}{8}\int\frac{[(z-1)^2+2(z-1)-1][(z-1)^2+1]^2}{(z-1)^4}dz$$

$$=\frac{1}{8}\int\{[(z-1)^2-(z-1)^{-4}]+[2(z-1)+2(z-1)^{-3}]+$$
$$[1-(z-1)^{-2}]+4(z-1)^{-1}\}d(z-1)$$

$$=\frac{1}{24}[(z-1)^3+(z-1)^{-3}]+\frac{1}{8}[(z-1)^2-(z-1)^{-2}]+$$
$$\frac{1}{8}[(z-1)+(z-1)^{-1}]+\frac{1}{2}\ln|z-1|+C,$$

其中 $z=x+\sqrt{x^2-2x+2}$.

【1969】 $\int\frac{x-\sqrt{x^2+3x+2}}{x+\sqrt{x^2+3x+2}}dx$.

解 设 $\sqrt{x^2+3x+2}=z(x+1)$,则 $x=\frac{2-z^2}{z^2-1}$, $dx=-\frac{2z}{(z^2-1)^2}dz$, $\sqrt{x^2+3x+2}=\frac{z}{z^2-1}$,代入得

$$\int\frac{x-\sqrt{x^2+3x+2}}{x+\sqrt{x^2+3x+2}}dx=\int\frac{2z(2-z-z^2)}{(z^2-z-2)(z^2-1)^2}dz$$

$$=\int\left[-\frac{17}{108(z+1)}+\frac{5}{18(z+1)^2}+\frac{1}{3(z+1)^3}+\frac{3}{4(z-1)}-\frac{16}{27(z-2)}\right]dz$$

$$=-\frac{17}{108}\ln|z+1|-\frac{5}{18(z+1)}-\frac{1}{6(z+1)^2}+\frac{3}{4}\ln|z-1|-\frac{16}{27}\ln|z-2|+C,$$

其中 $z=\frac{\sqrt{x^2+3x+2}}{x+1}$.

【1970】 $\int \frac{dx}{[1+\sqrt{x(1+x)}]^2}$.

解 设 $\sqrt{x(1+x)}=z+x$，则 $x=\frac{z^2}{1-2z}$，$dx=\frac{2z(1-z)}{(1-2z)^2}dz$，$1+\sqrt{x(1+x)}=\frac{1-z-z^2}{1-2z}$，代入得

$$\begin{aligned}\int \frac{dx}{[1+\sqrt{x(1+x)}]^2} &= 2\int \frac{z(1-z)}{(1-z-z^2)^2}dz = 2\int \frac{(1-z-z^2)+(2z+1)-2}{(1-z-z^2)^2}dz \\ &= 2\int \frac{dz}{1-z-z^2} - 2\int \frac{d(1-z-z^2)}{(1-z-z^2)^2} - 4\int \frac{dx}{(1-z-z^2)^2} \\ &= 2\int \frac{d\left(z+\frac{1}{2}\right)}{\frac{5}{4}-\left(z+\frac{1}{2}\right)^2} + \frac{2}{1-z-z^2} - 4\left[\frac{2z+1}{5(1-z-z^2)} + \frac{2}{5}\int \frac{d\left(z+\frac{1}{2}\right)}{\frac{5}{4}-\left(z+\frac{1}{2}\right)^2}\right] \\ &= \frac{2}{5\sqrt{5}}\ln\left|\frac{\frac{\sqrt{5}}{2}+z+\frac{1}{2}}{\frac{\sqrt{5}}{2}-z-\frac{1}{2}}\right| + \frac{2}{1-z-z^2} - \frac{4(2z+1)}{5(1-z-z^2)} + C \\ &= \frac{2}{5\sqrt{5}}\ln\left|\frac{\sqrt{5}+2z+1}{\sqrt{5}-2z-1}\right| + \frac{2(3-4z)}{5(1-z-z^2)} + C,\end{aligned}$$

其中 $z=\sqrt{x(1+x)}-x$.

> **注** 本题用到 1921 题的递推公式.

习题 1971—1980 利用不同方法计算无理积分

【利用不同方法，计算下列不定积分(1971—1979)】

【1971】 $\int \frac{dx}{\sqrt{x^2+1}-\sqrt{x^2-1}}$.

解
$$\begin{aligned}\int \frac{dx}{\sqrt{x^2+1}-\sqrt{x^2-1}} &= \int \frac{\sqrt{x^2+1}+\sqrt{x^2-1}}{(x^2+1)-(x^2-1)}dx = \frac{1}{2}\int \sqrt{x^2+1}\,dx + \frac{1}{2}\int \sqrt{x^2-1}\,dx \\ &= \frac{x}{4}(\sqrt{x^2+1}+\sqrt{x^2-1}) + \frac{1}{4}\ln\left|\frac{x+\sqrt{x^2+1}}{x+\sqrt{x^2-1}}\right| + C.\end{aligned}$$

【1972】 $\int \frac{x\,dx}{(1-x^3)\sqrt{1-x^2}}$.

解 设 $\frac{1+x}{1-x}=z$，则 $x=\frac{z-1}{z+1}$，$dx=\frac{2}{(z+1)^2}dz$，代入得

$$\begin{aligned}\int \frac{x\,dx}{(1-x^3)\sqrt{1-x^2}} &= \frac{1}{2}\int \frac{(z^2-1)dz}{\sqrt{z}(3z^2+1)} = \int \frac{(z^2-1)d(\sqrt{z})}{3z^2+1} \\ &= \int\left[\frac{1}{3}-\frac{4}{3(3z^2+1)}\right]d(\sqrt{z}) = \frac{\sqrt{z}}{3} - \frac{4}{3}\cdot\frac{1}{\sqrt[4]{3}}\int \frac{d(\sqrt[4]{3z^2})}{(\sqrt[4]{3z^2})^4+1} \\ &= \frac{\sqrt{z}}{3} - \frac{4}{3\sqrt[4]{3}}\left[\frac{1}{4\sqrt{2}}\ln\frac{\sqrt{3}z+\sqrt[4]{12z^2}+1}{\sqrt{3}z-\sqrt[4]{12z^2}+1} + \frac{1}{2\sqrt{2}}\arctan\frac{\sqrt[4]{12z^2}}{1-\sqrt{3}z}\right] + C \\ &= \frac{\sqrt{z}}{3} - \frac{1}{3\sqrt[4]{12}}\left[\ln\frac{\sqrt{3}z+\sqrt[4]{12z^2}+1}{\sqrt{3}z-\sqrt[4]{12z^2}+1} - 2\arctan\frac{\sqrt[4]{12z^2}}{\sqrt{3}z-1}\right] + C,\end{aligned}$$

其中 $z=\frac{1+x}{1-x}$.

注 本题用到 1884 题的结果.

【1973】 $\int \frac{dx}{\sqrt{2}+\sqrt{1-x}+\sqrt{1+x}}$.

解 $$\int \frac{dx}{\sqrt{2}+\sqrt{1-x}+\sqrt{1+x}}=\int \frac{-\sqrt{2}+\sqrt{1-x}+\sqrt{1+x}}{(\sqrt{2}+\sqrt{1-x}+\sqrt{1+x})(-\sqrt{2}+\sqrt{1-x}+\sqrt{1+x})}dx$$
$$=\int \frac{-\sqrt{2}+\sqrt{1-x}+\sqrt{1+x}}{2\sqrt{1-x^2}}dx$$
$$=-\frac{1}{\sqrt{2}}\int \frac{dx}{\sqrt{1-x^2}}+\frac{1}{2}\int \frac{dx}{\sqrt{1+x}}+\frac{1}{2}\int \frac{dx}{\sqrt{1-x}}$$
$$=-\frac{1}{\sqrt{2}}\arcsin x+\sqrt{1+x}-\sqrt{1-x}+C.$$

【1974】 $\int \frac{x+\sqrt{1+x+x^2}}{1+x+\sqrt{1+x+x^2}}dx$.

解 $$\int \frac{x+\sqrt{1+x+x^2}}{1+x+\sqrt{1+x+x^2}}dx=\int \frac{(x+\sqrt{1+x+x^2})(1+x-\sqrt{1+x+x^2})}{(1+x)^2-(1+x+x^2)}dx$$
$$=\int \frac{\sqrt{1+x+x^2}-1}{x}dx=\int \frac{\sqrt{1+x+x^2}}{x}dx-\ln|x|.$$

对于积分$\int \frac{\sqrt{1+x+x^2}}{x}dx$,设 $x=\frac{1}{t}$,则 $dx=-\frac{1}{t^2}dt$, $\sqrt{1+x+x^2}=\frac{\sqrt{t^2+t+1}}{|t|}$.

不妨设 $t>0$,代入得

$$\int \frac{\sqrt{1+x+x^2}}{x}dx=-\int \frac{\sqrt{t^2+t+1}}{t^2}dt=\int \sqrt{t^2+t+1}\,d\left(\frac{1}{t}\right)=\frac{\sqrt{t^2+t+1}}{t}-\frac{1}{2}\int \frac{2t+1}{t\sqrt{1+t+t^2}}dt$$
$$=\sqrt{x^2+x+1}-\int \frac{dt}{\sqrt{1+t+t^2}}-\frac{1}{2}\int \frac{dt}{t\sqrt{1+t+t^2}}$$
$$=\sqrt{x^2+x+1}-\ln\left(t+\frac{1}{2}+\sqrt{1+t+t^2}\right)+\frac{1}{2}\int \frac{d\left(\frac{1}{t}\right)}{\sqrt{\left(\frac{1}{t}\right)^2+\left(\frac{1}{t}\right)+1}}$$
$$=\sqrt{x^2+x+1}-\ln\frac{2+x+2\sqrt{1+x+x^2}}{2x}+\frac{1}{2}\ln\left(\frac{1}{t}+\frac{1}{2}+\sqrt{\frac{1}{t^2}+\frac{1}{t}+1}\right)+C_1$$
$$=\sqrt{x^2+x+1}-\ln\frac{2+x+2\sqrt{1+x+x^2}}{2x}+\frac{1}{2}\ln\frac{2x+1+2\sqrt{1+x+x^2}}{2}+C_1$$
$$=\sqrt{x^2+x+1}+\frac{1}{2}\ln\frac{2x+1+2\sqrt{1+x+x^2}}{(2+x+2\sqrt{1+x+x^2})^2}+\ln x+C.$$

于是,当 $x>0$ 时,最后得到

$$\int \frac{x+\sqrt{1+x+x^2}}{1+x+\sqrt{1+x+x^2}}dx=\sqrt{x^2+x+1}+\frac{1}{2}\ln\frac{2x+1+2\sqrt{1+x+x^2}}{(2+x+2\sqrt{1+x+x^2})^2}+C.$$

当 $x<0$ 时,可得同样的结果.

【1975】 $\int \frac{\sqrt{x(x+1)}}{\sqrt{x}+\sqrt{x+1}}dx$.

解 $$\int \frac{\sqrt{x(x+1)}}{\sqrt{x}+\sqrt{x+1}}dx=\int \frac{\sqrt{x(x+1)}(\sqrt{x+1}-\sqrt{x})}{(\sqrt{x+1}+\sqrt{x})(\sqrt{x+1}-\sqrt{x})}dx=\int[(x+1)\sqrt{x}-x\sqrt{x+1}]dx$$
$$=\int[x^{\frac{3}{2}}+x^{\frac{1}{2}}-(x+1)^{\frac{3}{2}}+(x+1)^{\frac{1}{2}}]dx$$

$$=\frac{2}{3}[(x+1)^{\frac{3}{2}}+x^{\frac{3}{2}}]-\frac{2}{5}[(x+1)^{\frac{5}{2}}-x^{\frac{5}{2}}]+C.$$

【1976】 $\int\frac{(x^2-1)\mathrm{d}x}{(x^2+1)\sqrt{x^4+1}}$.

解 $\int\frac{(x^2-1)\mathrm{d}x}{(x^2+1)\sqrt{x^4+1}}=\int\frac{\frac{x^2-1}{(x^2+1)^2}\mathrm{d}x}{\sqrt{\frac{x^4+1}{(x^2+1)^2}}}=\int\frac{\frac{x^2-1}{(x^2+1)^2}\mathrm{d}x}{\sqrt{1-\left(\frac{\sqrt{2}x}{x^2+1}\right)^2}}$.

下面先考虑积分$\int\frac{x^2-1}{(x^2+1)^2}\mathrm{d}x$. 设 $x=\tan t,-\frac{\pi}{2}<t<\frac{\pi}{2}$,则有 $\mathrm{d}x=\sec^2 t\mathrm{d}t$,代入得

$$\int\frac{x^2-1}{(x^2+1)^2}\mathrm{d}x=\int\frac{\tan^2 t-1}{\sec^4 t}\sec^2 t\mathrm{d}t=\int(\sin^2 t-\cos^2 t)\mathrm{d}t$$

$$=-\int\cos 2t\mathrm{d}t=-\sin t\cos t+C_1=-\frac{x}{1+x^2}+C_1.$$

因此$\frac{x^2-1}{(x^2+1)^2}\mathrm{d}x=-\frac{1}{\sqrt{2}}\mathrm{d}\left(\frac{\sqrt{2}x}{1+x^2}\right)$. 于是

$$\int\frac{(x^2-1)\mathrm{d}x}{(x^2+1)\sqrt{x^4+1}}=-\frac{1}{\sqrt{2}}\int\frac{\mathrm{d}\left(\frac{\sqrt{2}x}{1+x^2}\right)}{\sqrt{1-\left(\frac{\sqrt{2}x}{1+x^2}\right)^2}}=-\frac{1}{\sqrt{2}}\arcsin\frac{\sqrt{2}x}{1+x^2}+C.$$

【1977】 $\int\frac{x^2+1}{(x^2-1)\sqrt{x^4+1}}\mathrm{d}x$.

解 仿照 1976 题,可得

$$\int\frac{x^2+1}{(x^2-1)\sqrt{x^4+1}}\mathrm{d}x=\int\frac{\frac{x^2+1}{(x^2-1)^2}}{\sqrt{\frac{x^4+1}{(x^2-1)^2}}}\mathrm{d}x=-\frac{1}{\sqrt{2}}\int\frac{\mathrm{d}\left(\frac{\sqrt{2}x}{x^2-1}\right)}{\sqrt{1+\left(\frac{\sqrt{2}x}{x^2-1}\right)^2}}$$

$$=-\frac{1}{\sqrt{2}}\ln\left|\frac{\sqrt{2}x}{x^2-1}+\sqrt{1+\left(\frac{\sqrt{2}x}{x^2-1}\right)^2}\right|+C=-\frac{1}{\sqrt{2}}\ln\left|\frac{\sqrt{2}x+\sqrt{x^4+1}}{x^2-1}\right|+C.$$

【1978】 $\int\frac{\mathrm{d}x}{x\sqrt{x^4+2x^2-1}}$.

解 作代换$\frac{1}{x}=\sqrt{t}$,不妨设 $x>0$. 若 $x<0$,则作变换$\frac{1}{x}=-\sqrt{t}$,最后结果相同,则

$$\mathrm{d}x=-\frac{1}{2t\sqrt{t}}\mathrm{d}t,\ \sqrt{x^4+2x^2-1}=\frac{\sqrt{1+2t-t^2}}{t},$$

代入得

$$\int\frac{\mathrm{d}x}{x\sqrt{x^4+2x^2-1}}=-\frac{1}{2}\int\frac{\mathrm{d}t}{\sqrt{1+2t-t^2}}=\frac{1}{2}\int\frac{\mathrm{d}(1-t)}{\sqrt{2-(1-t)^2}}$$

$$=\frac{1}{2}\arcsin\frac{1-t}{\sqrt{2}}+C=\frac{1}{2}\arcsin\frac{x^2-1}{\sqrt{2}x^2}+C.$$

【1979】 $\int\frac{(x^2+1)\mathrm{d}x}{x\sqrt{x^4+x^2+1}}$.

解 $\int\frac{(x^2+1)\mathrm{d}x}{x\sqrt{x^4+x^2+1}}=\int\frac{x\mathrm{d}x}{\sqrt{x^4+x^2+1}}+\int\frac{\mathrm{d}x}{x\sqrt{x^4+x^2+1}}$

$$=\frac{1}{2}\int\frac{\mathrm{d}\left(x^2+\frac{1}{2}\right)}{\sqrt{\left(x^2+\frac{1}{2}\right)^2+\frac{3}{4}}}-\frac{1}{2}\int\frac{\mathrm{d}\left(\frac{1}{x^2}\right)}{\sqrt{\left(\frac{1}{x^2}+\frac{1}{2}\right)^2+\frac{3}{4}}}$$

$$=\frac{1}{2}\ln\frac{x^2+\frac{1}{2}+\sqrt{x^4+x^2+1}}{\frac{1}{x^2}+\frac{1}{2}+\sqrt{\frac{x^4+x^2+1}{x^4}}}+C$$

$$=\frac{1}{2}\ln\frac{x^2(1+2x^2+2\sqrt{x^4+x^2+1})}{2+x^2+2\sqrt{x^4+x^2+1}}+C.$$

【1980】 证明:积分

$$\int R(x,\sqrt{ax+b},\sqrt{cx+d})\mathrm{d}x(R\text{ 为有理函数})$$

的求法,可归结为有理函数的积分法.

证 当 a,c 中至少有一个为零时,则积分 $\int R(x,\sqrt{ax+b},\sqrt{cx+d})\mathrm{d}x$ 的求法显然可归结为有理函数的积分法.

当 $a\neq 0,c\neq 0$ 时,设 $\sqrt{ax+b}=z$,则

$$x=\frac{z^2-b}{a},\mathrm{d}x=\frac{2}{a}z\mathrm{d}z,\sqrt{cx+d}=\sqrt{\frac{c}{a}z^2+d-\frac{bc}{a}}=\sqrt{c_1z^2+d_1},$$

其中 $c_1=\frac{c}{a},d_1=d-\frac{bc}{a}$,代入得

$$\int R(x,\sqrt{ax+b},\sqrt{cx+d})\mathrm{d}x=\int R\left(\frac{z^2-b}{a},z,\sqrt{c_1z^2+d_1}\right)\frac{2}{a}z\mathrm{d}z=\int R_1(z,\sqrt{c_1z^2+d_1})\mathrm{d}z,$$

其中 R_1 为有理函数.

再设 $\sqrt{c_1z^2+d_1}=\pm\sqrt{c_1}z+u(c_1>0)$ 或 $\sqrt{c_1z^2+d_1}=zu\pm\sqrt{d_1}(d_1>0)$——欧拉代换,就可将被积函数有理化. 于是,积分 $\int R(x,\sqrt{ax+b},\sqrt{cx+b})\mathrm{d}x$ 的求法可归结为有理函数的积分法.

知识点 3 二项微分式的积分

$\int x^m(a+bx^n)^p\mathrm{d}x$(式中 m,n 和 p 为有理数) 仅在下列三种情形可化为有理函数的积分(切比雪夫定理):

第一种情形 p 为整数. 此时令 $x=z^N$,其中 N 为分数 m 和 n 的公分母.

第二种情形 $\frac{m+1}{n}$ 为整数. 此时令 $a+bx^n=z^N$,其中 N 为分数 p 的分母.

第三种情形 $\frac{m+1}{n}+p$ 为整数. 此时利用代换 $ax^{-n}+b=z^N$,其中 N 为分数 p 的分母.

注 若 $n=1$,则这些情形等价于:(1)p 为整数;(2)m 为整数;(3)$m+p$ 为整数.

习题 1981—1990 二项微分式的积分

【计算下列不定积分(1981—1989)】

【1981】 $\int\sqrt{x^3+x^4}\mathrm{d}x$.

解 $\sqrt{x^3+x^4}=x^{\frac{3}{2}}(1+x)^{\frac{1}{2}},m=\frac{3}{2},n=1,p=\frac{1}{2},\frac{m+1}{n}+p=3$,这是二项微分式的第三种

情形.

设 $x^{-1}+1=z^2$，则 $x=\dfrac{1}{z^2-1}$，$\mathrm{d}x=-\dfrac{2z}{(z^2-1)^2}\mathrm{d}z$，$\sqrt{x^3+x^4}=\dfrac{z}{(z^2-1)^2}$（不妨设 $z>0$，以下各题不再说明），代入得

$$\begin{aligned}\int\sqrt{x^3+x^4}\,\mathrm{d}x&=-2\int\frac{z^2}{(z^2-1)^4}\mathrm{d}z=-2\int\frac{\mathrm{d}z}{(z^2-1)^4}-2\int\frac{\mathrm{d}z}{(z^2-1)^3}\\&=-2\left[-\frac{z}{6(z^2-1)^3}-\frac{5}{6}\int\frac{\mathrm{d}z}{(z^2-1)^3}\right]-2\int\frac{\mathrm{d}z}{(z^2-1)^3}\\&=\frac{z}{3(z^2-1)^3}-\frac{1}{3}\int\frac{\mathrm{d}z}{(z^2-1)^3}\\&=\frac{z}{3(z^2-1)^3}+\frac{z}{12(z^2-1)^2}-\frac{z}{8(z^2-1)}+\frac{1}{16}\ln\frac{z+1}{z-1}+C\\&=\frac{1}{3}\sqrt{(x+x^2)^3}-\frac{1+2x}{8}\sqrt{x+x^2}+\frac{1}{8}\ln(\sqrt{x}+\sqrt{1+x})+C.\end{aligned}$$

注 本题用到1921题的结果.

【1982】 $\displaystyle\int\frac{\sqrt{x}}{(1+\sqrt[3]{x})^2}\mathrm{d}x.$

解 $\dfrac{\sqrt{x}}{(1+\sqrt[3]{x})^2}=x^{\frac{1}{2}}(1+x^{\frac{1}{3}})^{-2}$，$m=\dfrac{1}{2}$，$n=\dfrac{1}{3}$，$p=-2$；

p 为整数，这是二项微分式的第一种情形.

设 $x=z^6$，则 $\mathrm{d}x=6z^5\mathrm{d}z$，$\sqrt{x}=z^3$，$\sqrt[3]{x}=z^2$，代入得

$$\begin{aligned}\int\frac{\sqrt{x}}{(1+\sqrt[3]{x})^2}\mathrm{d}x&=6\int\frac{z^8}{(z^2+1)^2}\mathrm{d}z=6\int\left[z^4-2z^2+3-\frac{4}{z^2+1}+\frac{1}{(z^2+1)^2}\right]\mathrm{d}z\\&=\frac{6}{5}z^5-4z^3+18z-24\arctan z+6\left[\frac{z}{2(z^2+1)}+\frac{1}{2}\arctan z\right]+C\\&=\frac{6}{5}\sqrt[6]{x^5}-4\sqrt{x}+18\sqrt[6]{x}+\frac{3\sqrt[6]{x}}{1+\sqrt[3]{x}}-21\arctan\sqrt[6]{x}+C.\end{aligned}$$

注 本题用到1921题的结果.

【1983】 $\displaystyle\int\frac{x\mathrm{d}x}{\sqrt{1+\sqrt[3]{x^2}}}.$

解 $\dfrac{x}{\sqrt{1+\sqrt[3]{x^2}}}=x(1+x^{\frac{2}{3}})^{-\frac{1}{2}}$，$m=1$，$n=\dfrac{2}{3}$，$p=-\dfrac{1}{2}$；$\dfrac{m+1}{n}=3$，这是二项微分式的第二种情形.

设 $1+x^{\frac{2}{3}}=z^2$，则 $x=(z^2-1)^{\frac{3}{2}}$，$\mathrm{d}x=3z(z^2-1)^{\frac{1}{2}}\mathrm{d}z$，代入得

$$\int\frac{x\mathrm{d}x}{\sqrt{1+\sqrt[3]{x^2}}}=3\int(z^2-1)^2\mathrm{d}z=\frac{3}{5}z^5-2z^3+3z+C,$$

其中 $z=\sqrt{1+\sqrt[3]{x^2}}$.

【1984】 $\displaystyle\int\frac{x^5\mathrm{d}x}{\sqrt{1-x^2}}.$

解 $\dfrac{x^5}{\sqrt{1-x^2}}=x^5(1-x^2)^{-\frac{1}{2}}$，$m=5$，$n=2$，$p=-\dfrac{1}{2}$；$\dfrac{m+1}{n}=3$，这是二项微分式的第二种情形.

设 $\sqrt{1-x^2}=z$(不妨设 $x>0$),则 $x=\sqrt{1-z^2}$,$dx=-\dfrac{z}{\sqrt{1-z^2}}dz$,代入得

$$\int\frac{x^5dx}{\sqrt{1-x^2}}=-\int(1-z^2)^2dz=-z+\frac{2}{3}z^3-\frac{1}{5}z^5+C,$$

其中 $z=\sqrt{1-x^2}$.

【1985】 $\displaystyle\int\frac{dx}{\sqrt[3]{1+x^3}}$.

解 $\dfrac{1}{\sqrt[3]{1+x^3}}=x^0(1+x^3)^{-\frac{1}{3}}$,$m=0$,$n=3$,$p=-\dfrac{1}{3}$;$\dfrac{m+1}{n}+p=0$,这是二项微分式的第三种情形.

设 $x^{-3}+1=z^3$,则 $x=(z^3-1)^{-\frac{1}{3}}$,$dx=-z^2(z^3-1)^{-\frac{4}{3}}dz$,代入得

$$\int\frac{dx}{\sqrt[3]{1+x^3}}=-\int\frac{z}{z^3-1}dz=-\frac{1}{3}\int\frac{dz}{z-1}+\frac{1}{3}\int\frac{z-1}{z^2+z+1}dz$$

$$=-\frac{1}{3}\ln|z-1|+\frac{1}{6}\ln(z^2+z+1)-\frac{1}{\sqrt{3}}\arctan\frac{2z+1}{\sqrt{3}}+C$$

$$=\frac{1}{6}\ln\frac{z^2+z+1}{(z-1)^2}-\frac{1}{\sqrt{3}}\arctan\frac{2z+1}{\sqrt{3}}+C,$$

其中 $z=\dfrac{\sqrt[3]{1+x^3}}{x}$.

【1986】 $\displaystyle\int\frac{dx}{\sqrt[4]{1+x^4}}$.

解 $\dfrac{1}{\sqrt[4]{1+x^4}}=x^0(1+x^4)^{-\frac{1}{4}}$,$m=0$,$n=4$,$p=-\dfrac{1}{4}$;$\dfrac{m+1}{n}+p=0$,这是二项微分式的第三种情形.

设 $x^{-4}+1=z^4$,则 $z=\dfrac{\sqrt[4]{1+x^4}}{x}$,$(z>0,x>0)$,$x=(z^4-1)^{-\frac{1}{4}}$,$dx=-z^3(z^4-1)^{-\frac{5}{4}}dz$,代入得

$$\int\frac{dx}{\sqrt[4]{1+x^4}}=-\int\frac{z^2}{z^4-1}dz=\int\left[\frac{1}{4(z+1)}-\frac{1}{4(z-1)}-\frac{1}{2(z^2+1)}\right]dz$$

$$=\frac{1}{4}\ln\left|\frac{z+1}{z-1}\right|-\frac{1}{2}\arctan z+C,$$

其中 $z=\dfrac{\sqrt[4]{1+x^4}}{x}$.

【1987】 $\displaystyle\int\frac{dx}{x\sqrt[6]{1+x^6}}$.

解 $\dfrac{1}{x\sqrt[6]{1+x^6}}=x^{-1}(1+x^6)^{-\frac{1}{6}}$,$m=-1$,$n=6$,$p=-\dfrac{1}{6}$;$\dfrac{m+1}{n}=0$,这是二项微分式的第二种情形.

设 $1+x^6=z^6$,则 $z=\sqrt[6]{1+x^6}$ $(z>0,x>0)$,$x=\sqrt[6]{z^6-1}$,$dx=z^5(z^6-1)^{-\frac{5}{6}}dz$,代入得

$$\int\frac{dx}{x\sqrt[6]{1+x^6}}=\int\frac{z^4dz}{z^6-1}$$

$$=\int\left[-\frac{1}{6(z+1)}+\frac{z+1}{6(z^2-z+1)}+\frac{1}{6(z-1)}+\frac{-z+1}{6(z^2+z+1)}\right]dz$$

$$=\frac{1}{6}\ln\frac{z-1}{z+1}+\frac{1}{12}\ln\frac{z^2-z+1}{z^2+z+1}+\frac{1}{2\sqrt{3}}\left(\arctan\frac{2z-1}{\sqrt{3}}+\arctan\frac{2z+1}{\sqrt{3}}\right)+C_1$$

$$=\frac{1}{6}\ln\frac{z-1}{z+1}+\frac{1}{12}\ln\frac{z^2-z+1}{z^2+z+1}+\frac{1}{2\sqrt{3}}\arctan\frac{\sqrt{3}z}{1-z^2}+C,$$

其中 $z=\sqrt[6]{1+x^6}$.

【1988】 $\displaystyle\int\frac{dx}{x^3\sqrt[5]{1+\frac{1}{x}}}$.

解 $\dfrac{1}{x^3\sqrt[5]{1+\frac{1}{x}}}=x^{-3}(1+x^{-1})^{-\frac{1}{5}}$, $m=-3$, $n=-1$, $p=-\dfrac{1}{5}$; $\dfrac{m+1}{n}=2$,这是二项微分式的第二种情形.

设 $1+x^{-1}=z^5$,则 $x=(z^5-1)^{-1}$, $dx=-5z^4(z^5-1)^{-2}dz$,代入得

$$\int\frac{dx}{x^3\sqrt[5]{1+\frac{1}{x}}}=-5\int z^3(z^5-1)dz=-\frac{5}{9}z^9+\frac{5}{4}z^4+C,$$

其中 $z=\sqrt[5]{1+\dfrac{1}{x}}$.

【1989】 $\displaystyle\int\sqrt[3]{3x-x^3}\,dx$.

解 $\sqrt[3]{3x-x^3}=x^{\frac{1}{3}}(3-x^2)^{\frac{1}{3}}$, $m=\dfrac{1}{3}$, $n=2$, $p=\dfrac{1}{3}$; $\dfrac{m+1}{n}+p=1$,这是二项微分式的第三种情形.

设 $3x^{-2}-1=z^3$(不妨设 $x>0$),则

$$z=\frac{\sqrt[3]{3x-x^3}}{x},\quad x=\frac{\sqrt{3}}{\sqrt{z^3+1}},\quad dx=-\frac{3\sqrt{3}}{2}\cdot\frac{z^2}{(z^3+1)^{\frac{3}{2}}}dz.$$

$$\int\sqrt[3]{3x-x^3}\,dx=-\frac{9}{2}\int\frac{z^3}{(z^3+1)^2}dz=-\frac{9}{2}\int\frac{dz}{z^3+1}+\frac{9}{2}\int\frac{dz}{(z^3+1)^2}$$

$$=-\frac{9}{2}\left[\frac{1}{6}\ln\frac{(z+1)^2}{z^2-z+1}+\frac{1}{\sqrt{3}}\arctan\frac{2z-1}{\sqrt{3}}\right]+$$

$$\frac{9}{2}\left[\frac{z}{3(z^3+1)}+\frac{1}{9}\ln\frac{(z+1)^2}{z^2-z+1}+\frac{2}{3\sqrt{3}}\arctan\frac{2z-1}{\sqrt{3}}\right]+C$$

$$=\frac{3z}{2(z^3+1)}-\frac{1}{4}\ln\frac{(z+1)^2}{z^2-z+1}-\frac{\sqrt{3}}{2}\arctan\frac{2z-1}{\sqrt{3}}+C,$$

其中 $z=\dfrac{\sqrt[3]{3x-x^3}}{x}$.

注 本题用到 1881 题和 1892 题的结果.

【1990】 在什么情形下,积分 $\int\sqrt{1+x^m}\,dx$(m 为有理数)为初等函数?

解 $\sqrt{1+x^m}=x^0(1+x^m)^{\frac{1}{2}}$. 由于 $p=\dfrac{1}{2}$,故由切比雪夫定理知,仅在下述两种情形,此函数的积分可化为有理函数的积分.

第一种情形:$\dfrac{1}{m}$ 为整数,即 $m=\dfrac{1}{k_1}=\dfrac{2}{2k_1}$,其中 $k_1=\pm1,\pm2,\cdots$;

第二种情形:$\dfrac{1}{m}+\dfrac{1}{2}$ 为整数,即 $m=\dfrac{2}{2k_2-1}$,其中 $k_2=0,\pm1,\pm2,\cdots$.

综上所述,当 $m=\dfrac{2}{k}$(式中 $k=\pm1,\pm2,\cdots$)时,积分 $\int\sqrt{1+x^m}\,dx$ 为初等函数.

第4节 三角函数的积分法（习题1991—2065）

知识点预览

序号	知识点	题目序号	所在页码
1	三角函数的积分法	1991—2029	P92
2	形如$\int R(\sin x,\cos x)\mathrm{d}x$的三角函数有理式的积分	2030—2065	P103

知识点1 三角函数的积分法

定义 形如

$$\int \sin^m x\cos^n x\,\mathrm{d}x\,(m\text{ 及 }n\text{ 为整数})$$

的积分，可利用巧妙的变换或运用递推公式计算.

习题 1991—2007 简单三角有理函数的积分

【求下列积分(1991—2007)】

【1991】 $\int \cos^5 x\mathrm{d}x$.

解 $\int \cos^5 x\mathrm{d}x=\int \cos^4 x\cos x\mathrm{d}x=\int (1-\sin^2 x)^2\mathrm{d}(\sin x)$

$$=\int (1-2\sin^2 x+\sin^4 x)\mathrm{d}(\sin x)=\sin x-\frac{2}{3}\sin^3 x+\frac{1}{5}\sin^5 x+C.$$

【1992】 $\int \sin^6 x\mathrm{d}x$.

解 $\int \sin^6 x\mathrm{d}x=\int \left(\frac{1-\cos 2x}{2}\right)^3\mathrm{d}x=\frac{1}{8}\int (1-3\cos 2x+3\cos^2 2x-\cos^3 2x)\mathrm{d}x$

$$=\frac{x}{8}-\frac{3}{16}\sin 2x+\frac{3}{8}\int \frac{1+\cos 4x}{2}\mathrm{d}x-\frac{1}{8}\int (1-\sin^2 2x)\cos 2x\mathrm{d}x$$

$$=\frac{x}{8}-\frac{3}{16}\sin 2x+\frac{3x}{16}+\frac{3}{64}\sin 4x-\frac{1}{16}\int (1-\sin^2 2x)\mathrm{d}(\sin 2x)$$

$$=\frac{5x}{16}-\frac{3}{16}\sin 2x+\frac{3}{64}\sin 4x-\frac{1}{16}\sin 2x+\frac{1}{48}\sin^3 2x+C$$

$$=\frac{5x}{16}-\frac{1}{4}\sin 2x+\frac{3}{64}\sin 4x+\frac{1}{48}\sin^3 2x+C.$$

【1993】 $\int \cos^6 x\mathrm{d}x$.

解 $\int \cos^6 x\mathrm{d}x=\int \sin^6\left(x-\frac{\pi}{2}\right)\mathrm{d}\left(x-\frac{\pi}{2}\right)$

$$=\frac{5}{16}\left(x-\frac{\pi}{2}\right)-\frac{1}{4}\sin 2\left(x-\frac{\pi}{2}\right)+\frac{3}{64}\sin 4\left(x-\frac{\pi}{2}\right)+\frac{1}{48}\sin^3 2\left(x-\frac{\pi}{2}\right)+C_1$$

$$= \frac{5x}{16} + \frac{1}{4}\sin 2x + \frac{3}{64}\sin 4x - \frac{1}{48}\sin^3 2x + C.$$

注 本题用到 1992 题的结果.

【1994】 $\int \sin^2 x\cos^4 x\mathrm{d}x.$

解 $\int \sin^2 x\cos^4 x\mathrm{d}x = \frac{1}{4}\int \sin^2 2x\cos^2 x\mathrm{d}x = \frac{1}{8}\int \sin^2 2x(1+\cos 2x)\mathrm{d}x$

$$= \frac{1}{8}\int \frac{1-\cos 4x}{2}\mathrm{d}x + \frac{1}{16}\int \sin^2 2x\mathrm{d}(\sin 2x)$$

$$= \frac{x}{16} - \frac{1}{64}\sin 4x + \frac{1}{48}\sin^3 2x + C.$$

【1995】 $\int \sin^4 x\cos^5 x\mathrm{d}x.$

解 $\int \sin^4 x\cos^5 x\mathrm{d}x = \int \sin^4 x(1-\sin^2 x)^2\mathrm{d}(\sin x) = \frac{1}{5}\sin^5 x - \frac{2}{7}\sin^7 x + \frac{1}{9}\sin^9 x + C.$

【1996】 $\int \sin^5 x\cos^5 x\mathrm{d}x.$

解 $\int \sin^5 x\cos^5 x\mathrm{d}x = \int \frac{1}{32}\sin^5 2x\mathrm{d}x = -\frac{1}{64}\int (1-\cos^2 2x)^2\mathrm{d}(\cos 2x)$

$$= -\frac{1}{64}\cos 2x + \frac{1}{96}\cos^3 2x - \frac{1}{320}\cos^5 2x + C.$$

【1997】 $\int \frac{\sin^3 x}{\cos^4 x}\mathrm{d}x.$

解 $\int \frac{\sin^3 x}{\cos^4 x}\mathrm{d}x = -\int \frac{1-\cos^2 x}{\cos^4 x}\mathrm{d}(\cos x) = \frac{1}{3\cos^3 x} - \frac{1}{\cos x} + C.$

【1998】 $\int \frac{\cos^4 x}{\sin^3 x}\mathrm{d}x.$

解 $\int \frac{\cos^4 x}{\sin^3 x}\mathrm{d}x = \int \frac{\cos^3 x}{\sin^3 x}\mathrm{d}(\sin x) = -\frac{1}{2}\int \cos^3 x\mathrm{d}\left(\frac{1}{\sin^2 x}\right) = -\frac{\cos^3 x}{2\sin^2 x} - \frac{3}{2}\int \frac{\cos^2 x\sin x}{\sin^2 x}\mathrm{d}x$

$$= -\frac{\cos^3 x}{2\sin^2 x} - \frac{3}{2}\int \frac{1-\sin^2 x}{\sin x}\mathrm{d}x = -\frac{\cos^3 x}{2\sin^2 x} - \frac{3}{2}\ln\left|\tan\frac{x}{2}\right| - \frac{3}{2}\cos x + C.$$

【1999】 $\int \frac{\mathrm{d}x}{\sin^3 x}.$

解 $\int \frac{\mathrm{d}x}{\sin^3 x} = -\int \frac{1}{\sin x}\mathrm{d}(\cot x) = -\frac{\cot x}{\sin x} - \int \cot x\frac{\cos x}{\sin^2 x}\mathrm{d}x$

$$= -\frac{\cos x}{\sin^2 x} - \int \frac{1-\sin^2 x}{\sin^3 x}\mathrm{d}x = -\frac{\cos x}{\sin^2 x} - \int \frac{\mathrm{d}x}{\sin^3 x} + \ln\left|\tan\frac{x}{2}\right|.$$

于是$\int \frac{\mathrm{d}x}{\sin^3 x} = -\frac{\cos x}{2\sin^2 x} + \frac{1}{2}\ln\left|\tan\frac{x}{2}\right| + C.$

【2000】 $\int \frac{\mathrm{d}x}{\cos^3 x}.$

解 $\int \frac{\mathrm{d}x}{\cos^3 x} = \int \frac{\mathrm{d}\left(x+\frac{\pi}{2}\right)}{\sin^3\left(x+\frac{\pi}{2}\right)} = -\frac{\cos\left(x+\frac{\pi}{2}\right)}{2\sin^2\left(x+\frac{\pi}{2}\right)} + \frac{1}{2}\ln\left|\tan\left(\frac{x+\frac{\pi}{2}}{2}\right)\right| + C$

$$= \frac{\sin x}{2\cos^2 x} + \frac{1}{2}\ln\left|\tan\left(\frac{x}{2}+\frac{\pi}{4}\right)\right| + C.$$

注 本题用到 1999 题的结果.

【2001】 $\displaystyle\int\frac{dx}{\sin^4 x\cos^4 x}$.

解 $$\int\frac{dx}{\sin^4 x\cos^4 x}=16\int\frac{dx}{\sin^4 2x}=-8\int\csc^2 2x d(\cot 2x)$$
$$=-8\int(1+\cot^2 2x)d(\cot 2x)=-8\cot 2x-\frac{8}{3}\cot^3 2x+C.$$

【2002】 $\displaystyle\int\frac{dx}{\sin^3 x\cos^5 x}$.

提示 多次利用等式 $1=\sin^2 x+\cos^2 x$.

解 $$\int\frac{dx}{\sin^3 x\cos^5 x}=\int\frac{\sin^2 x+\cos^2 x}{\sin^3 x\cos^5 x}dx=\int\frac{dx}{\sin x\cos^5 x}+\int\frac{dx}{\sin^3 x\cos^3 x}$$
$$=\int\frac{\sin^2 x+\cos^2 x}{\sin x\cos^5 x}dx+\int\frac{\sin^2 x+\cos^2 x}{\sin^3 x\cos^3 x}dx$$
$$=\int\frac{\sin x}{\cos^5 x}dx+2\int\frac{dx}{\sin x\cos^3 x}+\int\frac{dx}{\sin^3 x\cos x}$$
$$=-\int\frac{d(\cos x)}{\cos^5 x}+2\int\frac{\sin x}{\cos^3 x}dx+3\int\frac{dx}{\sin x\cos x}+\int\frac{\cos x}{\sin^3 x}dx$$
$$=\frac{1}{4\cos^4 x}-2\int\frac{d(\cos x)}{\cos^3 x}+3\int\frac{d(\tan x)}{\tan x}+\int\frac{d(\sin x)}{\sin^3 x}$$
$$=\frac{1}{4\cos^4 x}+\frac{1}{\cos^2 x}+3\ln|\tan x|-\frac{1}{2\sin^2 x}+C_1$$
$$=\frac{1}{4}\tan^4 x+\frac{3}{2}\tan^2 x-\frac{1}{2}\cot^2 x+3\ln|\tan x|+C.$$

【2003】 $\displaystyle\int\frac{dx}{\sin x\cos^4 x}$.

解 $$\int\frac{dx}{\sin x\cos^4 x}=\int\frac{\sin^2 x+\cos^2 x}{\sin x\cos^4 x}dx=\int\frac{\sin x}{\cos^4 x}dx+\int\frac{dx}{\sin x\cos^2 x}$$
$$=-\int\frac{d(\cos x)}{\cos^4 x}+\int\frac{\sin x}{\cos^2 x}dx+\int\frac{dx}{\sin x}$$
$$=\frac{1}{3\cos^3 x}-\int\frac{d(\cos x)}{\cos^2 x}+\ln\left|\tan\frac{x}{2}\right|$$
$$=\frac{1}{3\cos^3 x}+\frac{1}{\cos x}+\ln\left|\tan\frac{x}{2}\right|+C.$$

【2004】 $\displaystyle\int\tan^5 x dx$.

解 $$\int\tan^5 x dx=\int\tan x(\sec^2 x-1)^2 dx=\int\sec^4 x\tan x dx-2\int\sec^2 x\tan x dx+\int\tan x dx$$
$$=\int\sec^3 x d(\sec x)-2\int\sec x d(\sec x)-\int\frac{d(\cos x)}{\cos x}$$
$$=\frac{1}{4}\sec^4 x-\sec^2 x-\ln|\cos x|+C_1$$
$$=\frac{1}{4}\tan^4 x-\frac{1}{2}\tan^2 x-\ln|\cos x|+C.$$

【2005】 $\displaystyle\int\cot^6 x dx$.

解 $$\int\cot^6 x dx=\int\cot^2 x(\csc^2 x-1)^2 dx=\int\cot^2 x\csc^4 x dx-2\int\cot^2 x\csc^2 x dx+\int\cot^2 x dx$$

$$=-\int \cot^2 x(1+\cot^2 x)\mathrm{d}(\cot x)+2\int \cot^2 x\mathrm{d}(\cot x)+\int (\csc^2 x-1)\mathrm{d}x$$

$$=-\frac{1}{3}\cot^3 x-\frac{1}{5}\cot^5 x+\frac{2}{3}\cot^3 x-\cot x-x+C$$

$$=-\frac{1}{5}\cot^5 x+\frac{1}{3}\cot^3 x-\cot x-x+C.$$

【2006】 $\int \frac{\sin^4 x}{\cos^6 x}\mathrm{d}x.$

解 $\int \frac{\sin^4 x}{\cos^6 x}\mathrm{d}x=\int \tan^4 x\mathrm{d}(\tan x)=\frac{1}{5}\tan^5 x+C.$

【2007】 $\int \frac{\cos^{n-1}\frac{x+a}{2}}{\sin^{n+1}\frac{x-a}{2}}\mathrm{d}x.$

解 设 $t=\frac{\cos\frac{x+a}{2}}{\sin\frac{x-a}{2}}$,则 $\mathrm{d}t=\frac{-\frac{1}{2}\cos a}{\sin^2\frac{x-a}{2}}\mathrm{d}x$,$\frac{\mathrm{d}x}{\sin^2\frac{x-a}{2}}=-\frac{2}{\cos a}\mathrm{d}t$. 于是

$$\int \frac{\cos^{n-1}\frac{x+a}{2}}{\sin^{n+1}\frac{x-a}{2}}\mathrm{d}x=-\frac{2}{\cos a}\int t^{n-1}\mathrm{d}t=-\frac{2}{n\cos a}t^n+C=-\frac{2}{n\cos a}\left(\frac{\cos\frac{x+a}{2}}{\sin\frac{x-a}{2}}\right)^n+C.$$

习题 2008—2014 三角无理根式的积分

【求下列积分(2008—2014)】

【2008】 $\int \frac{\mathrm{d}x}{\sqrt{\sin^3 x\cos^5 x}}.$

解 $\int \frac{\mathrm{d}x}{\sqrt{\sin^3 x\cos^5 x}}=\int \frac{\sin^2 x\mathrm{d}x}{\sqrt{\sin^3 x\cos^5 x}}+\int \frac{\cos^2 x\mathrm{d}x}{\sqrt{\sin^3 x\cos^5 x}}$

$$=\int \sqrt{\tan x}\mathrm{d}(\tan x)-\int \frac{\mathrm{d}(\cot x)}{\sqrt{\cot x}}=\frac{2}{3}\sqrt{\tan^3 x}-2\sqrt{\cot x}+C.$$

【2009】 $\int \frac{\mathrm{d}x}{\cos x\sqrt[3]{\sin^2 x}}.$

解 设 $t=\sqrt[3]{\sin x}$,不妨只考虑 $\cos x$ 为正的情况,即 $-\frac{\pi}{2}<x<\frac{\pi}{2}$ 且 $x\neq 0$,则有

$$\mathrm{d}x=\frac{3t^2}{\sqrt{1-t^6}}\mathrm{d}t,\cos x=\sqrt{1-t^6},$$

代入得

$$\int \frac{\mathrm{d}x}{\cos x\sqrt[3]{\sin^2 x}}=3\int \frac{\mathrm{d}t}{1-t^6}=\frac{3}{2}\int\left(\frac{1}{1-t^3}+\frac{1}{1+t^3}\right)\mathrm{d}t$$

$$=\frac{1}{2}\int\left(\frac{1}{1-t}+\frac{t+2}{1+t+t^2}\right)\mathrm{d}t+\frac{3}{2}\int \frac{\mathrm{d}t}{1+t^3}$$

$$=-\frac{1}{2}\ln|1-t|+\frac{1}{4}\int \frac{2t+1}{t^2+t+1}\mathrm{d}t+\frac{3}{4}\int \frac{\mathrm{d}\left(t+\frac{1}{2}\right)}{\left(t+\frac{1}{2}\right)^2+\frac{3}{4}}+$$

$$\frac{3}{2}\left[\frac{1}{6}\ln\frac{(t+1)^2}{t^2-t+1}+\frac{1}{\sqrt{3}}\arctan\frac{2t-1}{\sqrt{3}}\right]+C$$

$$=\frac{1}{4}\ln\frac{(t+1)^2(t^2+t+1)}{(1-t)^2(t^2-t+1)}+\frac{\sqrt{3}}{2}\left(\arctan\frac{2t+1}{\sqrt{3}}+\arctan\frac{2t-1}{\sqrt{3}}\right)+C$$

$$=\frac{1}{4}\ln\frac{(1+t)^3(1-t^3)}{(1-t)^3(1+t^3)}+\frac{\sqrt{3}}{2}\arctan\frac{\sqrt{3}t}{1-t^2}+C,$$

其中 $t=\sqrt[3]{\sin x}$.

注 本题用到 1881 题的结果.

【2010】 $\displaystyle\int\frac{\mathrm{d}x}{\sqrt{\tan x}}$.

解 设 $t=\sqrt{\tan x}$,则 $x=\arctan t^2$,$\mathrm{d}x=\dfrac{2t}{1+t^4}\mathrm{d}t$,代入得

$$\int\frac{\mathrm{d}x}{\sqrt{\tan x}}=2\int\frac{\mathrm{d}t}{1+t^4}=\frac{1}{2\sqrt{2}}\ln\frac{t^2+\sqrt{2}t+1}{t^2-\sqrt{2}t+1}+\frac{1}{\sqrt{2}}\arctan\frac{\sqrt{2}t}{1-t^2}+C,$$

其中 $t=\sqrt{\tan x}$.

注 本题用到 1884 题的结果.

【2011】 $\displaystyle\int\frac{\mathrm{d}x}{\sqrt[3]{\tan x}}$.

解 设 $\sqrt[3]{\tan x}=t$,则 $x=\arctan t^3$,$\mathrm{d}x=\dfrac{3t^2}{1+t^6}\mathrm{d}t$,代入得

$$\int\frac{\mathrm{d}x}{\sqrt[3]{\tan x}}=3\int\frac{t\mathrm{d}t}{1+t^6}=\frac{3}{2}\int\frac{\mathrm{d}(t^2)}{1+(t^2)^3}=\frac{3}{2}\left[\frac{1}{6}\ln\frac{(t^2+1)^2}{t^4-t^2+1}+\frac{1}{\sqrt{3}}\arctan\frac{2t^2-1}{\sqrt{3}}\right]+C$$

$$=\frac{1}{4}\ln\frac{(t^2+1)^2}{t^4-t^2+1}+\frac{\sqrt{3}}{2}\arctan\frac{2t^2-1}{\sqrt{3}}+C,$$

其中 $t=\sqrt[3]{\tan x}$.

注 本题用到 1881 题的结果.

【2012】 $\displaystyle\int\frac{\sin x\mathrm{d}x}{\cos x\sqrt{1+\sin^2 x}}$.

解 $$\int\frac{\sin x\mathrm{d}x}{\cos x\sqrt{1+\sin^2 x}}=-\int\frac{\mathrm{d}(\cos x)}{\cos x\sqrt{2-\cos^2 x}}=-\int\frac{\mathrm{d}(\cos x)}{\cos^2 x\sqrt{2\sec^2 x-1}}$$

$$=\int\frac{\mathrm{d}(\sec x)}{\sqrt{2\sec^2 x-1}}=\frac{1}{\sqrt{2}}\ln\left|\sqrt{2}\sec x+\sqrt{2\sec^2 x-1}\right|+C$$

$$=\frac{1}{\sqrt{2}}\ln\frac{\sqrt{2}+\sqrt{1+\sin^2 x}}{|\cos x|}+C.$$

【2013】 $\displaystyle\int\frac{\sin^2 x}{\cos^2 x\sqrt{\tan x}}\mathrm{d}x$.

解 $$\int\frac{\sin^2 x}{\cos^2 x\sqrt{\tan x}}\mathrm{d}x=\int\frac{\sin^2 x\mathrm{d}(\tan x)}{\sqrt{\tan x}}=2\int\sin^2 x\mathrm{d}(\sqrt{\tan x})$$

$$= 2\int(1-\cos^2 x)\mathrm{d}(\sqrt{\tan x}) = 2\sqrt{\tan x} - 2\int\frac{\mathrm{d}(\sqrt{\tan x})}{1+\tan^2 x}$$

$$= 2\sqrt{\tan x} - \frac{1}{2\sqrt{2}}\ln\frac{\tan x+\sqrt{2\tan x}+1}{\tan x-\sqrt{2\tan x}+1} - \frac{1}{\sqrt{2}}\arctan\frac{\tan x-1}{\sqrt{2\tan x}} + C$$

注 本题用到$\int\frac{\mathrm{d}x}{x^4+1} = \frac{1}{2\sqrt{2}}\arctan\frac{x^2-1}{\sqrt{2}x} + \frac{1}{4\sqrt{2}}\ln\left|\frac{x^2+\sqrt{2}x+1}{x^2-\sqrt{2}x+1}\right| + C.$

【2014】 $\int\frac{\sin x\mathrm{d}x}{\sqrt{2+\sin 2x}}.$

解 由于 $2+\sin 2x = 1+(\sin x+\cos x)^2 = 3-(\sin x-\cos x)^2$，于是

$$\int\frac{\sin x\mathrm{d}x}{\sqrt{2+\sin 2x}} = \int\frac{\cos x-(\cos x-\sin x)}{\sqrt{1+(\sin x+\cos x)^2}}\mathrm{d}x$$

$$= \int\frac{\cos x}{\sqrt{3-(\sin x-\cos x)^2}}\mathrm{d}x - \ln(\sin x+\cos x+\sqrt{2+\sin 2x})$$

$$= -\int\frac{\sin x\mathrm{d}x}{\sqrt{2+\sin 2x}} + \int\frac{\mathrm{d}(\sin x-\cos x)}{\sqrt{3-(\sin x-\cos x)^2}} - \ln(\sin x+\cos x+\sqrt{2+\sin 2x}).$$

因而

$$\int\frac{\sin x\mathrm{d}x}{\sqrt{2+\sin 2x}} = \frac{1}{2}\int\frac{\mathrm{d}(\sin x-\cos x)}{\sqrt{3-(\sin x-\cos x)^2}} - \frac{1}{2}\ln(\sin x+\cos x+\sqrt{2+\sin 2x})$$

$$= \frac{1}{2}\arcsin\frac{\sin x-\cos x}{\sqrt{3}} - \frac{1}{2}\ln(\sin x+\cos x+\sqrt{2+\sin 2x}) + C.$$

习题 2015—2017 三角函数积分的递推公式

【2015】 推出下列积分的递推公式：

(1) $I_n = \int\sin^n x\mathrm{d}x$；(2) $K_n = \int\cos^n x\mathrm{d}x (n>2)$.

利用这些公式计算$\int\sin^6 x\mathrm{d}x$ 和$\int\cos^8 x\mathrm{d}x$.

提示 利用分部积分法，易得

(1) $I_n = -\frac{\cos x\sin^{n-1}x}{n} + \frac{n-1}{n}I_{n-2}$；(2) $K_n = \frac{\sin x\cos^{n-1}x}{n} + \frac{n-1}{n}K_{n-2}$.

解 (1) $I_n = \int\sin^n x\mathrm{d}x = -\int\sin^{n-1}x\mathrm{d}(\cos x) = -\cos x\sin^{n-1}x + (n-1)\int\cos^2 x\sin^{n-2}x\mathrm{d}x$

$$= -\cos x\sin^{n-1}x + (n-1)\int(1-\sin^2 x)\sin^{n-2}x\mathrm{d}x$$

$$= -\cos x\sin^{n-1}x + (n-1)I_{n-2} + (1-n)I_n,$$

于是 $I_n = -\frac{\cos x\sin^{n-1}x}{n} + \frac{n-1}{n}I_{n-2}$.

利用此公式及 $I_0 = \int\mathrm{d}x = x+C$，即得

$$I_6 = \int\sin^6 x\mathrm{d}x = -\frac{\cos x\sin^5 x}{6} + \frac{5}{6}I_4 = -\frac{\cos x\sin^5 x}{6} - \frac{5\cos x\sin^3 x}{24} + \frac{5}{8}I_2$$

$$=-\frac{\cos x\sin^5 x}{6}-\frac{5\cos x\sin^3 x}{24}-\frac{5\cos x\sin x}{16}+\frac{5}{16}x+C.$$

(2) $K_n=\int\cos^n x\,dx=\int\cos^{n-1}x\,d(\sin x)=\sin x\cos^{n-1}x+(n-1)\int\sin^2 x\cos^{n-2}x\,dx$

$$=\sin x\cos^{n-1}x+(n-1)\int(1-\cos^2 x)\cos^{n-2}x\,dx$$

$$=\sin x\cos^{n-1}x+(n-1)K_{n-2}-(n-1)K_n,$$

于是 $K_n=\frac{\sin x\cos^{n-1}x}{n}+\frac{n-1}{n}K_{n-2}$.

利用此公式及 $K_0=x+C$,即得

$$K_8=\int\cos^8 x\,dx=\frac{1}{8}\sin x\cos^7 x+\frac{7}{8}K_6=\cdots$$

$$=\frac{1}{8}\sin x\cos^7 x+\frac{7}{48}\sin x\cos^5 x+\frac{35}{192}\sin x\cos^3 x+\frac{35}{128}\sin x\cos x+\frac{35}{128}x+C.$$

【2016】 推出下列积分的递推公式:

(1)$I_n=\int\frac{dx}{\sin^n x}$; (2)$K_n=\int\frac{dx}{\cos^n x}(n>2)$.

利用这些公式计算$\int\frac{dx}{\sin^5 x}$和$\int\frac{dx}{\cos^7 x}$.

提示 利用分部积分法及 $1=\sin^2 x+\cos^2 x$,易得

(1)$I_n=-\frac{\cos x}{(n-1)\sin^{n-1}x}+\frac{n-2}{n-1}I_{n-2}$; (2)$K_n=\frac{\sin x}{(n-1)\cos^{n-1}x}+\frac{n-2}{n-1}K_{n-2}$.

解 (1)$I_n=\int\frac{dx}{\sin^n x}=\int\frac{\sin^2 x+\cos^2 x}{\sin^n x}dx=I_{n-2}-\frac{1}{n-1}\int\cos x\,d\left(\frac{1}{\sin^{n-1}x}\right)$

$$=I_{n-2}-\frac{\cos x}{(n-1)\sin^{n-1}x}-\frac{1}{n-1}I_{n-2}=-\frac{\cos x}{(n-1)\sin^{n-1}x}+\frac{n-2}{n-1}I_{n-2}.$$

利用此公式及 $I_1=\int\frac{dx}{\sin x}=\ln\left|\tan\frac{x}{2}\right|+C$,即得

$$I_5=\int\frac{dx}{\sin^5 x}=-\frac{\cos x}{4\sin^4 x}+\frac{3}{4}I_3=\cdots=-\frac{\cos x}{4\sin^4 x}-\frac{3\cos x}{8\sin^2 x}+\frac{3}{8}\ln\left|\tan\frac{x}{2}\right|+C.$$

(2)$K_n=\int\frac{dx}{\cos^n x}=\int\frac{\sin^2 x+\cos^2 x}{\cos^n x}dx=\frac{1}{n-1}\int\sin x\,d\left(\frac{1}{\cos^{n-1}x}\right)+K_{n-2}$

$$=\frac{\sin x}{(n-1)\cos^{n-1}x}-\frac{1}{n-1}K_{n-2}+K_{n-2}=\frac{\sin x}{(n-1)\cos^{n-1}x}+\frac{n-2}{n-1}K_{n-2}.$$

利用此公式及 $K_1=\int\frac{dx}{\cos x}=\ln\left|\tan\left(\frac{x}{2}+\frac{\pi}{4}\right)\right|+C$,即得

$$K_7=\int\frac{dx}{\cos^7 x}=\frac{\sin x}{6\cos^6 x}+\frac{5}{6}K_5=\cdots=\frac{\sin x}{6\cos^6 x}+\frac{5\sin x}{24\cos^4 x}+\frac{5\sin x}{16\cos^2 x}+\frac{5}{16}\ln\left|\tan\left(\frac{x}{2}+\frac{\pi}{4}\right)\right|+C.$$

【2017】 推出积分 $I_n=\int\left(\frac{\sin\frac{x-a}{2}}{\sin\frac{x+a}{2}}\right)^n dx$($n$ 为正整数)的递推公式.

解 **方法一** 设 $t=\frac{\sin\frac{x-a}{2}}{\sin\frac{x+a}{2}}$,则

$$x=2\arctan\left(\frac{1+t}{1-t}\tan\frac{a}{2}\right),dx=\frac{4\tan\frac{a}{2}}{t^2\sec^2\frac{a}{2}+2t\left(\tan^2\frac{a}{2}-1\right)+\sec^2\frac{a}{2}}dt.$$

由于

$$\frac{4t^n\tan\frac{a}{2}}{t^2\sec^2\frac{a}{2}+2t\left(\tan^2\frac{a}{2}-1\right)+\sec^2\frac{a}{2}}$$

$$=\frac{4\tan\frac{a}{2}}{\sec^2\frac{a}{2}}t^{n-2}+\frac{-4\tan\frac{a}{2}}{t^2\sec^2\frac{a}{2}+2t\left(\tan^2\frac{a}{2}-1\right)+\sec^2\frac{a}{2}}\cdot\frac{2\left(\tan^2\frac{a}{2}-1\right)}{\sec^2\frac{a}{2}}t^{n-1}+$$

$$\frac{-4\tan\frac{a}{2}}{t^2\sec^2\frac{a}{2}+2t\left(\tan^2\frac{a}{2}-1\right)+\sec^2\frac{a}{2}}t^{n-2}\ (n>2),$$

两端对 t 积分，即得递推公式 $I_n=\frac{2\sin a}{n-1}t^{n-1}+2\cos aI_{n-1}-I_{n-2}$.

方法二 设 $y=\frac{x+a}{2}$，则$\frac{x-a}{2}=y-a$，从而

$$I_n=2\int\left[\frac{\sin(y-a)}{\sin y}\right]^n\mathrm{d}y=2\int\frac{\sin(y-a)}{\sin y}\left[\frac{\sin(y-a)}{\sin y}\right]^{n-1}\mathrm{d}y=2\int\frac{\sin y\cos a-\cos y\sin a}{\sin y}\left[\frac{\sin(y-a)}{\sin y}\right]^{n-1}\mathrm{d}y$$

$$=\cos aI_{n-1}-2\sin a\int\frac{\cos y}{\sin y}\left[\frac{\sin(y-a)}{\sin y}\right]^{n-1}\mathrm{d}y.$$

再设$\frac{\sin(y-a)}{\sin y}=t=\frac{\sin\frac{x-a}{2}}{\sin\frac{x+a}{2}}$，$J_n=2\int\frac{\cos y}{\sin y}t^n\mathrm{d}y$，则

$$I_n=\cos aI_{n-1}-\sin aJ_{n-1},\ J_{n-1}=\frac{\cos aI_{n-1}-I_n}{\sin a}. \qquad ①$$

又

$$J_n=2\int\frac{\cos y}{\sin y}\left[\frac{\sin(y-a)}{\sin y}\right]^n\mathrm{d}y=-\frac{2}{n}\int\sin^n(y-a)\mathrm{d}\left(\frac{1}{\sin^n y}\right)$$

$$=-\frac{2}{n}\left[\frac{\sin(y-a)}{\sin y}\right]^n+2\int\frac{\sin^{n-1}(y-a)}{\sin^n y}\cos(y-a)\mathrm{d}y$$

$$=-\frac{2}{n}t^n+2\int t^{n-1}\frac{\cos y\cos a+\sin y\sin a}{\sin y}\mathrm{d}y$$

$$=-\frac{2}{n}t^n+\cos aJ_{n-1}+\sin aI_{n-1}. \qquad ②$$

由 ① 式和 ② 式解得

$$I_n=\cos aI_{n-1}-\sin aJ_{n-1}=\cos aI_{n-1}-\sin a\left(-\frac{2}{n-1}t^{n-1}+\cos aJ_{n-2}+\sin aI_{n-2}\right)$$

$$=\cos aI_{n-1}+\frac{2\sin a}{n-1}t^{n-1}-\sin a\cos a\left(\frac{\cos aI_{n-2}-I_{n-1}}{\sin a}\right)-\sin^2aI_{n-2}$$

$$=2\cos aI_{n-1}-I_{n-2}+\frac{2\sin a}{n-1}t^{n-1}.$$

习题 2018—2029 利用积化和差公式求积分

提示 为了计算下面的积分，可以运用公式：

(1) $\sin\alpha\sin\beta=\frac{1}{2}[\cos(\alpha-\beta)-\cos(\alpha+\beta)]$;

(2) $\cos\alpha\cos\beta=\dfrac{1}{2}[\cos(\alpha+\beta)+\cos(\alpha-\beta)]$;

(3) $\sin\alpha\cos\beta=\dfrac{1}{2}[\sin(\alpha-\beta)+\sin(\alpha+\beta)]$.

【运用公式,求下列积分(2018—2023)】

【2018】 $\int\sin 5x\cos x\mathrm{d}x$.

解 $\int\sin 5x\cos x\mathrm{d}x=\dfrac{1}{2}\int(\sin 4x+\sin 6x)\mathrm{d}x=-\dfrac{1}{8}\cos 4x-\dfrac{1}{12}\cos 6x+C$.

【2019】 $\int\cos x\cos 2x\cos 3x\mathrm{d}x$.

解
$$\begin{aligned}\int\cos x\cos 2x\cos 3x\mathrm{d}x&=\frac{1}{2}\int\cos 2x(\cos 4x+\cos 2x)\mathrm{d}x\\&=\frac{1}{4}\int(\cos 6x+\cos 2x)\mathrm{d}x+\frac{1}{4}\int(1+\cos 4x)\mathrm{d}x\\&=\frac{1}{24}\sin 6x+\frac{1}{8}\sin 2x+\frac{1}{16}\sin 4x+\frac{x}{4}+C.\end{aligned}$$

【2020】 $\int\sin x\sin\dfrac{x}{2}\sin\dfrac{x}{3}\mathrm{d}x$.

解
$$\begin{aligned}\int\sin x\sin\frac{x}{2}\sin\frac{x}{3}\mathrm{d}x&=\frac{1}{2}\int\left(\cos\frac{2}{3}x-\cos\frac{4}{3}x\right)\sin\frac{x}{2}\mathrm{d}x\\&=\frac{1}{2}\int\cos\frac{2}{3}x\sin\frac{x}{2}\mathrm{d}x-\frac{1}{2}\int\cos\frac{4}{3}x\sin\frac{x}{2}\mathrm{d}x\\&=\frac{1}{4}\int\left(\sin\frac{7}{6}x-\sin\frac{1}{6}x\right)\mathrm{d}x-\frac{1}{4}\int\left(\sin\frac{11}{6}x-\sin\frac{5}{6}x\right)\mathrm{d}x\\&=-\frac{3}{14}\cos\frac{7}{6}x+\frac{3}{2}\cos\frac{x}{6}+\frac{3}{22}\cos\frac{11}{6}x-\frac{3}{10}\cos\frac{5}{6}x+C.\end{aligned}$$

【2021】 $\int\sin x\sin(x+a)\sin(x+b)\mathrm{d}x$.

解 $\int\sin x\sin(x+a)\sin(x+b)\mathrm{d}x=\dfrac{1}{2}\int\sin x[\cos(a-b)-\cos(2x+a+b)]\mathrm{d}x$

$=-\dfrac{1}{2}\cos x\cos(a-b)-\dfrac{1}{4}\int\sin(3x+a+b)+\dfrac{1}{4}\int\sin(x+a+b)$

$=-\dfrac{1}{2}\cos x\cos(a-b)+\dfrac{1}{12}\cos(3x+a+b)-\dfrac{1}{4}\cos(x+a+b)+C$.

【2022】 $\int\cos^2 ax\cos^2 bx\mathrm{d}x$.

解
$$\begin{aligned}\int\cos^2 ax\cos^2 bx\mathrm{d}x&=\int(\cos ax\cos bx)^2\mathrm{d}x=\frac{1}{4}\int[\cos(a-b)x+\cos(a+b)x]^2\mathrm{d}x\\&=\frac{1}{4}\int[\cos^2(a-b)x+\cos^2(a+b)x+2\cos(a-b)x\cos(a+b)x]\mathrm{d}x\\&=\frac{1}{8}\int[2+\cos 2(a+b)x+\cos 2(a-b)x+2\cos 2ax+2\cos 2bx]\mathrm{d}x\\&=\frac{x}{4}+\frac{\sin 2(a+b)x}{16(a+b)}+\frac{\sin 2(a-b)x}{16(a-b)}+\frac{1}{8a}\sin 2ax+\frac{1}{8b}\sin 2bx+C.\end{aligned}$$

【2023】 $\int\sin^3 2x\cos^2 3x\mathrm{d}x$.

解 先利用三角公式化简 $\sin^3 2x\cos^2 3x$,得

$$\sin^3 2x\cos^2 3x = \sin 2x(\sin 2x\cos 3x)^2 = \frac{1}{4}\sin 2x(\sin 5x - \sin x)^2$$

$$= \frac{1}{4}\sin 2x\left(\frac{1-\cos 10x}{2} + \cos 6x - \cos 4x + \frac{1-\cos 2x}{2}\right)$$

$$= \frac{1}{4}\sin 2x - \frac{1}{8}\sin 2x\cos 10x + \frac{1}{4}\sin 2x\cos 6x - \frac{1}{4}\sin 2x\cos 4x - \frac{1}{16}\sin 4x$$

$$= \frac{1}{4}\sin 2x - \frac{1}{16}\sin 12x + \frac{1}{16}\sin 8x + \frac{1}{8}\sin 8x - \frac{1}{8}\sin 4x - \frac{1}{8}\sin 6x + \frac{1}{8}\sin 2x - \frac{1}{16}\sin 4x$$

$$= -\frac{1}{16}\sin 12x + \frac{3}{16}\sin 8x - \frac{1}{8}\sin 6x - \frac{3}{16}\sin 4x + \frac{3}{8}\sin 2x,$$

于是

$$\int \sin^3 2x\cos^2 3x\,\mathrm{d}x = \frac{1}{192}\cos 12x - \frac{3}{128}\cos 8x + \frac{1}{48}\cos 6x + \frac{3}{64}\cos 4x - \frac{3}{16}\cos 2x + C.$$

【求下列积分(2024—2029)】

提示 为了计算下面的积分,可以运用恒等式:

$$\sin(\alpha-\beta) \equiv \sin[(x+\alpha)-(x+\beta)], \cos(\alpha-\beta) \equiv \cos[(x+\alpha)-(x+\beta)].$$

【2024】 $\displaystyle\int \frac{\mathrm{d}x}{\sin(x+a)\sin(x+b)}$.

解 $$\int \frac{\mathrm{d}x}{\sin(x+a)\sin(x+b)} = \frac{1}{\sin(a-b)}\int \frac{\sin[(x+a)-(x+b)]}{\sin(x+a)\sin(x+b)}\mathrm{d}x$$

$$= \frac{1}{\sin(a-b)}\int\left[\frac{\cos(x+b)}{\sin(x+b)} - \frac{\cos(x+a)}{\sin(x+a)}\right]\mathrm{d}x$$

$$= \frac{1}{\sin(a-b)}\ln\left|\frac{\sin(x+b)}{\sin(x+a)}\right| + C,$$

其中 $\sin(a-b) \neq 0$.

【2025】 $\displaystyle\int \frac{\mathrm{d}x}{\sin(x+a)\cos(x+b)}$.

解 $$\int \frac{\mathrm{d}x}{\sin(x+a)\cos(x+b)} = \frac{1}{\cos(a-b)}\int \frac{\cos[(x+a)-(x+b)]}{\sin(x+a)\cos(x+b)}\mathrm{d}x$$

$$= \frac{1}{\cos(a-b)}\int\left[\frac{\cos(x+a)}{\sin(x+a)} + \frac{\sin(x+b)}{\cos(x+b)}\right]\mathrm{d}x$$

$$= \frac{1}{\cos(a-b)}\ln\left|\frac{\sin(x+a)}{\cos(x+b)}\right| + C,$$

其中 $\cos(a-b) \neq 0$.

【2026】 $\displaystyle\int \frac{\mathrm{d}x}{\cos(x+a)\cos(x+b)}$.

解 $$\int \frac{\mathrm{d}x}{\cos(x+a)\cos(x+b)} = \frac{1}{\sin(a-b)}\int \frac{\sin[(x+a)-(x+b)]\mathrm{d}x}{\cos(x+a)\cos(x+b)}$$

$$= \frac{1}{\sin(a-b)}\int\left[\frac{\sin(x+a)}{\cos(x+a)} - \frac{\sin(x+b)}{\cos(x+b)}\right]\mathrm{d}x$$

$$= \frac{1}{\sin(a-b)}\ln\left|\frac{\cos(x+b)}{\cos(x+a)}\right| + C,$$

其中 $\sin(a-b) \neq 0$.

注 当 $a-b=2k\pi(k=0,\pm1,\pm2,\cdots)$ 时,是更简单的积分,2024 题及 2025 题与本题类似,解法从略.

【2027】 $\int\frac{\mathrm{d}x}{\sin x-\sin a}$.

解 $$\int\frac{\mathrm{d}x}{\sin x-\sin a}=\frac{1}{\cos a}\int\frac{\cos\left(\frac{x+a}{2}-\frac{x-a}{2}\right)}{\sin x-\sin a}\mathrm{d}x$$
$$=\frac{1}{\cos a}\int\frac{\cos\frac{x+a}{2}\cos\frac{x-a}{2}+\sin\frac{x+a}{2}\sin\frac{x-a}{2}}{2\cos\frac{x+a}{2}\sin\frac{x-a}{2}}\mathrm{d}x$$
$$=\frac{1}{2\cos a}\int\left(\frac{\cos\frac{x-a}{2}}{\sin\frac{x-a}{2}}+\frac{\sin\frac{x+a}{2}}{\cos\frac{x+a}{2}}\right)\mathrm{d}x=\frac{1}{\cos a}\ln\left|\frac{\sin\frac{x-a}{2}}{\cos\frac{x+a}{2}}\right|+C,$$
其中 $\cos a\neq0$.

【2028】 $\int\frac{\mathrm{d}x}{\cos x+\cos a}$.

解 **方法一** $$\int\frac{\mathrm{d}x}{\cos x+\cos a}=\frac{1}{\sin a}\int\frac{\sin\left(\frac{x+a}{2}-\frac{x-a}{2}\right)}{2\cos\frac{x+a}{2}\cos\frac{x-a}{2}}\mathrm{d}x$$
$$=\frac{1}{\sin a}\int\frac{\sin\frac{x+a}{2}\cos\frac{x-a}{2}-\cos\frac{x+a}{2}\sin\frac{x-a}{2}}{2\cos\frac{x+a}{2}\cos\frac{x-a}{2}}\mathrm{d}x$$
$$=\frac{1}{2\sin a}\int\left(\frac{\sin\frac{x+a}{2}}{\cos\frac{x+a}{2}}-\frac{\sin\frac{x-a}{2}}{\cos\frac{x-a}{2}}\right)\mathrm{d}x$$
$$=\frac{1}{\sin a}\ln\left|\frac{\cos\frac{x-a}{2}}{\cos\frac{x+a}{2}}\right|+C.$$

方法二 $$\int\frac{\mathrm{d}x}{\cos x+\cos a}=\int\frac{\mathrm{d}\left(x+\frac{\pi}{2}\right)}{\sin\left(x+\frac{\pi}{2}\right)-\sin\left(a+\frac{3}{2}\pi\right)}=\frac{1}{\cos\left(a+\frac{3}{2}\pi\right)}\ln\left|\frac{\sin\frac{x-a-\pi}{2}}{\cos\frac{x+a+2\pi}{2}}\right|+C$$
$$=\frac{1}{\sin a}\ln\left|\frac{\cos\frac{x-a}{2}}{\cos\frac{x+a}{2}}\right|+C,$$
其中 $\sin a\neq0$.

注 方法二用到 2027 题的结果.

【2029】 $\int\tan x\tan(x+a)\mathrm{d}x$.

解 $$\int\tan x\tan(x+a)\mathrm{d}x=\int\frac{\sin x\sin(x+a)}{\cos x\cos(x+a)}\mathrm{d}x$$

$$= \int \frac{\cos x\cos(x+a) + \sin x\sin(x+a) - \cos x\cos(x+a)}{\cos x\cos(x+a)}\mathrm{d}x$$

$$= \int \frac{\cos a - \cos x\cos(x+a)}{\cos x\cos(x+a)}\mathrm{d}x = -x + \cos a\int \frac{\mathrm{d}x}{\cos(x+a)\cos x}$$

$$= -x + \cot a\ln\left|\frac{\cos x}{\cos(x+a)}\right| + C,$$

其中 $\sin a \neq 0$.

注 本题用到 $\int \frac{\mathrm{d}x}{\cos(x+a)\cos x} = \frac{1}{\sin a}\ln\left|\frac{\cos x}{\cos(x+a)}\right| + C$，此为 2026 题的结果.

知识点 2 形如 $\int R(\sin x, \cos x)\mathrm{d}x$ 的三角函数有理式的积分

这里 R 为有理函数，这种积分在一般情形下可利用代换 $\tan\frac{x}{2} = t$ 化为有理函数的积分.

另外还可根据被积函数的奇偶性做下述变换：

(1) 若等式 $R(-\sin x, \cos x) \equiv -R(\sin x, \cos x)$ 或 $R(\sin x, -\cos x) \equiv -R(\sin x, \cos x)$ 成立，则令 $\cos x = t$ 或 $\sin x = t$.

(2) 若等式 $R(-\sin x, -\cos x) \equiv R(\sin x, \cos x)$ 成立，则令 $\tan x = t$.

习题 2030—2045 形如 $\int R(\sin x, \cos x)\mathrm{d}x$ 的三角函数有理式的积分

【求下列积分(2030—2045)】

【2030】 $\int \frac{\mathrm{d}x}{2\sin x - \cos x + 5}$.

解 设 $t = \tan\frac{x}{2}$，则 $\sin x = \frac{2t}{1+t^2}$，$\cos x = \frac{1-t^2}{1+t^2}$，$\mathrm{d}x = \frac{2\mathrm{d}t}{1+t^2}$，代入得

$$\int \frac{\mathrm{d}x}{2\sin x - \cos x + 5} = \int \frac{\mathrm{d}t}{3t^2 + 2t + 2} = \frac{1}{\sqrt{5}}\arctan\frac{3t+1}{\sqrt{5}} + C = \frac{1}{\sqrt{5}}\arctan\frac{3\tan\frac{x}{2} + 1}{\sqrt{5}} + C.$$

【2031】 $\int \frac{\mathrm{d}x}{(2+\cos x)\sin x}$.

解 设 $t = \tan\frac{x}{2}$，则 $\sin x = \frac{2t}{1+t^2}$，$\cos x = \frac{1-t^2}{1+t^2}$，$\mathrm{d}x = \frac{2\mathrm{d}t}{1+t^2}$，代入得

$$\int \frac{\mathrm{d}x}{(2+\cos x)\sin x} = \int \frac{1+t^2}{t(3+t^2)}\mathrm{d}t = \int \left[\frac{1}{3t} + \frac{2t}{3(3+t^2)}\right]\mathrm{d}t$$

$$= \frac{1}{3}\ln|t(3+t^2)| + C_1 = \frac{1}{3}\ln\left|\tan\frac{x}{2}\left(3 + \tan^2\frac{x}{2}\right)\right| + C.$$

【2032】 $\int \frac{\sin^2 x}{\sin x + 2\cos x}\mathrm{d}x$.

解 设 $\tan\frac{x}{2} = t$，则 $\sin x = \frac{2t}{1+t^2}$，$\cos x = \frac{1-t^2}{1+t^2}$，$\mathrm{d}x = \frac{2\mathrm{d}t}{1+t^2}$，代入得

$$\int \frac{\sin^2 x}{\sin x + 2\cos x}\mathrm{d}x = 4\int \frac{t^2\mathrm{d}t}{(1+t^2)^2(1+t-t^2)}$$

$$=\frac{4}{5}\int\left[\frac{1}{1+t^2}+\frac{-2+t}{(1+t^2)^2}+\frac{1}{1+t-t^2}\right]dt$$

$$=\frac{4}{5}\int\frac{dt}{1+t^2}-\frac{8}{5}\int\frac{dt}{(1+t^2)^2}+\frac{2}{5}\int\frac{2tdt}{(1+t^2)^2}+\frac{4}{5}\int\frac{d\left(t-\frac{1}{2}\right)}{\frac{5}{4}-\left(t-\frac{1}{2}\right)^2}$$

$$=\frac{4}{5}\arctan t-\frac{8}{5}\left[\frac{t}{2(1+t^2)}+\frac{1}{2}\arctan t\right]-\frac{2}{5}\cdot\frac{1}{1+t^2}+\frac{4}{5\sqrt{5}}\ln\left|\frac{\frac{\sqrt{5}}{2}+\left(t-\frac{1}{2}\right)}{\frac{\sqrt{5}}{2}-\left(t-\frac{1}{2}\right)}\right|+C_1$$

$$=-\frac{2}{5}\cdot\frac{1+2t}{1+t^2}+\frac{4}{5\sqrt{5}}\ln\left|\frac{\frac{\sqrt{5}-1}{2}+t}{\frac{\sqrt{5}+1}{2}-t}\right|+C_1$$

$$=-\frac{1}{5}(\cos x+2\sin x)+\frac{4}{5\sqrt{5}}\ln\left|\tan\left(\frac{x}{2}+\frac{\arctan 2}{2}\right)\right|+C.$$

注 其中

(1) $\int\frac{dt}{(1+t^2)^2}=\frac{t}{2(1+t^2)}+\frac{1}{2}\arctan t+C.$

(2) $-\frac{2}{5}\cdot\frac{1+2t}{1+t^2}=-\frac{2}{5}\cdot\frac{1+2\tan\frac{x}{2}}{\sec^2\frac{x}{2}}=-\frac{2}{5}\cdot\frac{1+2\cdot\frac{\sin x}{1+\cos x}}{\frac{2}{1+\cos x}}$

$$=-\frac{1}{5}(\cos x+2\sin x)-\frac{1}{5}.$$

(3) $\ln\left|\frac{\frac{\sqrt{5}-1}{2}+t}{\frac{\sqrt{5}+1}{2}-t}\right|=\ln\left|\frac{\tan\frac{\arctan 2}{2}+\tan\frac{x}{2}}{\cot\frac{\arctan 2}{2}-\tan\frac{x}{2}}\right|$

$$=\ln\left|\frac{\tan\frac{\arctan 2}{2}+\tan\frac{x}{2}}{1-\tan\frac{\arctan 2}{2}\tan\frac{x}{2}}\right|+\ln\frac{1}{\cot\frac{\arctan 2}{2}}$$

$$=\ln\left|\tan\left(\frac{x}{2}+\frac{\arctan 2}{2}\right)\right|-\ln\left(\cot\frac{\arctan 2}{2}\right).$$

【2033】 $\int\frac{dx}{1+\varepsilon\cos x}$,(1)$0<\varepsilon<1$;(2)$\varepsilon>1$.

解 设 $t=\tan\frac{x}{2}$,则 $\sin x=\frac{2t}{1+t^2}$,$\cos x=\frac{1-t^2}{1+t^2}$,$dx=\frac{2dt}{1+t^2}$,代入得

$$\int\frac{dx}{1+\varepsilon\cos x}=2\int\frac{dt}{(1+\varepsilon)+(1-\varepsilon)t^2}=I.$$

(1) 当 $0<\varepsilon<1$ 时,

$$I=\frac{2}{1+\varepsilon}\int\frac{dt}{1+\left(\frac{1-\varepsilon}{1+\varepsilon}\right)t^2}=\frac{2}{\sqrt{1-\varepsilon^2}}\arctan\left(t\sqrt{\frac{1-\varepsilon}{1+\varepsilon}}\right)+C=\frac{2}{\sqrt{1-\varepsilon^2}}\arctan\left(\sqrt{\frac{1-\varepsilon}{1+\varepsilon}}\tan\frac{x}{2}\right)+C.$$

(2) 当 $\varepsilon>1$ 时,

$$I=\frac{2}{\varepsilon-1}\int\frac{dt}{\frac{\varepsilon+1}{\varepsilon-1}-t^2}=\frac{1}{\sqrt{\varepsilon^2-1}}\ln\left|\frac{\sqrt{\varepsilon+1}+\sqrt{\varepsilon-1}t}{\sqrt{\varepsilon+1}-\sqrt{\varepsilon-1}t}\right|+C$$

$$= \frac{1}{\sqrt{\varepsilon^2-1}}\ln\left|\frac{\sqrt{\varepsilon+1}+\sqrt{\varepsilon-1}\tan\frac{x}{2}}{\sqrt{\varepsilon+1}-\sqrt{\varepsilon-1}\tan\frac{x}{2}}\right|+C.$$

注 当 $\varepsilon>1$ 时，也可以继续化简.

由于

$$\frac{\sqrt{\varepsilon+1}+t\sqrt{\varepsilon-1}}{\sqrt{\varepsilon+1}-t\sqrt{\varepsilon-1}} = \frac{\varepsilon+1+2t\sqrt{\varepsilon^2-1}+(\varepsilon-1)t^2}{(\varepsilon+1)-(\varepsilon-1)t^2}$$

$$= \frac{\varepsilon(1+t^2)+(1-t^2)+2\sqrt{\varepsilon^2-1}t}{\varepsilon(1-t^2)+(1+t^2)}$$

$$= \frac{\varepsilon(1+t^2)+(1+t^2)\cos x+2t\sqrt{\varepsilon^2-1}}{\varepsilon(1+t^2)\cos x+(1+t^2)}$$

$$= \frac{\varepsilon+\cos x+\sqrt{\varepsilon^2-1}\,\frac{2t}{1+t^2}}{\varepsilon\cos x+1} = \frac{\varepsilon+\cos x+\sqrt{\varepsilon^2-1}\sin x}{\varepsilon\cos x+1},$$

故 $I = \frac{1}{\sqrt{\varepsilon^2-1}}\ln\left|\frac{\varepsilon+\cos x+\sqrt{\varepsilon^2-1}\sin x}{1+\varepsilon\cos x}\right|+C.$

【2034】 $\int \frac{\sin^2 x}{1+\sin^2 x}\mathrm{d}x.$

解 $\int \frac{\sin^2 x}{1+\sin^2 x}\mathrm{d}x = \int\left(1-\frac{1}{1+\sin^2 x}\right)\mathrm{d}x = x-\int\frac{\mathrm{d}(\tan x)}{\sec^2 x+\tan^2 x}$

$$= x-\int\frac{\mathrm{d}(\tan x)}{1+2\tan^2 x} = x-\frac{1}{\sqrt{2}}\arctan(\sqrt{2}\tan x)+C.$$

【2035】 $\int \frac{\mathrm{d}x}{a^2\sin^2 x+b^2\cos^2 x}.$

解 $\int \frac{\mathrm{d}x}{a^2\sin^2 x+b^2\cos^2 x} = \int\frac{\mathrm{d}(\tan x)}{a^2\tan^2 x+b^2} = \frac{1}{ab}\arctan\frac{a\tan x}{b}+C$，其中 $ab\neq 0$.

【2036】 $\int \frac{\cos^2 x\mathrm{d}x}{(a^2\sin^2 x+b^2\cos^2 x)^2}.$

解 $\int \frac{\cos^2 x\mathrm{d}x}{(a^2\sin^2 x+b^2\cos^2 x)^2} = \frac{1}{a}\int\frac{\mathrm{d}(a\tan x)}{(a^2\tan^2 x+b^2)^2} = \frac{\tan x}{2b^2(a^2\tan^2 x+b^2)}+\frac{1}{2ab^3}\arctan\frac{a\tan x}{b}+C$，其中 $ab\neq 0$.

注 这里用到 $\int\frac{\mathrm{d}t}{(b^2+t^2)^2} = \frac{t}{2b^2(b^2+t^2)}+\frac{1}{2b^3}\arctan\frac{t}{b}+C.$

【2037】 $\int \frac{\sin x\cos x}{\sin x+\cos x}\mathrm{d}x.$

解 $\int \frac{\sin x\cos x}{\sin x+\cos x}\mathrm{d}x = \int\frac{\sin^2\left(x+\frac{\pi}{4}\right)-\frac{1}{2}}{\sqrt{2}\sin\left(x+\frac{\pi}{4}\right)}\mathrm{d}x = \frac{1}{\sqrt{2}}\int\sin\left(x+\frac{\pi}{4}\right)\mathrm{d}x-\frac{1}{2\sqrt{2}}\int\frac{\mathrm{d}x}{\sin\left(x+\frac{\pi}{4}\right)}$

$$= -\frac{1}{\sqrt{2}}\cos\left(x+\frac{\pi}{4}\right)-\frac{1}{2\sqrt{2}}\ln\left|\tan\left(\frac{x}{2}+\frac{\pi}{8}\right)\right|+C$$

$$= \frac{1}{2}(\sin x-\cos x)-\frac{1}{2\sqrt{2}}\ln\left|\tan\left(\frac{x}{2}+\frac{\pi}{8}\right)\right|+C.$$

【2038】 $\int \frac{dx}{(a\sin x+b\cos x)^2}$.

解 $\int \frac{dx}{(a\sin x+b\cos x)^2}=\frac{1}{a}\int \frac{d(a\tan x+b)}{(a\tan x+b)^2}=-\frac{1}{a\tan x+b}+C=-\frac{\cos x}{a(a\sin x+b\cos x)}+C.$

【2039】 $\int \frac{\sin x dx}{\sin^3 x+\cos^3 x}$.

解 $$\int \frac{\sin x dx}{\sin^3 x+\cos^3 x}=\int \frac{\sin x dx}{(\sin x+\cos x)(1-\sin x\cos x)}$$
$$=\frac{1}{2}\int \frac{(\sin x-\cos x)dx}{(\sin x+\cos x)(1-\sin x\cos x)}+\frac{1}{2}\int \frac{dx}{1-\sin x\cos x}$$
$$=\frac{1}{3}\int \frac{-(\cos x-\sin x)dx}{\sin x+\cos x}+\frac{1}{6}\int \frac{\sin^2 x-\cos^2 x}{1-\sin x\cos x}dx+\frac{1}{2}\int \frac{dx}{1-\sin x\cos x}$$
$$=-\frac{1}{3}\int \frac{d(\sin x+\cos x)}{\sin x+\cos x}+\frac{1}{6}\int \frac{d(1-\sin x\cos x)}{1-\sin x\cos x}-\frac{1}{2}\int \frac{d(\cot x)}{\left(\cot x-\frac{1}{2}\right)^2+\frac{3}{4}}$$
$$=-\frac{1}{6}\ln \frac{(\sin x+\cos x)^2}{1-\sin x\cos x}-\frac{1}{\sqrt{3}}\arctan \frac{2\cos x-\sin x}{\sqrt{3}\sin x}+C.$$

【2040】 $\int \frac{dx}{\sin^4 x+\cos^4 x}$.

解 $$\int \frac{dx}{\sin^4 x+\cos^4 x}=\int \frac{2dx}{2-\sin^2 2x}=\int \frac{d(\tan 2x)}{2\sec^2 2x-\tan^2 2x}$$
$$=\int \frac{d(\tan 2x)}{2+\tan^2 2x}=\frac{1}{\sqrt{2}}\arctan \frac{\tan 2x}{\sqrt{2}}+C.$$

【2041】 $\int \frac{\sin^2 x\cos^2 x}{\sin^8 x+\cos^8 x}dx$.

解 $$\int \frac{\sin^2 x\cos^2 x}{\sin^8 x+\cos^8 x}dx=\int \frac{2\sin^2 2x dx}{\sin^4 2x-8\sin^2 2x+8}=\int \frac{\tan^2 2x d(\tan 2x)}{\tan^4 2x-8\tan^2 2x\sec^2 2x+8\sec^4 2x}$$
$$=\int \frac{\tan^2 2x d(\tan 2x)}{\tan^4 2x+8\tan^2 2x+8}$$
$$=\frac{\sqrt{2}(2+\sqrt{2})}{4}\int \frac{d(\tan 2x)}{\tan^2 2x+4+2\sqrt{2}}-\frac{\sqrt{2}(2-\sqrt{2})}{4}\int \frac{d(\tan 2x)}{\tan^2 2x+4-2\sqrt{2}}$$
$$=\frac{\sqrt{2+\sqrt{2}}}{4}\arctan \frac{\tan 2x}{\sqrt{4+2\sqrt{2}}}-\frac{\sqrt{2-\sqrt{2}}}{4}\arctan \frac{\tan 2x}{\sqrt{4-2\sqrt{2}}}+C.$$

【2042】 $\int \frac{\sin^2 x-\cos^2 x}{\sin^4 x+\cos^4 x}dx$.

解 $$\int \frac{\sin^2 x-\cos^2 x}{\sin^4 x+\cos^4 x}dx=-\int \frac{\cos 2x}{1-\frac{1}{2}\sin^2 2x}dx=-\frac{1}{2\sqrt{2}}\int \left(\frac{2\cos 2x}{\sqrt{2}-\sin 2x}+\frac{2\cos 2x}{\sqrt{2}+\sin 2x}\right)dx$$
$$=\frac{1}{2\sqrt{2}}\ln \frac{\sqrt{2}-\sin 2x}{\sqrt{2}+\sin 2x}+C.$$

【2043】 $\int \frac{\sin x\cos x}{1+\sin^4 x}dx$.

解 $\int \frac{\sin x\cos x}{1+\sin^4 x}dx=\int \frac{\tan x\sec^2 x}{\sec^4 x+\tan^4 x}dx=\frac{1}{2}\int \frac{d(\tan^2 x)}{2\tan^4 x+2\tan^2 x+1}=\frac{1}{2}\arctan(1+2\tan^2 x)+C.$

【2044】 $\int \frac{dx}{\sin^6 x+\cos^6 x}$.

解 $\int \frac{dx}{\sin^6 x + \cos^6 x} = \int \frac{dx}{1 - 3\sin^2 x\cos^2 x} = \int \frac{dx}{1 - \frac{3}{4}\sin^2 2x}$

$$= \int \frac{2d(\tan 2x)}{4\sec^2 2x - 3\tan^2 2x} = \int \frac{2d(\tan 2x)}{\tan^2 2x + 4} = \arctan \frac{\tan 2x}{2} + C.$$

【2045】 $\int \frac{dx}{(\sin^2 x + 2\cos^2 x)^2}$.

解 $\int \frac{dx}{(\sin^2 x + 2\cos^2 x)^2} = \int \frac{\frac{1}{\cos^4 x}dx}{(\tan^2 x + 2)^2} = \int \frac{\sec^2 x d(\tan x)}{(\tan^2 x + 2)^2}$

$$= \int \frac{\tan^2 x}{(\tan^2 x + 2)^2} d(\tan x) + \int \frac{d(\tan x)}{(\tan^2 x + 2)^2}$$

$$= \int \frac{(\tan^2 x + 2) - 2}{(\tan^2 x + 2)^2} d(\tan x) + \int \frac{d(\tan x)}{(\tan^2 x + 2)^2}$$

$$= \int \frac{d(\tan x)}{\tan^2 x + 2} - \int \frac{d(\tan x)}{(\tan^2 x + 2)^2}$$

$$= \frac{1}{\sqrt{2}}\arctan \frac{\tan x}{\sqrt{2}} - \frac{\tan x}{4(\tan^2 x + 2)} - \frac{1}{4\sqrt{2}}\arctan \frac{\tan x}{\sqrt{2}} + C$$

$$= \frac{3}{4\sqrt{2}}\arctan \frac{\tan x}{\sqrt{2}} - \frac{\tan x}{4(\tan^2 x + 2)} + C.$$

注 本题用到 $\int \frac{dx}{(x^2 + a^2)^2} = \frac{1}{2a^2}\left(\frac{x}{x^2 + a^2} + \frac{1}{a}\arctan \frac{x}{a}\right) + C.$

习题 2046—2054 对数积分

【2046】 把分母化为对数的形式，求积分 $\int \frac{dx}{a\sin x + b\cos x}$.

解 $\int \frac{dx}{a\sin x + b\cos x} = \frac{1}{\sqrt{a^2 + b^2}}\int \frac{dx}{\sin(x + \varphi)} = \frac{1}{\sqrt{a^2 + b^2}}\ln\left|\tan \frac{x + \varphi}{2}\right| + C$,

式中 $\cos \varphi = \frac{a}{\sqrt{a^2 + b^2}}$, $\sin \varphi = \frac{b}{\sqrt{a^2 + b^2}}$, $a^2 + b^2 \neq 0$.

【2047】 证明：$\int \frac{a_1 \sin x + b_1 \cos x}{a\sin x + b\cos x}dx = Ax + B\ln|a\sin x + b\cos x| + C$，式中 A, B, C 为常数.

证 设

$$a_1 \sin x + b_1 \cos x \equiv A(a\sin x + b\cos x) + B(a\cos x - b\sin x),$$

比较等式两端同类项的系数，可得 $A = \frac{aa_1 + bb_1}{a^2 + b^2}$, $B = \frac{ab_1 - a_1 b}{a^2 + b^2}$, $a^2 + b^2 \neq 0$. 于是

$$\int \frac{a_1 \sin x + b_1 \cos x}{a\sin x + b\cos x}dx = A\int dx + B\int \frac{d(a\sin x + b\cos x)}{a\sin x + b\cos x} = Ax + B\ln|a\sin x + b\cos x| + C.$$

【求下列积分(2048—2050)】

【2048】 $\int \frac{\sin x - \cos x}{\sin x + 2\cos x}dx$.

解 此为 2047 题的特例，这里 $a_1 = 1, b_1 = -1, a = 1, b = 2$;

$$A=\frac{aa_1+bb_1}{a^2+b^2}=\frac{1-2}{1+4}=-\frac{1}{5},B=\frac{ab_1-a_1b}{a^2+b^2}=\frac{-1-2}{1+4}=-\frac{3}{5},$$

代入得$\int\frac{\sin x-\cos x}{\sin x+2\cos x}dx=-\frac{x}{5}-\frac{3}{5}\ln|\sin x+2\cos x|+C.$

【2049】 $\int\frac{dx}{3+5\tan x}.$

解 $\int\frac{dx}{3+5\tan x}=\int\frac{\cos x}{5\sin x+3\cos x}dx.$ 此为 2047 题的特例，这里

$$a_1=0,b_1=1,a=5,b=3,A=\frac{3}{34},B=\frac{5}{34}.$$

代入得$\int\frac{dx}{3+5\tan x}=\frac{3}{34}x+\frac{5}{34}\ln|5\sin x+3\cos x|+C.$

【2050】 $\int\frac{a_1\sin x+b_1\cos x}{(a\sin x+b\cos x)^2}dx.$

解 设 $a_1\sin x+b_1\cos x=A(a\sin x+b\cos x)+B(a\cos x-b\sin x)$，则

$$A=\frac{aa_1+bb_1}{a^2+b^2},B=\frac{ab_1-a_1b}{a^2+b^2},$$

故

$$\begin{aligned}\int\frac{a_1\sin x+b_1\cos x}{(a\sin x+b\cos x)^2}dx&=A\int\frac{a\sin x+b\cos x}{(a\sin x+b\cos x)^2}dx+B\int\frac{a\cos x-b\sin x}{(a\sin x+b\cos x)^2}dx\\&=A\int\frac{dx}{a\sin x+b\cos x}dx+B\int\frac{d(a\sin x+b\cos x)}{(a\sin x+b\cos x)^2}\\&=\frac{A}{\sqrt{a^2+b^2}}\ln\left|\tan\left(\frac{x}{2}+\frac{\varphi}{2}\right)\right|-\frac{B}{a\sin x+b\cos x}+C\\&=\frac{aa_1+bb_1}{(a^2+b^2)^{\frac{3}{2}}}\ln\left|\tan\left(\frac{x}{2}+\frac{\varphi}{2}\right)\right|-\frac{ab_1-a_1b}{(a^2+b^2)(a\sin x+b\cos x)}+C,\end{aligned}$$

其中 $\cos\varphi=\frac{a}{\sqrt{a^2+b^2}},\sin\varphi=\frac{b}{\sqrt{a^2+b^2}},a^2+b^2\neq0.$

【2051】 证明：

$$\int\frac{a_1\sin x+b_1\cos x+c_1}{a\sin x+b\cos x+c}dx=Ax+B\ln|a\sin x+b\cos x+c|+C\int\frac{dx}{a\sin x+b\cos x+c},$$

式中 A,B,C 为常数.

证 按题意 a,b 不同时为零，设

$$a_1\sin x+b_1\cos x+c_1\equiv A(a\sin x+b\cos x+c)+B(a\cos x-b\sin x)+C,$$

比较等式两端同类项的系数，则有

$$A=\frac{aa_1+bb_1}{a^2+b^2},B=\frac{ab_1-a_1b}{a^2+b^2},C=\frac{a(ac_1-a_1c)+b(bc_1-b_1c)}{a^2+b^2},$$

代入得

$$\begin{aligned}\int\frac{a_1\sin x+b_1\cos x+c_1}{a\sin x+b\cos x+c}dx&=A\int dx+B\int\frac{d(a\sin x+b\cos x+c)}{a\sin x+b\cos x+c}+C\int\frac{dx}{a\sin x+b\cos x+c}\\&=Ax+B\ln|a\sin x+b\cos x+c|+C\int\frac{dx}{a\sin x+b\cos x+c}.\end{aligned}$$

【求下列积分(2052—2054)】

【2052】 $\int\frac{\sin x+2\cos x-3}{\sin x-2\cos x+3}dx.$

解 此为 2051 题的特例，这里

$$a_1 = 1, b_1 = 2, c_1 = -3, a = 1, b = -2, c = 3;$$

$$A = \frac{aa_1 + bb_1}{a^2 + b^2} = \frac{1-4}{1+4} = -\frac{3}{5}, B = \frac{ab_1 - a_1 b}{a^2 + b^2} = \frac{2+2}{1+4} = \frac{4}{5},$$

$$C = \frac{a(ac_1 - a_1 c) + b(bc_1 - b_1 c)}{a^2 + b^2} = \frac{(-3-3) + (-2)(6-6)}{1+4} = -\frac{6}{5}.$$

代入得

$$\int \frac{\sin x + 2\cos x - 3}{\sin x - 2\cos x + 3} \mathrm{d}x = -\frac{3}{5}x + \frac{4}{5}\ln|\sin x - 2\cos x + 3| - \frac{6}{5}\int \frac{\mathrm{d}x}{\sin x - 2\cos x + 3}$$

$$= -\frac{3}{5}x + \frac{4}{5}\ln|\sin x - 2\cos x + 3| - \frac{6}{5}\arctan\frac{1 + 5\tan\frac{x}{2}}{2} + C.$$

注 对于$\int \frac{\mathrm{d}x}{\sin x - 2\cos x + 3}$，令 $t = \tan\frac{x}{2}$，则

$$\int \frac{\mathrm{d}x}{\sin x - 2\cos x + 3} = \int \frac{\frac{2}{1+t^2}}{\frac{2t}{1+t^2} - 2\cdot\frac{1-t^2}{1+t^2} + 3}\mathrm{d}t = \int \frac{2}{5t^2 + 2t + 1}\mathrm{d}t$$

$$= \frac{2}{5}\int \frac{1}{t^2 + \frac{2}{5}t + \frac{1}{5}}\mathrm{d}t = \frac{2}{5}\int \frac{1}{\left(t + \frac{1}{5}\right)^2 + \frac{4}{25}}\mathrm{d}t$$

$$= \arctan\frac{5t+1}{2} + C = \arctan\frac{1 + 5\tan\frac{x}{2}}{2} + C.$$

【2053】 $\int \frac{\sin x\mathrm{d}x}{\sqrt{2} + \sin x + \cos x}$.

解 此为 2051 题的特例，这里

$$a_1 = 1, b_1 = 0, c_1 = 0, a = 1, b = 1, c = \sqrt{2}, A = \frac{1}{2}, B = -\frac{1}{2}, C = -\frac{1}{\sqrt{2}}.$$

代入得

$$\int \frac{\sin x\mathrm{d}x}{\sqrt{2} + \sin x + \cos x} = \frac{1}{2}x - \frac{1}{2}\ln|\sqrt{2} + \sin x + \cos x| - \frac{1}{\sqrt{2}}\int \frac{\mathrm{d}x}{\sqrt{2} + \sin x + \cos x}$$

$$= \frac{1}{2}x - \frac{1}{2}\ln|\sqrt{2} + \sin x + \cos x| - \frac{1}{\sqrt{2}}\int \frac{\mathrm{d}x}{\sqrt{2} + \sqrt{2}\cos\left(x - \frac{\pi}{4}\right)}$$

$$= \frac{1}{2}x - \frac{1}{2}\ln|\sqrt{2} + \sin x + \cos x| - \frac{1}{2}\int \frac{\mathrm{d}x}{2\cos^2\left(\frac{x}{2} - \frac{\pi}{8}\right)}$$

$$= \frac{1}{2}x - \frac{1}{2}\ln|\sqrt{2} + \sin x + \cos x| - \frac{1}{2}\tan\left(\frac{x}{2} - \frac{\pi}{8}\right) + C.$$

【2054】 $\int \frac{2\sin x + \cos x}{3\sin x + 4\cos x - 2}\mathrm{d}x$.

解 本题也是 2051 题的特例，这里

$$a_1 = 2, b_1 = 1, c_1 = 0, a = 3, b = 4, c = -2, A = \frac{2}{5}, B = -\frac{1}{5}, C = \frac{4}{5}.$$

代入得

$$\int\frac{2\sin x+\cos x}{3\sin x+4\cos x-2}\mathrm{d}x=\frac{2}{5}x-\frac{1}{5}\ln|3\sin x+4\cos x-2|+\frac{4}{5}\int\frac{\mathrm{d}x}{3\sin x+4\cos x-2}$$

$$=\frac{2}{5}x-\frac{1}{5}\ln|3\sin x+4\cos x-2|+\frac{4}{5\sqrt{21}}\ln\left|\frac{\sqrt{7}+\sqrt{3}\left(2\tan\frac{x}{2}-1\right)}{\sqrt{7}-\sqrt{3}\left(2\tan\frac{x}{2}-1\right)}\right|+C.$$

注 对于$\int\frac{\mathrm{d}x}{3\sin x+4\cos x-2}$，令 $t=\tan\frac{x}{2}$，则

$$\int\frac{\mathrm{d}x}{3\sin x+4\cos x-2}=\int\frac{1}{3\cdot\frac{2t}{1+t^2}+4\cdot\frac{1-t^2}{1+t^2}-2}\cdot\frac{2}{1+t^2}\mathrm{d}t=-\frac{1}{3}\int\frac{1}{t^2-t-\frac{1}{3}}\mathrm{d}t$$

$$=-\frac{1}{3}\int\frac{1}{\left(t-\frac{1}{2}\right)^2-\frac{7}{12}}\mathrm{d}t=\frac{1}{\sqrt{21}}\ln\left|\frac{\sqrt{3}(2t-1)+\sqrt{7}}{\sqrt{3}(2t-1)-\sqrt{7}}\right|+C$$

$$=\frac{1}{\sqrt{21}}\ln\left|\frac{\sqrt{7}+\sqrt{3}\left(2\tan\frac{x}{2}-1\right)}{\sqrt{7}-\sqrt{3}\left(2\tan\frac{x}{2}-1\right)}\right|+C.$$

习题 2055—2061 有理式中含有二次三项式的积分

【2055】 证明：

$$\int\frac{a_1\sin^2x+2b_1\sin x\cos x+c_1\cos^2x}{a\sin x+b\cos x}\mathrm{d}x=A\sin x+B\cos x+C\int\frac{\mathrm{d}x}{a\sin x+b\cos x},$$

式中 A,B,C 为常数.

证 按题意 a,b 不同时为零. 设

$$a_1\sin^2x+2b_1\sin x\cos x+c_1\cos^2x\equiv A\cos x(a\sin x+b\cos x)-B\sin x(a\sin x+b\cos x)+C,$$

比较等式两端同类项的系数，则有

$$aA-bB=2b_1,C-aB=a_1,C+bA=c_1.$$

解得

$$A=\frac{bc_1-a_1b+2ab_1}{a^2+b^2},B=\frac{ac_1-aa_1-2bb_1}{a^2+b^2},C=\frac{a_1b^2+a^2c_1-2abb_1}{a^2+b^2}.$$

代入得

$$\int\frac{a_1\sin^2x+2b_1\sin x\cos x+c_1\cos^2x}{a\sin x+b\cos x}\mathrm{d}x=A\int\cos x\mathrm{d}x-B\int\sin x\mathrm{d}x+C\int\frac{\mathrm{d}x}{a\sin x+b\cos x}$$

$$=A\sin x+B\cos x+C\int\frac{\mathrm{d}x}{a\sin x+b\cos x}.$$

【求下列积分(2056—2057)】

【2056】 $\int\frac{\sin^2x-4\sin x\cos x+3\cos^2x}{\sin x+\cos x}\mathrm{d}x.$

解 此为 2055 题的特例，这里

$$a_1=1,b_1=-2,c_1=3,a=1,b=1.$$

$$A=\frac{bc_1-a_1b+2ab_1}{a^2+b^2}=-1,B=\frac{ac_1-aa_1-2bb_1}{a^2+b^2}=3,C=\frac{a_1b^2+a^2c_1-2abb_1}{a^2+b^2}=4.$$

代入得

$$\int \frac{\sin^2 x - 4\sin x\cos x + 3\cos^2 x}{\sin x + \cos x}dx = -\sin x + 3\cos x + 4\int \frac{dx}{\sin x + \cos x}$$

$$= -\sin x + 3\cos x + \frac{4}{\sqrt{2}}\int \frac{dx}{\sin\left(x+\frac{\pi}{4}\right)}$$

$$= -\sin x + 3\cos x + 2\sqrt{2}\ln\left|\tan\left(\frac{x}{2}+\frac{\pi}{8}\right)\right| + C.$$

【2057】 $\int \frac{\sin^2 x - \sin x\cos x + 2\cos^2 x}{\sin x + 2\cos x}dx.$

解 本题也是 2055 题的特例，这里

$$a_1 = 1, b_1 = -\frac{1}{2}, c_1 = 2, a = 1, b = 2, A = \frac{1}{5}, B = \frac{3}{5}, C = \frac{8}{5}.$$

代入得

$$\int \frac{\sin^2 x - \sin x\cos x + 2\cos^2 x}{\sin x + 2\cos x}dx = \frac{1}{5}\sin x + \frac{3}{5}\cos x + \frac{8}{5}\int \frac{dx}{\sin x + 2\cos x}$$

$$= \frac{1}{5}(\sin + 3\cos x) + \frac{8}{5\sqrt{5}}\ln\left|\frac{\sqrt{5}+2\tan\frac{x}{2}-1}{\sqrt{5}-2\tan\frac{x}{2}+1}\right| + C.$$

注 对于$\int \frac{dx}{\sin x + 2\cos x}$，令 $t = \tan\frac{x}{2}$，则

$$\int \frac{dx}{\sin x + 2\cos x} = \int \frac{1}{\frac{2t}{1+t^2} + 2\cdot\frac{1-t^2}{1+t^2}}\cdot\frac{2}{1+t^2}dt = \int \frac{1}{-t^2+t+1}dt$$

$$= \int \frac{1}{\frac{5}{4} - \left(t-\frac{1}{2}\right)^2}dt = \frac{2}{\sqrt{5}}\ln\left|\frac{\sqrt{5}+2t-1}{\sqrt{5}-2t+1}\right| + C$$

$$= \frac{2}{\sqrt{5}}\ln\left|\frac{\sqrt{5}+2\tan\frac{x}{2}-1}{\sqrt{5}-2\tan\frac{x}{2}+1}\right| + C.$$

【2058】 证明：若$(a-c)^2 + b^2 \neq 0$，则

$$\int \frac{a_1\sin x + b_1\cos x}{a\sin^2 x + 2b\sin x\cos x + c\cos^2 x}dx = A\int \frac{du_1}{k_1u_1^2 + \lambda_1} + B\int \frac{du_2}{k_2u_2^2 + \lambda_2},$$

式中 A, B 为待定系数，λ_1, λ_2 为方程 $\begin{vmatrix} a-\lambda & b \\ b & c-\lambda \end{vmatrix} = 0 (\lambda_1 \neq \lambda_2)$ 的根，而

$$u_i = (a-\lambda_i)\sin x + b\cos x, k_i = \frac{1}{a-\lambda_i} (i = 1, 2).$$

证 记

$$a^2\sin^2 x + 2b\sin x\cos x + c\cos^2 x$$

$$= (a-\lambda_i)\sin^2 x + 2b\sin x\cos x + (c-\lambda_i)\cos^2 x + \lambda_i$$

$$= \frac{1}{a-\lambda_i}[(a-\lambda_i)^2\sin^2 x + 2b(a-\lambda_i)\sin x\cos x + (c-\lambda_i)(a-\lambda_i)\cos^2 x] + \lambda_i,$$

其中 $\lambda_i (i = 1, 2)$ 为方程 $\begin{vmatrix} a-\lambda & b \\ b & c-\lambda \end{vmatrix} = 0$ 的根.

由$(a-c)^2 + b^2 \neq 0$，从而$(a-c)^2 + 4b^2 \neq 0$，因此 $\lambda_1 \neq \lambda_2$.

首先 $k_i=\dfrac{1}{a-\lambda_i}(i=1,2)$ 及 $u_i=(a-\lambda_i)\sin x+b\cos x$.

由于$(a-\lambda_i)(c-\lambda_i)-b^2=0$,即 $b^2=(a-\lambda_i)(c-\lambda_i)$. 于是

$$\begin{aligned}a^2\sin^2 x+2b\sin x\cos x+c\cos^2 x&=k_i[(a-\lambda_i)^2\sin^2 x+2b(a-\lambda_i)\sin x\cos x+b^2\cos^2 x]+\lambda_i\\&=k_i[(a-\lambda_i)\sin x+b\cos x]^2+\lambda_i=k_iu_i^2+\lambda_i.\end{aligned}$$

其次,设

$$a_1\sin x+b_1\cos x=A[(a-\lambda_1)\cos x-b\sin x]+B[(a-\lambda_2)\cos x-b\sin x],$$

比较等式两端同类项的系数,则有

$$-b(A+B)=a_1,A(a-\lambda_1)+B(a-\lambda_2)=b_1,$$

解得 $A=-\dfrac{a_1(\lambda_1-\lambda_2)+bb_1+a_1(a-\lambda_1)}{b(\lambda_1-\lambda_2)},B=\dfrac{bb_1+a_1(a-\lambda_1)}{b(\lambda_1-\lambda_2)}$. 故

$$\begin{aligned}&\int\frac{a_1\sin x+b_1\cos x}{a^2\sin^2 x+2b\sin x\cos x+c\cos^2 x}dx\\&=A\int\frac{(a-\lambda_1)\cos x-b\sin x}{k_1[(a-\lambda_1)\sin x+b\cos x]^2+\lambda_1}dx+B\int\frac{(a-\lambda_2)\cos x-b\sin x}{k_2[(a-\lambda_2)\sin x+b\cos x]^2+\lambda_2}dx\\&=A\int\frac{du_1}{k_1u_1^2+\lambda_1}+B\int\frac{du_2}{k_2u_2^2+\lambda_2}.\end{aligned}$$

注 按题意,$b\neq0$. 因若 $b=0$,则 $\lambda_1=a,\lambda_2=c$,从而 k_1 无意义. 不过,当 $b=0$ 时,仍能化为所要求的类似形式. 事实上,当 $b=0$ 时,$a\neq c$,有

$$\begin{aligned}&\int\frac{a_1\sin x+b_1\cos x}{a\sin^2 x+2b\sin x\cos x+c\cos^2 x}dx=\int\frac{a_1\sin x+b_1\cos x}{a\sin^2 x+c\cos^2 x}dx\\&=a_1\int\frac{\sin x}{a\sin^2 x+c\cos^2 x}dx+b_1\int\frac{\cos x}{a\sin^2 x+c\cos^2 x}dx\\&=-a_1\int\frac{d(\cos x)}{(c-a)\cos^2 x+a}+b_1\int\frac{d(\sin x)}{(a-c)\sin^2 x+c}\\&=A\int\frac{du_1}{k_1u_1^2+\lambda_1}+B\int\frac{du_2}{k_2u_2^2+\lambda_2},\end{aligned}$$

式中 $A=-a_1,B=b_1,k_1=c-a,k_2=a-c,u_1=\cos x,u_2=\sin x,\lambda_1=a,\lambda_2=c$.

本题也可用下法另证:

令 $u_i=(a-\lambda_i)\sin x+b\cos x,k_i=\dfrac{1}{a-\lambda_i}(i=1,2)$,代入积分等式. 然后两边求导,整理并比较系数,便可知 λ_i 必为方程 $\begin{vmatrix}a-\lambda & b\\ b & c-\lambda\end{vmatrix}=0$ 的根,相应可求出系数 A,B.

【求下列积分(2059—2061)】

【2059】 $\displaystyle\int\frac{2\sin x-\cos x}{3\sin^2 x+4\cos^2 x}dx$.

解 $$\begin{aligned}\int\frac{2\sin x-\cos x}{3\sin^2 x+4\cos^2 x}dx&=\int\frac{2\sin x}{3\sin^2 x+4\cos^2 x}dx-\int\frac{\cos x}{3\sin^2 x+4\cos^2 x}dx=-2\int\frac{d(\cos x)}{3+\cos^2 x}-\int\frac{d(\sin x)}{4-\sin^2 x}\\&=-\frac{2}{\sqrt3}\arctan\frac{\cos x}{\sqrt3}-\frac14\ln\frac{2+\sin x}{2-\sin x}+C.\end{aligned}$$

【2060】 $\displaystyle\int\frac{\sin x+\cos x}{2\sin^2 x-4\sin x\cos x+5\cos^2 x}dx$.

解 此为 2058 题的特例,这里 $a_1=1,b_1=1,a=2,b=-2,c=5$.

由$\begin{vmatrix} a-\lambda & b \\ b & c-\lambda \end{vmatrix}=\lambda^2-7\lambda+6=0$，得$\lambda_1=1,\lambda_2=6$，从而

$$A=-\frac{a_1(\lambda_1-\lambda_2)+b_1b+a_1(a-\lambda_1)}{b(\lambda_1-\lambda_2)}=-\frac{(1-6)-2+(2-1)}{-2(1-6)}=\frac{3}{5},$$

$$B=\frac{bb_1+a_1(a-\lambda_1)}{b(\lambda_1-\lambda_2)}=\frac{-2+1}{10}=-\frac{1}{10};$$

$$u_1=(a-\lambda_1)\sin x+b\cos x=\sin x-2\cos x,$$

$$u_2=(a-\lambda_2)\sin x+b\cos x=-4\sin x-2\cos x;$$

$$k_1=\frac{1}{a-\lambda_1}=1,k_2=\frac{1}{a-\lambda_2}=-\frac{1}{4}.$$

故

$$\int\frac{\sin x+\cos x}{2\sin^2x-4\sin x\cos x+5\cos^2x}dx=\frac{3}{5}\int\frac{d(\sin x-2\cos x)}{(\sin x-2\cos x)^2+1}+\frac{1}{10}\int\frac{d(4\sin x+2\cos x)}{6-\frac{1}{4}(4\sin x+2\cos x)^2}$$

$$=\frac{3}{5}\int\frac{d(\sin x-2\cos x)}{(\sin x-2\cos x)^2+1}+\frac{1}{5}\int\frac{d(2\sin x+\cos x)}{6-(2\sin x+\cos x)^2}$$

$$=\frac{3}{5}\arctan(\sin x-2\cos x)+\frac{1}{10\sqrt{6}}\ln\left|\frac{\sqrt{6}+2\sin x+\cos x}{\sqrt{6}-2\sin x-\cos x}\right|+C.$$

【2061】 $\int\frac{\sin x-2\cos x}{1+4\sin x\cos x}dx.$

解 本题也是2058题的特例，且

$$\int\frac{\sin x-2\cos x}{1+4\sin x\cos x}dx=\int\frac{\sin x-2\cos x}{\sin^2x+4\sin x\cos x+\cos^2x}dx,$$

这里$a_1=1,b_1=-2,a=1,b=2,c=1,\lambda_1=3,\lambda_2=-1,k_1=-\frac{1}{2},k_2=\frac{1}{2},A=\frac{1}{4},B=-\frac{3}{4}$；

$u_1=2(\cos x-\sin x),u_2=2(\cos x+\sin x)$.

代入得

$$\int\frac{\sin x-2\cos x}{1+4\sin x\cos x}dx=\frac{1}{4}\int\frac{2d(\cos x-\sin x)}{-2(\cos x-\sin x)^2+3}-\frac{3}{4}\int\frac{2d(\cos x+\sin x)}{2(\cos x+\sin x)^2-1}$$

$$=\frac{3}{4\sqrt{2}}\ln\left|\frac{\sqrt{2}(\sin x+\cos x)+1}{\sqrt{2}(\sin x+\cos x)-1}\right|-\frac{1}{4\sqrt{6}}\ln\left|\frac{\sqrt{3}+\sqrt{2}(\sin x-\cos x)}{\sqrt{3}-\sqrt{2}(\sin x-\cos x)}\right|+C.$$

习题 2062—2065 形如$\int\frac{dx}{(a\sin x+b\cos x)^n}$的积分

【2062】 证明：

$$\int\frac{dx}{(a\sin x+b\cos x)^n}=\frac{A\sin x+B\cos x}{(a\sin x+b\cos x)^{n-1}}+C\int\frac{dx}{(a\sin x+b\cos x)^{n-2}},$$

式中A,B,C为待定系数.

证 $a\sin x+b\cos x=\sqrt{a^2+b^2}\sin(x+\alpha)$，式中$\sin\alpha=\frac{b}{\sqrt{a^2+b^2}},\cos\alpha=\frac{a}{\sqrt{a^2+b^2}}$. 于是

$$\int\frac{dx}{(a\sin x+b\cos x)^n}=(a^2+b^2)^{-\frac{n}{2}}\int\frac{dx}{\sin^n(x+\alpha)}$$

$$=-(a^2+b^2)^{-\frac{n}{2}}\int\frac{1}{\sin^{n-2}(x+\alpha)}d[\cot(x+\alpha)]$$

$$=-(a^2+b^2)^{-\frac{n}{2}}\frac{\cot(x+\alpha)}{\sin^{n-2}(x+\alpha)}-\frac{n-2}{(a^2+b^2)^{\frac{n}{2}}}\int\frac{\cot(x+\alpha)\cos(x+\alpha)}{\sin^{n-1}(x+\alpha)}dx$$

$$= \frac{\frac{b}{a^2+b^2}\sin x - \frac{a}{a^2+b^2}\cos x}{(a\sin x+b\cos x)^{n-1}} - \frac{n-2}{(a^2+b^2)^{\frac{n}{2}}}\int \frac{1-\sin^2(x+\alpha)}{\sin^n(x+\alpha)}\mathrm{d}x.$$

设 $I_n = \int \frac{\mathrm{d}x}{(a\sin x+b\cos x)^n}$，则由上式可得

$$I_n = \frac{\frac{b}{a^2+b^2}\sin x - \frac{a}{a^2+b^2}\cos x}{(a\sin x+b\cos x)^{n-1}} + (2-n)I_n + \frac{n-2}{a^2+b^2}I_{n-2}.$$

于是

$$I_n = \frac{\frac{b}{(n-1)(a^2+b^2)}\sin x - \frac{a}{(n-1)(a^2+b^2)}\cos x}{(a\sin x+b\cos x)^{n-1}} + \frac{n-2}{(n-1)(a^2+b^2)}I_{n-2},$$

即

$$\int \frac{\mathrm{d}x}{(a\sin x+b\cos x)^n} = \frac{A\sin x+B\cos x}{(a\sin x+b\cos x)^{n-1}} + C\int \frac{\mathrm{d}x}{(a\sin x+b\cos x)^{n-2}},$$

式中 $A = \frac{b}{(n-1)(a^2+b^2)}$，$B = -\frac{a}{(n-1)(a^2+b^2)}$，$C = \frac{n-2}{(n-1)(a^2+b^2)}$.

【2063】 求 $\int \frac{\mathrm{d}x}{(\sin x+2\cos x)^3}$.

解 此为 2062 题的特例，这里 $a=1, b=2, n=3, A=\frac{2}{10}, B=-\frac{1}{10}, C=\frac{1}{10}$. 代入得

$$\int \frac{\mathrm{d}x}{(\sin x+2\cos x)^3} = \frac{2\sin x-\cos x}{10(\sin x+2\cos x)^2} + \frac{1}{10}\int \frac{\mathrm{d}x}{\sin x+2\cos x}$$
$$= \frac{2\sin x-\cos x}{10(\sin x+2\cos x)^2} + \frac{1}{10\sqrt{5}}\int \frac{\mathrm{d}x}{\sin(x+\alpha)}$$
$$= \frac{2\sin x-\cos x}{10(\sin x+2\cos x)^2} + \frac{1}{10\sqrt{5}}\ln\left|\tan\left(\frac{x}{2}+\frac{\alpha}{2}\right)\right| + C,$$

其中 $\cos\alpha = \frac{1}{\sqrt{5}}$，$\sin\alpha = \frac{2}{\sqrt{5}}$，$\alpha = \arctan 2$.

【2064】 若 n 为大于 1 的正整数，证明：

$$\int \frac{\mathrm{d}x}{(a+b\cos x)^n} = \frac{A\sin x}{(a+b\cos x)^{n-1}} + B\int \frac{\mathrm{d}x}{(a+b\cos x)^{n-1}} + C\int \frac{\mathrm{d}x}{(a+b\cos x)^{n-2}} \quad (|a|\neq|b|),$$

并求出系数 A，B 和 C.

证 设 $I_n = \int \frac{\mathrm{d}x}{(a+b\cos x)^n}$，先考虑 I_{n-1}.

$$I_{n-1} = \frac{1}{a}\int \frac{(a+b\cos x)-b\cos x}{(a+b\cos x)^{n-1}}\mathrm{d}x = \frac{1}{a}I_{n-2} - \frac{b}{a}\int \frac{\mathrm{d}(\sin x)}{(a+b\cos x)^{n-1}}$$
$$= \frac{1}{a}I_{n-2} - \frac{b\sin x}{a(a+b\cos x)^{n-1}} + \frac{(n-1)b^2}{a}\int \frac{\sin^2 x}{(a+b\cos x)^n}\mathrm{d}x$$
$$= \frac{1}{a}I_{n-2} - \frac{b\sin x}{a(a+b\cos x)^{n-1}} + \frac{n-1}{a}\int \frac{(b^2-a^2)+(a+b\cos x)(a-b\cos x)}{(a+b\cos x)^n}\mathrm{d}x$$
$$= \frac{1}{a}I_{n-2} - \frac{b\sin x}{a(a+b\cos x)^{n-1}} + \frac{(n-1)(b^2-a^2)}{a}I_n + \frac{n-1}{a}\int \frac{a-b\cos x}{(a+b\cos x)^{n-1}}\mathrm{d}x$$
$$= \frac{1}{a}I_{n-2} - \frac{b\sin x}{a(a+b\cos x)^{n-1}} + \frac{(n-1)(b^2-a^2)}{a}I_n - \frac{n-1}{a}\int \frac{(a+b\cos x)-2a}{(a+b\cos x)^{n-1}}\mathrm{d}x$$
$$= \frac{1}{a}I_{n-2} - \frac{b\sin x}{a(a+b\cos x)^{n-1}} + \frac{(n-1)(b^2-a^2)}{a}I_n - \frac{n-1}{a}I_{n-2} + 2(n-1)I_{n-1}.$$

于是

$$\frac{(n-1)(a^2-b^2)}{a}I_n=-\frac{b\sin x}{a(a+b\cos x)^{n-1}}+(2n-3)I_{n-1}-\frac{n-2}{a}I_{n-2}.$$

最后得到

$$I_n=-\frac{b\sin x}{(n-1)(a^2-b^2)(a+b\cos x)^{n-1}}+\frac{(2n-3)a}{(n-1)(a^2-b^2)}I_{n-1}-\frac{n-2}{(n-1)(a^2-b^2)}I_{n-2},$$

即

$$\int\frac{dx}{(a+b\cos x)^n}=\frac{A\sin x}{(a+b\cos x)^{n-1}}+B\int\frac{dx}{(a+b\cos x)^{n-1}}+C\int\frac{dx}{(a+b\cos x)^{n-2}},$$

式中

$$A=-\frac{b}{(n-1)(a^2-b^2)},B=\frac{(2n-3)a}{(n-1)(a^2-b^2)},C=-\frac{n-2}{(n-1)(a^2-b^2)}(|a|\neq|b|,n>1\text{ 且 }a\neq 0).$$

若 $a=0$，则 $b\neq 0$，有

$$\int\frac{dx}{(a+b\cos x)^n}=\frac{1}{b^n}\int\frac{dx}{\cos^n x}=\frac{1}{b^n}\left[\frac{\sin x}{(n-1)\cos^{n-1}x}+\frac{n-2}{n-1}\int\frac{dx}{\cos^{n-2}x}\right].$$

注 本题用到 $\int\frac{dx}{\cos^n x}=\frac{\sin x}{(n-1)\cos^{n-1}x}+\frac{n-2}{n-1}\int\frac{dx}{\cos^{n-2}x}+C.$

【2065】 $\int\frac{dx}{(1+\varepsilon\cos x)^2}(0<\varepsilon<1).$

解 此为 2064 题之特例，这里

$$a=1,b=\varepsilon,n=2,A=-\frac{\varepsilon}{1-\varepsilon^2},B=\frac{1}{1-\varepsilon^2},C=0.$$

代入得

$$\begin{aligned}\int\frac{dx}{(1+\varepsilon\cos x)^2}&=-\frac{\varepsilon\sin x}{(1-\varepsilon^2)(1+\varepsilon\cos x)}+\frac{1}{1-\varepsilon^2}\int\frac{1}{1+\varepsilon\cos x}dx\\&=-\frac{\varepsilon\sin x}{(1-\varepsilon^2)(1+\varepsilon\cos x)}+\frac{2}{(1-\varepsilon^2)^{\frac{3}{2}}}\arctan\left(\sqrt{\frac{1-\varepsilon}{1+\varepsilon}}\tan\frac{x}{2}\right)+C.\end{aligned}$$

注 本题用到 $\int\frac{dx}{1+\varepsilon\cos x}=\frac{2}{\sqrt{1-\varepsilon^2}}\arctan\left(\sqrt{\frac{1-\varepsilon}{1+\varepsilon}}\tan\frac{x}{2}\right)+C.$

第5节 各种超越函数的积分法（习题2066—2125）

知识点预览

知识点	题目序号	所在页码
各种超越函数的积分法	2066—2125	P116

知识点 各种超越函数的积分法

常见的超越函数积分有:多项式与指数函数乘积的积分、指数函数与三角有理函数乘积的积分、指数有理函数的积分、指数无理根式的积分、指数函数与仅有实根的有理函数乘积的积分、超越函数与代数函数复合的积分、双曲有理函数的积分等.

习题 2066—2073 多项式与指数函数乘积的积分

注意到 $e^{iax}=\cos ax+i\sin ax$,$P(x)$ 为 n 次多项式,则

$$P(x)e^{iax}=P(x)\cos ax+iP(x)\sin ax,$$

从而

$$P(x)\cos ax=\frac{1}{2}[P(x)e^{iax}+P(x)e^{-iax}],$$

$$P(x)\sin ax=\frac{1}{2i}[P(x)e^{iax}-P(x)e^{-iax}].$$

【2066】 证明:若 $P(x)$ 为 n 次多项式,则

$$\int P(x)e^{ax}dx=e^{ax}\left[\frac{P(x)}{a}-\frac{P'(x)}{a^2}+\cdots+(-1)^n\frac{P^{(n)}(x)}{a^{n+1}}\right]+C.$$

证 $\int P(x)e^{ax}dx=\frac{1}{a}\int P(x)d(e^{ax})=\frac{1}{a}P(x)e^{ax}-\frac{1}{a}\int e^{ax}P'(x)dx$

$$=\frac{1}{a}P(x)e^{ax}-\frac{1}{a^2}\int P'(x)d(e^{ax})$$

$$=\frac{1}{a}P(x)e^{ax}-\frac{1}{a^2}P'(x)e^{ax}+\frac{1}{a^2}\int e^{ax}P''(x)dx$$

$$=\cdots=e^{ax}\left[\frac{P(x)}{a}-\frac{P'(x)}{a^2}+\cdots+(-1)^n\frac{P^{(n)}(x)}{a^{n+1}}\right]+C.$$

因为 $P(x)$ 为 n 次多项式,所以 $P^{(n+1)}(x)\equiv 0$. 从而,上述等式括号中的导数到 $P^{(n)}(x)$ 为止.

【2067】 证明:若 $P(x)$ 为 n 次多项式,则

$$\int P(x)\cos ax\,dx=\frac{\sin ax}{a}\left[P(x)-\frac{P''(x)}{a^2}+\frac{P^{(4)}(x)}{a^4}-\cdots\right]+\frac{\cos ax}{a^2}\left[P'(x)-\frac{P'''(x)}{a^2}+\frac{P^{(5)}(x)}{a^4}-\cdots\right]+C,$$

$$\int P(x)\sin ax\,dx=-\frac{\cos ax}{a}\left[P(x)-\frac{P''(x)}{a^2}+\frac{P^{(4)}(x)}{a^4}-\cdots\right]+\frac{\sin ax}{a^2}\left[P'(x)-\frac{P'''(x)}{a^2}+\frac{P^{(5)}(x)}{a^4}-\cdots\right]+C.$$

证 $\int P(x)\cos ax\,dx=\frac{1}{a}\int P(x)d(\sin ax)=\frac{1}{a}P(x)\sin ax-\frac{1}{a}\int P'(x)\sin ax\,dx$

$$=\frac{1}{a}P(x)\sin ax+\frac{1}{a^2}\int P'(x)d(\cos ax)$$

$$=\frac{1}{a}P(x)\sin ax+\frac{1}{a^2}P'(x)\cos ax-\frac{1}{a^2}\int P''(x)\cos ax\,dx$$

$$=\frac{1}{a}P(x)\sin ax+\frac{1}{a^2}P'(x)\cos ax-\frac{1}{a^3}P''(x)\sin ax-$$

$$\frac{1}{a^4}P'''(x)\cos ax+\frac{1}{a^4}\int P^{(4)}(x)\cos ax\mathrm{d}x$$

$$=\cdots=\frac{\sin ax}{a}\left[P(x)-\frac{P''(x)}{a^2}+\frac{P^{(4)}(x)}{a^4}-\cdots\right]+$$

$$\frac{\cos ax}{a^2}\left[P'(x)-\frac{P'''(x)}{a^2}+\frac{P^{(5)}(x)}{a^4}-\cdots\right]+C.$$

$$\int P(x)\sin ax\mathrm{d}x=-\frac{1}{a}\int P(x)\mathrm{d}(\cos ax)=-\frac{1}{a}P(x)\cos ax+\frac{1}{a}\int P'(x)\cos ax\mathrm{d}x$$

$$=-\frac{1}{a}P(x)\cos ax+\frac{1}{a^2}\int P'(x)\mathrm{d}(\sin ax)$$

$$=-\frac{1}{a}P(x)\cos ax+\frac{1}{a^2}P'(x)\sin ax-\frac{1}{a^2}\int P''(x)\sin ax\mathrm{d}x$$

$$=-\frac{1}{a}P(x)\cos ax+\frac{1}{a^2}P'(x)\sin ax+\frac{1}{a^3}P''(x)\cos ax-$$

$$\frac{1}{a^4}P'''(x)\cos ax+\frac{1}{a^4}\int P^{(4)}(x)\cos ax\mathrm{d}x$$

$$=\cdots=-\frac{\cos ax}{a}\left[P(x)-\frac{P''(x)}{a^2}+\frac{P^{(4)}(x)}{a^4}-\cdots\right]+$$

$$\frac{\sin ax}{a^2}\left[P'(x)-\frac{P'''(x)}{a^2}+\frac{P^{(5)}(x)}{a^4}-\cdots\right]+C,$$

上述导数项是有限的，其阶数 $\leqslant n, a\neq 0$.

【求下列积分(2068—2073)】

【2068】 $\int x^3\mathrm{e}^{3x}\mathrm{d}x$.

解 $\int x^3\mathrm{e}^{3x}\mathrm{d}x=\mathrm{e}^{3x}\left(\frac{x^3}{3}-\frac{3x^2}{9}+\frac{6x}{27}-\frac{6}{81}\right)+C=\mathrm{e}^{3x}\left(\frac{x^3}{3}-\frac{x^2}{3}+\frac{2x}{9}-\frac{2}{27}\right)+C.$

注 本题用到2066题的结果.

【2069】 $\int(x^2-2x+2)\mathrm{e}^{-x}\mathrm{d}x$.

解 $\int(x^2-2x+2)\mathrm{e}^{-x}\mathrm{d}x=\mathrm{e}^{-x}\left(\frac{x^2-2x+2}{-1}-\frac{2x-2}{1}+\frac{2}{-1}\right)+C=-\mathrm{e}^{-x}(x^2+2)+C.$

注 本题用到2066题的结果.

【2070】 $\int x^5\sin 5x\mathrm{d}x$.

解 $\int x^5\sin 5x\mathrm{d}x=-\frac{\cos 5x}{5}\left(x^5-\frac{20x^3}{25}+\frac{120x}{625}\right)+\frac{\sin 5x}{25}\left(5x^4-\frac{60x^2}{25}+\frac{120}{625}\right)+C$

$$=-\frac{\cos 5x}{5}\left(x^5-\frac{4x^3}{5}+\frac{24x}{125}\right)+\frac{\sin 5x}{25}\left(5x^4-\frac{12x^2}{5}+\frac{24}{125}\right)+C.$$

注 本题用到2067题的结果.

【2071】 $\int(1+x^2)^2\cos x\mathrm{d}x$.

解 $\int(1+x^2)^2\cos x\mathrm{d}x=\int(1+2x^2+x^4)\cos x\mathrm{d}x$

$$=\sin x[(1+2x^2+x^4)-(4+12x^2)+24]+\cos x[(4x+4x^3)-24x]+C$$

$$= (21-10x^2+x^4)\sin x-(20x-4x^3)\cos x+C.$$

注 本题用到 2067 题的结果.

【2072】 $\int x^7 e^{-x^2}dx.$

解 $\int x^7 e^{-x^2}dx = \frac{1}{2}\int (x^2)^3 e^{-x^2}d(x^2) = \frac{1}{2}e^{-x^2}\left(\frac{x^6}{-1}-\frac{3x^4}{1}+\frac{6x^2}{-1}-\frac{6}{1}\right)+C$

$$=-\frac{1}{2}e^{-x^2}(x^6+3x^4+6x^2+6)+C.$$

注 本题用到 2066 题的结果.

【2073】 $\int x^2 e^{\sqrt{x}}dx.$

解 $\int x^2 e^{\sqrt{x}}dx = 2\int (\sqrt{x})^5 e^{\sqrt{x}}d(\sqrt{x}) = 2e^{\sqrt{x}}(x^{\frac{5}{2}}-5x^2+20x^{\frac{3}{2}}-60x+120x^{\frac{1}{2}}-120)+C.$

注 本题用到 2066 题的结果.

习题 2074—2080 指数函数与三角有理函数乘积的积分

【求下列积分(2074—2080)】

【2074】 $\int e^{ax}\cos^2 bx\,dx.$

解 $\int e^{ax}\cos^2 bx\,dx = \frac{1}{2}\int e^{ax}(1+\cos 2bx)dx = \frac{1}{2a}e^{ax}+\frac{1}{2}e^{ax}\frac{a\cos 2bx+2b\sin 2bx}{a^2+4b^2}+C.$

注 本题用到$\int e^{ax}\cos bx\,dx = \frac{e^{ax}(a\cos bx+b\sin bx)}{a^2+b^2}+C.$

【2075】 $\int e^{ax}\sin^3 bx\,dx.$

解 $\int e^{ax}\sin^3 bx\,dx = \int e^{ax}\sin bx\,\frac{1-\cos 2bx}{2}dx = \int e^{ax}\left(\frac{3}{4}\sin bx-\frac{1}{4}\sin 3bx\right)dx$

$$=\frac{3}{4}e^{ax}\frac{a\sin bx-b\cos bx}{a^2+b^2}-\frac{1}{4}e^{ax}\frac{a\sin 3bx-3b\cos 3bx}{a^2+9b^2}+C$$

注 本题用到$\int e^{ax}\sin bx\,dx = \frac{e^{ax}(a\sin bx-b\cos bx)}{a^2+b^2}+C.$

【2076】 $\int xe^x\sin x\,dx.$

解 $\int xe^x\sin x\,dx = \int x\sin x\,d(e^x) = xe^x\sin x-\int e^x(\sin x+x\cos x)dx$

$$= xe^x\sin x-\int(\sin x+x\cos x)d(e^x)$$

$$= e^x(x\sin x-\sin x-x\cos x)+\int e^x(2\cos x-x\sin x)dx$$

$$= e^x(x\sin x-\sin x-x\cos x)+2\int e^x\cos x\,dx-\int xe^x\sin x\,dx,$$

于是

$$\int xe^x \sin x\mathrm{d}x = \frac{e^x}{2}(x\sin x - \sin x - x\cos x) + \int e^x \cos x\mathrm{d}x$$

$$= \frac{e^x}{2}(x\sin x - \sin x - x\cos x) + \frac{e^x}{2}(\sin x + \cos x) + C$$

$$= \frac{e^x}{2}[x(\sin x - \cos x) + \cos x] + C.$$

注 本题用到$\int e^{ax}\cos bx\mathrm{d}x = \frac{e^{ax}(a\cos bx + b\sin bx)}{a^2+b^2} + C.$

【2077】 $\int x^2 e^x \cos x\mathrm{d}x.$

解 $\int x^2 e^x \cos x\mathrm{d}x = \int x^2 \cos x\mathrm{d}(e^x) = x^2 e^x \cos x - \int e^x (2x\cos x - x^2 \sin x)\mathrm{d}x$

$$= x^2 e^x \cos x - \int (2x\cos x - x^2 \sin x)\mathrm{d}(e^x)$$

$$= x^2 e^x \cos x - e^x(2x\cos x - x^2\sin x) + \int e^x(2\cos x - 4x\sin x - x^2\cos x)\mathrm{d}x$$

$$= e^x[x^2(\sin x + \cos x) - 2x\cos x] + 2\int e^x\cos x\mathrm{d}x - 4\int xe^x\sin x\mathrm{d}x - \int x^2 e^x\cos x\mathrm{d}x,$$

于是

$$\int x^2 e^x\cos x\mathrm{d}x = \frac{e^x}{2}[x^2(\sin x + \cos x) - 2x\cos x] + \int e^x\cos x\mathrm{d}x - 2\int xe^x\sin x\mathrm{d}x$$

$$= \frac{e^x}{2}[x^2(\sin x + \cos x) - 2x\cos x] + \frac{e^x}{2}(\sin x + \cos x) -$$

$$e^x[x(\sin x - \cos x) + \cos x] + C$$

$$= \frac{e^x}{2}[x^2(\sin x + \cos x) - 2x\sin x + (\sin x - \cos x)] + C.$$

注 本题用到：

(1)$\int e^{ax}\cos bx\mathrm{d}x = \frac{e^{ax}(a\cos bx + b\sin bx)}{a^2+b^2} + C$；

(2)$\int xe^x\sin x\mathrm{d}x = \frac{e^x}{2}[x(\sin x - \cos x) + \cos x] + C.$

【2078】 $\int xe^x\sin^2 x\mathrm{d}x.$

解 $\int xe^x\sin^2 x\mathrm{d}x = \frac{1}{2}\int xe^x(1-\cos 2x)\mathrm{d}x = \frac{1}{2}\int xe^x\mathrm{d}x - \frac{1}{2}\int xe^x\cos 2x\mathrm{d}x$

$$= \frac{1}{2}e^x(x-1) - \frac{1}{2}\int x\cos 2x\mathrm{d}(e^x)$$

$$= \frac{1}{2}e^x(x-1) - \frac{1}{2}xe^x\cos 2x + \frac{1}{2}\int e^x(\cos 2x - 2x\sin 2x)\mathrm{d}x$$

$$= \frac{1}{2}e^x(x-1) - \frac{1}{2}xe^x\cos 2x + \frac{e^x}{2}\cdot\frac{\cos 2x + 2\sin 2x}{5} - \int xe^x\sin 2x\mathrm{d}x,$$

而

$$\int xe^x\sin 2x\mathrm{d}x = \int x\sin 2x\mathrm{d}(e^x) = xe^x\sin 2x - \int e^x(\sin 2x + 2x\cos 2x)\mathrm{d}x$$

$$= xe^x\sin 2x - \frac{e^x}{5}(\sin 2x - 2\cos 2x) - 2\int xe^x(1 - 2\sin^2 x)\mathrm{d}x$$

$$= xe^x\sin 2x - \frac{e^x}{5}(\sin 2x - 2\cos 2x) - 2(x-1)e^x + 4\int xe^x\sin^2 x\mathrm{d}x.$$

代入得

$$\int xe^x\sin^2 x\mathrm{d}x = e^x\left[\frac{x-1}{2} - \frac{x}{10}(2\sin 2x + \cos 2x) + \frac{1}{50}(4\sin 2x - 3\cos 2x)\right] + C.$$

注 本题用到:

(1) $\int e^{ax}\cos bx\mathrm{d}x = \frac{e^{ax}(a\cos bx + b\sin bx)}{a^2+b^2} + C$;

(2) $\int e^{ax}\sin bx\mathrm{d}x = \frac{e^{ax}(a\sin bx - b\cos bx)}{a^2+b^2} + C$.

【2079】 $\int (x-\sin x)^3\mathrm{d}x$.

解 $\int (x-\sin x)^3\mathrm{d}x = \int (x^3 - 3x^2\sin x + 3x\sin^2 x - \sin^3 x)\mathrm{d}x$

$$= \frac{x^4}{4} + 3\int x^2\mathrm{d}(\cos x) + \frac{3}{2}\int x(1-\cos 2x)\mathrm{d}x + \int (1-\cos^2 x)\mathrm{d}(\cos x)$$

$$= \frac{x^4}{4} + 3x^2\cos x - 6\int x\cos x\mathrm{d}x + \frac{3}{4}x^2 - \frac{3}{4}\int x\mathrm{d}(\sin 2x) + \cos x - \frac{1}{3}\cos^3 x$$

$$= \frac{x^4}{4} + \frac{3x^2}{4} + 3x^2\cos x - 6\int x\mathrm{d}(\sin x) - \frac{3}{4}x\sin 2x + \frac{3}{4}\int \sin 2x\mathrm{d}x + \cos x - \frac{1}{3}\cos^3 x$$

$$= \frac{x^4}{4} + \frac{3x^2}{4} + 3x^2\cos x - 6x\sin x - 6\cos x - \frac{3}{4}x\sin 2x + \cos x - \frac{3}{8}\cos 2x - \frac{1}{3}\cos^3 x + C$$

$$= \frac{x^4}{4} + \frac{3x^2}{4} + 3x^2\cos x - x\left(6\sin x + \frac{3}{4}\sin 2x\right) - \left(5\cos x + \frac{3}{8}\cos 2x\right) - \frac{1}{3}\cos^3 x + C.$$

【2080】 $\int \cos^2\sqrt{x}\mathrm{d}x$.

解 设 $\sqrt{x} = t$,则 $x = t^2$,$\mathrm{d}x = 2t\mathrm{d}t$. 于是

$$\int \cos^2\sqrt{x}\mathrm{d}x = 2\int t\cos^2 t\mathrm{d}t = \int t(1+\cos 2t)\mathrm{d}t = \frac{t^2}{2} + \frac{1}{2}\int t\mathrm{d}(\sin 2t) = \frac{t^2}{2} + \frac{1}{2}t\sin 2t - \frac{1}{2}\int \sin 2t\mathrm{d}t$$

$$= \frac{t^2}{2} + \frac{1}{2}t\sin 2t + \frac{1}{4}\cos 2t + C = \frac{x}{2} + \frac{1}{2}\sqrt{x}\sin(2\sqrt{x}) + \frac{1}{4}\cos(2\sqrt{x}) + C.$$

习题 2081—2086 指数有理函数的积分

【2081】 证明:若 R 为有理函数,数 $a_1, a_2, \cdots, a_n$ 为可公约的,则积分

$$\int R(e^{a_1 x}, e^{a_2 x}, \cdots, e^{a_n x})\mathrm{d}x$$

是初等函数.

证 按题意 $a_1, a_2, \cdots, a_n$ 为可公约的数,于是,存在一个非零实数 α,使得

$$a_1 = k_1\alpha, a_2 = k_2\alpha, \cdots, a_n = k_n\alpha,$$

其中 $k_1, k_2, \cdots, k_n$ 为整数.

令 $e^{\alpha x} = t$,则 $x = \frac{1}{\alpha}\ln t$,$\mathrm{d}x = \frac{1}{\alpha t}\mathrm{d}t$. 于是

$$\int R(e^{a_1 x}, e^{a_2 x}, \cdots, e^{a_n x})\mathrm{d}x = \frac{1}{\alpha}\int R(t^{k_1}, t^{k_2}, \cdots, t^{k_n})\frac{\mathrm{d}t}{t} = \int R^*(t)\mathrm{d}t,$$

其中 $R^*(t)$ 是 t 的有理函数. 因此,积分 $\int R(e^{a_1 x}, e^{a_2 x}, \cdots, e^{a_n x})\mathrm{d}x$ 为初等函数.

【求下列积分(2082—2086)】

【2082】 $\int \frac{\mathrm{d}x}{(1+\mathrm{e}^x)^2}$.

解 $\int \frac{\mathrm{d}x}{(1+\mathrm{e}^x)^2} = \int \frac{(1+\mathrm{e}^x)-\mathrm{e}^x}{(1+\mathrm{e}^x)^2}\mathrm{d}x = \int \frac{\mathrm{d}x}{1+\mathrm{e}^x} - \int \frac{\mathrm{e}^x\mathrm{d}x}{(1+\mathrm{e}^x)^2}$

$$= \int\left(1-\frac{\mathrm{e}^x}{1+\mathrm{e}^x}\right)\mathrm{d}x - \int \frac{\mathrm{d}(1+\mathrm{e}^x)}{(1+\mathrm{e}^x)^2} = x-\ln(1+\mathrm{e}^x)+\frac{1}{1+\mathrm{e}^x}+C.$$

【2083】 $\int \frac{\mathrm{e}^{2x}\mathrm{d}x}{1+\mathrm{e}^x}$.

解 $\int \frac{\mathrm{e}^{2x}\mathrm{d}x}{1+\mathrm{e}^x} = \int \frac{(\mathrm{e}^{2x}-1)+1}{1+\mathrm{e}^x}\mathrm{d}x = \int(\mathrm{e}^x-1)\mathrm{d}x + \int \frac{1}{1+\mathrm{e}^x}\mathrm{d}x$

$$= \mathrm{e}^x - x + \int\left(1-\frac{\mathrm{e}^x}{1+\mathrm{e}^x}\right)\mathrm{d}x = \mathrm{e}^x - \ln(1+\mathrm{e}^x)+C.$$

【2084】 $\int \frac{\mathrm{d}x}{\mathrm{e}^{2x}+\mathrm{e}^x-2}$.

解 $\int \frac{\mathrm{d}x}{\mathrm{e}^{2x}+\mathrm{e}^x-2} = \int \frac{\mathrm{d}x}{(\mathrm{e}^x+2)(\mathrm{e}^x-1)} = \frac{1}{3}\int \frac{1}{\mathrm{e}^x-1}\mathrm{d}x - \frac{1}{3}\int\frac{1}{\mathrm{e}^x+2}\mathrm{d}x$

$$= -\frac{1}{3}\int\left(1-\frac{\mathrm{e}^x}{\mathrm{e}^x-1}\right)\mathrm{d}x - \frac{1}{6}\int\left(1-\frac{\mathrm{e}^x}{\mathrm{e}^x+2}\right)\mathrm{d}x$$

$$= -\frac{x}{3}+\frac{1}{3}\ln|\mathrm{e}^x-1| - \frac{x}{6}+\frac{1}{6}\ln(\mathrm{e}^x+2)+C$$

$$= -\frac{x}{2}+\frac{1}{3}\ln|\mathrm{e}^x-1| + \frac{1}{6}\ln(\mathrm{e}^x+2)+C.$$

【2085】 $\int \frac{\mathrm{d}x}{1+\mathrm{e}^{\frac{x}{2}}+\mathrm{e}^{\frac{x}{3}}+\mathrm{e}^{\frac{x}{6}}}$.

解 设 $\mathrm{e}^{\frac{x}{6}}=t$，则 $x=6\ln t$，$\mathrm{d}x=\frac{6}{t}\mathrm{d}t$，代入得

$$\int \frac{\mathrm{d}x}{1+\mathrm{e}^{\frac{x}{2}}+\mathrm{e}^{\frac{x}{3}}+\mathrm{e}^{\frac{x}{6}}} = 6\int\frac{\mathrm{d}t}{t(1+t^3+t^2+t)} = 6\int\frac{\mathrm{d}t}{t(t+1)(t^2+1)} = 6\int\left[\frac{1}{t}-\frac{1}{2(t+1)}-\frac{t+1}{2(t^2+1)}\right]\mathrm{d}t$$

$$= 6\ln t - 3\ln(t+1)-\frac{3}{2}\ln(1+t^2)-3\arctan t+C$$

$$= x-3\ln\left[(1+\mathrm{e}^{\frac{x}{6}})\sqrt{1+\mathrm{e}^{\frac{x}{3}}}\right]-3\arctan \mathrm{e}^{\frac{x}{6}}+C.$$

【2086】 $\int \frac{1+\mathrm{e}^{\frac{x}{2}}}{(1+\mathrm{e}^{\frac{x}{4}})^2}\mathrm{d}x$.

解 设 $\mathrm{e}^{\frac{x}{4}}=t$，则 $x=4\ln t$，$\mathrm{d}x=\frac{4}{t}\mathrm{d}t$，代入得

$$\int \frac{1+\mathrm{e}^{\frac{x}{2}}}{(1+\mathrm{e}^{\frac{x}{4}})^2}\mathrm{d}x = 4\int\frac{1+t^2}{t(1+t)^2}\mathrm{d}t = 4\int\left[\frac{1}{t}-\frac{2}{(1+t)^2}\right]\mathrm{d}t = 4\ln t+\frac{8}{1+t}+C = x+\frac{8}{1+\mathrm{e}^{\frac{x}{4}}}+C.$$

习题 2087—2090 指数无理根式的积分

【求下列积分(2087—2090)】

【2087】 $\int \frac{\mathrm{d}x}{\sqrt{\mathrm{e}^x-1}}$.

解 方法一 $\int\frac{\mathrm{d}x}{\sqrt{\mathrm{e}^x-1}} = \int\frac{\mathrm{d}x}{\mathrm{e}^{\frac{x}{2}}\sqrt{1-(\mathrm{e}^{-\frac{x}{2}})^2}} = -2\int\frac{\mathrm{d}(\mathrm{e}^{-\frac{x}{2}})}{\sqrt{1-(\mathrm{e}^{-\frac{x}{2}})^2}} = -2\arcsin \mathrm{e}^{-\frac{x}{2}}+C.$

方法二 令 $t=\sqrt{e^x-1}$，$x=\ln(t^2+1)$，$dx=\frac{2t}{t^2+1}dt$，故

$$\int\frac{dx}{\sqrt{e^x-1}}=\int\frac{1}{t}\cdot\frac{2t}{t^2+1}dt=2\int\frac{1}{t^2+1}dt=2\arctan t+C=2\arctan\sqrt{e^x-1}+C.$$

【2088】 $\int\sqrt{\frac{e^x-1}{e^x+1}}dx.$

解 **方法一**
$$\int\sqrt{\frac{e^x-1}{e^x+1}}dx=\int\frac{e^x-1}{\sqrt{e^{2x}-1}}dx=\int\frac{e^x dx}{\sqrt{e^{2x}-1}}-\int\frac{dx}{\sqrt{e^{2x}-1}}$$
$$=\int\frac{d(e^x)}{\sqrt{(e^x)^2-1}}+\int\frac{d(e^{-x})}{\sqrt{1-(e^{-x})^2}}$$
$$=\ln(e^x+\sqrt{e^{2x}-1})+\arcsin e^{-x}+C.$$

方法二 令 $t=e^x$，$x=\ln t$，则

$$\int\sqrt{\frac{e^x-1}{e^x+1}}dx=\int\sqrt{\frac{t-1}{t+1}}\cdot\frac{1}{t}dt=\int\frac{t-1}{t\sqrt{t^2-1}}dt=\int\frac{1}{\sqrt{t^2-1}}dt-\int\frac{1}{t\sqrt{t^2-1}}dt$$
$$=\int\frac{1}{\sqrt{t^2-1}}dt+\int\frac{1}{\sqrt{1-\left(\frac{1}{t}\right)^2}}d\left(\frac{1}{t}\right)=\ln(t+\sqrt{t^2-1})+\arcsin\frac{1}{t}+C$$
$$=\ln(e^x+\sqrt{e^{2x}-1})+\arcsin e^{-x}+C.$$

【2089】 $\int\sqrt{e^{2x}+4e^x-1}\,dx.$

解
$$\int\sqrt{e^{2x}+4e^x-1}\,dx=\int\frac{e^{2x}+4e^x-1}{\sqrt{e^{2x}+4e^x-1}}dx$$
$$=\int\frac{2e^{2x}+4e^x}{2\sqrt{e^{2x}+4e^x-1}}dx+2\int\frac{e^x dx}{\sqrt{e^{2x}+4e^x-1}}-\int\frac{dx}{\sqrt{e^{2x}+4e^x-1}}$$
$$=\int\frac{d(e^{2x}+4e^x-1)}{2\sqrt{e^{2x}+4e^x-1}}+2\int\frac{d(e^x+2)}{\sqrt{(e^x+2)^2-5}}+\int\frac{d(e^{-x}-2)}{\sqrt{5-(e^{-x}-2)^2}}$$
$$=\sqrt{e^{2x}+4e^x-1}+2\ln(e^x+2+\sqrt{e^{2x}+4e^x-1})-\arcsin\frac{2e^x-1}{\sqrt{5}e^x}+C.$$

【2090】 $\int\frac{dx}{\sqrt{1+e^x}+\sqrt{1-e^x}}.$

解 **方法一**
$$\int\frac{dx}{\sqrt{1+e^x}+\sqrt{1-e^x}}=\frac{1}{2}\int e^{-x}(\sqrt{1+e^x}-\sqrt{1-e^x})dx$$
$$=-\frac{1}{2}\int(\sqrt{1+e^x}-\sqrt{1-e^x})d(e^{-x})$$
$$=-\frac{e^{-x}}{2}(\sqrt{1+e^x}-\sqrt{1-e^x})+\frac{1}{4}\int\left(\frac{1}{\sqrt{1+e^x}}+\frac{1}{\sqrt{1-e^x}}\right)dx$$
$$=-\frac{1}{2}e^{-x}(\sqrt{1+e^x}-\sqrt{1-e^x})+\frac{1}{4}I_1+\frac{1}{4}I_2.$$

对于 $I_1=\int\frac{dx}{\sqrt{1+e^x}}$，设 $\sqrt{1+e^x}=t$，则 $x=\ln(t^2-1)$，$dx=\frac{2tdt}{t^2-1}$. 于是

$$I_1=\int\frac{dx}{\sqrt{1+e^x}}=2\int\frac{dt}{t^2-1}=\ln\frac{t-1}{t+1}+C=\ln\frac{\sqrt{1+e^x}-1}{\sqrt{1+e^x}+1}+C_1.$$

对于 $I_2=\int\frac{dx}{\sqrt{1-e^x}}$，设 $\sqrt{1-e^x}=t$，则 $x=\ln(1-t^2)$，$dx=-\frac{2tdt}{1-t^2}$. 于是

$$I_2=\int\frac{dx}{\sqrt{1-e^x}}=-2\int\frac{dt}{1-t^2}=-\ln\frac{1+t}{1-t}+C_2=-\ln\frac{1+\sqrt{1-e^x}}{1-\sqrt{1-e^x}}+C_2.$$

代入得

$$\int \frac{\mathrm{d}x}{\sqrt{1+\mathrm{e}^x}+\sqrt{1-\mathrm{e}^x}}=-\frac{\mathrm{e}^{-x}}{2}(\sqrt{1+\mathrm{e}^x}-\sqrt{1-\mathrm{e}^x})+\frac{1}{4}\ln\frac{(\sqrt{1+\mathrm{e}^x}-1)(1-\sqrt{1-\mathrm{e}^x})}{(\sqrt{1+\mathrm{e}^x}+1)(1+\sqrt{1-\mathrm{e}^x})}+C.$$

方法二 令 $t=\mathrm{e}^x$,则

$$\int \frac{\mathrm{d}x}{\sqrt{1+\mathrm{e}^x}+\sqrt{1-\mathrm{e}^x}}=\frac{1}{2}\int \mathrm{e}^{-x}(\sqrt{1+\mathrm{e}^x}-\sqrt{1-\mathrm{e}^x})\mathrm{d}x=\frac{1}{2}\int\frac{\sqrt{1+t}-\sqrt{1-t}}{t^2}\mathrm{d}t$$

$$=\frac{1}{2}\int\frac{\sqrt{1+t}}{t^2}\mathrm{d}t-\frac{1}{2}\int\frac{\sqrt{1-t}}{t^2}\mathrm{d}t=\frac{1}{2}I_1-\frac{1}{2}I_2.$$

对于 $I_1=\int\frac{\sqrt{1+t}}{t^2}\mathrm{d}t$,设 $u=\sqrt{1+t}$,则 $t=u^2-1$,$\mathrm{d}t=2u\mathrm{d}u$. 于是

$$I_1=\int\frac{\sqrt{1+t}}{t^2}\mathrm{d}t=2\int\frac{u^2\mathrm{d}u}{(u^2-1)^2}=2\int\frac{(u^2-1)+1}{(u^2-1)^2}\mathrm{d}u=2\int\frac{1}{u^2-1}\mathrm{d}u+2\int\frac{1}{(u^2-1)^2}\mathrm{d}u$$

$$=\ln\frac{u-1}{u+1}+\frac{1}{2}\int\left[\frac{1}{u+1}+\frac{1}{(u+1)^2}-\frac{1}{u-1}+\frac{1}{(u-1)^2}\right]\mathrm{d}u$$

$$=\ln\frac{u-1}{u+1}-\frac{1}{2}\ln\frac{u-1}{u+1}-\frac{1}{2}\left(\frac{1}{u+1}+\frac{1}{u-1}\right)+C_1$$

$$=\frac{1}{2}\ln\frac{u-1}{u+1}-\frac{u}{u^2-1}+C_1=\frac{1}{2}\ln\frac{\sqrt{1+\mathrm{e}^x}-1}{\sqrt{1+\mathrm{e}^x}+1}-\frac{\sqrt{1+\mathrm{e}^x}}{\mathrm{e}^x}+C_1.$$

对于 $I_2=\int\frac{\sqrt{1-t}}{t^2}\mathrm{d}t$,设 $u=\sqrt{1-t}$,则 $t=1-u^2$,$\mathrm{d}t=-2u\mathrm{d}u$. 于是

$$I_2=\int\frac{\sqrt{1-t}}{t^2}\mathrm{d}t=-2\int\frac{u^2\mathrm{d}u}{(1-u^2)^2}=2\int\frac{(1-u^2)-1}{(1-u^2)^2}\mathrm{d}u=2\int\frac{1}{1-u^2}\mathrm{d}u-2\int\frac{1}{(1-u^2)^2}\mathrm{d}u$$

$$=\ln\left|\frac{u+1}{u-1}\right|-\frac{1}{2}\int\left[\frac{1}{1+u}+\frac{1}{(1+u)^2}+\frac{1}{1-u}+\frac{1}{(1-u)^2}\right]\mathrm{d}u$$

$$=\ln\left|\frac{u+1}{u-1}\right|-\frac{1}{2}\ln\left|\frac{u+1}{u-1}\right|+\frac{1}{2}\left(\frac{1}{u+1}+\frac{1}{u-1}\right)+C_2$$

$$=\frac{1}{2}\ln\left|\frac{u+1}{u-1}\right|+\frac{u}{u^2-1}+C_2=\frac{1}{2}\ln\frac{1+\sqrt{1-\mathrm{e}^x}}{1-\sqrt{1-\mathrm{e}^x}}-\frac{\sqrt{1-\mathrm{e}^x}}{\mathrm{e}^x}+C_2.$$

所以

$$\int\frac{\mathrm{d}x}{\sqrt{1+\mathrm{e}^x}+\sqrt{1-\mathrm{e}^x}}=\frac{1}{2}I_1-\frac{1}{2}I_2$$

$$=\frac{1}{4}\ln\frac{\sqrt{1+\mathrm{e}^x}-1}{\sqrt{1+\mathrm{e}^x}+1}-\frac{\sqrt{1+\mathrm{e}^x}}{2\mathrm{e}^x}-\frac{1}{4}\ln\frac{1+\sqrt{1-\mathrm{e}^x}}{1-\sqrt{1-\mathrm{e}^x}}+\frac{\sqrt{1-\mathrm{e}^x}}{2\mathrm{e}^x}+C$$

$$=-\frac{\mathrm{e}^{-x}}{2}(\sqrt{1+\mathrm{e}^x}-\sqrt{1-\mathrm{e}^x})+\frac{1}{4}\ln\frac{(\sqrt{1+\mathrm{e}^x}-1)(1-\sqrt{1-\mathrm{e}^x})}{(\sqrt{1+\mathrm{e}^x}+1)(1+\sqrt{1-\mathrm{e}^x})}+C.$$

习题 2091—2097 指数函数与仅有实根的有理函数乘积的积分

【2091】 证明:若 R 为有理函数,其分母仅有实根,则积分 $\int R(x)\mathrm{e}^{ax}\mathrm{d}x$ 可用初等函数和超越函数

$$\int\frac{\mathrm{e}^{ax}}{x}\mathrm{d}x=\mathrm{li}(\mathrm{e}^{ax})+C,\text{式中 } \mathrm{li}\,x=\int\frac{\mathrm{d}x}{\ln x}$$

来表示.

证 因为 R 的分母仅有实根,所以仅包含形如 $(x-a_i)^{k_i}$ 的因子 $(i=1,2,\cdots,l)$. 分解 $R(x)$ 为部分分

式得

$$R(x)=P(x)+\sum_{i=1}^{l}\sum_{j=1}^{k_i}\frac{A_{ij}}{(x-a_i)^j},$$

其中 $P(x)$ 为 x 的多项式，A_{ij} 是常数. 从而，积分

$$\int R(x)e^{ax}dx=\int P(x)e^{ax}dx+\sum_{i=1}^{l}\sum_{j=1}^{k_i}A_{ij}\int\frac{e^{ax}}{(x-a^i)^j}dx,$$

上式右端第一个积分显然是初等函数. 而积分$\int\frac{e^{ax}}{(x-a_i)^j}dx$ 可用初等函数和超越函数来表示. 事实上，设 $x-a_i=t$，则

$$\int\frac{e^{ax}}{(x-a_i)^j}dx=\int\frac{e^{a(a_i+t)}}{t^j}dt=\frac{e^{aa_i}}{1-j}\int e^{at}d\left(\frac{1}{t^{j-1}}\right)$$

$$=\frac{e^{aa_i}}{1-j}e^t\cdot\frac{1}{t^{j-1}}-\frac{ae^{aa_i}}{1-j}\int\frac{e^{at}}{t^{j-1}}dt.$$

这样，被积函数中分母的次数便降低一次，再继续运用分部积分法$(j-2)$次，即可得

$$\int\frac{e^{ax}}{(x-a_i)^j}dx=g_{ij}(x)+B_{ij}\operatorname{li}(e^{a(x-a_i)}),$$

其中 $g_{ij}(x)$ 为 x 的初等函数，B_{ij} 为常数. 因此，积分

$$\int R(x)e^{ax}dx=\int P(x)e^{ax}dx+\sum_{i=1}^{l}\sum_{j=1}^{k_i}A_{ij}g_{ij}(x)+\sum_{i=1}^{l}\sum_{j=1}^{k_i}A_{ij}B_{ij}\operatorname{li}(e^{a(x-a_i)})$$

是初等函数与超越函数之和.

【2092】 若 $P\left(\frac{1}{x}\right)=a_0+\frac{a_1}{x}+\cdots+\frac{a_n}{x^n}$，$a_0,a_1,\cdots,a_n$ 为常数，则在什么情形下，积分$\int P\left(\frac{1}{x}\right)e^x dx$ 为初等函数？

解
$$\int\frac{a_k}{x^k}e^x dx=-\frac{a_k}{k-1}\cdot\frac{e^x}{x^{k-1}}+\frac{a_k}{k-1}\int\frac{e^x}{x^{k-1}}dx=\cdots$$

$$=-\frac{a_k}{k-1}\cdot\frac{e^x}{x^{k-1}}-\frac{a_k}{(k-1)(k-2)}\cdot\frac{e^x}{x^{k-2}}-\cdots-\frac{a_k}{(k-1)!}\cdot\frac{e^x}{x}+\frac{a_k}{(k-1)!}\int\frac{e^x}{x}dx.$$

于是

$$\int P\left(\frac{1}{x}\right)e^x dx=\int\left(\sum_{k=0}^{n}\frac{a_k}{x^k}\right)e^x dx=\sum_{k=0}^{n}\int\frac{a_k}{x^k}e^x dx$$

$$=-\sum_{k=2}^{n}\sum_{j=1}^{k-1}\frac{a_k}{(k-1)(k-2)\cdots(k-j)}\cdot\frac{e^x}{x^{k-j}}+\sum_{k=1}^{n}\frac{a_k}{(k-1)!}\int\frac{e^x}{x}dx+a_0e^x.$$

因而，若$\sum_{k=1}^{n}\frac{a_k}{(k-1)!}=0$，即 $a_1+\frac{a_2}{1!}+\frac{a_3}{2!}+\cdots+\frac{a_n}{(n-1)!}=0$，则积分$\int P\left(\frac{1}{x}\right)e^x dx$ 是初等函数.

【求下列积分(2093—2097)】

【2093】 $\int\left(1-\frac{2}{x}\right)^2e^x dx.$

解
$$\int\left(1-\frac{2}{x}\right)^2e^x dx=\int\left(1-\frac{4}{x}+\frac{4}{x^2}\right)e^x dx=e^x-4\operatorname{li}(e^x)-4\int e^x d\left(\frac{1}{x}\right)$$

$$=e^x-4\operatorname{li}(e^x)-\frac{4}{x}e^x+4\int\frac{e^x}{x}dx=e^x\left(1-\frac{4}{x}\right)+C.$$

【2094】 $\int\left(1-\frac{1}{x}\right)e^{-x}dx.$

解
$$\int\left(1-\frac{1}{x}\right)e^{-x}dx=-e^{-x}-\operatorname{li}(e^{-x})+C.$$

【2095】 $\int \frac{e^{2x}}{x^2-3x+2}dx.$

解 $\int \frac{e^{2x}}{x^2-3x+2}dx=\int \frac{e^{2x}}{(x-2)(x-1)}dx=\int \frac{e^{2x}}{x-2}dx-\int \frac{e^{2x}}{x-1}dx$

$$=e^4\int \frac{e^{2(x-2)}d(x-2)}{x-2}-e^2\int \frac{e^{2(x-1)}d(x-1)}{x-1}$$

$$=e^4\,\mathrm{li}(e^{2x-4})-e^2\,\mathrm{li}(e^{2x-2})+C.$$

【2096】 $\int \frac{xe^x}{(x+1)^2}dx.$

解 $\int \frac{xe^x}{(x+1)^2}dx=-\int xe^x d\left(\frac{1}{x+1}\right)=-\frac{xe^x}{x+1}+\int e^x dx=\frac{e^x}{x+1}+C.$

【2097】 $\int \frac{x^4e^{2x}}{(x-2)^2}dx.$

解 $\int \frac{x^4e^{2x}}{(x-2)^2}dx=\int (x^2+4x+12)e^{2x}dx+32\int \frac{e^{2x}dx}{x-2}+16\int \frac{e^{2x}dx}{(x-2)^2}$

$$=e^{2x}\left(\frac{x^2}{2}+\frac{3x}{2}+\frac{21}{4}\right)+32e^4\,\mathrm{li}(e^{2x-4})-16\int e^{2x}d\left(\frac{1}{x-2}\right)$$

$$=\frac{e^{2x}}{2}\left(x^2+3x+\frac{21}{2}\right)+32e^4\,\mathrm{li}(e^{2x-4})-\frac{16e^{2x}}{x-2}+32\int \frac{e^{2x}dx}{x-2}$$

$$=\frac{e^{2x}}{2}\left(x^2+3x+\frac{21}{2}-\frac{32}{x-2}\right)+64e^4\,\mathrm{li}(e^{2x-4})+C.$$

注 本题用到 2066 题的结果.

习题 2098—2115 超越函数与代数函数复合的积分

【求含有 $\ln f(x)$，$\arctan f(x)$，$\arcsin f(x)$，$\arccos f(x)$ 等函数的积分，其中 $f(x)$ 为代数函数(2098—2115)】

【2098】 $\int \ln^n x\,dx$（n 为正整数）.

解 $\int \ln^n x\,dx=x\ln^n x-n\int \ln^{n-1}x\,dx=x\ln^n x-nx\ln^{n-1}x+n(n-1)\int \ln^{n-2}x\,dx=\cdots$

$$=x[\ln^n x-n\ln^{n-1}x+n(n-1)\ln^{n-2}x-\cdots+(-1)^{n-1}n!\ln x+(-1)^n n!]+C.$$

【2099】 $\int x^3\ln^3 x\,dx.$

解 $\int x^3\ln^3 x\,dx=\frac{1}{4}\int \ln^3 x\,d(x^4)=\frac{1}{4}x^4\ln^3 x-\frac{3}{4}\int x^3\ln^2 x\,dx=\frac{1}{4}x^4\ln^3 x-\frac{3}{16}\int \ln^2 x\,d(x^4)$

$$=\frac{1}{4}x^4\ln^3 x-\frac{3}{16}x^4\ln^2 x+\frac{3}{8}\int x^3\ln x\,dx=\frac{1}{4}x^4\ln^3 x-\frac{3}{16}x^4\ln^2 x+\frac{3}{32}\int \ln x\,d(x^4)$$

$$=\frac{1}{4}x^4\ln^3 x-\frac{3}{16}x^4\ln^2 x+\frac{3}{32}x^4\ln x-\frac{3}{32}\int x^3dx$$

$$=\frac{1}{4}x^4\left(\ln^3 x-\frac{3}{4}\ln^2 x+\frac{3}{8}\ln x-\frac{3}{32}\right)+C.$$

【2100】 $\int \left(\frac{\ln x}{x}\right)^3dx.$

解 $\int \left(\frac{\ln x}{x}\right)^3dx=-\frac{1}{2}\int \ln^3 x\,d\left(\frac{1}{x^2}\right)=-\frac{1}{2x^2}\ln^3 x+\frac{3}{2}\int \frac{\ln^2 x}{x^3}dx=-\frac{1}{2x^2}\ln^3 x-\frac{3}{4}\int \ln^2 x\,d\left(\frac{1}{x^2}\right)$

$$=-\frac{1}{2x^2}\ln^3 x-\frac{3}{4x^2}\ln^2 x+\frac{3}{2}\int\frac{\ln x}{x^3}\mathrm{d}x=-\frac{1}{2x^2}\ln^3 x-\frac{3}{4x^2}\ln^2 x-\frac{3}{4}\int\ln x\mathrm{d}\left(\frac{1}{x^2}\right)$$

$$=-\frac{1}{2x^2}\ln^3 x-\frac{3}{4x^2}\ln^2 x-\frac{3}{4x^2}\ln x+\frac{3}{4}\int\frac{\mathrm{d}x}{x^3}$$

$$=-\frac{1}{2x^2}\left(\ln^3 x+\frac{3}{2}\ln^2 x+\frac{3}{2}\ln x+\frac{3}{4}\right)+C.$$

【2101】 $\int\ln[(x+a)^{x+a}(x+b)^{x+b}]\dfrac{\mathrm{d}x}{(x+a)(x+b)}$.

解 $\int\ln[(x+a)^{x+a}(x+b)^{x+b}]\dfrac{\mathrm{d}x}{(x+a)(x+b)}=\int\dfrac{\ln(x+a)}{x+b}\mathrm{d}x+\int\dfrac{\ln(x+b)}{x+a}\mathrm{d}x$

$=\int\ln(x+a)\mathrm{d}[\ln(x+b)]+\int\ln(x+b)\mathrm{d}[\ln(x+a)]$

$=\ln(x+a)\ln(x+b)-\int\ln(x+b)\mathrm{d}[\ln(x+a)]+\int\ln(x+b)\mathrm{d}[\ln(x+a)]$

$=\ln(x+a)\ln(x+b)+C.$

【2102】 $\int\ln^2(x+\sqrt{1+x^2})\mathrm{d}x$.

解 $\int\ln^2(x+\sqrt{1+x^2})\mathrm{d}x=x\ln^2(x+\sqrt{1+x^2})-2\int\dfrac{x}{\sqrt{1+x^2}}\ln(x+\sqrt{1+x^2})\mathrm{d}x$

$=x\ln^2(x+\sqrt{1+x^2})-2\int\ln(x+\sqrt{1+x^2})\mathrm{d}(\sqrt{1+x^2})$

$=x\ln^2(x+\sqrt{1+x^2})-2\sqrt{1+x^2}\ln(x+\sqrt{1+x^2})+2\int\mathrm{d}x$

$=x\ln^2(x+\sqrt{1+x^2})-2\sqrt{1+x^2}\ln(x+\sqrt{1+x^2})+2x+C.$

【2103】 $\int\ln(\sqrt{1-x}+\sqrt{1+x})\mathrm{d}x$.

解 $\int\ln(\sqrt{1-x}+\sqrt{1+x})\mathrm{d}x=x\ln(\sqrt{1-x}+\sqrt{1+x})+\dfrac{1}{2}\int\dfrac{1-\sqrt{1-x^2}}{\sqrt{1-x^2}}\mathrm{d}x$

$=x\ln(\sqrt{1-x}+\sqrt{1+x})+\dfrac{1}{2}\arcsin x-\dfrac{1}{2}x+C.$

【2104】 $\int\dfrac{\ln x}{(1+x^2)^{\frac{3}{2}}}\mathrm{d}x$.

解 $\int\dfrac{\ln x}{(1+x^2)^{\frac{3}{2}}}\mathrm{d}x=\int\ln x\mathrm{d}\left(\dfrac{x}{\sqrt{1+x^2}}\right)=\dfrac{x\ln x}{\sqrt{1+x^2}}-\int\dfrac{\mathrm{d}x}{\sqrt{1+x^2}}$

$=\dfrac{x\ln x}{\sqrt{1+x^2}}-\ln(x+\sqrt{1+x^2})+C.$

【2105】 $\int x\arctan(x+1)\mathrm{d}x$.

解 $\int x\arctan(x+1)\mathrm{d}x=\dfrac{1}{2}\int\arctan(x+1)\mathrm{d}(x^2)=\dfrac{1}{2}x^2\arctan(x+1)-\dfrac{1}{2}\int\dfrac{x^2}{x^2+2x+2}\mathrm{d}x$

$=\dfrac{1}{2}x^2\arctan(x+1)-\dfrac{1}{2}\int\left(1-\dfrac{2x+2}{x^2+2x+2}\right)\mathrm{d}x$

$=\dfrac{1}{2}x^2\arctan(x+1)-\dfrac{x}{2}+\dfrac{1}{2}\ln(x^2+2x+2)+C.$

【2106】 $\int\sqrt{x}\arctan\sqrt{x}\mathrm{d}x$.

解 方法一 $\int\sqrt{x}\arctan\sqrt{x}\mathrm{d}x=\dfrac{2}{3}\int\arctan\sqrt{x}\mathrm{d}(x^{\frac{3}{2}})=\dfrac{2}{3}x^{\frac{3}{2}}\arctan\sqrt{x}-\dfrac{1}{3}\int\dfrac{x}{1+x}\mathrm{d}x$

$$= \frac{2}{3}x^{\frac{3}{2}}\arctan\sqrt{x} - \frac{1}{3}\int\left(1-\frac{1}{1+x}\right)dx$$

$$= \frac{2}{3}x\sqrt{x}\arctan\sqrt{x} - \frac{x}{3} + \frac{1}{3}\ln(1+x)+C.$$

方法二 令 $u=\sqrt{x}$，则

$$\int\sqrt{x}\arctan\sqrt{x}\,dx = 2\int u^2\arctan u\,du = \frac{2}{3}\int\arctan u\,d(u^3) = \frac{2}{3}u^3\arctan u - \frac{2}{3}\int\frac{u^3}{1+u^2}du$$

$$= \frac{2}{3}u^3\arctan u - \frac{2}{3}\int\left(u-\frac{u}{1+u^2}\right)du = \frac{2}{3}u^3\arctan u - \frac{1}{3}u^2 + \frac{1}{3}\ln(1+u^2)+C$$

$$= \frac{2}{3}x^{\frac{3}{2}}\arctan\sqrt{x} - \frac{1}{3}x + \frac{1}{3}\ln(1+x)+C.$$

【2107】 $\int x\arcsin(1-x)dx.$

解 $\int x\arcsin(1-x)dx = \frac{1}{2}\int\arcsin(1-x)d(x^2) = \frac{1}{2}x^2\arcsin(1-x) + \frac{1}{2}\int\frac{x^2}{\sqrt{1-(1-x)^2}}dx.$

对于积分 $\int\frac{x^2}{\sqrt{1-(1-x)^2}}dx$，设 $1-x=t$，则

$$\int\frac{x^2}{\sqrt{1-(1-x)^2}}dx = -\int\frac{1-2t+t^2}{\sqrt{1-t^2}}dt = \int\frac{-t^2+1}{\sqrt{1-t^2}}dt - 2\int\frac{dt}{\sqrt{1-t^2}} + 2\int\frac{tdt}{\sqrt{1-t^2}}$$

$$= \int\sqrt{1-t^2}\,dt - 2\arcsin t - 2\sqrt{1-t^2}$$

$$= \frac{t}{2}\sqrt{1-t^2} + \frac{1}{2}\arcsin t - 2\arcsin t - 2\sqrt{1-t^2} + C_1$$

$$= \frac{-3-x}{2}\sqrt{2x-x^2} - \frac{3}{2}\arcsin(1-x) + C_1.$$

于是

$$\int x\arcsin(1-x)dx = \frac{2x^2-3}{4}\arcsin(1-x) - \frac{3+x}{4}\sqrt{2x-x^2}+C.$$

【2108】 $\int\arcsin\sqrt{x}\,dx.$

解 **方法一** $\int\arcsin\sqrt{x}\,dx = x\arcsin\sqrt{x} - \frac{1}{2}\int\frac{\sqrt{x}}{\sqrt{1-x}}dx.$

对于积分 $\int\frac{\sqrt{x}}{\sqrt{1-x}}dx$，设 $\sqrt{x}=t$，则 $dx=2tdt$，于是

$$\int\frac{\sqrt{x}}{\sqrt{1-x}}dx = 2\int\frac{t^2}{\sqrt{1-t^2}}dt = -2\int\sqrt{1-t^2}\,dt + 2\int\frac{dt}{\sqrt{1-t^2}}$$

$$= -t\sqrt{1-t^2} - \arcsin t + 2\arcsin t + C_1 = \arcsin\sqrt{x} - \sqrt{x-x^2} + C_1.$$

因而 $\int\arcsin\sqrt{x}\,dx = x\arcsin\sqrt{x} - \frac{1}{2}\arcsin\sqrt{x} + \frac{1}{2}\sqrt{x-x^2}+C.$

方法二 令 $\arcsin\sqrt{x}=t, x=\sin^2 t$，则

$$\int\arcsin\sqrt{x}\,dx = \int t\,d(\sin^2 t) = t\sin^2 t - \int\sin^2 t\,dt = t\sin^2 t - \int\frac{1-\cos 2t}{2}dt$$

$$= t\sin^2 t - \frac{t}{2} + \frac{1}{2}\sin t\cos t + C = x\arcsin\sqrt{x} - \frac{1}{2}\arcsin\sqrt{x} + \frac{1}{2}\sqrt{x-x^2}+C.$$

【2109】 $\int x\arccos\frac{1}{x}dx.$

解 当 $x>1$ 时，$\int x\arccos\frac{1}{x}dx = \frac{1}{2}\int\arccos\frac{1}{x}d(x^2) = \frac{1}{2}x^2\arccos\frac{1}{x} - \frac{1}{2}\int\frac{x}{\sqrt{x^2-1}}dx$

$$= \frac{1}{2}x^2 \arccos\frac{1}{x} - \frac{1}{2}\sqrt{x^2-1} + C.$$

当 $x < -1$ 时，$\int x\arccos\frac{1}{x}dx = \frac{1}{2}\int \arccos\frac{1}{x}d(x^2) = \frac{1}{2}x^2\arccos\frac{1}{x} + \frac{1}{2}\int\frac{x}{\sqrt{x^2-1}}dx$

$$= \frac{1}{2}x^2\arccos\frac{1}{x} + \frac{1}{2}\sqrt{x^2-1} + C.$$

综上$\int x\arccos\frac{1}{x}dx = \frac{1}{2}x^2\arccos\frac{1}{x} - \frac{1}{2}\operatorname{sgn} x \cdot \sqrt{x^2-1} + C.$

【2110】 $\int \arcsin\frac{2\sqrt{x}}{1+x}dx.$

解　方法一 $\int \arcsin\frac{2\sqrt{x}}{1+x}dx = \int\arcsin\frac{2\sqrt{x}}{1+x}d(x+1) = (x+1)\arcsin\frac{2\sqrt{x}}{1+x} - \operatorname{sgn}(1-x)\int\frac{1}{\sqrt{x}}dx$

$$= (x+1)\arcsin\frac{2\sqrt{x}}{1+x} - 2\sqrt{x}\operatorname{sgn}(1-x) + C.$$

其中用到了

$$\left(\arcsin\frac{2\sqrt{x}}{1+x}\right)' = \frac{1}{\sqrt{1-\frac{4x}{(1+x)^2}}}\cdot\frac{\frac{1}{\sqrt{x}}(1+x)-2\sqrt{x}}{(1+x)^2}$$

$$= \frac{1}{1+x}\cdot\frac{1-x}{\sqrt{(1-x)^2}\sqrt{x}} = \frac{1}{\sqrt{x}(1+x)}\operatorname{sgn}(1-x).$$

方法二　令 $u=\sqrt{x}$，则

$$\int\arcsin\frac{2\sqrt{x}}{1+x}dx = \int\arcsin\frac{2u}{1+u^2}d(u^2) = u^2\arcsin\frac{2u}{1+u^2} - \int\frac{u^2}{\sqrt{1-\left(\frac{2u}{1+u^2}\right)^2}}\cdot\frac{2(1+u^2)-4u^2}{(1+u^2)^2}du$$

$$= u^2\arcsin\frac{2u}{1+u^2} - 2\operatorname{sgn}(1-u^2)\int\frac{u^2}{1+u^2}du$$

$$= u^2\arcsin\frac{2u}{1+u^2} - 2\operatorname{sgn}(1-u^2)(u-\arctan u) + C$$

$$= x\arcsin\frac{2\sqrt{x}}{1+x} - 2\operatorname{sgn}(1-x)(\sqrt{x}-\arctan\sqrt{x}) + C.$$

【2111】 $\int\frac{\arccos x}{(1-x^2)^{\frac{3}{2}}}dx.$

解　方法一 $\int\frac{\arccos x}{(1-x^2)^{\frac{3}{2}}}dx = \int\arccos x\, d\left(\frac{x}{\sqrt{1-x^2}}\right) = \frac{x\arccos x}{\sqrt{1-x^2}} + \int\frac{x dx}{1-x^2}$

$$= \frac{x\arccos x}{\sqrt{1-x^2}} - \ln\sqrt{1-x^2} + C.$$

方法二　令 $u=\arccos x$，则

$$\int\frac{\arccos x}{(1-x^2)^{\frac{3}{2}}}dx = \int u d\cot u = u\cot u - \int\cot u du$$

$$= u\cot u - \ln|\sin u| + C = \frac{x\arccos x}{\sqrt{1-x^2}} - \ln\sqrt{1-x^2} + C.$$

【2112】 $\int\frac{x\arccos x}{(1-x^2)^{\frac{3}{2}}}dx.$

解　方法一 $\int\frac{x\arccos x}{(1-x^2)^{\frac{3}{2}}}dx = \int\arccos x\, d\left(\frac{1}{\sqrt{1-x^2}}\right) = \frac{\arccos x}{\sqrt{1-x^2}} + \int\frac{dx}{1-x^2}$

$$= \frac{\arccos x}{\sqrt{1-x^2}} + \frac{1}{2}\ln\frac{1+x}{1-x} + C.$$

方法二 令 $u = \arccos x$，则

$$\int \frac{x\arccos x}{(1-x^2)^{\frac{3}{2}}}\mathrm{d}x = -\int \frac{u\cos u}{\sin^2 u}\mathrm{d}u = -\int \frac{u}{\sin^2 u}\mathrm{d}(\sin u) = \int u\mathrm{d}\left(\frac{1}{\sin u}\right) = \frac{u}{\sin u} - \int \frac{1}{\sin u}\mathrm{d}u$$

$$= \frac{u}{\sin u} - \ln|\csc u - \cot u| + C = \frac{\arccos x}{\sqrt{1-x^2}} + \frac{1}{2}\ln\frac{1+x}{1-x} + C.$$

【2113】 $\int x\arctan x\ln(1+x^2)\mathrm{d}x.$

解 $\int x\arctan x\ln(1+x^2)\mathrm{d}x = \frac{1}{2}\int \arctan x\ln(1+x^2)\mathrm{d}(x^2)$

$$= \frac{1}{2}x^2\arctan x\ln(1+x^2) - \frac{1}{2}\int x^2\left[\frac{\ln(1+x^2)}{1+x^2} + \frac{2x\arctan x}{1+x^2}\right]\mathrm{d}x$$

$$= \frac{1}{2}x^2\arctan x\ln(1+x^2) - \frac{1}{2}\int \ln(1+x^2)\mathrm{d}x + \frac{1}{2}\int \frac{\ln(1+x^2)}{1+x^2}\mathrm{d}x + \int \frac{x\arctan x}{1+x^2}\mathrm{d}x - \int x\arctan x\mathrm{d}x$$

$$= \frac{1}{2}x^2\arctan x\ln(1+x^2) - \frac{1}{2}x\ln(1+x^2) + \frac{1}{2}\int \frac{2x^2\mathrm{d}x}{1+x^2} + \frac{1}{2}\arctan x\ln(1+x^2) -$$

$$\int \frac{x\arctan x}{1+x^2}\mathrm{d}x + \int \frac{x\arctan x}{1+x^2}\mathrm{d}x - \frac{1}{2}x^2\arctan x + \frac{1}{2}\int \frac{x^2}{1+x^2}\mathrm{d}x$$

$$= \frac{1}{2}x^2\arctan x\ln(1+x^2) - \frac{1}{2}x\ln(1+x^2) + x - \arctan x + \frac{1}{2}\arctan x\ln(1+x^2) - \frac{1}{2}x^2\arctan x +$$

$$\frac{1}{2}x - \frac{1}{2}\arctan x + C$$

$$= x - \arctan x + \left(\frac{1+x^2}{2}\arctan x - \frac{x}{2}\right)[\ln(1+x^2) - 1] + C.$$

【2114】 $\int x\ln\frac{1+x}{1-x}\mathrm{d}x.$

解 $\int x\ln\frac{1+x}{1-x}\mathrm{d}x = \frac{1}{2}\int \ln\frac{1+x}{1-x}\mathrm{d}(x^2) = \frac{1}{2}x^2\ln\frac{1+x}{1-x} - \int \frac{x^2}{1-x^2}\mathrm{d}x$

$$= \frac{1}{2}x^2\ln\frac{1+x}{1-x} + \int\left(1 - \frac{1}{1-x^2}\right)\mathrm{d}x = \frac{x^2-1}{2}\ln\frac{1+x}{1-x} + x + C.$$

【2115】 $\int \frac{\ln(x+\sqrt{1+x^2})}{(1+x^2)^{\frac{3}{2}}}\mathrm{d}x.$

解 $\int \frac{\ln(x+\sqrt{1+x^2})}{(1+x^2)^{\frac{3}{2}}}\mathrm{d}x = \int \ln(x+\sqrt{1+x^2})\mathrm{d}\left(\frac{x}{\sqrt{1+x^2}}\right) = \frac{x\ln(x+\sqrt{1+x^2})}{\sqrt{1+x^2}} - \int \frac{x}{1+x^2}\mathrm{d}x$

$$= \frac{x\ln(x+\sqrt{1+x^2})}{\sqrt{1+x^2}} - \ln\sqrt{1+x^2} + C.$$

习题 2116—2125 双曲有理函数的积分

【求含有双曲函数的积分(2116—2125)】

【2116】 $\int \mathrm{sh}^2 x\,\mathrm{ch}^2 x\,\mathrm{d}x.$

解 $\int \mathrm{sh}^2 x\,\mathrm{ch}^2 x\,\mathrm{d}x = \frac{1}{4}\int \mathrm{sh}^2 2x\,\mathrm{d}x = \frac{1}{8}\int \mathrm{sh}^2 2x\,\mathrm{d}(2x) = -\frac{x}{8} + \frac{\mathrm{sh}\,4x}{32} + C.$

注 本题用到 1761 题的结果.

【2117】 $\int \mathrm{ch}^4 x\mathrm{d}x$.

解 $\int \mathrm{ch}^4 x\mathrm{d}x=\int\left(\frac{1+\mathrm{ch}\,2x}{2}\right)^2\mathrm{d}x=\int\left(\frac{1}{4}+\frac{1}{2}\mathrm{ch}\,2x+\frac{1}{4}\mathrm{ch}^2 2x\right)\mathrm{d}x$

$=\frac{1}{4}x+\frac{1}{4}\mathrm{sh}\,2x+\frac{1}{8}\left(x+\frac{1}{4}\mathrm{sh}\,4x\right)+C=\frac{3}{8}x+\frac{1}{4}\mathrm{sh}\,2x+\frac{1}{32}\mathrm{sh}\,4x+C.$

注 本题用到 1762 题的结果.

【2118】 $\int \mathrm{sh}^3 x\mathrm{d}x$.

解 $\int \mathrm{sh}^3 x\mathrm{d}x=\int \mathrm{sh}^2 x\mathrm{sh}\,x\mathrm{d}x=\int(\mathrm{ch}^2 x-1)\mathrm{d}(\mathrm{ch}\,x)=\frac{1}{3}\mathrm{ch}^3 x-\mathrm{ch}\,x+C.$

【2119】 $\int \mathrm{sh}\,x\mathrm{sh}\,2x\mathrm{sh}\,3x\mathrm{d}x$.

解 $\int \mathrm{sh}\,x\mathrm{sh}\,2x\mathrm{sh}\,3x\mathrm{d}x=\int\frac{1}{2}(\mathrm{ch}\,4x-\mathrm{ch}\,2x)\mathrm{sh}\,2x\mathrm{d}x$

$=\frac{1}{2}\int\mathrm{ch}\,4x\mathrm{sh}\,2x\mathrm{d}x-\frac{1}{2}\int\mathrm{ch}\,2x\mathrm{sh}\,2x\mathrm{d}x$

$=\frac{1}{4}\int(\mathrm{sh}\,6x-\mathrm{sh}\,2x)\mathrm{d}x-\frac{1}{4}\int\mathrm{sh}\,4x\mathrm{d}x$

$=\frac{1}{24}\mathrm{ch}\,6x-\frac{1}{16}\mathrm{ch}\,4x-\frac{1}{8}\mathrm{ch}\,2x+C.$

【2120】 $\int \mathrm{th}\,x\mathrm{d}x$.

解 $\int \mathrm{th}\,x\mathrm{d}x=\int\frac{\mathrm{sh}\,x}{\mathrm{ch}\,x}\mathrm{d}x=\ln(\mathrm{ch}\,x)+C.$

【2121】 $\int \mathrm{coth}^2 x\mathrm{d}x$.

解 $\int \mathrm{coth}^2 x\mathrm{d}x=\int\frac{\mathrm{ch}^2 x}{\mathrm{sh}^2 x}\mathrm{d}x=\int\frac{1+\mathrm{sh}^2 x}{\mathrm{sh}^2 x}\mathrm{d}x=x-\mathrm{coth}\,x+C.$

【2122】 $\int\sqrt{\mathrm{th}\,x}\,\mathrm{d}x$.

解 $\int\sqrt{\mathrm{th}\,x}\,\mathrm{d}x=\int\sqrt{\frac{\mathrm{e}^x-\mathrm{e}^{-x}}{\mathrm{e}^x+\mathrm{e}^{-x}}}\,\mathrm{d}x=\int\frac{\mathrm{e}^x-\mathrm{e}^{-x}}{\sqrt{\mathrm{e}^{2x}-\mathrm{e}^{-2x}}}\mathrm{d}x=\int\frac{\mathrm{e}^{2x}\mathrm{d}x}{\sqrt{\mathrm{e}^{4x}-1}}-\int\frac{\mathrm{e}^{-2x}\mathrm{d}x}{\sqrt{1-\mathrm{e}^{-4x}}}$

$=\frac{1}{2}\int\frac{\mathrm{d}(\mathrm{e}^{2x})}{\sqrt{(\mathrm{e}^{2x})^2-1}}+\frac{1}{2}\int\frac{\mathrm{d}(\mathrm{e}^{-2x})}{\sqrt{1-(\mathrm{e}^{-2x})^2}}$

$=\frac{1}{2}\ln(\mathrm{e}^{2x}+\sqrt{\mathrm{e}^{4x}-1})+\frac{1}{2}\arcsin(\mathrm{e}^{-2x})+C.$

【2123】 $\int\frac{\mathrm{d}x}{\mathrm{sh}\,x+2\mathrm{ch}\,x}$.

解 设 $\mathrm{th}\,\frac{x}{2}=t$,则 $\mathrm{sh}\,x=\frac{2t}{1-t^2}$,$\mathrm{ch}\,x=\frac{1+t^2}{1-t^2}$,$x=\ln\frac{1+t}{1-t}$,$\mathrm{d}x=\frac{2}{1-t^2}\mathrm{d}t$,代入得

$$\int\frac{\mathrm{d}x}{\mathrm{sh}\,x+2\mathrm{ch}\,x}=\int\frac{\mathrm{d}t}{t^2+t+1}=\frac{2}{\sqrt{3}}\arctan\frac{2t+1}{\sqrt{3}}+C=\frac{2}{\sqrt{3}}\arctan\frac{1+2\mathrm{th}\,\frac{x}{2}}{\sqrt{3}}+C.$$

【2124】 $\int\mathrm{sh}\,ax\sin bx\mathrm{d}x$.

解 $\int\mathrm{sh}\,ax\sin bx\mathrm{d}x=\frac{1}{2}\int\mathrm{e}^{ax}\sin bx\mathrm{d}x-\frac{1}{2}\int\mathrm{e}^{-ax}\sin bx\mathrm{d}x$

$$=\frac{1}{2}e^{ax}\frac{a\sin bx-b\cos bx}{a^2+b^2}+\frac{1}{2}e^{-ax}\frac{a\sin bx+b\cos bx}{a^2+b^2}+C$$

$$=\frac{a\,\mathrm{ch}\,ax\sin bx-b\,\mathrm{sh}\,ax\cos bx}{a^2+b^2}+C.$$

注 本题用到 1827 题的结果.

【2125】 $\int \mathrm{sh}\,ax\cos bx\,\mathrm{d}x$.

解 $\int \mathrm{sh}\,ax\cos bx\,\mathrm{d}x=\frac{1}{2}\int e^{ax}\cos bx\,\mathrm{d}x-\frac{1}{2}\int e^{-ax}\cos bx\,\mathrm{d}x$

$$=\frac{1}{2}e^{ax}\frac{a\cos bx+b\sin bx}{a^2+b^2}+\frac{1}{2}e^{-ax}\frac{a\cos bx-b\sin bx}{a^2+b^2}+C$$

$$=\frac{a\,\mathrm{ch}\,ax\cos bx-b\,\mathrm{sh}\,ax\sin bx}{a^2+b^2}+C.$$

注 本题用到 1826 题的结果.

第6节 求函数积分的各种例子（习题2126—2180）

知识点预览

知识点	题目序号	所在页码
求函数积分的各种例子	2126—2180	P131

知识点 求函数积分的各种例子

函数的积分一般有以下类型：有理函数的积分、含有无理根式的分式函数的积分、含有超越函数的有理式的积分、被积函数含有绝对值的函数的积分、抽象函数的不定积分等.

习题 2126—2128 有理函数的积分

【求下列积分(2126—2128)】

【2126】 $\int \frac{\mathrm{d}x}{x^6(1+x^2)}$.

解 $\int \frac{\mathrm{d}x}{x^6(1+x^2)}=\int \frac{(1+x^2)-x^2}{x^6(1+x^2)}\mathrm{d}x=\int \frac{\mathrm{d}x}{x^6}-\int \frac{\mathrm{d}x}{x^4(1+x^2)}=-\frac{1}{5x^5}-\int \frac{(1+x^2)-x^2}{x^4(1+x^2)}\mathrm{d}x$

$$=-\frac{1}{5x^5}-\int \frac{\mathrm{d}x}{x^4}+\int \frac{x^2}{x^4(1+x^2)}\mathrm{d}x=-\frac{1}{5x^5}+\frac{1}{3x^3}+\int\left(\frac{1}{x^2}-\frac{1}{1+x^2}\right)\mathrm{d}x$$

$$=-\frac{1}{5x^5}+\frac{1}{3x^3}-\frac{1}{x}-\arctan x+C.$$

【2127】 $\int \frac{x^2\mathrm{d}x}{(1-x^2)^3}$.

解 $\int \frac{x^2\mathrm{d}x}{(1-x^2)^3} = \int \frac{(x^2-1)+1}{(1-x^2)^3}\mathrm{d}x = -\int \frac{\mathrm{d}x}{(x^2-1)^2} - \int \frac{\mathrm{d}x}{(x^2-1)^3}$

$$= -\int \frac{\mathrm{d}x}{(x^2-1)^2} - \left[\frac{2x}{2(-4)(x^2-1)^2} - \frac{3}{4}\int \frac{\mathrm{d}x}{(x^2-1)^2}\right]$$

$$= -\frac{1}{4}\int \frac{\mathrm{d}x}{(x^2-1)^2} + \frac{x}{4(1-x^2)^2}$$

$$= -\frac{1}{4}\left[-\frac{x}{2(x^2-1)} - \frac{1}{2}\int \frac{\mathrm{d}x}{x^2-1}\right] + \frac{x}{4(1-x^2)^2}$$

$$= \frac{x+x^3}{8(1-x^2)^2} - \frac{1}{16}\ln\left|\frac{1+x}{1-x}\right| + C.$$

注 本题用到 1921 题的递推公式.

【2128】 $\int \frac{\mathrm{d}x}{1+x^4+x^8}$.

解 因为

$$1+x^4+x^8 = (x^4+1)^2 - x^4 = (x^4+x^2+1)(x^4-x^2+1),$$

$$x^4+x^2+1 = (x^2+1)^2 - x^2 = (x^2+x+1)(x^2-x+1),$$

$$x^4-x^2+1 = (x^2+1)^2 - 3x^3 = (x^2+\sqrt{3}x+1)(x^2-\sqrt{3}x+1),$$

所以

$$\frac{1}{1+x^4+x^8} = \frac{1}{2}\left(\frac{x^2+1}{x^4+x^2+1} - \frac{x^2-1}{x^4-x^2+1}\right),$$

$$\frac{x^2+1}{x^4+x^2+1} = \frac{1}{2}\left(\frac{1}{x^2+x+1} + \frac{1}{x^2-x+1}\right),$$

$$\frac{x^2-1}{x^4-x^2+1} = \frac{-\frac{1}{\sqrt{3}}x - \frac{1}{2}}{x^2+\sqrt{3}x+1} + \frac{\frac{1}{\sqrt{3}}x - \frac{1}{2}}{x^2-\sqrt{3}x+1}.$$

于是

$$\int \frac{\mathrm{d}x}{1+x^4+x^8} = \frac{1}{4}\int \frac{\mathrm{d}x}{x^2+x+1} + \frac{1}{4}\int \frac{\mathrm{d}x}{x^2-x+1} + \frac{1}{4\sqrt{3}}\int \frac{2x+\sqrt{3}}{x^2+\sqrt{3}x+1}\mathrm{d}x - \frac{1}{4\sqrt{3}}\int \frac{2x-\sqrt{3}}{x^2-\sqrt{3}x+1}\mathrm{d}x$$

$$= \frac{1}{2\sqrt{3}}\left(\arctan\frac{2x+1}{\sqrt{3}} + \arctan\frac{2x-1}{\sqrt{3}}\right) + \frac{1}{4\sqrt{3}}[\ln(x^2+\sqrt{3}x+1) - \ln(x^2-\sqrt{3}x+1)] + C$$

$$= \frac{1}{2\sqrt{3}}\arctan\frac{\sqrt{3}x}{1-x^2} + \frac{1}{4\sqrt{3}}\ln\frac{x^2+\sqrt{3}x+1}{x^2-\sqrt{3}x+1} + C.$$

习题 2129—2138 含有无理根式的分式函数的积分

【求下列积分(2129—2138)】

【2129】 $\int \frac{\mathrm{d}x}{\sqrt{x}+\sqrt[3]{x}}$.

解 设 $\sqrt[6]{x} = t$, 则 $x = t^6$, $\mathrm{d}x = 6t^5\mathrm{d}t$, 代入得

$$\int \frac{\mathrm{d}x}{\sqrt{x}+\sqrt[3]{x}} = 6\int \frac{t^3\mathrm{d}t}{t+1} = 6\int\left(t^2-t+1-\frac{1}{t+1}\right)\mathrm{d}t = 2t^3 - 3t^2 + 6t - 6\ln(1+t) + C$$

$$= 2\sqrt{x} - 3\sqrt[3]{x} + 6\sqrt[6]{x} - 6\ln(1+\sqrt[6]{x}) + C.$$

【2130】 $\int x^2\sqrt{\dfrac{x}{1-x}}\mathrm{d}x.$

解 设$\sqrt{\dfrac{1-x}{x}} = t$，则 $x = \dfrac{1}{1+t^2}$，$\mathrm{d}x = -\dfrac{2t}{(1+t^2)^2}\mathrm{d}t$. 代入得

$$\int x^2\sqrt{\frac{x}{1-x}}\mathrm{d}x = -2\int\frac{\mathrm{d}t}{(t^2+1)^4} = -2\left[\frac{t}{6(t^2+1)^3} + \frac{5t}{24(t^2+1)^2} + \frac{5t}{16(t^2+1)} + \frac{5}{16}\arctan t\right] + C_1$$

$$= -\frac{1}{24}(8x^2+10x+15)\sqrt{x(1-x)} - \frac{5}{8}\arctan\sqrt{\frac{1-x}{x}} + C_1$$

$$= -\frac{1}{24}(8x^2+10x+15)\sqrt{x(1-x)} + \frac{5}{8}\arcsin\sqrt{x} + C.$$

注 本题用到 1921 题的递推公式.

【2131】 $\int\dfrac{x+2}{x^2\sqrt{1-x^2}}\mathrm{d}x.$

解 设 $x = \sin t$，并限制 $-\dfrac{\pi}{2} < t < \dfrac{\pi}{2}$，则 $\mathrm{d}x = \cos t\mathrm{d}t$. 代入得

$$\int\frac{x+2}{x^2\sqrt{1-x^2}}\mathrm{d}x = \int\frac{\sin t+2}{\sin^2 t}\mathrm{d}t = \int\frac{\mathrm{d}t}{\sin t} + 2\int\frac{\mathrm{d}t}{\sin^2 t} = \ln|\csc t - \cot t| - 2\cot t + C$$

$$= -\ln\frac{1+\sqrt{1-x^2}}{|x|} - \frac{2\sqrt{1-x^2}}{x} + C.$$

【2132】 $\int\sqrt{\dfrac{x}{1-x\sqrt{x}}}\mathrm{d}x.$

解 设$\sqrt{1-x\sqrt{x}} = t$，则 $x = (1-t^2)^{\frac{2}{3}}$，$\mathrm{d}x = -\dfrac{4}{3}t(1-t^2)^{-\frac{1}{3}}\mathrm{d}t$，代入得

$$\int\sqrt{\frac{x}{1-x\sqrt{x}}}\mathrm{d}x = -\frac{4}{3}\int\mathrm{d}t = -\frac{4}{3}t + C = -\frac{4}{3}\sqrt{1-x\sqrt{x}} + C.$$

【2133】 $\int\dfrac{x^5\mathrm{d}x}{\sqrt{1+x^2}}.$

解 设$\sqrt{1+x^2} = t$，则 $x^2 = t^2-1$，$x\mathrm{d}x = t\mathrm{d}t$，代入得

$$\int\frac{x^5\mathrm{d}x}{\sqrt{1+x^2}} = \int(t^2-1)^2\mathrm{d}t = \int(t^4-2t^2+1)\mathrm{d}t$$

$$= \frac{1}{5}t^5 - \frac{2}{3}t^3 + t + C = \frac{1}{15}(8-4x^2+3x^4)\sqrt{1+x^2} + C.$$

【2134】 $\int\dfrac{\mathrm{d}x}{\sqrt[3]{x^2(1-x)}}.$

解 设$\sqrt[3]{\dfrac{1-x}{x}} = t$，则 $x = \dfrac{1}{t^3+1}$，$\mathrm{d}x = -\dfrac{3t^2}{(t^3+1)^2}\mathrm{d}t$，代入得

$$\int\frac{\mathrm{d}x}{\sqrt[3]{x^2(1-x)}} = -3\int\frac{t}{t^3+1}\mathrm{d}t = \int\frac{\mathrm{d}t}{t+1} - \int\frac{t+1}{t^2-t+1}\mathrm{d}t$$

$$= \ln|t+1| - \frac{1}{2}\int\frac{2t-1}{t^2-t+1}\mathrm{d}t - \frac{3}{2}\int\frac{\mathrm{d}t}{t^2-t+1}$$

$$= \frac{1}{2}\ln\frac{(t+1)^2}{t^2-t+1} - \sqrt{3}\arctan\frac{2t-1}{\sqrt{3}} + C,$$

其中 $t=\sqrt[3]{\dfrac{1-x}{x}}$.

【2135】 $\displaystyle\int\frac{\mathrm{d}x}{x\sqrt{1+x^3+x^6}}$.

解　方法一　当 $x>0$ 时,有

$$\int\frac{\mathrm{d}x}{x\sqrt{1+x^3+x^6}}=\int\frac{\mathrm{d}x}{x^4\sqrt{x^{-6}+x^{-3}+1}}=-\frac{1}{3}\int\frac{\mathrm{d}\left(x^{-3}+\frac{1}{2}\right)}{\sqrt{\left(x^{-3}+\frac{1}{2}\right)^2+\frac{3}{4}}}$$

$$=-\frac{1}{3}\ln\left|x^{-3}+\frac{1}{2}+\sqrt{x^{-6}+x^{-3}+1}\right|+C_1$$

$$=-\frac{1}{3}\ln\left|\frac{2+x^3+2\sqrt{x^6+x^3+1}}{x^3}\right|+C.$$

当 $x<0$ 时,有

$$\int\frac{\mathrm{d}x}{x\sqrt{1+x^3+x^6}}=-\int\frac{\mathrm{d}x}{x^4\sqrt{x^{-6}+x^{-3}+1}}=\frac{1}{3}\int\frac{\mathrm{d}\left(x^{-3}+\frac{1}{2}\right)}{\sqrt{\left(x^{-3}+\frac{1}{2}\right)^2+\frac{3}{4}}}$$

$$=\frac{1}{3}\ln\left|x^{-3}+\frac{1}{2}+\sqrt{x^{-6}+x^{-3}+1}\right|+C_1$$

$$=-\frac{1}{3}\ln\left|\frac{2+x^3+2\sqrt{x^6+x^3+1}}{x^3}\right|+C.$$

综上 $\displaystyle\int\frac{\mathrm{d}x}{x\sqrt{1+x^3+x^6}}=-\frac{1}{3}\ln\left|\frac{2+x^3+2\sqrt{x^6+x^3+1}}{x^3}\right|+C.$

方法二　$\displaystyle\int\frac{\mathrm{d}x}{x\sqrt{1+x^3+x^6}}=\int\frac{x^2\,\mathrm{d}x}{x^3\sqrt{1+x^3+x^6}}\xlongequal{t=x^3}\frac{1}{3}\int\frac{\mathrm{d}t}{t\sqrt{1+t+t^2}}.$

当 $t>0$ 时,令 $u=\dfrac{1}{t}$,则

$$\int\frac{\mathrm{d}t}{t\sqrt{1+t+t^2}}=\int\frac{u\left(-\frac{1}{u^2}\right)\mathrm{d}u}{\sqrt{1+\frac{1}{u}+\frac{1}{u^2}}}=-\int\frac{\mathrm{d}u}{\sqrt{u^2+u+1}}=-\int\frac{\mathrm{d}u}{\sqrt{\left(u+\frac{1}{2}\right)^2+\frac{3}{4}}}$$

$$=-\ln\left(u+\frac{1}{2}+\sqrt{u^2+u+1}\right)+C_1=-\ln\left(x^{-3}+\frac{1}{2}+\sqrt{x^{-6}+x^{-3}+1}\right)+C_1$$

$$=-\ln\left|\frac{2+x^3+2\sqrt{x^6+x^3+1}}{x^3}\right|+C.$$

当 $t<0$ 时,令 $u=-\dfrac{1}{t}$,则

$$\int\frac{\mathrm{d}t}{t\sqrt{1+t+t^2}}=\int\frac{-u\cdot\frac{1}{u^2}\mathrm{d}u}{\sqrt{1+\frac{1}{u}+\frac{1}{u^2}}}=\int\frac{\mathrm{d}u}{\sqrt{u^2+u+1}}=\int\frac{\mathrm{d}u}{\sqrt{\left(u+\frac{1}{2}\right)^2+\frac{3}{4}}}$$

$$=\ln\left(u+\frac{1}{2}+\sqrt{u^2+u+1}\right)+C_1=\ln\left(-x^{-3}+\frac{1}{2}+\sqrt{x^{-6}-x^{-3}+1}\right)+C_1$$

$$=-\ln\left|\frac{2+x^3+2\sqrt{x^6+x^3+1}}{x^3}\right|+C,$$

综上 $\displaystyle\int\frac{\mathrm{d}x}{x\sqrt{1+x^3+x^6}}=-\frac{1}{3}\ln\left|\frac{2+x^3+2\sqrt{x^6+x^3+1}}{x^3}\right|+C.$

【2136】 $\int\frac{\mathrm{d}x}{x\sqrt{x^4-2x^2-1}}$.

解 $\int\frac{\mathrm{d}x}{x\sqrt{x^4-2x^2-1}}=\int\frac{\mathrm{d}x}{x^3\sqrt{1-2x^{-2}-x^{-4}}}=-\frac{1}{2}\int\frac{\mathrm{d}(x^{-2}+1)}{\sqrt{2-(x^{-2}+1)^2}}$

$=-\frac{1}{2}\arcsin\frac{x^{-2}+1}{\sqrt{2}}+C_1=-\frac{1}{2}\arcsin\frac{x^2+1}{\sqrt{2}x^2}+C_1=\frac{1}{2}\arccos\frac{x^2+1}{\sqrt{2}x^2}+C.$

【2137】 $\int\frac{1+\sqrt{1-x^2}}{1-\sqrt{1-x^2}}\mathrm{d}x$.

解 $\int\frac{1+\sqrt{1-x^2}}{1-\sqrt{1-x^2}}\mathrm{d}x=\int\frac{(1+\sqrt{1-x^2})^2}{(1-\sqrt{1-x^2})(1+\sqrt{1-x^2})}\mathrm{d}x=\int\frac{2-x^2+2\sqrt{1-x^2}}{x^2}\mathrm{d}x$

$=-\frac{2}{x}-x-2\int\sqrt{1-x^2}\,\mathrm{d}\left(\frac{1}{x}\right)=-\frac{2}{x}-x-\frac{2}{x}\sqrt{1-x^2}-2\int\frac{\mathrm{d}x}{\sqrt{1-x^2}}$

$=-\frac{2+x^2}{x}-\frac{2}{x}\sqrt{1-x^2}-2\arcsin x+C.$

【2138】 $\int\frac{(1+x)\mathrm{d}x}{x+\sqrt{x+x^2}}$.

解 当 $x>0$ 时，

$$\int\frac{(1+x)\mathrm{d}x}{x+\sqrt{x+x^2}}=\int\frac{(1+x)(x-\sqrt{x+x^2})}{(x+\sqrt{x+x^2})(x-\sqrt{x+x^2})}\mathrm{d}x=\int\frac{x+x^2-\sqrt{x+x^2}-x\sqrt{x+x^2}}{-x}\mathrm{d}x$$

$$=-x-\frac{1}{2}x^2+\int\frac{\sqrt{1+x}}{\sqrt{x}}\mathrm{d}x+\int\sqrt{x+x^2}\,\mathrm{d}x$$

$$=-x-\frac{1}{2}x^2+2\int\sqrt{1+(\sqrt{x})^2}\,\mathrm{d}(\sqrt{x})+\int\sqrt{\left(x+\frac{1}{2}\right)^2-\left(\frac{1}{2}\right)^2}\,\mathrm{d}\left(x+\frac{1}{2}\right)$$

$$=-x-\frac{1}{2}x^2+\sqrt{x}\sqrt{1+x}+\ln(\sqrt{x}+\sqrt{1+x})+\frac{2x+1}{4}\sqrt{x+x^2}-$$
$$\frac{1}{8}\ln\left(x+\frac{1}{2}+\sqrt{x+x^2}\right)+C_1$$

$$=-x-\frac{1}{2}x^2+\frac{5+2x}{4}\sqrt{x+x^2}+\frac{1}{2}\ln(2x+1+2\sqrt{x+x^2})-$$
$$\frac{1}{8}\ln\left(x+\frac{1}{2}+\sqrt{x+x^2}\right)+C_1$$

$$=-x-\frac{1}{2}x^2+\frac{5+2x}{4}\sqrt{x+x^2}+\frac{3}{8}\ln(2x+1+2\sqrt{x+x^2})+C_1.$$

$$=-\frac{1}{2}(x+1)^2+\frac{5+2x}{4}\sqrt{x+x^2}+\frac{3}{8}\ln\left(x+\frac{1}{2}+\sqrt{x+x^2}\right)+C.$$

当 $x<-1$ 时，同样可获得上述结果，但要注意在对数中要加绝对值.

习题 2139—2165 含有超越函数的有理式的积分

【求下列积分(2139—2165)】

【2139】 $\int\frac{\ln(1+x+x^2)}{(1+x)^2}\mathrm{d}x$.

解 $\int\frac{\ln(1+x+x^2)}{(1+x)^2}\mathrm{d}x=-\int\ln(1+x+x^2)\mathrm{d}\left(\frac{1}{1+x}\right)$

$=-\frac{\ln(1+x+x^2)}{1+x}+\int\frac{2x+1}{(x+1)(1+x+x^2)}\mathrm{d}x$

$$=-\frac{\ln(1+x+x^2)}{1+x}+\int\left(\frac{x+2}{1+x+x^2}-\frac{1}{1+x}\right)dx$$

$$=-\frac{\ln(1+x+x^2)}{1+x}+\frac{1}{2}\int\left(\frac{2x+1}{1+x+x^2}+\frac{3}{1+x+x^2}\right)dx-\ln|1+x|$$

$$=-\frac{\ln(1+x+x^2)}{1+x}+\frac{1}{2}\ln(1+x+x^2)+\sqrt{3}\arctan\frac{2x+1}{\sqrt{3}}-\ln|1+x|+C$$

$$=-\frac{\ln(1+x+x^2)}{1+x}-\frac{1}{2}\ln\frac{(1+x)^2}{1+x+x^2}+\sqrt{3}\arctan\frac{2x+1}{\sqrt{3}}+C.$$

【2140】 $\int(2x+3)\arccos(2x-3)dx.$

解 $\int(2x+3)\arccos(2x-3)dx=\int\arccos(2x-3)d(x^2+3x)$

$$=(x^2+3x)\arccos(2x-3)+\int\frac{x^2+3x}{\sqrt{-x^2+3x-2}}dx$$

$$=(x^2+3x)\arccos(2x-3)-\int\sqrt{-x^2+3x-2}\,dx-3\int\frac{-2x+3}{\sqrt{-x^2+3x-2}}dx+7\int\frac{dx}{\sqrt{-x^2+3x-2}}$$

$$=(x^2+3x)\arccos(2x-3)-\int\sqrt{\left(\frac{1}{2}\right)^2-\left(x-\frac{3}{2}\right)^2}\,d\left(x-\frac{3}{2}\right)-6\sqrt{-x^2+3x-2}+$$

$$7\int\frac{d\left(x-\frac{3}{2}\right)}{\sqrt{\left(\frac{1}{2}\right)^2-\left(x-\frac{3}{2}\right)^2}}$$

$$=(x^2+3x)\arccos(2x-3)-\frac{2x-3}{4}\sqrt{-x^2+3x-2}-\frac{1}{8}\arcsin(2x-3)-6\sqrt{-x^2+3x-2}-$$

$$7\arccos(2x-3)+C_1$$

$$=\left(x^2+3x-\frac{55}{8}\right)\arccos(2x-3)-\frac{2x+21}{4}\sqrt{-x^2+3x-2}+C.$$

【2141】 $\int x\ln(4+x^4)dx.$

解 $\int x\ln(4+x^4)dx=\frac{1}{2}\int\ln(4+x^4)d(x^2)=\frac{1}{2}x^2\ln(4+x^4)-2\int\frac{x^5}{4+x^4}dx$

$$=\frac{1}{2}x^2\ln(4+x^4)-2\int\left(x-\frac{4x}{4+x^4}\right)dx$$

$$=\frac{1}{2}x^2\ln(4+x^4)-x^2+2\arctan\frac{x^2}{2}+C.$$

【2142】 $\int\frac{\arcsin x}{x^2}\cdot\frac{1+x^2}{\sqrt{1-x^2}}dx.$

解 当 $x>0$ 时，有

$$\int\frac{\arcsin x}{x^2}\cdot\frac{1+x^2}{\sqrt{1-x^2}}dx=\int\frac{\arcsin x}{x^2\sqrt{1-x^2}}dx+\int\frac{\arcsin x}{\sqrt{1-x^2}}dx$$

$$=\int\frac{\arcsin x\,dx}{x^3\sqrt{x^{-2}-1}}+\int\arcsin x\,d(\arcsin x)$$

$$=-\int\arcsin x\,d\left(\sqrt{x^{-2}-1}\right)+\frac{1}{2}(\arcsin x)^2$$

$$=-\left(\frac{\sqrt{1-x^2}}{x}\arcsin x-\int\frac{dx}{x}\right)+\frac{1}{2}(\arcsin x)^2$$

$$=-\frac{\sqrt{1-x^2}}{x}(\arcsin x)^2+\ln x+\frac{1}{2}(\arcsin x)^2+C.$$

当 $x<0$ 时，有

$$\int \frac{\arcsin x}{x^2}\cdot\frac{1+x^2}{\sqrt{1-x^2}}dx=\int\frac{\arcsin x}{x^2\sqrt{1-x^2}}dx+\int\frac{\arcsin x}{\sqrt{1-x^2}}dx$$

$$=-\int\frac{\arcsin x dx}{x^3\sqrt{x^{-2}-1}}+\int\arcsin x d(\arcsin x)$$

$$=\int\arcsin x d(\sqrt{x^{-2}-1})+\frac{1}{2}(\arcsin x)^2$$

$$=\left(-\frac{\sqrt{1-x^2}}{x}\arcsin x+\int\frac{dx}{x}\right)+\frac{1}{2}(\arcsin x)^2$$

$$=-\frac{\sqrt{1-x^2}}{x}(\arcsin x)^2+\ln|x|+\frac{1}{2}(\arcsin x)^2+C.$$

综上 $\int \frac{\arcsin x}{x^2}\cdot\frac{1+x^2}{\sqrt{1-x^2}}dx=-\frac{\sqrt{1-x^2}}{x}(\arcsin x)^2+\ln|x|+\frac{1}{2}(\arcsin x)^2+C.$

【2143】 $\int\frac{x\ln(1+\sqrt{1+x^2})}{\sqrt{1+x^2}}dx.$

解 $\int\frac{x\ln(1+\sqrt{1+x^2})}{\sqrt{1+x^2}}dx=\int\ln(1+\sqrt{1+x^2})d(1+\sqrt{1+x^2})$

$$=(1+\sqrt{1+x^2})\ln(1+\sqrt{1+x^2})-\int\frac{xdx}{\sqrt{1+x^2}}$$

$$=(1+\sqrt{1+x^2})\ln(1+\sqrt{1+x^2})-\sqrt{1+x^2}+C.$$

【2144】 $\int x\sqrt{x^2+1}\ln\sqrt{x^2-1}dx.$

解 $\int x\sqrt{x^2+1}\ln\sqrt{x^2-1}dx=\frac{1}{3}\int\ln\sqrt{x^2-1}d[(x^2+1)^{\frac{3}{2}}]$

$$=\frac{1}{3}(x^2+1)^{\frac{3}{2}}\ln\sqrt{x^2-1}-\frac{1}{3}\int(x^2+1)^{\frac{3}{2}}\cdot\frac{x}{x^2-1}dx.$$

对于右端的积分，设 $\sqrt{x^2+1}=t$，则 $x^2+1=t^2$，$xdx=tdt$. 于是

$$-\frac{1}{3}\int(x^2+1)^{\frac{3}{2}}\frac{xdx}{x^2-1}=-\frac{1}{3}\int\frac{t^4dt}{t^2-2}=-\frac{1}{3}\int\left(t^2+2+\frac{4}{t^2-2}\right)dt$$

$$=-\frac{1}{9}t^3-\frac{2}{3}t-\frac{\sqrt{2}}{3}\ln\left|\frac{t-\sqrt{2}}{t+\sqrt{2}}\right|+C$$

$$=-\frac{x^2+7}{9}\sqrt{1+x^2}-\frac{\sqrt{2}}{3}\ln\frac{\sqrt{1+x^2}-\sqrt{2}}{\sqrt{1+x^2}+\sqrt{2}}+C.$$

最后得到

$$\int x\sqrt{x^2+1}\ln\sqrt{x^2-1}dx=\frac{1}{3}(x^2+1)^{\frac{3}{2}}\ln\sqrt{x^2-1}-\frac{x^2+7}{9}\sqrt{1+x^2}-\frac{\sqrt{2}}{3}\ln\frac{\sqrt{1+x^2}-\sqrt{2}}{\sqrt{1+x^2}+\sqrt{2}}+C.$$

【2145】 $\int\frac{x}{\sqrt{1-x^2}}\ln\frac{x}{\sqrt{1-x}}dx.$

解 $\int\frac{x}{\sqrt{1-x^2}}\ln\frac{x}{\sqrt{1-x}}dx=-\int\ln\frac{x}{\sqrt{1-x}}d(\sqrt{1-x^2})$

$$=-\sqrt{1-x^2}\ln\frac{x}{\sqrt{1-x}}+\frac{1}{2}\int\frac{\sqrt{1-x^2}(2-x)}{x(1-x)}dx.$$

右端的积分

$$\int\frac{\sqrt{1-x^2}(2-x)}{x(1-x)}dx=\int\frac{(1-x^2)(2-x)}{x(1-x)\sqrt{1-x^2}}dx=\int\frac{2+x-x^2}{x\sqrt{1-x^2}}dx$$

$$= 2\int\frac{dx}{x\sqrt{1-x^2}}+\int\frac{dx}{\sqrt{1-x^2}}-\int\frac{xdx}{\sqrt{1-x^2}}$$

$$=-2\int\frac{d\left(\frac{1}{x}\right)}{\sqrt{\left(\frac{1}{x}\right)^2-1}}+\arcsin x+\sqrt{1-x^2}$$

$$=-2\ln\left|\frac{1}{x}+\sqrt{\frac{1}{x^2}-1}\right|+\arcsin x+\sqrt{1-x^2}+C_1$$

$$=-2\ln\frac{1+\sqrt{1-x^2}}{x}+\arcsin x+\sqrt{1-x^2}+C_1.$$

于是

$$\int\frac{x}{\sqrt{1-x^2}}\ln\frac{x}{\sqrt{1-x}}dx=\left(\frac{1}{2}-\ln\frac{x}{\sqrt{1-x}}\right)\sqrt{1-x^2}-\ln\frac{1+\sqrt{1-x^2}}{x}+\frac{1}{2}\arcsin x+C.$$

【2146】 $\int\frac{dx}{(2+\sin x)^2}$.

解 设 $\tan\frac{x}{2}=t$，不妨限制 $-\pi<x<\pi$，则 $\sin x=\frac{2t}{1+t^2}$，$dx=\frac{2dt}{1+t^2}$，代入得

$$\int\frac{dx}{(2+\sin x)^2}=\frac{1}{2}\int\frac{1+t^2}{(1+t+t^2)^2}dt=\frac{1}{2}\int\frac{(1+t+t^2)-\frac{1}{2}(2t+1)+\frac{1}{2}}{(1+t+t^2)^2}dt$$

$$=\frac{1}{2}\int\frac{dt}{1+t+t^2}-\frac{1}{4}\int\frac{(2t+1)dt}{(1+t+t^2)^2}+\frac{1}{4}\int\frac{dt}{(1+t+t^2)^2}$$

$$=\frac{1}{\sqrt{3}}\arctan\frac{2t+1}{\sqrt{3}}+\frac{1}{4(1+t+t^2)}+\frac{1}{4}\left[\frac{2t+1}{3(1+t+t^2)}+\frac{4}{3\sqrt{3}}\arctan\frac{2t+1}{\sqrt{3}}\right]+C_1$$

$$=\frac{4}{3\sqrt{3}}\arctan\frac{1+2\tan\frac{x}{2}}{\sqrt{3}}+\frac{\cos x}{3(2+\sin x)}+C.$$

注 (1) 本题用到 1921 题的递推公式.

(2) $$\frac{1}{4(1+t+t^2)}+\frac{2t+1}{12(1+t+t^2)}=\frac{t+2}{6(1+t+t^2)}=\frac{1}{6}\cdot\frac{\tan\frac{x}{2}+2}{1+\tan\frac{x}{2}+\tan^2\frac{x}{2}}$$

$$=\frac{1}{6}+\frac{\cos x}{3(2+\sin x)}.$$

【2147】 $\int\frac{\sin 4x}{\sin^8x+\cos^8x}dx$.

解 $$\sin^8x+\cos^8x=(\sin^4x+\cos^4x)^2-2\sin^4x\cos^4x$$

$$=[(\sin^2x+\cos^2x)^2-2\sin^2x\cos^2x]^2-\frac{1}{8}\sin^4 2x$$

$$=\left(1-\frac{1}{2}\sin^2 2x\right)^2-\frac{1}{8}\sin^4 2x=\frac{1}{8}(\sin^4 2x-8\sin^2 2x+8)$$

$$=\frac{1}{8}(\sin^2 2x-4-2\sqrt{2})(\sin^2 2x-4+2\sqrt{2})$$

$$=\frac{1}{32}(\cos 4x+7-4\sqrt{2})(\cos 4x+7+4\sqrt{2}).$$

于是

$$\int \frac{\sin 4x}{\sin^8 x+\cos^8 x}dx = 32\cdot\frac{1}{8\sqrt{2}}\left[\int\frac{\sin 4x}{\cos 4x+7-4\sqrt{2}}dx-\int\frac{\sin 4x}{\cos 4x+7+4\sqrt{2}}dx\right]$$

$$=-\frac{1}{\sqrt{2}}\int\frac{d(\cos 4x+7-4\sqrt{2})}{\cos 4x+7-4\sqrt{2}}+\frac{1}{\sqrt{2}}\int\frac{d(\cos 4x+7+4\sqrt{2})}{\cos 4x+7+4\sqrt{2}}$$

$$=\frac{1}{\sqrt{2}}\ln\frac{\cos 4x+7+4\sqrt{2}}{\cos 4x+7-4\sqrt{2}}+C.$$

【2148】 $\int\frac{dx}{\sin x\sqrt{1+\cos x}}$.

解 设 $1+\cos x=t^2$，并限制 $t>0$，则 $\sin x=t\sqrt{2-t^2}$，$dx=-\frac{2}{\sqrt{2-t^2}}dt$，代入得

$$\int\frac{dx}{\sin x\sqrt{1+\cos x}}=-\int\frac{2dt}{t^2(2-t^2)}=-\int\left(\frac{1}{t^2}+\frac{1}{2-t^2}\right)dt=\frac{1}{t}-\frac{1}{2\sqrt{2}}\ln\frac{\sqrt{2}+t}{\sqrt{2}-t}+C$$

$$=\frac{1}{\sqrt{1+\cos x}}-\frac{1}{2\sqrt{2}}\ln\frac{\sqrt{2}+\sqrt{1+\cos x}}{\sqrt{2}-\sqrt{1+\cos x}}+C.$$

【2149】 $\int\frac{ax^2+b}{x^2+1}\arctan x\,dx$.

解 $\int\frac{ax^2+b}{x^2+1}\arctan x\,dx=\int\left(a-\frac{a-b}{x^2+1}\right)\arctan x\,dx=ax\arctan x-a\int\frac{x\,dx}{1+x^2}-\frac{a-b}{2}(\arctan x)^2$

$$=a\left[x\arctan x-\frac{1}{2}\ln(1+x^2)\right]-\frac{a-b}{2}(\arctan x)^2+C.$$

【2150】 $\int\frac{ax^2+b}{x^2-1}\ln\left|\frac{x-1}{x+1}\right|dx$.

解 $\int\frac{ax^2+b}{x^2-1}\ln\left|\frac{x-1}{x+1}\right|dx=\int\left(a+\frac{a+b}{x^2-1}\right)\ln\left|\frac{x-1}{x+1}\right|dx$

$$=ax\ln\left|\frac{x-1}{x+1}\right|-a\int\frac{2x\,dx}{x^2-1}+\frac{a+b}{2}\int\ln\left|\frac{x-1}{x+1}\right|d\left(\ln\left|\frac{x-1}{x+1}\right|\right)$$

$$=a\left(x\ln\left|\frac{x-1}{x+1}\right|-\ln|x^2-1|\right)+\frac{a+b}{4}\ln^2\left|\frac{x-1}{x+1}\right|+C.$$

【2151】 $\int\frac{x\ln x}{(1+x^2)^2}dx$.

解 $\int\frac{x\ln x}{(1+x^2)^2}dx=-\frac{1}{2}\int\ln x\,d\left(\frac{1}{1+x^2}\right)=-\frac{\ln x}{2(1+x^2)}+\frac{1}{2}\int\frac{dx}{x(1+x^2)}$

$$=-\frac{\ln x}{2(1+x^2)}+\frac{1}{2}\int\left(\frac{1}{x}-\frac{x}{1+x^2}\right)dx$$

$$=-\frac{\ln x}{2(1+x^2)}+\frac{1}{2}\ln x-\frac{1}{4}\ln(1+x^2)+C$$

$$=-\frac{\ln x}{2(1+x^2)}+\frac{1}{4}\ln\frac{x^2}{1+x^2}+C.$$

【2152】 $\int\frac{x\arctan x}{\sqrt{1+x^2}}dx$.

解 $\int\frac{x\arctan x}{\sqrt{1+x^2}}dx=\int\arctan x\,d(\sqrt{1+x^2})=\sqrt{1+x^2}\arctan x-\int\frac{dx}{\sqrt{1+x^2}}$

$$=\sqrt{1+x^2}\arctan x-\ln(x+\sqrt{1+x^2})+C.$$

【2153】 $\int\frac{\sin 2x\,dx}{\sqrt{1+\cos^4 x}}$.

解 $\int\frac{\sin 2x\mathrm{d}x}{\sqrt{1+\cos^4 x}}=-\int\frac{\mathrm{d}(1+\cos 2x)}{\sqrt{(1+\cos 2x)^2+4}}=-\ln(1+\cos 2x+\sqrt{(1+\cos 2x)^2+4})+C_1$

$=-\ln(\cos^2 x+\sqrt{1+\cos^4 x})+C.$

【2154】 $\int\frac{x^3\arccos x}{\sqrt{1-x^2}}\mathrm{d}x.$

解 $\int\frac{x^3\arccos x}{\sqrt{1-x^2}}\mathrm{d}x=-\int x^2\arccos x\mathrm{d}(\sqrt{1-x^2})$

$=-x^2\sqrt{1-x^2}\arccos x+\int\sqrt{1-x^2}\left(2x\arccos x-\frac{x^2}{\sqrt{1-x^2}}\right)\mathrm{d}x$

$=-x^2\sqrt{1-x^2}\arccos x-\frac{2}{3}\int\arccos x\mathrm{d}[(1-x^2)^{\frac{3}{2}}]-\int x^2\mathrm{d}x$

$=-x^2\sqrt{1-x^2}\arccos x-\frac{2}{3}(1-x^2)^{\frac{3}{2}}\arccos x-\frac{2}{3}\int(1-x^2)^{\frac{3}{2}}\frac{\mathrm{d}x}{\sqrt{1-x^2}}-\frac{1}{3}x^3$

$=-x^2\sqrt{1-x^2}\arccos x-\frac{2}{3}(1-x^2)^{\frac{3}{2}}\arccos x-\frac{2}{3}x+\frac{2}{9}x^3-\frac{1}{3}x^3+C$

$=-\frac{6x+x^3}{9}-\frac{2+x^2}{3}\sqrt{1-x^2}\arccos x+C.$

【2155】 $\int\frac{x^4\arctan x}{1+x^2}\mathrm{d}x.$

解 $\int\frac{x^4\arctan x}{1+x^2}\mathrm{d}x=\int\left(x^2-1+\frac{1}{x^2+1}\right)\arctan x\mathrm{d}x$

$=\frac{1}{3}\int\arctan x\mathrm{d}(x^3)-\int\arctan x\mathrm{d}x+\int\arctan x\mathrm{d}(\arctan x)$

$=\frac{1}{3}x^3\arctan x-\frac{1}{3}\int\frac{x^3\mathrm{d}x}{1+x^2}-x\arctan x+\int\frac{x\mathrm{d}x}{1+x^2}+\frac{1}{2}(\arctan x)^2$

$=\frac{1}{3}x^3\arctan x-\frac{1}{3}\int\left(x-\frac{x}{1+x^2}\right)\mathrm{d}x-x\arctan x+\frac{1}{2}\ln(1+x^2)+\frac{1}{2}(\arctan x)^2$

$=\frac{1}{3}x^3\arctan x-\frac{1}{6}x^2+\frac{1}{6}\ln(1+x^2)-x\arctan x+\frac{1}{2}\ln(1+x^2)+\frac{1}{2}(\arctan x)^2+C$

$=-\frac{1}{6}x^2-\left(x-\frac{x^3}{3}\right)\arctan x+\frac{1}{2}(\arctan x)^2+\frac{2}{3}\ln(1+x^2)+C.$

【2156】 $\int\frac{x\operatorname{arccot} x}{(1+x^2)^2}\mathrm{d}x.$

解 $\int\frac{x\operatorname{arccot} x}{(1+x^2)^2}\mathrm{d}x=-\frac{1}{2}\int\operatorname{arccot} x\mathrm{d}\left(\frac{1}{1+x^2}\right)=-\frac{\operatorname{arccot} x}{2(1+x^2)}-\frac{1}{2}\int\frac{\mathrm{d}x}{(1+x^2)^2}$

$=-\frac{\operatorname{arccot} x}{2(1+x^2)}-\frac{1}{2}\left[\frac{x}{2(1+x^2)}-\frac{1}{2}\operatorname{arccot} x\right]+C$

$=\frac{x^2-1}{4(1+x^2)}\operatorname{arccot} x-\frac{x}{4(1+x^2)}+C.$

注 本题用到$\int\frac{\mathrm{d}x}{(1+x^2)^2}=\frac{x}{2(1+x^2)}-\frac{1}{2}\operatorname{arccot} x+C.$

【2157】 $\int\frac{x\ln(x+\sqrt{1+x^2})}{(1-x^2)^2}\mathrm{d}x.$

解 $\int\frac{x\ln(x+\sqrt{1+x^2})}{(1-x^2)^2}\mathrm{d}x=\frac{1}{2}\int\ln(x+\sqrt{1+x^2})\mathrm{d}\left(\frac{1}{1-x^2}\right)$

$$=\frac{1}{2(1-x^2)}\ln(x+\sqrt{1+x^2})-\frac{1}{2}\int\frac{dx}{(1-x^2)\sqrt{x^2+1}}.$$

对于右端积分，设 $x=\tan t$，并限制 $-\frac{\pi}{2}<t<\frac{\pi}{2}$，则 $\sqrt{1+x^2}=\sec t, dx=\sec^2 tdt$，代入得

$$\int\frac{dx}{(1-x^2)\sqrt{1+x^2}}=\int\frac{\sec tdt}{1-\tan^2 t}=\int\frac{\cos tdt}{\cos^2 t-\sin^2 t}=\int\frac{d(\sin t)}{1-2\sin^2 t}$$

$$=\frac{1}{2\sqrt{2}}\ln\left|\frac{1+\sqrt{2}\sin t}{1-\sqrt{2}\sin t}\right|+C=\frac{1}{2\sqrt{2}}\ln\left|\frac{\sqrt{1+x^2}+\sqrt{2}x}{\sqrt{1+x^2}-\sqrt{2}x}\right|+C.$$

于是 $\int\frac{x\ln(x+\sqrt{1+x^2})}{(1-x^2)^2}dx=\frac{\ln(x+\sqrt{1+x^2})}{2(1-x^2)}+\frac{1}{4\sqrt{2}}\ln\left|\frac{\sqrt{1+x^2}-\sqrt{2}x}{\sqrt{1+x^2}+\sqrt{2}x}\right|+C.$

【2158】 $\int\sqrt{1-x^2}\arcsin xdx.$

解 $\int\sqrt{1-x^2}\arcsin xdx=x\sqrt{1-x^2}\arcsin x-\int x\left(1-\frac{x}{\sqrt{1-x^2}}\arcsin x\right)dx$

$$=x\sqrt{1-x^2}\arcsin x-\frac{x^2}{2}-\int\sqrt{1-x^2}\arcsin xdx+\int\frac{\arcsin x}{\sqrt{1-x^2}}dx$$

$$=x\sqrt{1-x^2}\arcsin x-\frac{x^2}{2}+\frac{1}{2}(\arcsin x)^2-\int\sqrt{1-x^2}\arcsin xdx.$$

于是

$$\int\sqrt{1-x^2}\arcsin xdx=\frac{x}{2}\sqrt{1-x^2}\arcsin x-\frac{x^2}{4}+\frac{1}{4}(\arcsin x)^2+C.$$

【2159】 $\int x(1+x^2)\operatorname{arccot} xdx.$

解 $\int x(1+x^2)\operatorname{arccot} xdx=\frac{1}{4}\int\operatorname{arccot} xd[(1+x^2)^2]=\frac{1}{4}(1+x^2)^2\operatorname{arccot} x+\frac{1}{4}\int(1+x^2)dx$

$$=\frac{1}{4}(1+x^2)^2\operatorname{arccot} x+\frac{x}{4}+\frac{x^3}{12}+C.$$

【2160】 $\int x^x(1+\ln x)dx.$

解 $\int x^x(1+\ln x)dx=\int e^{x\ln x}(1+\ln x)dx=\int e^{x\ln x}d(x\ln x)=e^{x\ln x}+C=x^x+C.$

【2161】 $\int\frac{\arcsin e^x}{e^x}dx.$

解 $\int\frac{\arcsin e^x}{e^x}dx=-\int\arcsin e^x d(e^{-x})=-e^{-x}\arcsin e^x+\int\frac{dx}{\sqrt{1-e^{2x}}}$

$$=-e^{-x}\arcsin e^x-\int\frac{d(e^{-x})}{\sqrt{(e^{-x})^2-1}}$$

$$=-e^{-x}\arcsin e^x-\ln(e^{-x}+\sqrt{e^{-2x}-1})+C$$

$$=x-e^{-x}\arcsin e^x-\ln(1+\sqrt{1-e^{2x}})+C.$$

【2162】 $\int\frac{\arctan e^{\frac{x}{2}}}{e^{\frac{x}{2}}(1+e^x)}dx.$

解 $\int\frac{\arctan e^{\frac{x}{2}}}{e^{\frac{x}{2}}(1+e^x)}dx=\int\left(e^{-\frac{x}{2}}-\frac{e^{\frac{x}{2}}}{1+e^x}\right)\arctan e^{\frac{x}{2}}dx$

$$=-2\int\arctan e^{\frac{x}{2}}d(e^{-\frac{x}{2}})-2\int\arctan e^{\frac{x}{2}}d(\arctan e^{\frac{x}{2}})$$

$$=-2e^{-\frac{x}{2}}\arctan e^{\frac{x}{2}}+\int\frac{dx}{1+e^x}-(\arctan e^{\frac{x}{2}})^2$$

$$=-2e^{-\frac{x}{2}}\arctan e^{\frac{x}{2}}+\int\left(1-\frac{e^x}{1+e^x}\right)dx-(\arctan e^{\frac{x}{2}})^2$$

$$=-2e^{-\frac{x}{2}}\arctan e^{\frac{x}{2}}+x-\ln(1+e^x)-(\arctan e^{\frac{x}{2}})^2+C.$$

【2163】 $\displaystyle\int\frac{dx}{(e^{x+1}+1)^2-(e^{x-1}+1)^2}$.

解 $\displaystyle\int\frac{dx}{(e^{x+1}+1)^2-(e^{x-1}+1)^2}=\int\frac{dx}{(e^{x+1}-e^{x-1})(e^{x+1}+e^{x-1}+2)}=\int\frac{dx}{e^{2x}(e-e^{-1})(e+e^{-1}+2e^{-x})}$

$$=\int\frac{dx}{e^{2x}2\operatorname{sh}1(2\operatorname{ch}1+2e^{-x})}=\int\frac{dx}{4e^x\operatorname{sh}1(1+e^x\operatorname{ch}1)}=\frac{1}{4\operatorname{sh}1}\int\left(\frac{1}{e^x}-\frac{\operatorname{ch}1}{1+e^x\operatorname{ch}1}\right)dx$$

$$=-\frac{e^{-x}}{4\operatorname{sh}1}-\frac{\operatorname{ch}1}{4\operatorname{sh}1}\int\left(1-\frac{e^x\operatorname{ch}1}{1+e^x\operatorname{ch}1}\right)dx=-\frac{e^{-x}}{4\operatorname{sh}1}-\frac{\coth 1}{4}[x-\ln(1+e^x\operatorname{ch}1)]+C.$$

【2164】 $\displaystyle\int\sqrt{\operatorname{th}^2x+1}\,dx$.

解 $\displaystyle\int\sqrt{\operatorname{th}^2x+1}\,dx=\int\frac{\operatorname{th}^2x+1}{\sqrt{\operatorname{th}^2x+1}}dx=\int\frac{\frac{\operatorname{sh}^2x+\operatorname{ch}^2x}{\operatorname{ch}^2x}dx}{\sqrt{\operatorname{th}^2x+1}}=\int\frac{2\operatorname{ch}^2x-1}{\sqrt{1+\operatorname{th}^2x}}d(\operatorname{th}x)$

$$=2\int\frac{\operatorname{ch}^2x\,d(\operatorname{th}x)}{\sqrt{1+\operatorname{th}^2x}}-\int\frac{d(\operatorname{th}x)}{\sqrt{1+\operatorname{th}^2x}}=2\int\frac{dx}{\sqrt{\operatorname{th}^2x+1}}-\ln(\operatorname{th}x+\sqrt{1+\operatorname{th}^2x})$$

$$=2\int\frac{\operatorname{ch}x\,dx}{\sqrt{\operatorname{sh}^2x+\operatorname{ch}^2x}}-\ln(\operatorname{th}x+\sqrt{1+\operatorname{th}^2x})=\sqrt{2}\int\frac{d(\sqrt{2}\operatorname{sh}x)}{\sqrt{1+2\operatorname{sh}^2x}}-\ln(\operatorname{th}x+\sqrt{1+\operatorname{th}^2x})$$

$$=\sqrt{2}\ln(\sqrt{2}\operatorname{sh}x+\sqrt{1+2\operatorname{sh}^2x})-\ln(\operatorname{th}x+\sqrt{1+\operatorname{th}^2x})+C$$

$$=\frac{1}{\sqrt{2}}\ln\frac{\sqrt{1+\operatorname{th}^2x}+\sqrt{2}\operatorname{th}x}{\sqrt{1+\operatorname{th}^2x}-\sqrt{2}\operatorname{th}x}-\ln(\operatorname{th}x+\sqrt{1+\operatorname{th}^2x})+C.$$

【2165】 $\displaystyle\int\frac{1+\sin x}{1+\cos x}e^x dx$.

解 $\displaystyle\int\frac{1+\sin x}{1+\cos x}e^x dx=\int\left(\frac{1+2\sin\frac{x}{2}\cos\frac{x}{2}}{2\cos^2\frac{x}{2}}\right)e^x dx=\int\frac{e^x}{2\cos^2\frac{x}{2}}dx+\int e^x\tan\frac{x}{2}dx$

$$=\int e^x d\left(\tan\frac{x}{2}\right)+\int\tan\frac{x}{2}d(e^x)=e^x\tan\frac{x}{2}-\int\tan\frac{x}{2}d(e^x)+\int\tan\frac{x}{2}d(e^x)$$

$$=e^x\tan\frac{x}{2}+C.$$

习题 2166—2175 被积函数含有绝对值的函数的积分

【求下列积分(2166—2175)】

【2166】 $\displaystyle\int|x|\,dx$.

解 **方法一** $\displaystyle\int|x|\,dx=(\operatorname{sgn}x)\int x\,dx=(\operatorname{sgn}x)\frac{1}{2}x^2+C=\frac{x|x|}{2}+C.$

方法二 由于 $|x|=\begin{cases}x, & x>0,\\ -x, & x\leqslant 0,\end{cases}$ 所以 $\displaystyle\int|x|\,dx=\begin{cases}\frac{1}{2}x^2+C, & x>0,\\ -\frac{1}{2}x^2+C_1, & x\leqslant 0,\end{cases}$

由原函数在 $x=0$ 处连续,有 $0+C=0+C_1$,即 $C=C_1$,故

$$\int |x| \mathrm{d}x = \begin{cases} \frac{1}{2}x^2 + C, & x > 0, \\ -\frac{1}{2}x^2 + C, & x \leqslant 0. \end{cases}$$

【2167】 $\int x|x|\mathrm{d}x.$

解　方法一　$\int x|x|\mathrm{d}x = (\operatorname{sgn} x)\int x^2\mathrm{d}x = (\operatorname{sgn} x)\frac{x^3}{3} + C = \frac{x^2|x|}{3} + C.$

方法二　由于 $x|x| = \begin{cases} x^2, & x > 0, \\ -x^2, & x \leqslant 0, \end{cases}$ 所以 $\int x|x|\mathrm{d}x = \begin{cases} \frac{1}{3}x^3 + C, & x > 0, \\ -\frac{1}{3}x^3 + C_1, & x \leqslant 0, \end{cases}$

由原函数在 $x = 0$ 处连续，有 $0 + C = 0 + C_1$，即 $C = C_1$，故

$$\int x|x|\mathrm{d}x = \begin{cases} \frac{1}{3}x^3 + C, & x > 0, \\ -\frac{1}{3}x^3 + C, & x \leqslant 0. \end{cases}$$

【2168】 $\int (x + |x|)^2\mathrm{d}x.$

解　方法一　$\int (x+|x|)^2\mathrm{d}x = \int (x^2 + 2x|x| + x^2)\mathrm{d}x = \frac{2x^3}{3} + \frac{2x^2|x|}{3} + C = \frac{2x^2}{3}(x + |x|) + C.$

方法二　由于 $(x+|x|)^2 = \begin{cases} 4x^2, & x > 0, \\ 0, & x \leqslant 0, \end{cases}$ 所以

$$\int (x+|x|)^2\mathrm{d}x = \begin{cases} \frac{4}{3}x^3 + C, & x > 0, \\ C_1, & x \leqslant 0, \end{cases}$$

由原函数在 $x = 0$ 处连续，有 $0 + C = C_1$，即 $C = C_1$，故

$$\int (x+|x|)^2\mathrm{d}x = \begin{cases} \frac{4}{3}x^3 + C, & x > 0, \\ C, & x \leqslant 0. \end{cases}$$

【2169】 $\int (|1+x| - |1-x|)\mathrm{d}x.$

解　方法一　$\int (|1+x| - |1-x|)\mathrm{d}x = \int |1+x|\mathrm{d}(1+x) + \int |1-x|\mathrm{d}(1-x)$

$$= \frac{(1+x)|1+x|}{2} + \frac{(1-x)|1-x|}{2} + C.$$

方法二　由于 $|1+x| - |1-x| = \begin{cases} -2, & x < -1, \\ 2x, & -1 \leqslant x < 1, \\ 2, & x \geqslant 1, \end{cases}$ 所以

$$\int (|1+x| - |1-x|)\mathrm{d}x = \begin{cases} -2x + C, & x < -1, \\ x^2 + C_1, & -1 \leqslant x < 1, \\ 2x + C_2, & x \geqslant 1, \end{cases}$$

由原函数在 $x = -1$ 及 $x = 1$ 处连续，有 $2 + C = 1 + C_1 = 2 + C_2$，即 $C_1 = 1 + C$，$C_2 = C$. 故

$$\int (|1+x| - |1-x|)\mathrm{d}x = \begin{cases} -2x + C, & x < -1, \\ x^2 + 1 + C, & -1 \leqslant x < 1, \\ 2x + C, & x \geqslant 1. \end{cases}$$

注 方法一利用 2166 题方法一的结果.

【2170】 $\int e^{-|x|}dx$.

解 由于 $e^{-|x|}=\begin{cases}e^{-x}, & x>0,\\ e^{x}, & x\leqslant 0,\end{cases}$ 所以 $\int e^{-|x|}dx=\begin{cases}-e^{-x}+C, & x>0,\\ e^{x}+C_1, & x\leqslant 0.\end{cases}$

由原函数在 $x=0$ 处连续,有 $-1+C=1+C_1$,即 $C_1=C-2$. 故

$$\int e^{-|x|}dx=\begin{cases}-e^{-x}+C, & x>0,\\ e^{x}+C-2, & x\leqslant 0.\end{cases}$$

【2171】 $\int \max\{1,x^2\}dx$.

解 由于 $\max\{1,x^2\}=\begin{cases}x^2, & x<-1,\\ 1, & -1\leqslant x\leqslant 1,\\ x^2, & x>1,\end{cases}$ 所以

$$\int \max\{1,x^2\}dx=\begin{cases}\dfrac{1}{3}x^3+C, & x<-1,\\ x+C_1, & -1\leqslant x\leqslant 1,\\ \dfrac{1}{3}x^3+C_2, & x>1,\end{cases}$$

由原函数在 $x=-1$ 及 $x=1$ 处连续,有 $-\dfrac{1}{3}+C=-1+C_1, 1+C_1=\dfrac{1}{3}+C_2$,即

$$C_1=C+\frac{2}{3}, C_2=C+\frac{4}{3}.$$

故

$$\int \max\{1,x^2\}dx=\begin{cases}\dfrac{1}{3}x^3+C, & x<-1,\\ x+C+\dfrac{2}{3}, & -1\leqslant x\leqslant 1,\\ \dfrac{1}{3}x^3+C+\dfrac{4}{3}, & x>1.\end{cases}$$

【2172】 $\int \varphi(x)dx$,其中 $\varphi(x)$ 为数 x 至其最接近的整数的距离.

解 显然 $\varphi(x)$ 在 $(-\infty,+\infty)$ 内连续,故其原函数在 $(-\infty,+\infty)$ 内连续且可微. 现求满足 $F(0)=0$ 的原函数. 由于

$$\varphi(x)=\begin{cases}x-n, & n\leqslant x<n+\dfrac{1}{2},\\ -x+n+1, & n+\dfrac{1}{2}\leqslant x<n+1,\end{cases}$$

故

$$F(x)=\begin{cases}\dfrac{x^2}{2}-nx+C_n, & n\leqslant x<n+\dfrac{1}{2},\\ -\dfrac{x^2}{2}+(n+1)x+C_n', & n+\dfrac{1}{2}\leqslant x<n+1,\end{cases}$$

其中 C_n, C_n' 是两个常数. 由 $\lim\limits_{x\to\left(n+\frac{1}{2}\right)^-}F(x)=F\left(n+\dfrac{1}{2}\right)$ 得, $C_n'=C_n-\left(n+\dfrac{1}{2}\right)^2$. 故

$$F(x)=\begin{cases}\dfrac{x^2}{2}-nx+C_n, & n\leqslant x<n+\dfrac{1}{2},\\ -\dfrac{x^2}{2}+(n+1)x-\left(n+\dfrac{1}{2}\right)^2+C_n, & n+\dfrac{1}{2}\leqslant x<n+1.\end{cases}$$

由 $\lim\limits_{x\to(n+1)^-} F(x)=F(n+1)$ 得递推公式 $C_{n+1}=C_n+n+\dfrac{3}{4}$.

显然 $0=F(0)=C_0$. 由此得 $C_n=\dfrac{1}{4}n(2n+1)$. 于是

$$F(x)=\begin{cases}\dfrac{x^2}{2}-nx+\dfrac{1}{4}n(2n+1), & n\leqslant x<n+\dfrac{1}{2},\\ -\dfrac{x^2}{2}+(n+1)x-\dfrac{1}{4}(2n+1)(n+1), & n+\dfrac{1}{2}\leqslant x<n+1\end{cases}$$

$$=\begin{cases}\dfrac{x}{4}+\dfrac{1}{4}\left(x-n-\dfrac{1}{2}\right)\left[1+2\left(\dfrac{1}{2}-x-n\right)\right], & n\leqslant x<n+\dfrac{1}{2},\\ \dfrac{x}{4}+\dfrac{1}{4}\left(x-n-\dfrac{1}{2}\right)\left[1-2\left(x-n-\dfrac{1}{2}\right)\right], & n+\dfrac{1}{2}\leqslant x<n+1.\end{cases}$$

记 $(x)=x-[x]$ 表数 x 去掉其整数部分 $[x]$ 后所剩下的小数部分，那么最后得

$$F(x)=\frac{x}{4}+\frac{1}{4}[(x)-0.5][1-2\mid(x)-0.5\mid](-\infty<x<+\infty).$$

故

$$\int\varphi(x)\mathrm{d}x=\frac{x}{4}+\frac{1}{4}[(x)-0.5][1-2\mid(x)-0.5\mid]+C(-\infty<x<+\infty).$$

【2173】 $\int[x]\mid\sin\pi x\mid\mathrm{d}x(x\geqslant 0)$.

解 分别求出在区间 $[0,1),[1,2),[2,3),\cdots,[[x],x]$ 上满足 $F(0)=0$ 的原函数 $F(x)$ 的增量如下：

在 $[0,1)$ 上，$\int 0\cdot\sin\pi x\mathrm{d}x=C_1$，$F(1)-F(0)=0$；

在 $[1,2)$ 上，$-\int\sin\pi x\mathrm{d}x=\dfrac{1}{\pi}\cos\pi x+C_2$，$F(2)-F(1)=\dfrac{2}{\pi}$；

在 $[2,3)$ 上，$2\int\sin\pi x\mathrm{d}x=-\dfrac{2}{\pi}\cos\pi x+C_3$，$F(3)-F(2)=\dfrac{2\cdot 2}{\pi}$；$\cdots$

在 $[[x],x]$ 上，$(-1)^{[x]}[x]\int\sin\pi x\mathrm{d}x=(-1)^{[x]}[x]\left(-\dfrac{1}{\pi}\right)\cos\pi x+C_{[x]+1}$，

$$F(x)-F([x])=\frac{(-1)^{[x]}[x]}{\pi}(\cos\pi[x]-\cos\pi x).$$

从而，对于 $x\geqslant 0$，得到

$$\begin{aligned}&\int[x]\mid\sin\pi x\mid\mathrm{d}x=F(x)+C\\ &=[F(1)-F(0)]+[F(2)-F(1)]+[F(3)-F(2)]+\cdots+[F(x)-F([x])]\\ &=\frac{2}{\pi}+\frac{2\cdot 2}{\pi}+\frac{2([x]-1)}{\pi}+\cdots+\frac{(-1)^{[x]}[x]}{\pi}(\cos\pi[x]-\cos\pi x)+C\\ &=\frac{[x]([x]-1)}{\pi}+\frac{(-1)^{[x]}[x](-1)^{[x]}}{\pi}-\frac{(-1)^{[x]}[x]\cos\pi x}{\pi}+C\\ &=\frac{[x]}{\pi}([x]-(-1)^{[x]}\cos\pi x)+C.\end{aligned}$$

【2174】 $\int f(x)\mathrm{d}x$，其中 $f(x)=\begin{cases}1-x^2, & \mid x\mid\leqslant 1,\\ 1-\mid x\mid, & \mid x\mid>1\end{cases}=\begin{cases}1+x, & x<-1,\\ 1-x^2, & \mid x\mid\leqslant 1,\\ 1-x, & x>1.\end{cases}$

解 $$\int f(x)\mathrm{d}x=\begin{cases}\dfrac{1}{2}x^2+x+C, & x<-1,\\ -\dfrac{1}{3}x^3+x+C_1, & \mid x\mid\leqslant 1,\\ -\dfrac{1}{2}x^2+x+C_2, & x>1.\end{cases}$$

由原函数在 $x=-1$ 及 $x=1$ 处连续，有 $-\frac{1}{2}+C=-\frac{2}{3}+C_1$，$\frac{2}{3}+C_1=\frac{1}{2}+C_2$，即

$$C_1=C+\frac{1}{6},C_2=C+\frac{1}{3}.$$

故

$$\int f(x)\mathrm{d}x=\begin{cases}\frac{1}{2}x^2+x+C, & x<-1,\\ -\frac{1}{3}x^3+x+C+\frac{1}{6}, & |x|\leqslant 1,\\ -\frac{1}{2}x^2+x+C+\frac{1}{3}, & x>1.\end{cases}$$

【2175】 $\int f(x)\mathrm{d}x$，其中 $f(x)=\begin{cases}1, & -\infty<x<0,\\ x+1, & 0\leqslant x\leqslant 1,\\ 2x, & 1<x<+\infty.\end{cases}$

解 $\int f(x)\mathrm{d}x=\begin{cases}x+C, & x<0,\\ \frac{1}{2}x^2+x+C_1, & 0\leqslant x\leqslant 1,\\ x^2+C_2, & x>1.\end{cases}$

由原函数在 $x=0$ 及 $x=1$ 处连续，有 $0+C=0+C_1$，$\frac{3}{2}+C_1=1+C_2$，即 $C_1=C$，$C_2=C+\frac{1}{2}$. 故

$$\int f(x)\mathrm{d}x=\begin{cases}x+C, & x<0,\\ \frac{1}{2}x^2+x+C, & 0\leqslant x\leqslant 1,\\ x^2+C+\frac{1}{2}, & x>1.\end{cases}$$

习题 2176—2180　抽象函数的不定积分

【2176】 求 $\int xf''(x)\mathrm{d}x$.

解 $\int xf''(x)\mathrm{d}x=\int x\mathrm{d}[f'(x)]=xf'(x)-\int f'(x)\mathrm{d}x=xf'(x)-f(x)+C.$

注 假定被积函数 $f''(x)$ 是连续的.

【2177】 求 $\int f'(2x)\mathrm{d}x$.

解 $\int f'(2x)\mathrm{d}x=\frac{1}{2}\int f'(2x)\mathrm{d}(2x)=\frac{1}{2}f(2x)+C.$

注 假定被积函数 $f'(x)$ 是连续的.

【2178】 设 $f'(x^2)=\frac{1}{x}(x>0)$，求 $f(x)$.

解 由 $f'(x^2)=\frac{1}{x}$，得 $f'(x)=\frac{1}{\sqrt{x}}(x>0)$. 于是

$$f(x)=\int f'(x)\mathrm{d}x=\int\frac{\mathrm{d}x}{\sqrt{x}}=2\sqrt{x}+C.$$

【2179】 设 $f'(\sin^2 x)=\cos^2 x$，求 $f(x)$.

解 由 $f'(\sin^2 x)=\cos^2 x=1-\sin^2 x$，得 $f'(x)=1-x$. 于是

$$f(x)=\int f'(x)\mathrm{d}x=\int(1-x)\mathrm{d}x=x-\frac{1}{2}x^2+C(|x|\leqslant 1).$$

【2180】 设 $f'(\ln x)=\begin{cases}1, & 0<x\leqslant 1,\\ x, & 1<x<+\infty,\end{cases}$ 且 $f(0)=0$，求 $f(x)$.

解 设 $t=\ln x$，则

$$f'(t)=\begin{cases}1, & -\infty<t\leqslant 0,\\ \mathrm{e}^t, & 0<t<+\infty.\end{cases}$$

于是

$$f(x)=\int f'(x)\mathrm{d}x=\begin{cases}x+C, & x\leqslant 0,\\ \mathrm{e}^x+C_1, & x>0,\end{cases}$$

其中 C,C_1 是常数. 由假定 $f(0)=0$，得 $C=0$. 再由 $f(x)$ 在 $x=0$ 处连续知 $C_1=-1$. 故

$$f(x)=\begin{cases}x, & x\leqslant 0,\\ \mathrm{e}^x-1, & x>0.\end{cases}$$

过关检测

过关检测题

1.(2024 中国矿业大学(北京))求不定积分$\int \frac{xe^x}{\sqrt{e^x+1}}dx$.

2.(2024 四川大学)求不定积分$\int \frac{1+x}{1-x^4}dx$.

3.(2024 暨南大学)求不定积分$\int \frac{5x^2+1}{x(x^2+1)}dx$.

4.(2024 北京交通大学)求不定积分$\int \frac{xe^x}{(x+1)^2}dx$与$\int \frac{1}{(x-1)^2(x-2)}dx$.

5.(2024 河北工业大学)求不定积分$\int \frac{1}{1+x^3}\mathrm{d}x$.

6.(2024 西南大学)求不定积分$\int \sin(\ln x)\mathrm{d}x$.

7.(2024 东南大学)求不定积分$\int \frac{\arccos x}{x^2}\mathrm{d}x$.

8.(2024 西安电子科技大学)求不定积分$\int \mathrm{e}^{-\sin x}\frac{\sin 2x}{\sin^4\left(\frac{\pi}{4}-\frac{x}{2}\right)}\mathrm{d}x$.

9.(2023 南京师范大学)计算不定积分$\int x\cos^2 x\mathrm{d}x$.

10.(2022 华东师范大学)求不定积分$\int \frac{\arctan x}{x^2(1+x^2)}\mathrm{d}x$.

11.(2023 中山大学)求不定积分$\int \frac{1+x^4}{1+x^6}\mathrm{d}x$.

12.(2023 河海大学)求不定积分$\int \mathrm{e}^{\sin x}\frac{x\cos^3 x-\sin x}{\cos^2 x}\mathrm{d}x$.

13.(2023 新疆大学)求不定积分$\int \mathrm{e}^{\sin x}\sin 2x\mathrm{d}x$.

14.(2023 四川大学)求不定积分$\int x\ln\frac{1+x}{1-x}\mathrm{d}x$.

15.(2023 暨南大学)求不定积分$\int \frac{\arctan x}{x^2}\mathrm{d}x$.

16.(2023 郑州大学)求不定积分$\int \frac{x\ln x}{(1+x^2)^2}\mathrm{d}x$.

17.(2023 新疆大学)求不定积分$\int \frac{x-2}{x^2-7x+12}\mathrm{d}x$.

18.(2023 长安大学) 求不定积分 $I_n = \int \frac{x^{2n-1}}{x^n+1}\mathrm{d}x, n \in \mathbf{N}_+$.

19.(2023 重庆大学) 求不定积分 $I = \int \frac{\ln \sin x}{\sin^2 x}\mathrm{d}x$.

20.(2022 河海大学) 求不定积分$\int \sqrt{\frac{\ln(x+\sqrt{x^2+1})}{x^2+1}}\mathrm{d}x$.

21.(2022 中国石油大学(华东)) 求不定积分$\int \frac{\mathrm{e}^x(x^2-2x-1)}{(x^2-1)^2}\mathrm{d}x$.

答案解析

1.**解** 记所求不定积分为 I,那么

$$I=2\int x\mathrm{d}(\sqrt{\mathrm{e}^x+1})=2x\sqrt{\mathrm{e}^x+1}-2\int\sqrt{\mathrm{e}^x+1}\,\mathrm{d}x.$$

作换元$\sqrt{\mathrm{e}^x+1}=t$,即 $x=\ln(t^2-1)$,则

$$\begin{aligned}\int\sqrt{\mathrm{e}^x+1}\,\mathrm{d}x&=\int\frac{t\cdot 2t}{t^2-1}\mathrm{d}t=2\int\frac{(t^2-1)+1}{t^2-1}\mathrm{d}t=2t+\ln\left|\frac{t-1}{t+1}\right|+C\\&=2\sqrt{\mathrm{e}^x+1}+\ln\frac{\sqrt{\mathrm{e}^x+1}-1}{\sqrt{\mathrm{e}^x+1}+1}+C.\end{aligned}$$

因此

$$\begin{aligned}I&=2x\sqrt{\mathrm{e}^x+1}-4\sqrt{\mathrm{e}^x+1}-2\ln\frac{\sqrt{\mathrm{e}^x+1}-1}{\sqrt{\mathrm{e}^x+1}+1}+C\\&=2(x-2)\sqrt{\mathrm{e}^x+1}-2\ln\frac{\sqrt{\mathrm{e}^x+1}-1}{\sqrt{\mathrm{e}^x+1}+1}+C.\end{aligned}$$

2.**解** 首先注意到

$$\frac{1+x}{1-x^4}=\frac{1+x}{(1-x)(1+x)(1+x^2)}=\frac{1}{(1-x)(1+x^2)}=\frac{A}{1-x}+\frac{Bx+C}{1+x^2}.$$

其中 A,B,C 满足 $A(1+x^2)+(1-x)(Bx+C)=1$. 解得 $A=B=C=\frac{1}{2}$.

记所求不定积分为 I,则

$$I=\frac{1}{2}\int\frac{\mathrm{d}x}{1-x}+\frac{1}{2}\int\frac{x+1}{x^2+1}\mathrm{d}x=-\frac{1}{2}\ln|1-x|+\frac{1}{4}\ln(x^2+1)+\frac{1}{2}\arctan x+C.$$

3.**解** 记所求积分为 I,则

$$I=\int\frac{(x^2+1)+4x^2}{x(x^2+1)}\mathrm{d}x=\int\frac{1}{x}\mathrm{d}x+4\int\frac{x}{x^2+1}\mathrm{d}x=\ln|x|+2\ln(x^2+1)+C.$$

4.**解** 为了方便,记

$$I=\int\frac{x\mathrm{e}^x}{(x+1)^2}\mathrm{d}x,J=\int\frac{1}{(x-1)^2(x-2)}\mathrm{d}x.$$

则由分部积分公式直接可得

$$I=-\int x\mathrm{e}^x\mathrm{d}\left(\frac{1}{x+1}\right)=-\frac{x\mathrm{e}^x}{x+1}+\int\frac{(x+1)\mathrm{e}^x}{x+1}\mathrm{d}x=-\frac{x\mathrm{e}^x}{x+1}+\mathrm{e}^x+C=\frac{\mathrm{e}^x}{1+x}+C.$$

另外,根据有理函数相关理论可知

$$\frac{1}{(x-1)^2(x-2)}=\frac{A}{x-1}+\frac{B}{(x-1)^2}+\frac{C}{x-2}.$$

其中 A,B,C 满足

$$A(x-1)(x-2)+B(x-2)+C(x-1)^2=1.$$

解得 $A=B=-1,C=1$,因此

$$J=-\int\frac{\mathrm{d}x}{x-1}-\int\frac{\mathrm{d}x}{(x-1)^2}+\int\frac{\mathrm{d}x}{x-2}=-\ln|x-1|+\frac{1}{x-1}+\ln|x-2|+C.$$

5. **解** 首先设

$$\frac{1}{1+x^3}=\frac{1}{(x+1)(x^2-x+1)}=\frac{A}{x+1}+\frac{Bx+C}{x^2-x+1}.$$

其中 A,B,C 满足

$$A(x^2-x+1)+(Bx+C)(1+x)=1.$$

解得 $A=\frac{1}{3},B=-\frac{1}{3},C=\frac{2}{3}$. 记所求不定积分为 I,则

$$I=\frac{1}{3}\int\frac{1}{x+1}\mathrm{d}x-\frac{1}{3}\int\frac{x-2}{x^2-x+1}\mathrm{d}x=\frac{1}{3}\ln|x+1|-\frac{1}{6}\int\frac{(2x-1)-3}{x^2-x+1}\mathrm{d}x$$

$$=\frac{1}{3}\ln|x+1|-\frac{1}{6}\int\frac{\mathrm{d}(x^2-x+1)}{x^2-x+1}+\frac{1}{2}\int\frac{\mathrm{d}\left(x-\frac{1}{2}\right)}{\left(x-\frac{1}{2}\right)^2+\frac{3}{4}}$$

$$=\frac{1}{3}\ln|x+1|-\frac{1}{6}\ln(x^2-x+1)+\frac{1}{\sqrt{3}}\arctan\frac{2x-1}{\sqrt{3}}+C.$$

6. **解** 记 $I=\int\sin(\ln x)\mathrm{d}x,J=\int\cos(\ln x)\mathrm{d}x$,由分部积分公式可知

$$I=x\sin(\ln x)-\int x\cdot\frac{1}{x}\cos(\ln x)\mathrm{d}x=x\sin(\ln x)-J,$$

$$J=x\cos(\ln x)+\int x\cdot\frac{1}{x}\sin(\ln x)\mathrm{d}x=x\cos(\ln x)+I.$$

由此可解得 $I=\frac{x}{2}[\sin(\ln x)-\cos(\ln x)]+C$.

7. **解** 记所求不定积分为 I,则

$$I=-\int\arccos x\mathrm{d}\left(\frac{1}{x}\right)=-\frac{1}{x}\arccos x-\int\frac{\mathrm{d}x}{x\sqrt{1-x^2}}.$$

作换元 $x=\sin t$,可得

$$\int\frac{\mathrm{d}x}{x\sqrt{1-x^2}}=\int\frac{\cos t}{\sin t\cos t}\mathrm{d}t=\int\csc t\mathrm{d}t=\int\frac{\csc t(\csc t+\cot t)}{\csc t+\cot t}\mathrm{d}t$$

$$=-\int\frac{\mathrm{d}(\csc t+\cot t)}{\csc t+\cot t}=-\ln|\csc t+\cot t|+C=-\ln\left|\frac{1}{x}+\frac{\sqrt{1-x^2}}{x}\right|+C$$

$$=-\ln(1+\sqrt{1-x^2})+\ln|x|+C.$$

因此

$$I=-\frac{1}{x}\arccos x+\ln(1+\sqrt{1-x^2})-\ln|x|+C.$$

8. **解** 首先注意到

$$\sin^4\left(\frac{\pi}{4}-\frac{x}{2}\right)=\left[\frac{1}{2}\left(1-\cos\left(\frac{\pi}{2}-x\right)\right)\right]^2=\frac{1}{4}(1-\sin x)^2.$$

记所求不定积分为 I,则

$$I=8\int e^{-\sin x}\frac{\sin x\cos x}{(1-\sin x)^2}\mathrm{d}x=8\int e^{-\sin x}\sin x\mathrm{d}\left(\frac{1}{1-\sin x}\right)$$

$$=8e^{-\sin x}\frac{\sin x}{1-\sin x}-8\int\frac{1}{1-\sin x}(\cos x-\sin x\cos x)e^{-\sin x}\mathrm{d}x$$

$$= 8\mathrm{e}^{-\sin x}\frac{\sin x}{1-\sin x} - 8\int \mathrm{e}^{-\sin x}\cos x\mathrm{d}x = 8\mathrm{e}^{-\sin x}\frac{\sin x}{1-\sin x} + 8\mathrm{e}^{-\sin x} + C$$

$$= \frac{8\mathrm{e}^{-\sin x}}{1-\sin x} + C.$$

9. **解** 利用分部积分公式,有

$$\int x\cos^2 x\mathrm{d}x = \frac{1}{2}\int x(1+\cos 2x)\mathrm{d}x = \frac{1}{4}x^2 + \frac{1}{4}\int x\mathrm{d}(\sin 2x)$$

$$= \frac{1}{4}x^2 + \frac{1}{4}x\sin 2x - \frac{1}{4}\int \sin 2x\mathrm{d}x$$

$$= \frac{1}{4}x^2 + \frac{1}{4}x\sin 2x + \frac{1}{8}\cos 2x + C.$$

10. **解** 注意到

$$\frac{1}{x^2(1+x^2)} = \frac{1}{x^2} - \frac{1}{1+x^2}.$$

上式两端乘以 x,有

$$\frac{1}{x(1+x^2)} = \frac{1}{x} - \frac{x}{1+x^2}.$$

进而结合分部积分公式,有

$$\int \frac{\arctan x}{x^2(1+x^2)}\mathrm{d}x = \int \left(\frac{1}{x^2} - \frac{1}{1+x^2}\right)\arctan x\mathrm{d}x$$

$$= -\int \arctan x\mathrm{d}\left(\frac{1}{x}\right) - \int \arctan x\mathrm{d}(\arctan x)$$

$$= -\frac{1}{x}\arctan x + \int \frac{1}{x(1+x^2)}\mathrm{d}x - \frac{1}{2}\arctan^2 x$$

$$= -\frac{1}{x}\arctan x - \frac{1}{2}\arctan^2 x + \int \left(\frac{1}{x} - \frac{x}{1+x^2}\right)\mathrm{d}x$$

$$= -\frac{1}{x}\arctan x - \frac{1}{2}\arctan^2 x + \ln x - \frac{1}{2}\ln(1+x^2) + C.$$

11. **解** 首先注意到 $1+x^6 = (1+x^2)(1-x^2+x^4)$,于是

$$\frac{1+x^4}{1+x^6} = \frac{(1-x^2+x^4)+x^2}{1+x^6} = \frac{1}{1+x^2} + \frac{x^2}{1+x^6}.$$

因此

$$\int \frac{1+x^4}{1+x^6}\mathrm{d}x = \int \frac{1}{1+x^2}\mathrm{d}x + \int \frac{x^2}{1+x^6}\mathrm{d}x = \arctan x + \frac{1}{3}\int \frac{\mathrm{d}(x^3)}{1+(x^3)^2}$$

$$= \arctan x + \frac{1}{3}\arctan(x^3) + C.$$

12. **解** 设所计算不定积分为 I,利用分部积分公式,有

$$I = \int x\mathrm{e}^{\sin x}\cos x\mathrm{d}x - \int \frac{\mathrm{e}^{\sin x}\sin x}{\cos^2 x}\mathrm{d}x = \int x\mathrm{d}(\mathrm{e}^{\sin x}) - \int \mathrm{e}^{\sin x}\mathrm{d}\left(\frac{1}{\cos x}\right)$$

$$= \left(x\mathrm{e}^{\sin x} - \int \mathrm{e}^{\sin x}\mathrm{d}x\right) - \left(\frac{\mathrm{e}^{\sin x}}{\cos x} - \int \mathrm{e}^{\sin x}\mathrm{d}x\right) = \left(x - \frac{1}{\cos x}\right)\mathrm{e}^{\sin x} + C.$$

13. **解** 利用分部积分公式,有

$$\int \mathrm{e}^{\sin x}\sin 2x\mathrm{d}x = 2\int \mathrm{e}^{\sin x}\sin x\cos x\mathrm{d}x = 2\int \sin x\mathrm{d}(\mathrm{e}^{\sin x})$$

$$= 2e^{\sin x}\sin x - 2\int e^{\sin x}d(\sin x)$$

$$= 2e^{\sin x}\sin x - 2e^{\sin x} + C = 2e^{\sin x}(\sin x - 1) + C.$$

14. **解**　利用分部积分公式,有

$$\int x\ln\frac{1+x}{1-x}dx = \frac{1}{2}\int \ln\frac{1+x}{1-x}d(x^2) = \frac{1}{2}x^2\ln\frac{1+x}{1-x} - \frac{1}{2}\int x^2\left(\frac{1}{1+x}+\frac{1}{1-x}\right)dx$$

$$= \frac{1}{2}x^2\ln\frac{1+x}{1-x} - \frac{1}{2}\int\left(\frac{1}{1+x}+\frac{1}{1-x}-2\right)dx$$

$$= \frac{1}{2}x^2\ln\frac{1+x}{1-x} - \frac{1}{2}\ln\frac{1+x}{1-x} + x + C$$

$$= \frac{1}{2}(x^2-1)\ln\frac{1+x}{1-x} + x + C.$$

15. **解**　利用分部积分,直接有

$$\int\frac{\arctan x}{x^2}dx = -\int\arctan x\,d\left(\frac{1}{x}\right) = -\frac{\arctan x}{x} + \int\frac{1}{x(1+x^2)}dx$$

$$= -\frac{\arctan x}{x} + \int\left(\frac{1}{x} - \frac{x}{1+x^2}\right)dx = -\frac{\arctan x}{x} + \ln x - \frac{1}{2}\ln(1+x^2) + C.$$

16. **解**　利用分部积分公式,有

$$\int\frac{x\ln x}{(1+x^2)^2}dx = \frac{1}{2}\int\frac{\ln x}{(1+x^2)^2}d(x^2) = -\frac{1}{2}\int\ln x\,d\left(\frac{1}{1+x^2}\right)$$

$$= -\frac{\ln x}{2(1+x^2)} + \frac{1}{2}\int\frac{1}{x(1+x^2)}dx$$

$$= -\frac{\ln x}{2(1+x^2)} + \frac{1}{2}\int\left(\frac{1}{x} - \frac{x}{1+x^2}\right)dx$$

$$= -\frac{\ln x}{2(1+x^2)} + \frac{1}{2}\ln x - \frac{1}{4}\ln(1+x^2) + C.$$

17. **解**　由于 $x^2 - 7x + 12 = (x-3)(x-4)$,所以可设

$$\frac{x-2}{x^2-7x+12} = \frac{A}{x-3} + \frac{B}{x-4} = \frac{A(x-4)+B(x-3)}{x^2-7x+12}.$$

由分子对应系数相等可得

$$A + B = 1, -4A - 3B = -2.$$

解得 $A = -1, B = 2$,于是

$$\int\frac{x-2}{x^2-7x+12}dx = \int\left(-\frac{1}{x-3} + \frac{2}{x-4}\right)dx = -\ln|x-3| + 2\ln|x-4| + C.$$

18. **解**　将 x^n 看成一个整体,直接可得

$$I_n = \frac{1}{n}\int\frac{x^n}{x^n+1}d(x^n) = \frac{1}{n}\int\left(1 - \frac{1}{x^n+1}\right)d(x^n) = \frac{1}{n}[x^n - \ln(x^n+1)] + C.$$

19. **解**　利用分部积分公式,有

$$I = \int(\csc^2 x)\ln(\sin x)dx = -\int\ln(\sin x)d(\cot x) = -(\cot x)\ln(\sin x) + \int\cot^2 x\,dx$$

$$= -(\cot x)\ln(\sin x) + \int(\csc^2 x - 1)dx = -(\cot x)\ln(\sin x) - \cot x - x + C.$$

20. **解**　因为 $\int\frac{1}{\sqrt{1+x^2}}dx = \ln(x + \sqrt{x^2+1}) + C$,所以

$$\int\sqrt{\frac{\ln(x+\sqrt{x^2+1})}{x^2+1}}\mathrm{d}x=\int\left[\ln\left(x+\sqrt{x^2+1}\right)\right]^{\frac{1}{2}}\mathrm{d}(\ln(x+\sqrt{x^2+1}2)$$

$$=\frac{2}{3}[\ln(x+\sqrt{x^2+1})]^{\frac{3}{2}}+C.$$

21. **解** 利用部分积分公式,有

$$\int\frac{\mathrm{e}^x(x^2-2x-1)}{(x^2-1)^2}\mathrm{d}x=\int\frac{\mathrm{e}^x}{x^2-1}\mathrm{d}x-\int\frac{2x\mathrm{e}^x}{(x^2-1)^2}\mathrm{d}x$$

$$=\int\frac{\mathrm{e}^x}{x^2-1}\mathrm{d}x-\int\frac{\mathrm{e}^x}{(x^2-1)^2}\mathrm{d}(x^2-1)$$

$$=\int\frac{\mathrm{e}^x}{x^2-1}\mathrm{d}x+\int\mathrm{e}^x\mathrm{d}\left(\frac{1}{x^2-1}\right)$$

$$=\int\frac{\mathrm{e}^x}{x^2-1}\mathrm{d}x+\frac{\mathrm{e}^x}{x^2-1}-\int\frac{\mathrm{e}^x}{x^2-1}\mathrm{d}x$$

$$=\frac{\mathrm{e}^x}{x^2-1}+C.$$

第4章 定积分

本章概括

本章为定积分，包括《吉米多维奇数学分析习题集》中与定积分相关的365道习题，涵盖了定积分的概念、定积分的计算、积分中值定理、广义积分、定积分的几何及物理应用等内容.

十七世纪下半叶有两个问题急需解决：一个是计算曲边梯形面积的几何问题，另一个是求变力做功的力学问题，它们最终都归结为一个特定形式的和式逼近. 在实际应用中还有许多同样类型的数学问题，解决这类问题的思想方法概括说来就是“分割、近似、求和、取极限”. 这就是产生定积分概念的历史背景.

不定积分和定积分是积分学中的两大基本问题. 求不定积分是求导数的逆运算，定积分则是某种特殊和式的极限，它们之间既有区别又有联系. 从理论的框架结构看，定积分与不定积分有平行的计算理论，如换元法、分部积分法等；从二者的联系看，利用Newton－Leibniz公式，建立了定积分和不定积分的联系，由此可以将定积分的计算转化为不定积分的计算. 而定积分的应用非常广泛，它不仅在数学领域内有着重要的应用，而且在其他学科如物理学、工程学等也有着广泛的应用，如：计算体积、弧长、旋转体的表面积、质心等.

知识图谱

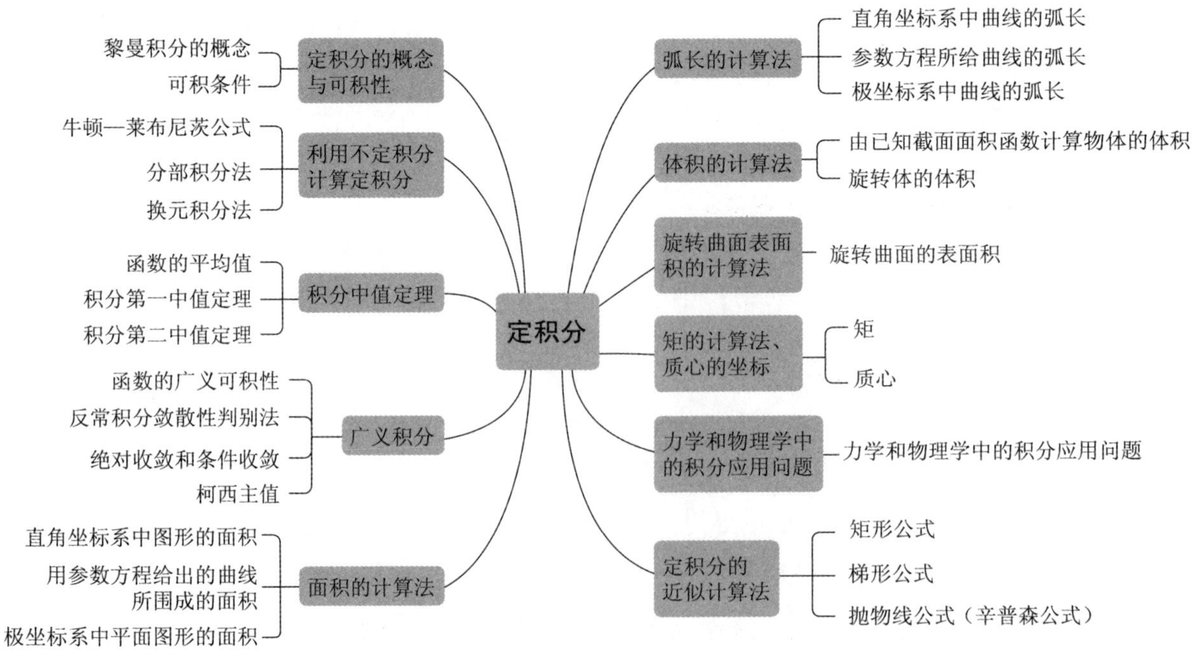

第1节 定积分的概念与可积性（习题2181-2205）

知识点预览

序号	知识点	题目序号	所在页码
1	黎曼积分的概念	2181—2192	P159
2	可积条件	2193—2205	P164

知识点1 黎曼积分的概念

1. 黎曼积分 若函数 $f(x)$ 在闭区间 $[a,b]$ 上有定义，任给 $[a,b]$ 的分割 $T: a=x_0<x_1<x_2<\cdots<x_n=b$，任取 $\xi_i\in[x_{i-1},x_i]$，记 $\|T\|=\max\{\Delta x_i\}$，则数

$$\int_a^b f(x)\mathrm{d}x=\lim_{\|T\|\to 0}\sum_{i=1}^n f(\xi_i)\Delta x_i\,(\Delta x_i=x_i-x_{i-1}) \qquad ①$$

称为函数 $f(x)$ 在区间 $[a,b]$ 上的定积分.

注 分割 T 通常也记为 $T=\{\Delta_1,\Delta_2,\cdots,\Delta_n\}$，这里 $\Delta_i=[x_{i-1},x_i]$.

2. 达布和 任给 $[a,b]$ 的分割 T，记 $m_i=\inf\limits_{x_{i-1}\leqslant x\leqslant x_i}f(x)$，$M_i=\sup\limits_{x_{i-1}\leqslant x\leqslant x_i}f(x)$，称

$$\overline{S}(T)=\sum_{i=1}^n M_i\Delta x_i,\ \underline{S}(T)=\sum_{i=1}^n m_i\Delta x_i$$

分别为 $f(x)$ 关于分割 T 的（达布）上和和下和，统称为达布和.

3. 上下积分 通常称

$$\overline{S}=\lim_{\|T\|\to 0}\sum_{i=1}^n M_i\Delta x_i,\ \underline{S}=\lim_{\|T\|\to 0}\sum_{i=1}^n m_i\Delta x_i,$$

为 $f(x)$ 在闭区间 $[a,b]$ 上的上积分和下积分.

4. 可积函数 若等式①右端的极限存在，则 $f(x)$ 称为相应区间上的可积函数（常义的）.

5. 常见有限闭区间上的可积函数

(1) 连续函数；

(2) 具有有限个不连续点的有界函数；

(3) 单调有界函数.

若函数 $f(x)$ 在闭区间 $[a,b]$ 上无界，则它在 $[a,b]$ 上不可积.

习题 2181—2183 求积分和

【2181】 把区间 $[-1,4]$ 分为 n 个相等的子区间，并取这些子区间中点的坐标作自变量 ξ_i 的值 $(i=1,2,\cdots,n)$，求函数 $f(x)=1+x$ 在此区间上的积分和 S_n.

解 每个子区间长 $\frac{5}{n}$，第 i 个子区间 $\left(-1+\frac{5(i-1)}{n},-1+\frac{5i}{n}\right)$，点 $\xi_i=-1+\left(i-\frac{1}{2}\right)\frac{5}{n}$. 于是，所

求的积分和为

$$S_n=\sum_{i=1}^{n}\left\{1+\left[-1+\left(i-\frac{1}{2}\right)\frac{5}{n}\right]\right\}\frac{5}{n}=\frac{25}{n^2}\sum_{i=1}^{n}\left(i-\frac{1}{2}\right)=\frac{25}{2}.$$

【2182】 分割 T 把所给区间分为 n 个相等的子区间，求下列函数 $f(x)$ 在相应区间上的下和 $\underline{S}(T)$ 及上和 $\overline{S}(T)$：

(1) $f(x)=x^3(-2\leqslant x\leqslant 3)$； (2) $f(x)=\sqrt{x}(0\leqslant x\leqslant 1)$；

(3) $f(x)=2^x(0\leqslant x\leqslant 10)$.

解 (1) 把 $[-2,3]$ n 等分，则每个子区间的长为 $h=\frac{5}{n}$，且第 i 个子区间为 $[-2+(i-1)h,-2+ih]$ $(i=1,2,\cdots,n)$. 若令 m_i 及 M_i 分别表示 $f(x)$ 在第 i 个子区间上的下确界及上确界，则因 $f(x)=x^3$ 为增函数，所以

$$m_i=[-2+(i-1)h]^3,M_i=(-2+ih)^3(i=1,2,\cdots,n).$$

于是

$$\begin{aligned}\underline{S}(T)&=\sum_{i=1}^{n}m_i\Delta x_i=\sum_{i=1}^{n}[-2+(i-1)h]^3h\\&=-8nh+12h^2\sum_{i=1}^{n}(i-1)-6h^3\sum_{i=1}^{n}(i-1)^2+h^4\sum_{i=1}^{n}(i-1)^3\\&=-40+\frac{12\cdot 25n(n-1)}{2n^2}-\frac{125(2n^3-3n^2+n)}{n^3}+\frac{625(n^4-2n^3+n^2)}{4n^4}\\&=\frac{65}{4}-\frac{175}{2n}+\frac{125}{4n^2};\end{aligned}$$

$$\overline{S}(T)=\sum_{i=1}^{n}M_i\Delta x_i=\sum_{i=1}^{n}(-2+ih)^3h=\frac{65}{4}+\frac{175}{2n}+\frac{125}{4n^2}.$$

(2) $h=\frac{1}{n}$，$m_i=\sqrt{\frac{i-1}{n}}$，$M_i=\sqrt{\frac{i}{n}}(i=1,2,\cdots,n)$. 于是

$$\underline{S}(T)=\sum_{i=1}^{n}\frac{1}{n}\sqrt{\frac{i-1}{n}}=\frac{1}{n\sqrt{n}}\sum_{i=1}^{n}\sqrt{i-1},\overline{S}(T)=\sum_{i=1}^{n}\frac{1}{n}\sqrt{\frac{i}{n}}=\frac{1}{n\sqrt{n}}\sum_{i=1}^{n}\sqrt{i}.$$

(3) $h=\frac{10}{n}$，$m_i=2^{(i-1)h}$，$M_i=2^{ih}(i=1,2,\cdots,n)$. 于是

$$\underline{S}(T)=\sum_{i=1}^{n}h2^{(i-1)h}=\frac{h(2^{nh}-1)}{2^h-1}=\frac{10\ 230}{n(2^{\frac{10}{n}}-1)},$$

$$\overline{S}(T)=\sum_{i=1}^{n}h2^{ih}=\frac{h2^h(2^{nh}-1)}{2^h-1}=\frac{10\ 230\cdot 2^{\frac{10}{n}}}{n(2^{\frac{10}{n}}-1)}.$$

【2183】 分割 T 把闭区间 $[1,2]$ 分为 n 份，使这些分点的横坐标构成一等比数列，求函数 $f(x)=x^4$ 在 $[1,2]$ 上的下和. 当 $n\to\infty$ 时此和的极限是多少？

解 设 $\sqrt[n]{2}=q$ 或 $2=q^n$，分点为 $1=q^0<q^1<q^2<\cdots<q^n=2$. 由于 $f(x)=x^4$ 在 $[1,2]$ 上为增函数，故下和为

$$\underline{S}(T)=\sum_{i=1}^{n}m_i\Delta x_i=\sum_{i=1}^{n}[(q^{i-1})^4(q^i-q^{i-1})]=(q-1)\sum_{i=1}^{n}(q^{i-1})^5=\frac{(q-1)(q^{5n}-1)}{q^5-1}=\frac{31(\sqrt[n]{2}-1)}{\sqrt[n]{32}-1},$$

$$\lim_{n\to\infty}\underline{S}(T)=31\lim_{n\to\infty}\frac{\sqrt[n]{2}-1}{\sqrt[n]{32}-1}=31\lim_{n\to\infty}\frac{1}{\sqrt[n]{16}+\sqrt[n]{8}+\sqrt[n]{4}+\sqrt[n]{2}+1}=\frac{31}{5}.$$

注 原题为“使这 n 份的长构成等比数列”，表述有歧意，本书改为“使这些分点的横坐标构成一等比数列”.

习题 2184—2192 用定义求定积分

【2184】 从定积分的定义出发，求$\int_0^T (v_0 + gt)\mathrm{d}t$，其中 T, v_0, g 为常数.

解 $f(t) = v_0 + gt$ 在$[0, T]$上为连续增函数($T > 0$)，从而$\int_0^T (v_0 + gt)\mathrm{d}t$存在，且其值与分法无关，同时也与点 ξ_i 的取法无关. n 等分$[0, T]$，得 $h = \frac{T}{n}$，取 $\xi_i = ih(i = 1, 2, \cdots, n)$，作和

$$S_n = \sum_{i=1}^{n} (v_0 + igh)h = nv_0 h + gh^2 \sum_{i=1}^{n} i = v_0 T + \frac{gT^2}{2} + \frac{gT^2}{2n}.$$

于是

$$\int_0^T (v_0 + gt)\mathrm{d}t = \lim_{n\to\infty} S_n = \lim_{n\to\infty}\left(v_0 T + \frac{gT^2}{2} + \frac{gT^2}{2n}\right) = v_0 T + \frac{gT^2}{2}.$$

【以适当的方法分割积分区间，利用定积分定义计算下列定积分(2185—2191)】

【2185】 $\int_{-1}^{2} x^2 \mathrm{d}x.$

解 由于 $f(x) = x^2$ 在$[-1, 2]$上连续，故定积分$\int_{-1}^{2} x^2 \mathrm{d}x$存在，且与分法无关，同时也与点 ξ_i 的取法无关. 将$[-1, 2]n$ 等分，得子区间的长 $h = \frac{3}{n}$，并取点 $\xi_i = -1 + (i-1)h(i = 1, 2, \cdots, n)$，作和

$$S_n = \sum_{i=1}^{n} [-1 + (i-1)h]^2 h = nh - 2h^2 \sum_{i=1}^{n} (i-1) + h^3 \sum_{i=1}^{n} (i-1)^2 = 3 + \frac{9 - 9n}{2n^2}.$$

于是$\lim\limits_{n\to\infty} S_n = 3$，即$\int_{-1}^{2} x^2 \mathrm{d}x = 3$.

【2186】 $\int_0^1 a^x \mathrm{d}x (a > 0).$

解 当 $a \neq 1$ 时，由于 $f(x) = a^x$ 在$[0, 1]$上连续，故定积分$\int_0^1 a^x \mathrm{d}x$存在，且它与分法无关，同时也与点 ξ_i 的取法无关. 将区间$[0, 1]n$ 等分，得 $h = \frac{1}{n}$，取 $\xi_i = (i-1)h(i = 1, 2, \cdots, n)$，作和

$$S_n = \sum_{i=1}^{n} ha^{(i-1)h} = \frac{h(a^{nh} - 1)}{a^h - 1} = \frac{a-1}{n(\sqrt[n]{a} - 1)}.$$

于是

$$\lim_{n\to\infty} S_n = \lim_{n\to\infty} \frac{a-1}{n(\sqrt[n]{a} - 1)} = \frac{a-1}{\ln a}, \int_0^1 a^x \mathrm{d}x = \frac{a-1}{\ln a} (a \neq 1).$$

当 $a = 1$ 时，积分显然为 1.

【2187】 $\int_0^{\frac{\pi}{2}} \sin x \mathrm{d}x.$

解 由于 $f(x) = \sin x$ 在$\left[0, \frac{\pi}{2}\right]$上连续，故定积分$\int_0^{\frac{\pi}{2}} \sin x \mathrm{d}x$存在，且它与分法无关，同时也与点 ξ_i 的取法无关. 将区间$\left[0, \frac{\pi}{2}\right]n$ 等分，得 $h = \frac{\pi}{2n}$. 取 $\xi_i = (i-1)h(i = 1, 2, \cdots, n)$，作和

$$S_n \triangleq \sum_{i=1}^{n} h\sin(i-1)h.$$

由于

$$\sin(i-1)h=\frac{1}{2\sin\frac{h}{2}}\left(\cos\frac{2i-3}{2}h-\cos\frac{2i-1}{2}h\right),$$

所以

$$S_n=\frac{h}{2\sin\frac{h}{2}}\sum_{i=1}^{n}\left(\cos\frac{2i-3}{2}h-\cos\frac{2i-1}{2}h\right)=\frac{h}{2\sin\frac{h}{2}}\left(\cos\frac{h}{2}-\cos\frac{2n-1}{2}h\right).$$

最后得到

$$\lim_{n\to\infty}S_n=\lim_{n\to\infty}\frac{\frac{h}{2}}{\sin\frac{h}{2}}\left(\cos\frac{\pi}{4n}-\cos\frac{2n-1}{4n}\pi\right)=1,$$

即$\int_0^{\frac{\pi}{2}}\sin x\mathrm{d}x=1$.

【2188】 $\int_0^x\cos t\mathrm{d}t$.

解 由于$f(t)=\cos t$在$[0,x]$上连续，故定积分$\int_0^x\cos t\mathrm{d}t$存在，且它与分法无关，同时也与点$\xi_i$的取法无关. 将区间$[0,x]n$等分，得$h=\frac{x}{n}$. 取$\xi_i=(i-1)h(i=1,2,\cdots,n)$，作和

$$S_n=\sum_{i=1}^{n}h\cos(i-1)h.$$

由于

$$\cos(i-1)h=\frac{1}{2\sin\frac{h}{2}}\left(\sin\frac{2i-1}{2}h-\sin\frac{2i-3}{2}h\right),$$

所以

$$\lim_{n\to\infty}\sum_{i=1}^{n}h\cos(i-1)h=\lim_{n\to\infty}\frac{h}{2\sin\frac{h}{2}}\left(\sin\frac{h}{2}+\sin\frac{2n-1}{2}h\right)$$

$$=\lim_{n\to\infty}\frac{\frac{h}{2}}{\sin\frac{h}{2}}\left[\sin\frac{x}{2n}+\sin\frac{(2n-1)x}{2n}\right]=\sin x,$$

即$\int_0^x\cos t\mathrm{d}t=\sin x$.

【2189】 $\int_a^b\frac{\mathrm{d}x}{x^2}(0<a<b)$.

解 由于$f(x)=\cos x$在$[a,b]$上连续，故定积分$\int_a^b\frac{\mathrm{d}x}{x^2}$存在，且它与分法无关，同时也与点$\xi_i$的取法无关. 将区间$[a,b]n$等分，设分点为$x_0=a<x_1<x_2<\cdots<x_n=b$，取$\xi_i=\sqrt{x_{i-1}x_i}(i=1,2,\cdots,n)$. 显然$\xi_i\in[x_{i-1},x_i]$. 作和

$$S_n=\sum_{i=1}^{n}\frac{1}{x_{i-1}x_i}(x_i-x_{i-1})=\sum_{i=1}^{n}\left(\frac{1}{x_{i-1}}-\frac{1}{x_i}\right)=\frac{1}{a}-\frac{1}{b}.$$

于是$\lim\limits_{n\to\infty}S_n=\frac{1}{a}-\frac{1}{b}$，即$\int_a^b\frac{\mathrm{d}x}{x^2}=\frac{1}{a}-\frac{1}{b}$.

【2190】 $\int_a^b x^m\mathrm{d}x(0<a<b;m\neq-1)$.

解 由于$f(x)=x^m$在$[a,b]$上连续，故定积分$\int_a^b x^m\mathrm{d}x$存在，且它与分法无关，同时也与点ξ_i的取法

无关. 选择诸分点，使它们的横坐标构成一等比数列，即

$$a<aq<aq^2<\cdots<aq^i<\cdots<aq^{n-1}<aq^n=b,$$

其中 $q=\sqrt[n]{\frac{b}{a}}$. 取 $\xi_i=aq^{i-1}(i=1,2,\cdots,n)$. 作和

$$\begin{aligned}S_n&=\sum_{i=1}^{n}(aq^{i-1})^m(aq^i-aq^{i-1})=a^{m+1}(q-1)\sum_{i=1}^{n}q^{(m+1)(i-1)}\\&=a^{m+1}(q-1)\frac{q^{n(m+1)}-1}{q^{m+1}-1}=(b^{m+1}-a^{m+1})\frac{q-1}{q^{m+1}-1}.\end{aligned}$$

由于 $\lim\limits_{n\to\infty}q=1$，所以

$$\lim_{n\to\infty}S_n=(b^{m+1}-a^{m+1})\lim_{n\to\infty}\frac{q-1}{q^{m+1}-1}=(b^{m+1}-a^{m+1})\lim_{n\to\infty}\frac{1}{q^m+q^{m-1}+\cdots+1}=\frac{b^{m+1}-a^{m+1}}{m+1},$$

即 $\int_a^b x^m\mathrm{d}x=\frac{b^{m+1}-a^{m+1}}{m+1}$.

【2191】 $\int_a^b\frac{\mathrm{d}x}{x}(0<a<b)$.

解 由于 $f(x)=\frac{1}{x}$ 在 $[a,b]$ 上连续，故定积分 $\int_a^b\frac{\mathrm{d}x}{x}$ 存在，且它与分法无关，同时也与点 ξ_i 的取法无关. 选择诸分点，使它们的横坐标构成一等比数列，即

$$a<aq<aq^2<\cdots<aq^i<\cdots<aq^{n-1}<aq^n=b,\text{其中 } q=\sqrt[n]{\frac{b}{a}}.$$

取 $\xi_i=aq^{i-1}(i=1,2,\cdots,n)$. 作和

$$S_n=\sum_{i=1}^{n}(aq^{i-1})^{-1}(aq^i-aq^{i-1})=n(q-1)=n\left(\sqrt[n]{\frac{b}{a}}-1\right),$$

因为 $\lim\limits_{t\to0}\frac{\alpha^t-1}{t}=\ln\alpha(\alpha>0)$，故由归结原则知

$$\lim_{n\to\infty}S_n=\lim_{n\to\infty}n\left(\sqrt[n]{\frac{b}{a}}-1\right)=\lim_{n\to\infty}\frac{\sqrt[n]{\frac{b}{a}}-1}{\frac{1}{n}}=\ln\frac{b}{a},$$

即 $\int_a^b\frac{\mathrm{d}x}{x}=\ln\frac{b}{a}$.

【2192】 计算泊松积分 $\int_0^\pi\ln(1-2\alpha\cos x+\alpha^2)\mathrm{d}x$. 考虑两种情形：

(1) $|\alpha|<1$； (2) $|\alpha|>1$.

解 因为 $1-2\alpha\cos x+\alpha^2\geqslant(1-|\alpha|)^2$，所以当 $|\alpha|\neq1$ 时，被积函数连续，于是积分存在. 将区间 $[0,\pi]$ n 等分，取 $\xi_i=\frac{i\pi}{n}(i=1,2,\cdots,n)$，作和，则有

$$S_n=\frac{\pi}{n}\sum_{i=1}^{n}\ln\left(1-2\alpha\cos\frac{i\pi}{n}+\alpha^2\right)=\frac{\pi}{n}\ln\left[(1+\alpha)^2\prod_{i=1}^{n-1}\left(1-2\alpha\cos\frac{i\pi}{n}+\alpha^2\right)\right].$$

另一方面，可以证明 $t^{2n}-1=(t^2-1)\prod\limits_{i=1}^{n-1}\left(1-2t\cos\frac{i\pi}{n}+t^2\right)$.

事实上，方程 $t^{2n}-1=0$ 共有 $2n$ 个根，记作

$$1,\varepsilon_1,\varepsilon_2,\cdots,\varepsilon_{n-1},\varepsilon_n=-1,\bar{\varepsilon}_1,\bar{\varepsilon}_2,\cdots,\bar{\varepsilon}_{n-1},$$

其中 $\varepsilon_i=\cos\frac{i\pi}{n}+\mathrm{i}\sin\frac{i\pi}{n}$ 及 $\bar{\varepsilon}_i=\cos\frac{i\pi}{n}-\mathrm{i}\sin\frac{i\pi}{n}(\mathrm{i}^2=-1)$. 于是

$$t^{2n}-1=(t+1)(t-1)\prod_{i=1}^{n-1}(t-\varepsilon_i)(t-\bar{\varepsilon}_i)=(t^2-1)\prod_{i=1}^{n-1}\left(t-\cos\frac{i\pi}{n}-\mathrm{i}\sin\frac{i\pi}{n}\right)\left(t-\cos\frac{i\pi}{n}+\mathrm{i}\sin\frac{i\pi}{n}\right)$$

$$= (t^2-1)\prod_{i=1}^{n-1}\left(1-2t\cos\frac{i\pi}{n}+t^2\right).$$

当 $t=\alpha$ 时，利用上式就可把 S_n 表示为

$$S_n = \frac{\pi}{n}\ln\left[\frac{\alpha+1}{\alpha-1}(\alpha^{2n}-1)\right].$$

于是

(1) 当 $|\alpha|<1$ 时，$\lim\limits_{n\to\infty}S_n=0$，即 $\int_0^\pi \ln(1-2\alpha\cos x+\alpha^2)\mathrm{d}x=0$；

(2) 当 $|\alpha|>1$ 时，把 S_n 改写成

$$S_n = 2\pi\ln|\alpha| + \frac{\pi}{n}\ln\left(\frac{\alpha+1}{\alpha-1}\cdot\frac{\alpha^{2n}-1}{\alpha^{2n}}\right),$$

由于 $\lim\limits_{n\to\infty}\frac{\alpha^{2n}-1}{\alpha^{2n}}=1$，从而 $\lim\limits_{n\to\infty}S_n=2\pi\ln|\alpha|$，故

$$\int_0^\pi \ln(1-2\alpha\cos x+\alpha^2)\mathrm{d}x = 2\pi\ln|\alpha|.$$

知识点 2 可积条件

1. 可积的第一充要条件 $f(x)$ 在闭区间 $[a,b]$ 上可积的充分必要条件为 $\overline{S}=\underline{S}$. 而

$$\overline{S}=\underline{S} \Leftrightarrow \lim_{\|T\|\to\infty}\sum_{i=1}^n (M_i-m_i)\Delta x_i = 0 \Leftrightarrow \lim_{\|T\|\to 0}\sum_{i=1}^n \omega_i\Delta x_i = 0,$$

式中 ω_i 为函数 $f(x)$ 在闭区间 $[x_{i-1},x_i]$ 上的振幅.

2. 可积的第二充要条件 $f(x)$ 在闭区间 $[a,b]$ 上可积的充要条件为：$\forall\varepsilon>0$，总存在 $[a,b]$ 的某一分割 $T=\{\Delta_1,\Delta_2,\cdots,\Delta_n\}$，使得

$$\sum_{i=1}^n \omega_i\Delta x_i < \varepsilon.$$

3. 可积的第三充要条件 $f(x)$ 在闭区间 $[a,b]$ 上可积的充要条件为：$\forall\varepsilon>0,\eta>0$，总存在 $[a,b]$ 的某一分割 $T=\{\Delta_1,\Delta_2,\cdots,\Delta_n\}$，使得属于 T 的所有的小区间中，对应于振幅 $\omega_{k'}\geqslant\varepsilon$ 的那些小区间 $\Delta_{k'}$ 的总长 $\sum\limits_{k'}\Delta x_{k'}<\eta$.

习题 2193—2205 证明函数可积

【2193】 设函数 $f(x)$ 及 $\varphi(x)$ 在 $[a,b]$ 上连续，证明：

$$\lim_{\|T\|\to 0}\sum_{i=1}^n f(\xi_i)\varphi(\theta_i)\Delta x_i = \int_a^b f(x)\varphi(x)\mathrm{d}x,$$

其中 $x_{i-1}\leqslant\xi_i\leqslant x_i$，$x_{i-1}\leqslant\theta_i\leqslant x_i\ (i=1,2,\cdots,n)$，且 $\Delta x_i=x_i-x_{i-1}\ (x_0=a,x_n=b)$.

证 因为 $f(x)$ 及 $\varphi(x)$ 均在 $[a,b]$ 上连续，所以 $f(x)\varphi(x)$ 在 $[a,b]$ 上连续. 因此，积分

$$\int_a^b f(x)\varphi(x)\mathrm{d}x = \lim_{\|T\|\to 0}\sum_{i=1}^n f(\xi_i)\varphi(\xi_i)\Delta x_i \quad ①$$

存在. 由于 $f(x)$ 在 $[a,b]$ 连续，故有界，即 $\exists M>0$，$\forall x\in[a,b]$，有 $|f(x)|\leqslant M$；又由于 $\varphi(x)$ 在 $[a,b]$ 连续，故 $\varphi(x)$ 在 $[a,b]$ 上一致连续，因此 $\forall\varepsilon>0$，$\exists\delta>0$，当 $\|T\|=\max\{\Delta x_i\}<\delta$ 时，有

$$|\varphi(\theta_i)-\varphi(\xi_i)| < \frac{\varepsilon}{M(b-a)}\ (i=1,2,\cdots,n).$$

从而当 $\|T\|=\max\{\Delta x_i\}<\delta$ 时，有

$$\left|\sum_{i=1}^{n}[f(\xi_i)\varphi(\theta_i)-f(\xi_i)\varphi(\xi_i)]\Delta x_i\right| \leqslant \sum_{i=1}^{n} |f(\xi_i)|\cdot|\varphi(\theta_i)-\varphi(\xi_i)|\cdot\Delta x_i$$

$$<\sum_{i=1}^{n}\left[M\cdot\frac{\varepsilon}{M(b-a)}\cdot\Delta x_i\right]=\varepsilon.$$

由此可知

$$\lim_{\|T\|\to 0}\sum_{i=1}^{n}[f(\xi_i)\varphi(\theta_i)-f(\xi_i)\varphi(\xi_i)]\Delta x_i=0. \qquad ②$$

由 ① 式和 ② 式，可得 $\int_a^b f(x)\varphi(x)\mathrm{d}x=\lim\limits_{\|T\|\to 0}\sum\limits_{i=1}^{n}f(\xi_i)\varphi(\theta_i)\Delta x_i$.

【2194】 证明：不连续函数 $f(x)=\mathrm{sgn}\left(\sin\dfrac{\pi}{x}\right)$ 在区间 $[0,1]$ 上可积.

证　方法一　首先，函数 $f(x)=\mathrm{sgn}\left(\sin\dfrac{\pi}{x}\right)$ 在 $[0,1]$ 上有界，不连续点为

$$0,1,\frac{1}{2},\frac{1}{3},\cdots,\frac{1}{n},\cdots,$$

且 $f(x)$ 在 $[0,1]$ 的任何部分区间上的振幅 $\omega\leqslant 2$.

$\forall\varepsilon>0$，由于 $f(x)$ 在 $\left[\dfrac{\varepsilon}{5},1\right]$ 上只有有限个不连续点，故可积. 因此，$\exists\,\eta>0$，对 $\left[\dfrac{\varepsilon}{5},1\right]$ 的任何分法，只要 $\max\{\Delta x'_i\}<\eta$，就有 $\sum\limits_{i'}\omega'_i\Delta x'_i<\dfrac{\varepsilon}{5}$. 显然，若 $[\alpha,\beta]\subset\left[\dfrac{\varepsilon}{5},1\right]$，则对于 $[\alpha,\beta]$ 的任何分法，只要 $\max\{\Delta x'_i\}<\eta$，也有 $\sum\limits_{i'}\omega'_i\Delta x'_i<\dfrac{\varepsilon}{5}$.

令 $\delta=\min\left\{\dfrac{\varepsilon}{5},\eta\right\}$. 现设 $0=x_0<x_1<\cdots<x_i<x_{i+1}<\cdots<x_n=1$ 是 $[0,1]$ 的满足 $\max\{\Delta x_i\}<\delta$ 的任一分法，设 $x_{i_0}\leqslant\dfrac{\varepsilon}{5}<x_{i_0+1}$. 由上述，有 $\sum\limits_{i=i_0+1}^{n}\omega_i\Delta x_i<\dfrac{\varepsilon}{5}$. 又显然有

$$\sum_{i=1}^{i_0}\omega_i\Delta x_i\leqslant 2\sum_{i=1}^{i_0}\Delta x_i<2\cdot\frac{2\varepsilon}{5}=\frac{4\varepsilon}{5}.$$

故

$$\sum_{i=1}^{n}\omega_i\Delta x_i=\sum_{i=1}^{i_0}\omega_i\Delta x_i+\sum_{i=i_0+1}^{n}\omega_i\Delta x_i<\varepsilon.$$

于是 $\lim\limits_{\|T\|\to 0}\sum\limits_{i=1}^{n}\omega_i\Delta x_i=0$. 由此可知 $f(x)$ 在 $[0,1]$ 上可积.

方法二　首先，函数 $f(x)=\mathrm{sgn}\left(\sin\dfrac{\pi}{x}\right)$ 在 $[0,1]$ 上有界，不连续点为

$$0,1,\frac{1}{2},\frac{1}{3},\cdots,\frac{1}{n},\cdots,$$

且 $f(x)$ 在 $[0,1]$ 的任何部分区间上的振幅 $\omega\leqslant 2$.

$\forall\varepsilon>0$，由于 $f(x)$ 在 $\left[\dfrac{\varepsilon}{4},1\right]$ 上只有有限个不连续点，故可积. 因此由可积的第二充要条件知存在 $\left[\dfrac{\varepsilon}{4},1\right]$ 的一个分割 $T'=\{\Delta_1,\Delta_2,\cdots,\Delta_n\}$，使得 $\sum\limits_{i'}\omega_{i'}\Delta x_{i'}<\dfrac{\varepsilon}{2}$.

显然，$T=T'\cup\left[0,\dfrac{\varepsilon}{4}\right]$ 为 $[0,1]$ 的一个分割，且有

$$\sum_{i}\omega_i\Delta x_i\leqslant 2\cdot\frac{\varepsilon}{4}+\sum_{i'}\omega_{i'}\Delta x_{i'}<\frac{\varepsilon}{2}+\frac{\varepsilon}{2}=\varepsilon,$$

由此可知 $f(x)$ 在 $[0,1]$ 上可积.

【2195】 证明:函数 $f(x)=\begin{cases}\dfrac{1}{x}\left[\dfrac{1}{x}\right], & x\neq 0,\\ 0, & x=0\end{cases}$ 在闭区间$[0,1]$上可积.

证 **方法一** 首先,函数 $f(x)$ 在$[0,1]$上有界,其不连续点是

$$0,\frac{1}{2},\frac{1}{3},\frac{1}{4},\cdots,\frac{1}{n},\cdots,$$

并且 $f(x)$ 在$[0,1]$的任何部分区间上的振幅 $\omega\leqslant 1$.

$\forall\varepsilon>0$,由于 $f(x)$ 在$\left[\dfrac{\varepsilon}{3},1\right]$上只有有限个不连续点,故可积. 因此,$\exists\eta>0$,使得对$\left[\dfrac{\varepsilon}{3},1\right]$的任何分法,只要 $\max\{\Delta x_i\}<\eta$,就有 $\sum\limits_{i'}\omega_{i'}\Delta x_{i'}<\dfrac{\varepsilon}{3}$. 显然,若$[\alpha,\beta]\subset\left[\dfrac{\varepsilon}{3},1\right]$,则对于$[\alpha,\beta]$的任何分法,只要 $\max\{\Delta x_i\}<\eta$,也有 $\sum\limits_{i'}\omega_{i'}\Delta x_{i'}<\dfrac{\varepsilon}{3}$.

令 $\delta=\min\left(\dfrac{\varepsilon}{3},\eta\right)$,现设 $0=x_0<x_1<\cdots<x_i<x_{i+1}<\cdots<x_n=1$ 是$[0,1]$的满足 $\max\{\Delta x_i\}<\delta$ 的任一分法. 设 $x_{i_0}\leqslant\dfrac{\varepsilon}{3}<x_{i_0+1}$,则 $\sum\limits_{i=i_0+1}^{n}\omega_i\Delta x_i<\dfrac{\varepsilon}{3}$.

又显然有

$$\sum_{i=1}^{i_0}\omega_i\Delta x_i\leqslant\sum_{i=1}^{i_0}\Delta x_i<\frac{2\varepsilon}{3},$$

故

$$\sum_{i=1}^{n}\omega_i\Delta x_i=\sum_{i=1}^{i_0}\omega_i\Delta x_i+\sum_{i=i_0+1}^{n}\omega_i\Delta x_i<\varepsilon.$$

于是 $\lim\limits_{\|T\|\to 0}\sum\limits_{i=1}^{n}\omega_i\Delta x_i=0$. 由此可知 $f(x)$ 在$[0,1]$上可积.

方法二 首先,函数 $f(x)$ 在$[0,1]$上有界,其不连续点是

$$0,\frac{1}{2},\frac{1}{3},\frac{1}{4},\cdots,\frac{1}{n},\cdots,$$

并且 $f(x)$ 在$[0,1]$的任何部分区间上的振幅 $\omega\leqslant 1$.

$\forall\varepsilon>0$,由于 $f(x)$ 在$\left[\dfrac{\varepsilon}{2},1\right]$上只有有限个不连续点,故可积. 因此由可积的第二充要条件知存在$\left[\dfrac{\varepsilon}{2},1\right]$的一个分割 $T'=\{\Delta_1,\Delta_2,\cdots,\Delta_n\}$,使得 $\sum\limits_{i'}\omega_{i'}\Delta x_{i'}<\dfrac{\varepsilon}{2}$.

显然,$T=T'\cup\left[0,\dfrac{\varepsilon}{2}\right]$为$[0,1]$的一个分割,且有

$$\sum_{i}\omega_i\Delta x_i\leqslant 1\cdot\frac{\varepsilon}{2}+\sum_{i'}\omega_{i'}\Delta x_{i'}<\frac{\varepsilon}{2}+\frac{\varepsilon}{2}=\varepsilon,$$

由此可知 $f(x)$ 在$[0,1]$上可积.

【2196】 证明:黎曼函数

$$R(x)=\begin{cases}0, & x\text{ 为无理数},\\ \dfrac{1}{n}, & x=\dfrac{m}{n}(m\text{ 及 }n\text{ 为互素的正整数})\end{cases}$$

在任何有限区间上可积.

证 为简单起见,只考虑闭区间$[0,1]$(对于一般的闭区间$[a,b]$,可类似讨论).

$\forall\varepsilon>0$,在$[0,1]$上使得$\dfrac{1}{n}>\dfrac{\varepsilon}{2}$ 的有理点$\dfrac{m}{n}$ 只有有限个,设它们为 $r_1,r_2,\cdots,r_k$.

现对闭区间[0,1]做分割 $T=\{\Delta_1,\Delta_2,\cdots,\Delta_n\}$，使 $\|T\|<\frac{\varepsilon}{2k}$，并把分割 T 中所有的小区间分为 $\{\Delta'_i \mid i=1,2,\cdots,m\}$ 和 $\{\Delta''_i \mid i=1,2,\cdots,n-m\}$ 两类，其中 $\{\Delta'_i\}$ 为含有 $\{r_i \mid i=1,2,\cdots,k\}$ 中的点的所有小区间，这类小区间的个数 $m\leqslant 2k$（当所有 r_i 恰好都是 T 的分割点时才有 $m=2k$）；而 $\{\Delta''_i\}$ 为 T 中所有其余不含 r_i 中的点的小区间. 由于 $R(x)$ 在 Δ'_i 上的振幅 $\omega'_i\leqslant\frac{1}{2}$，于是

$$\sum_{i=1}^{m}\omega'_i\Delta x'_i\leqslant\frac{1}{2}\sum_{i=1}^{m}\Delta x'_i\leqslant\frac{1}{2}\cdot 2k\|T\|<\frac{\varepsilon}{2};$$

而 $R(x)$ 在 Δ''_i 上的振幅 $\omega''_i\leqslant\frac{\varepsilon}{2}$，于是

$$\sum_{i=1}^{n-m}\omega''_i\Delta x''_i\leqslant\frac{\varepsilon}{2}\sum_{i=1}^{n-m}\Delta x''_i<\frac{\varepsilon}{2}.$$

把这两部分合起来，便可得

$$\sum_{i=1}^{n}\omega_i\Delta x_i=\sum_{i=1}^{m}\omega'_i\Delta x'_i+\sum_{i=1}^{n-m}\omega''_i\Delta x''_i<\varepsilon,$$

即 $R(x)$ 在[0,1]上可积.

【2197】 证明：狄利克雷函数 $D(x)=\begin{cases}0, & x\text{ 为无理数},\\ 1, & x\text{ 为有理数}\end{cases}$ 在任意区间上不可积.

证 $D(x)$ 在任意区间 $[a,b]$ 的任何部分区间上的振幅 $\omega_i=1$，所以 $\sum\limits_{i=1}^{n}\omega_i\Delta x_i=b-a$，它不趋于零. 因此，函数 $D(x)$ 在 $[a,b]$ 上不可积.

【2198】 设函数 $f(x)$ 在 $[a,b]$ 上可积，且

$$f_n(x)=\sup f(x)\,(x_{i-1}\leqslant x\leqslant x_i),$$

其中 $x_i=a+\frac{i(b-a)}{n}\,(i=1,2,\cdots,n;n=1,2,\cdots)$. 证明：

$$\lim_{n\to\infty}\int_a^b f_n(x)\mathrm{d}x=\int_a^b f(x)\mathrm{d}x.$$

证 $f_n(x)$ 是不超过 $n+1$ 个间断点的阶梯函数，因此 $f_n(x)$ 在 $[a,b]$ 上可积. 于是

$$\int_a^b f_n(x)\mathrm{d}x=\sum_{i=1}^{n}\int_{x_{i-1}}^{x_i}f_n(x)\mathrm{d}x=\sum_{i=1}^{n}M_i\Delta x_i.$$

由函数 $f(x)$ 在 $[a,b]$ 上可积知，$\forall\,\xi_i\in[x_{i-1},x_i]$，有

$$\int_a^b f(x)\mathrm{d}x=\lim_{\|T\|\to 0}\sum_{i=1}^{n}f(\xi_i)\Delta x_i \text{ 及 } \lim_{\|T\|\to 0}\sum_{i=1}^{n}\omega_i\Delta x_i=0,$$

这里 ω_i 为函数 $f(x)$ 在闭区间 $[x_{i-1},x_i]$ 上的振幅. 于是有

$$\left|\int_a^b f_n(x)\mathrm{d}x-\sum_{i=1}^{n}f(\xi_i)\Delta x_i\right|=\left|\sum_{i=1}^{n}[M_i-f(\xi_i)]\Delta x_i\right|\leqslant\sum_{i=1}^{n}|M_i-f(\xi_i)|\Delta x_i\leqslant\sum_{i=1}^{n}\omega_i\Delta x_i,$$

故 $\lim\limits_{n\to\infty}\int_a^b f_n(x)\mathrm{d}x=\lim\limits_{n\to\infty}\sum\limits_{i=1}^{n}f(\xi_i)\Delta x_i=\int_a^b f(x)\mathrm{d}x.$

注 题设条件应改为 $f_i(x)=\begin{cases}M_i, & x\in[x_{i-1},x_i],\\ 0, & x\notin[x_{i-1},x_i],\end{cases}$ $f_n(x)=\sum\limits_{i=1}^{n}f_i(x).$

【2199】 证明：若 $f(x)$ 在 $[a,b]$ 上可积，则存在连续函数序列 $\varphi_n(x)\,(n=1,2,\cdots)$，使得当 $a\leqslant c\leqslant b$ 时，有

$$\int_a^c f(x)\mathrm{d}x=\lim_{n\to\infty}\int_a^c\varphi_n(x)\mathrm{d}x.$$

证 任给区间$[a,b]$的分割T,设分点为

$$a=x_0^{(n)}<x_1^{(n)}<\cdots<x_{n-1}^{(n)}<x_n^{(n)}=b.$$

令$\varphi_n(x)$为过点$[x_i^{(n)},f(x_i^{(n)})](i=0,1,2,\cdots,n)$的折线段,即当$x\in[x_{i-1}^{(n)},x_i^{(n)}]$时,

$$\varphi_n(x)=f(x_{i-1}^{(n)})+\frac{x-x_{i-1}^{(n)}}{x_i^{(n)}-x_{i-1}^{(n)}}[f(x_i^{(n)})-f(x_{i-1}^{(n)})],$$

则$\varphi_n(x)$是$[a,b]$上的连续函数,因此$\varphi_n(x)$在$[a,b]$上可积.

于是当$a\leqslant c\leqslant b$时,由可积的第一或第二充要条件,$f(x)$和$\varphi_n(x)$在$[a,c]$上可积.

若令$m_i^{(n)},M_i^{(n)}$及$\omega_i^{(n)}$分别表示$f(x)$在$[x_{i-1}^{(n)},x_i^{(n)}]$上的下确界、上确界及振幅,则当$x\in[x_{i-1}^{(n)},x_i^{(n)}]$时,有

$$m_i^{(n)}\leqslant\varphi_n(x)\leqslant M_i^{(n)},m_i^{(n)}\leqslant f(x)\leqslant M_i^{(n)},$$

从而$|\varphi_n(x)-f(x)|\leqslant\omega_i^{(n)}$.

当$a\leqslant c\leqslant b$时,不妨设$c\in[x_{i-1}^{(n)},x_i^{(n)}]$,记$\Delta_i^{(n)}=[x_{i-1}^{(n)},c]$,$\Delta_i^{\prime(n)}=[c,x_i^{(n)}]$,则

$$\left|\sum_{j=1}^{i-1}[f(x_j)-\varphi_n(x_j)]\Delta x_j^{(n)}+[f(x_{i-1})-\varphi_n(x_{i-1})]\Delta x_i^{(n)}+[f(x_{i+1})-\varphi_n(x_{i+1})]\Delta x_i^{\prime(n)}\right|$$

$$\leqslant\sum_{j=1}^{i-1}|f(x_j)-\varphi_n(x_j)|\Delta x_j^{(n)}+|f(x_{i-1})-\varphi_n(x_{i-1})|\Delta x_i^{(n)}+|f(x_{i+1})-\varphi_n(x_{i+1})|\Delta x_i^{\prime(n)}$$

$$\leqslant\sum_{i=1}^{n}\omega_i^{(n)}\Delta x_i^{(n)}.$$

由$f(x)$在$[a,b]$上可积知,$\lim\limits_{\|T\|\to0}\sum\limits_{i=1}^{n}\omega_i\Delta x_i=0$,由此可知

$$\int_a^c f(x)\mathrm{d}x=\lim_{n\to\infty}\int_a^c\varphi_n(x)\mathrm{d}x(a\leqslant c\leqslant b).$$

【2200】 证明:若有界函数$f(x)$在闭区间$[a,b]$上可积,则$|f(x)|$在$[a,b]$上也可积,并且

$$\left|\int_a^b f(x)\mathrm{d}x\right|\leqslant\int_a^b|f(x)|\mathrm{d}x.$$

证 对于区间$[x_{i-1},x_i]$上任意两点x'及x'',总有

$$||f(x')|-|f(x'')||\leqslant|f(x')-f(x'')|,$$

所以,函数$|f(x)|$在$[x_{i-1},x_i]$上的振幅ω_i^*不超过$f(x)$在$[x_{i-1},x_i]$上的振幅ω_i,因而

$$\sum_{i=1}^{n}\omega_i^*\Delta x_i\leqslant\sum_{i=1}^{n}\omega_i\Delta x_i,$$

由$f(x)$在$[a,b]$上可积知$\lim\limits_{\|T\|\to0}\sum\limits_{i=1}^{n}\omega_i\Delta x_i=0$,因而有$\lim\limits_{\|T\|\to0}\sum\limits_{i=1}^{n}\omega_i^*\Delta x_i=0$,即$|f(x)|$在$[a,b]$上可积.

其次,因为$-|f(x)|\leqslant f(x)\leqslant|f(x)|$,所以

$$-\int_a^b|f(x)|\mathrm{d}x\leqslant\int_a^b f(x)\mathrm{d}x\leqslant\int_a^b|f(x)|\mathrm{d}x,$$

即$\left|\int_a^b f(x)\mathrm{d}x\right|\leqslant\int_a^b|f(x)|\mathrm{d}x$.

【2201】 若函数$f(x)$在闭区间$[a,b]$上绝对可积,即积分$\int_a^b|f(x)|\mathrm{d}x$存在,问函数$f(x)$在$[a,b]$上是否为可积函数?

解 一般地说,不是.例如,函数

$$f(x)=\begin{cases}1, & x\in\mathbf{Q},\\-1, & x\in\mathbf{Q}^C,\end{cases}$$

则$|f(x)|=1$,在$[a,b]$上连续,因而在$[a,b]$上可积.但对于$f(x)$而言,在$[a,b]$的任一部分区间上$\omega_i=2$,

所以$\sum_{i=1}^{n}\omega_i\Delta x_i=2(b-a)$，它不趋向于零. 于是，$f(x)$ 在$[a,b]$上不可积.

【2202】 设函数$\varphi(x)$在闭区间$[A,B]$上连续，函数$f(x)$在$[a,b]$上可积，并且当$a\leqslant x\leqslant b$时$A\leqslant f(x)\leqslant B$. 证明：函数$\varphi[f(x)]$在$[a,b]$上可积.

证 由函数$\varphi(x)$在$[A,B]$上连续知，$\varphi(x)$在$[A,B]$上一致连续，故$\forall\varepsilon>0$，$\exists\eta>0$，使得在$[A,B]$中长度小于η的任一闭区间上，函数φ的振幅都小于$\frac{\varepsilon}{2(b-a)}$. 用$\Omega$表示$\varphi(x)$在$[A,B]$上的振幅. 由$f(x)$在$[a,b]$上可积知，$\exists\delta>0$，对$[a,b]$的任一分法，只要$\max\{\Delta x_i\}<\delta$，就有$\sum_{i=1}^{n}\omega_i(f)\Delta x_i<\frac{\eta\varepsilon}{2\Omega}$，其中$\omega_i(f)$表示$f(x)$在$[x_{i-1},x_i]$上的振幅.

下证对$[a,b]$的任何分法，只要$\max\{\Delta x_i\}<\delta$，就有$\sum_{i=1}^{n}\omega_i(\varphi(f))\Delta x_i<\varepsilon$.

事实上，将诸区间$[x_{i-1},x_i]$分成两组，第一组是满足$\omega_i(f)<\eta$的(其下标以“i'”记之)，第二组是满足$\omega_i(f)\geqslant\eta$的(下标以“i''”记之). 于是

$$\sum_{i=1}^{n}\omega_i[\varphi(f)]\Delta x_i=\sum_{i'}\omega_{i'}[\varphi(f)]\Delta x_{i'}+\sum_{i''}\omega_{i''}[\varphi(f)]\Delta x_{i''}<\frac{\varepsilon}{2(b-a)}\sum_{i'}\Delta x_{i'}+\Omega\sum_{i''}\Delta x_{i''},$$

但

$$\frac{\eta\varepsilon}{2\Omega}>\sum_{i=1}^{n}\omega_i(f)\Delta x_i=\sum_{i'}\omega_{i'}(f)\Delta x_{i'}+\sum_{i''}\omega_{i''}(f)\Delta x_{i''}\geqslant\sum_{i''}\omega_{i''}(f)\Delta x_{i''}\geqslant\eta\sum_{i''}\Delta x_{i''},$$

于是

$$\sum_{i=1}^{n}\omega_i(\varphi(f))\Delta x_i<\frac{\varepsilon}{2(b-a)}(b-a)+\Omega\frac{\varepsilon}{2\Omega}=\varepsilon.$$

由此可知$\varphi[f(x)]$在$[a,b]$上可积.

【2203】 若函数$f(x)$及$\varphi(x)$可积，则函数$f[\varphi(x)]$是否也必定可积?

解 不一定可积.

例如，函数$f(x)=\begin{cases}0, & x=0,\\ 1, & x\neq 0,\end{cases}$ $\varphi(x)$取为黎曼函数(参阅2196题). 它们在任何有限区间上均可积(前者不连续点仅为原点一个，且是有界函数，因而是可积的). 但$f[\varphi(x)]=D(x)$，利用2197题的结果知，它在任何有限区间上不可积.

【2204】 设函数$f(x)$在闭区间$[A,B]$上可积，证明：函数$f(x)$有积分连续性，即

$$\lim_{h\to 0}\int_a^b|f(x+h)-f(x)|\,\mathrm{d}x=0,$$

其中$[a,b]\subset[A,B]$.

证 **方法一** 不妨设$A<a,b<B$. 由于$f(x)$在$[A,B]$可积，故$\forall\varepsilon>0$，$\exists\eta>0$，对$[A,B]$的任何分法，只要$\max\{\Delta x_i\}<\eta$，就有

$$\sum_i\omega_i\Delta x_i<\varepsilon.$$

显然，对$[A,B]$的任一子区间$[A',B']$的任何分法，只要$\max\{\Delta x_{i'}\}<\eta$，也有

$$\sum_{i'}\omega_{i'}(f)\Delta x_{i'}<\varepsilon. \qquad ①$$

今设$0<h<\delta=\min\left\{\frac{\eta}{2},\frac{B-b}{3}\right\}$，则对于$h$，$\exists n=n(h)\in\mathbf{Z}_+$，有

$$a+(2n-2)h<b\leqslant a+2nh<a+(2n+1)h<B.$$

用ω_i表示$f(x)$在$[a+ih,a+(i+2)h]$上的振幅，则

$$\int_a^b|f(x+h)-f(x)|\,\mathrm{d}x\leqslant\int_a^{a+2nh}|f(x+h)-f(x)|\,\mathrm{d}x=\sum_{i=1}^{2n}\int_{a+(i-1)h}^{a+ih}|f(x+h)-f(x)|\,\mathrm{d}x$$

$$\leqslant \sum_{i=1}^{2n}\omega_{i-1}h = \frac{1}{2}\sum_{i=1}^{n}\omega_{2i-2}2h + \frac{1}{2}\sum_{i=1}^{n}\omega_{2i-1}2h.$$

显然 $\sum\limits_{i=1}^{n}\omega_{2i-2}2h$ 是对于区间 $[a,a+2nh]$ 的分法

$$a < a+2h < a+4h < \cdots < a+2nh$$

所作的 ① 式中的和.

而 $\sum\limits_{i=1}^{n}\omega_{2i-1}2h$ 是对于区间 $[a+h,a+(2n+1)h]$ 的分法

$$a+h < a+3h < a+5h < \cdots < a+(2n+1)h$$

所作的 ① 式中的和. 故

$$\sum_{i=1}^{n}\omega_{2i-2}2h < \varepsilon, \sum_{i=1}^{n}\omega_{2i-1}2h < \varepsilon.$$

从而

$$\int_a^b |f(x+h)-f(x)|\,dx < \frac{\varepsilon}{2}+\frac{\varepsilon}{2} = \varepsilon.$$

由此可知

$$\lim_{h\to 0^+}\int_a^b |f(x+h)-f(x)|\,dx = 0.$$

同理可证 $\lim\limits_{h\to 0^-}\int_a^b |f(x+h)-f(x)|\,dx = 0$.

于是 $\lim\limits_{h\to 0}|f(x+h)-f(x)|\,dx = 0$.

方法二 由 2199 题的结果可知：对于 $\forall\varepsilon>0$，由于 $f(x)$ 在 $[A,B]$ 上可积，故存在 $[A,B]$ 上的连续函数 $\varphi(x)$，使

$$\int_A^B |f(x)-\varphi(x)|\,dx < \frac{\varepsilon}{4}.$$

由于 $\varphi(x)$ 在 $[A,B]$ 上一致连续，故 $\exists\delta>0$，$\forall x',x''\in[A,B]$，只要 $|x'-x''|<\delta$ 时，就有

$$|\varphi(x')-\varphi(x'')| < \frac{\varepsilon}{2(b-a)}.$$

于是，当 $|h|<\delta$ 时，有

$$\begin{aligned}\int_a^b |f(x+h)-f(x)|\,dx &\leqslant \int_a^b |f(x+h)-\varphi(x+h)|\,dx + \\ &\quad \int_a^b |\varphi(x+h)-\varphi(x)|\,dx + \int_a^b |f(x)-\varphi(x)|\,dx \\ &\leqslant 2\int_A^B |f(x)-\varphi(x)|\,dx + \int_a^b |\varphi(x+h)-\varphi(x)|\,dx \\ &< 2\cdot\frac{\varepsilon}{4} + \frac{\varepsilon}{2(b-a)}(b-a) = \varepsilon.\end{aligned}$$

故 $\lim\limits_{h\to 0}\int_a^b |f(x+h)-f(x)|\,dx = 0$.

【2205】 设函数 $f(x)$ 在闭区间 $[a,b]$ 上可积，证明：等式 $\int_a^b f^2(x)\,dx = 0$ 当且仅当对属于闭区间 $[a,b]$ 内函数 $f(x)$ 连续的一切点有 $f(x)=0$ 时才成立.

证 必要性：采用反证法. 设 $f(x)$ 在点 x_0 连续，但 $f(x_0)\neq 0$，则 $\exists\delta>0$，$[x_0-\delta,x_0+\delta]\subset[a,b]$，当 $|x-x_0|<\delta$ 时，有 $|f(x)| > \frac{|f(x_0)|}{2}$. 从而

$$\int_a^b f^2(x)\,dx \geqslant \int_{x_0-\delta}^{x_0+\delta} f^2(x)\,dx > \frac{f^2(x_0)}{4}2\delta = \frac{\delta f^2(x_0)}{2} > 0,$$

这与假设$\int_a^b f^2(x)\mathrm{d}x=0$矛盾.

充分性：$f(x)$在$[a,b]$上可积条件下，假设$f(x)$在一切连续点x_0处均有$f(x_0)=0$，则必有

$$\int_a^b f^2(x)\mathrm{d}x=0.$$

证明分两个部分：

第一，首先要指出当$f(x)$在$[a,b]$上可积时，$f(x)$的连续点在$[a,b]$中必定是稠密的. 此处所谓“稠密”性是指：对于任意区间$[\alpha,\beta]\subset[a,b]$，总存在一点$x_0\in[\alpha,\beta]$，使$f(x)$在$x_0$连续.

第二，利用假设，并借助于稠密性，可证得充分性.

先证第二部分：由$f(x)$在$[a,b]$上的全体连续点X的稠密性以及当$x_0\in X$时有$f(x_0)=0$的假设，即知，对于区间$[a,b]$的任一分法，均可适当地取$x_{i-1}\leqslant\xi_i\leqslant x_i$，使$f(\xi_i)=0$. 从而积分和$\sum\limits_{i=1}^n f^2(\xi_i)\Delta x_i=0$. 由此，再注意到$f^2(x)$在$[a,b]$上的可积性，便有

$$\int_a^b f^2(x)\mathrm{d}x=\lim_{\|T\|\to 0}\sum_{i=1}^n f^2(\xi_i)\Delta x_i=0.$$

再证第一部分：首先指明，若$f(x)$在$[\alpha,\beta]$上可积，则$\forall\varepsilon>0$，存在$[\alpha,\beta]$的子区间$[\alpha',\beta']$，使得振幅$\omega[\alpha',\beta']<\varepsilon$.

事实上，如果上述结论不成立，则$\exists\varepsilon_0>0$，对于$[\alpha,\beta]$的任意分法，有

$$\sum_i\omega_i\Delta x_i\geqslant\varepsilon_0\sum\Delta x=\varepsilon_0(\beta-\alpha)>0,$$

这与$f(x)$在$[\alpha,\beta]$可积矛盾，因此，结论为真.

今取$[\alpha,\beta]$为$[a_1,b_1]$. 由于$f(x)$在$\left[a_1+\dfrac{b_1-a_1}{4},b_1-\dfrac{b_1-a_1}{4}\right]$上可积，故存在区间

$$[a_2,b_2]\subset\left[a_1+\frac{b_1-a_1}{4},b_1-\frac{b_1-a_1}{4}\right]\subset[a_1,b_1],$$

使$\omega[a_2,b_2]<\dfrac{1}{2}$. 同样，存在区间

$$[a_3,b_3]\subset\left[a_2+\frac{b_2-a_2}{4},b_2-\frac{b_2-a_2}{4}\right]\subset[a_2,b_2],$$

使$\omega[a_3,b_3]<\dfrac{1}{3}$. 这样继续下去，得到一串闭区间$[a_n,b_n]$$(n=1,2,3,\cdots)$，满足

$$\alpha=a_1<a_2<\cdots<a_n<\cdots<b_n<\cdots<b_2<b_1=\beta,$$

并且

$$b_n-a_n\leqslant\frac{\beta-\alpha}{2^{n-1}}\to 0(n\to\infty),\omega[a_n,b_n]<\frac{1}{n}(n=1,2,3,\cdots).$$

由区间套定理，诸$[a_n,b_n]$具有唯一的公共点c. 显然$a_n<c<b_n(n=1,2,3,\cdots)$. 下证$f(x)$在点$c$连续.

$\forall\varepsilon>0$，取正整数n_0，使$n_0>\dfrac{1}{\varepsilon}$. 再取$\delta>0$，使$(c-\delta,c+\delta)\subset[a_{n_0},b_{n_0}]$. 故当$|x-c|<\delta$时，必有

$$|f(x)-f(c)|\leqslant\omega[a_{n_0},b_{n_0}]<\frac{1}{n_0}<\varepsilon,$$

故$f(x)$在点$x=c$连续，充分性证毕.

第2节 利用不定积分计算定积分（习题2206—2315）

知识点预览

序号	知识点	题目序号	所在页码
1	牛顿 — 莱布尼茨公式	2206—2244	P172
2	分部积分法	2245—2250	P182
3	换元积分法	2251—2315	P183

知识点1 牛顿 — 莱布尼茨公式

1. 牛顿 — 莱布尼茨公式 若函数 $f(x)$ 在闭区间 $[a,b]$ 上有定义且连续，$F(x)$ 为它的原函数，即 $F'(x)=f(x)$，则

$$\int_a^b f(x)\mathrm{d}x=F(b)-F(a)=F(x)\Big|_a^b.$$

2. 定积分的几何意义 当 $f(x)\geqslant 0$ 时，定积分 $\int_a^b f(x)\mathrm{d}x$ 在几何上表示由曲线 $y=f(x)$，Ox 轴及垂直于 Ox 轴的两直线 $x=a$ 和 $x=b$ 所围成的面积 S，如图 4.1 所示.

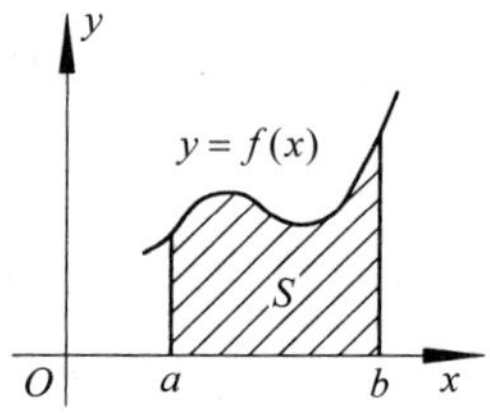

图 4.1

习题 2206—2218 牛顿 — 莱布尼茨公式

【利用牛顿 — 莱布尼茨公式，求下列定积分并绘出对应图形的面积(2206—2215)】

【2206】 $\int_{-1}^{8}\sqrt[3]{x}\,\mathrm{d}x$.

解 $\int_{-1}^{8}\sqrt[3]{x}\,\mathrm{d}x=\frac{3}{4}x^{\frac{4}{3}}\Big|_{-1}^{8}=\frac{45}{4}$(图 4.2).

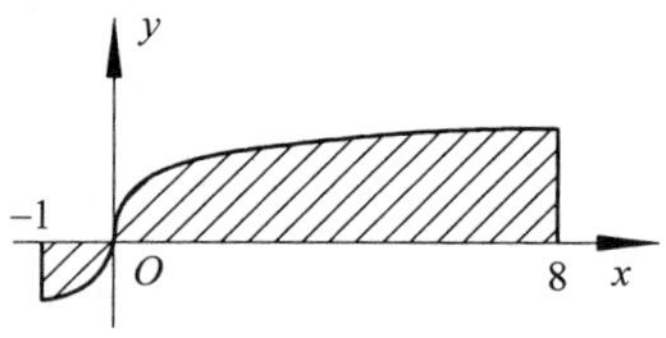

图 4.2

【2207】 $\int_0^{\pi}\sin x\mathrm{d}x$.

解 $\int_0^{\pi}\sin x\mathrm{d}x=-\cos x\Big|_0^{\pi}=2$(图 4.3).

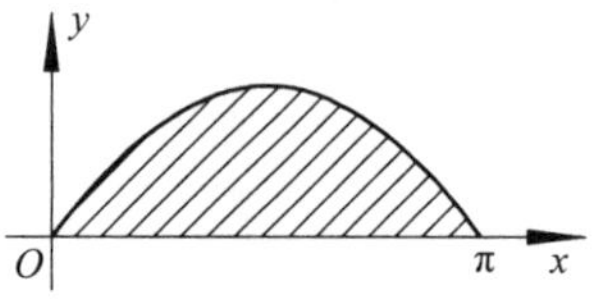

图 4.3

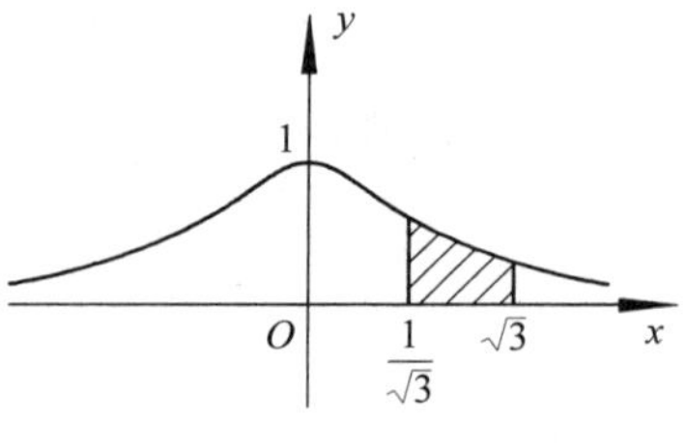

图 4.4

【2208】 $\int_{\frac{1}{\sqrt{3}}}^{\sqrt{x}} \frac{dx}{1+x^2}$.

解 $\int_{\frac{1}{\sqrt{3}}}^{\sqrt{x}} \frac{dx}{1+x^2} = \arctan x \Big|_{\frac{1}{\sqrt{3}}}^{\sqrt{3}} = \frac{\pi}{6}$(图 4.4).

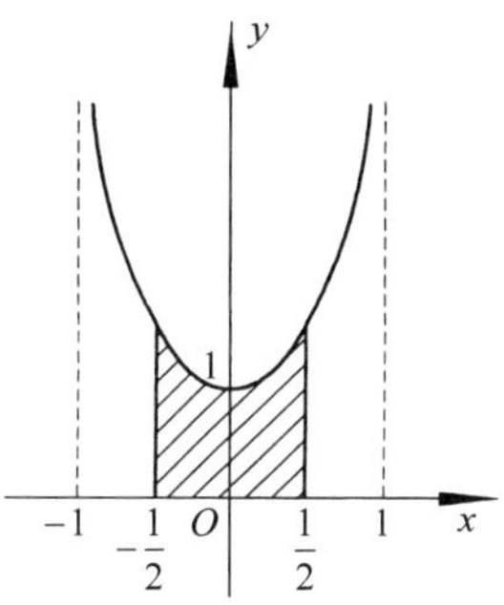

图 4.5

【2209】 $\int_{-\frac{1}{2}}^{\frac{1}{2}} \frac{dx}{\sqrt{1-x^2}}$.

解 $\int_{-\frac{1}{2}}^{\frac{1}{2}} \frac{dx}{\sqrt{1-x^2}} = \arcsin x \Big|_{-\frac{1}{2}}^{\frac{1}{2}} = \frac{\pi}{3}$(图 4.5).

【2210】 $\int_{\mathrm{sh}\,1}^{\mathrm{sh}\,2} \frac{dx}{\sqrt{1+x^2}}$.

解 $\int_{\mathrm{sh}\,1}^{\mathrm{sh}\,2} \frac{dx}{\sqrt{1+x^2}} = \ln(x+\sqrt{1+x^2})\Big|_{\mathrm{sh}\,1}^{\mathrm{sh}\,2} = \mathrm{arsh}\, x \Big|_{\mathrm{sh}\,1}^{\mathrm{sh}\,2} = 1$(图 4.6).

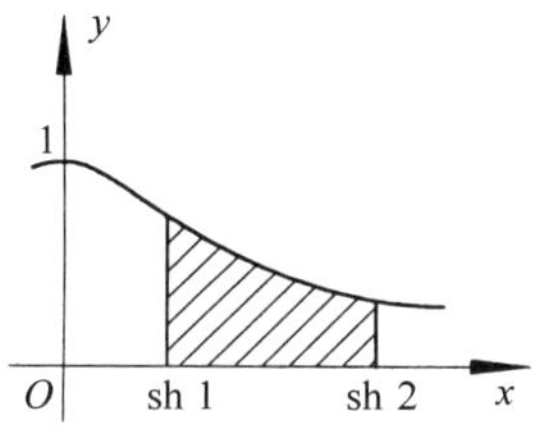

图 4.6

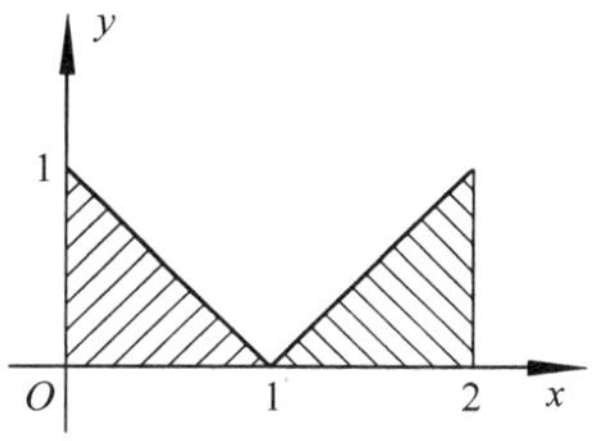

图 4.7

【2211】 $\int_0^2 |1-x|\,dx$.

解 $\int_0^2 |1-x|\,dx = \int_0^1 (1-x)dx - \int_1^2 (1-x)dx = 1$(图 4.7).

【2212】 $\int_{-1}^{1} \frac{dx}{x^2-2x\cos\alpha+1}(0<\alpha<\pi)$.

解 $\int_{-1}^{1} \frac{dx}{x^2-2x\cos\alpha+1} = \frac{1}{\sin\alpha}\arctan\frac{x-\cos\alpha}{\sin\alpha}\Big|_{-1}^{1}$

$$= \frac{1}{\sin\alpha}\left[\arctan\left(\tan\frac{\alpha}{2}\right)+\arctan\left(\cot\frac{\alpha}{2}\right)\right]$$

$$= \frac{1}{\sin\alpha}\left\{\frac{\alpha}{2}+\arctan\left[\tan\left(\frac{\pi}{2}-\frac{\alpha}{2}\right)\right]\right\} = \frac{\pi}{2\sin\alpha}\text{(图 4.8)}.$$

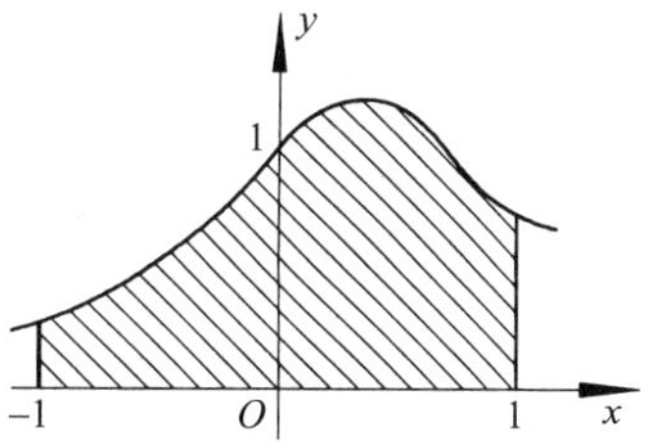

图 4.8

注 以下图形从略.

【2213】 $\int_0^{2\pi} \frac{dx}{1+\varepsilon\cos x}(0\leqslant\varepsilon<1)$.

解 令 $\tan\frac{x}{2}=t$,并记 $a=\sqrt{\frac{1-\varepsilon}{1+\varepsilon}}$,则有

$$\int \frac{dx}{1+\varepsilon\cos x} = \frac{2}{(1+\varepsilon)a}\int\frac{d(at)}{1+(at)^2} = \frac{2}{\sqrt{1-\varepsilon^2}}\arctan\left(a\tan\frac{x}{2}\right)+C.$$

故$\int_0^{2\pi} \frac{dx}{1+\varepsilon\cos x} = \frac{2}{\sqrt{1-\varepsilon^2}}\left[\arctan\left(a\tan\frac{x}{2}\right)\Big|_0^{\pi^-} + \arctan\left(a\tan\frac{x}{2}\right)\Big|_{\pi^+}^{2\pi^-}\right] = \frac{2\pi}{\sqrt{1-\varepsilon^2}}$.

【2214】 $\int_{-1}^{1} \frac{dx}{\sqrt{(1-2ax+a^2)(1-2bx+b^2)}}(|a|<1, |b|<1, ab>0)$.

解 在公式

$$\int \frac{\mathrm{d}x}{\sqrt{Ax^2+Bx+C}} = \frac{1}{\sqrt{A}}\ln\left|Ax+\frac{B}{2}+\sqrt{A}\ \sqrt{Ax^2+Bx+C}\right|+C$$

中，设 $Ax^2+Bx+C=(1-2ax+a^2)(1-2bx+b^2)$，两端求导数，得

$$Ax+\frac{B}{2}=-b(1-2ax+a^2)-a(1-2bx+b^2).$$

由此推得，当 $x=1$ 时，在对数符号下的表达式的值为

$$-a(1-b)^2-b(1-a)^2+2\sqrt{ab}(1-a)(1-b)=-(\sqrt{a}-\sqrt{b})^2(1+\sqrt{ab})^2,$$

而当 $x=-1$ 时，得到值 $-(\sqrt{a}-\sqrt{b})^2(1-\sqrt{ab})^2$. 于是

$$\int_{-1}^{1}\frac{\mathrm{d}x}{\sqrt{(1-2ax+a^2)(1-2bx+b^2)}}=\frac{1}{\sqrt{ab}}\ln\frac{1+\sqrt{ab}}{1-\sqrt{ab}}.$$

注 本题用到 1850 题的结果.

【2215】 $\int_0^{\frac{\pi}{2}}\frac{\mathrm{d}x}{a^2\sin^2x+b^2\cos^2x}(ab\neq 0)$.

解 $\int_0^{\frac{\pi}{2}}\frac{\mathrm{d}x}{a^2\sin^2x+b^2\cos^2x}=\frac{1}{|ab|}\arctan\left(\frac{|a|\tan x}{|b|}\right)\Big|_0^{\frac{\pi}{2}}=\frac{\pi}{2|ab|}$.

注 本题用到 2035 题的结果.

【2216】 对于下列定积分：

(1) $\int_{-1}^{1}\frac{\mathrm{d}x}{x^2}$；　(2) $\int_0^{2\pi}\frac{\sec^2x\mathrm{d}x}{2+\tan^2x}$；　(3) $\int_{-1}^{1}\frac{\mathrm{d}}{\mathrm{d}x}\left(\arctan\frac{1}{x}\right)\mathrm{d}x$.

说明为什么运用牛顿—莱布尼茨公式会得到不正确的结果.

解 (1) 若应用公式则得

$$\int_{-1}^{1}\frac{\mathrm{d}x}{x^2}=-\frac{1}{x}\Big|_{-1}^{1}=-2<0.$$

这是不正确的. 事实上，由于 $f(x)=\frac{1}{x^2}>0$，所以，当积分存在时，其值必大于零. 原因在于 $f(x)=\frac{1}{x^2}$ 在区间 $[-1,1]$ 上有第二类间断点 $x=0$. 因而，不能运用牛顿—莱布尼茨公式.

(2) 若应用公式则得

$$\int_0^{2\pi}\frac{\sec^2x\mathrm{d}x}{2+\tan^2x}=\frac{1}{\sqrt{2}}\arctan\frac{\tan x}{\sqrt{2}}\Big|_0^{2\pi}=0,$$

但 $\frac{\sec^2x}{2+\tan^2x}>0$，故积分若存在，积分值必大于零. 原因在于原函数 $\frac{1}{\sqrt{2}}\arctan\frac{\tan x}{\sqrt{2}}$ 在 $[0,2\pi]$ 上有第一类间断点 $x=\frac{\pi}{2}$ 与 $x=\frac{3\pi}{2}$，故不能直接运用牛顿—莱布尼茨公式.

(3) 若应用公式则得

$$\int_{-1}^{1}\frac{\mathrm{d}}{\mathrm{d}x}\left(\arctan\frac{1}{x}\right)\mathrm{d}x=\arctan\frac{1}{x}\Big|_{-1}^{1}=\frac{\pi}{2}>0,$$

这是不正确的. 因为 $\frac{\mathrm{d}}{\mathrm{d}x}\left(\arctan\frac{1}{x}\right)=-\frac{1}{1+x^2}<0$. 所以积分值必为负. 原因在于原函数 $\arctan\frac{1}{x}$ 有第一类间断点 $x=0$，故不能直接运用牛顿—莱布尼茨公式.

【2217】 求 $\int_{-1}^{1}\frac{\mathrm{d}}{\mathrm{d}x}\left(\frac{1}{1+2^{\frac{1}{x}}}\right)\mathrm{d}x$.

解 由积分区间的可加性有

$$\int_{-1}^{1}\frac{\mathrm{d}}{\mathrm{d}x}\left(\frac{1}{1+2^{\frac{1}{x}}}\right)\mathrm{d}x=\int_{-1}^{0}\frac{\mathrm{d}}{\mathrm{d}x}\left(\frac{1}{1+2^{\frac{1}{x}}}\right)\mathrm{d}x+\int_{0}^{1}\frac{\mathrm{d}}{\mathrm{d}x}\left(\frac{1}{1+2^{\frac{1}{x}}}\right)\mathrm{d}x=\frac{1}{1+2^{\frac{1}{x}}}\Bigg|_{-1}^{0}+\frac{1}{1+2^{\frac{1}{x}}}\Bigg|_{0}^{1}=\frac{2}{3}.$$

注 被积函数$\frac{\mathrm{d}}{\mathrm{d}x}\left(\frac{1}{1+2^{\frac{1}{x}}}\right)$显然在$x=0$处不连续，但易知

$$\lim_{x\to 0}\frac{\mathrm{d}}{\mathrm{d}x}\left(\frac{1}{1+2^{\frac{1}{x}}}\right)=0,$$

故$x=0$是可去间断点.若补充被积函数在$x=0$处的值为0，则被积函数在$[-1,1]$上连续，从而积分$\int_{-1}^{1}\frac{\mathrm{d}}{\mathrm{d}x}\left(\frac{1}{1+2^{\frac{1}{x}}}\right)\mathrm{d}x$存在.以后，凡是被积函数有可去间断点的情形，都可按此法处理，理解为连续函数的积分，另外，

$$\int_{-1}^{0}\frac{\mathrm{d}}{\mathrm{d}x}\left(\frac{1}{1+2^{\frac{1}{x}}}\right)\mathrm{d}x=\frac{1}{1+2^{\frac{1}{x}}}\Bigg|_{-1}^{0}=\frac{1}{3},$$

应理解为

$$\int_{-1}^{0}\frac{\mathrm{d}}{\mathrm{d}x}\left(\frac{1}{1+2^{\frac{1}{x}}}\right)\mathrm{d}x=\lim_{\eta\to 0^{+}}\int_{-1}^{-\eta}\frac{\mathrm{d}}{\mathrm{d}x}\left(\frac{1}{1+2^{\frac{1}{x}}}\right)\mathrm{d}x=\lim_{\eta\to 0^{+}}\left(\frac{1}{1+2^{\frac{1}{x}}}\Bigg|_{-1}^{-\eta}\right)=\frac{1}{3}.$$

以后，凡是定积分存在而原函数有不连续点的情况，都按此理解，省去取极限的式子，但应理解为取极限的结果.

【2218】 求$\int_{0}^{100\pi}\sqrt{1-\cos 2x}\,\mathrm{d}x$.

解 $\int_{0}^{100\pi}\sqrt{1-\cos 2x}\,\mathrm{d}x=\sqrt{2}\int_{0}^{100\pi}|\sin x|\,\mathrm{d}x=100\sqrt{2}\int_{0}^{\pi}|\sin x|\,\mathrm{d}x=200\sqrt{2}.$

习题 2219—2230 利用定积分求极限

【利用定积分求下列和式的极限(2219—2226)】

【2219】 $\lim\limits_{n\to\infty}\left(\frac{1}{n^2}+\frac{2}{n^2}+\cdots+\frac{n-1}{n^2}\right)$.

解 由于$\frac{1}{n^2}+\frac{2}{n^2}+\cdots+\frac{n-1}{n^2}=\frac{1}{n}\left(\frac{1}{n}+\frac{2}{n}+\cdots+\frac{n-1}{n}\right)$，$f(x)\in C[0,1]$，从而可积，上述和为函数$f(x)=x$在区间$[0,1]$上的积分和，对应分割为$n$等分$[0,1]$，并取$\xi_i$为小区间的左端点.于是

$$\lim_{n\to\infty}\left(\frac{1}{n^2}+\frac{2}{n^2}+\cdots+\frac{n-1}{n^2}\right)=\lim_{n\to\infty}\sum_{i=1}^{n}\left(\frac{i}{n}\cdot\frac{1}{n}\right)=\int_{0}^{1}x\mathrm{d}x=\frac{1}{2}.$$

【2220】 $\lim\limits_{n\to\infty}\left(\frac{1}{n+1}+\frac{1}{n+2}+\cdots+\frac{1}{n+n}\right)$.

解 $\lim\limits_{n\to\infty}\sum\limits_{i=1}^{n}\frac{1}{n+i}=\lim\limits_{n\to\infty}\sum\limits_{i=1}^{n}\left[\frac{1}{1+\frac{i}{n}}\cdot\frac{1}{n}\right]=\int_{0}^{1}\frac{1}{1+x}\mathrm{d}x=\ln(1+x)\,|_{0}^{1}=\ln 2.$

【2221】 $\lim\limits_{n\to\infty}\left(\frac{n}{n^2+1^2}+\frac{n}{n^2+2^2}+\cdots+\frac{n}{n^2+n^2}\right)$.

解 $\lim\limits_{n\to\infty}\sum\limits_{i=1}^{n}\frac{n}{n^2+i^2}=\lim\limits_{n\to\infty}\sum\limits_{i=1}^{n}\left[\frac{1}{1+\left(\frac{i}{n}\right)^2}\cdot\frac{1}{n}\right]=\int_{0}^{1}\frac{1}{1+x^2}\mathrm{d}x=\arctan x\Big|_{0}^{1}=\frac{\pi}{4}.$

【2222】 $\lim\limits_{n\to\infty}\dfrac{1}{n}\left[\sin\dfrac{\pi}{n}+\sin\dfrac{2\pi}{n}+\cdots+\sin\dfrac{(n-1)}{n}\pi\right]$.

解 方法一

$$\lim_{n\to\infty}\frac{1}{n}\left[\sin\frac{\pi}{n}+\sin\frac{2\pi}{n}+\cdots+\sin\frac{(n-1)}{n}\pi\right]$$

$$=\lim_{n\to\infty}\frac{1}{n}\left[\sin\frac{\pi}{n}+\sin\frac{2\pi}{n}+\cdots+\sin\frac{(n-1)}{n}\pi+\sin\frac{n}{n}\pi\right]$$

$$=\lim_{n\to\infty}\sum_{i=1}^{n}\frac{1}{n}\sin\frac{i\pi}{n}=\int_0^1\sin\pi x\mathrm{d}x=-\frac{1}{\pi}\cos\pi x\Big|_0^1=\frac{2}{\pi}.$$

方法二 $\lim\limits_{n\to\infty}\sum\limits_{i=1}^{n}\dfrac{1}{n}\sin\dfrac{i\pi}{n}=\dfrac{1}{\pi}\lim\limits_{n\to\infty}\sum\limits_{i=1}^{n}\dfrac{\pi}{n}\sin\dfrac{i\pi}{n}=\dfrac{1}{\pi}\int_0^{\pi}\sin x\mathrm{d}x=-\dfrac{1}{\pi}\cos\pi x\Big|_0^{\pi}=\dfrac{2}{\pi}$.

【2223】 $\lim\limits_{n\to\infty}\dfrac{1^p+2^p+\cdots+n^p}{n^{p+1}}(p>0)$.

解 $\lim\limits_{n\to\infty}\dfrac{1^p+2^p+\cdots+n^p}{n^{p+1}}=\lim\limits_{n\to\infty}\sum\limits_{i=1}^{n}\left(\dfrac{i}{n}\right)^p\dfrac{1}{n}=\int_0^1x^p\mathrm{d}x=\dfrac{1}{p+1}$.

【2224】 $\lim\limits_{n\to\infty}\dfrac{1}{n}\left(\sqrt{1+\dfrac{1}{n}}+\sqrt{1+\dfrac{2}{n}}+\cdots+\sqrt{1+\dfrac{n}{n}}\right)$.

解 $\lim\limits_{n\to\infty}\dfrac{1}{n}\left(\sqrt{1+\dfrac{1}{n}}+\sqrt{1+\dfrac{2}{n}}+\cdots+\sqrt{1+\dfrac{n}{n}}\right)$

$$=\lim_{n\to\infty}\sum_{i=1}^{n}\frac{1}{n}\sqrt{1+\frac{i}{n}}=\int_0^1\sqrt{1+x}\mathrm{d}x=\frac{2}{3}(1+x)^{\frac{3}{2}}\Big|_0^1=\frac{2}{3}(2\sqrt{2}-1).$$

【2225】 $\lim\limits_{n\to\infty}\dfrac{\sqrt[n]{n!}}{n}$.

解 由于

$$\lim_{n\to\infty}\ln\frac{\sqrt[n]{n!}}{n}=\lim_{n\to\infty}\left(\frac{1}{n}\sum_{i=1}^{n}\ln i-\ln n\right)=\lim_{n\to\infty}\sum_{i=1}^{n}\left[(\ln i-\ln n)\cdot\frac{1}{n}\right]$$

$$=\lim_{n\to\infty}\sum_{i=1}^{n}\left(\ln\frac{i}{n}\cdot\frac{1}{n}\right)=\int_0^1\ln x\mathrm{d}x=\lim_{\eta\to0^+}\int_\eta^1\ln x\mathrm{d}x=\lim_{\eta\to0^+}x(\ln x-1)\big|_\eta^1=-1,$$

从而 $\lim\limits_{n\to\infty}\dfrac{\sqrt[n]{n!}}{n}=\mathrm{e}^{-1}=\dfrac{1}{\mathrm{e}}$.

注 本题用到2388题.

【2226】 $\lim\limits_{n\to\infty}\left[\dfrac{1}{n}\sum\limits_{k=1}^{n}f\left(a+k\dfrac{b-a}{n}\right)\right]$.

解 $\lim\limits_{n\to\infty}\left[\dfrac{1}{n}\sum\limits_{k=1}^{n}f\left(a+k\dfrac{b-a}{n}\right)\right]=\int_0^1f[a+(b-a)x]\mathrm{d}x=\dfrac{1}{b-a}\int_a^bf(x)\mathrm{d}x$.

【弃掉高阶无穷小量，求下列和式的极限(2227—2230)】

【2227】 $\lim\limits_{n\to\infty}\left[\left(1+\dfrac{1}{n}\right)\sin\dfrac{\pi}{n^2}+\left(1+\dfrac{2}{n}\right)\sin\dfrac{2\pi}{n^2}+\cdots+\left(1+\dfrac{n-1}{n}\right)\sin\dfrac{(n-1)\pi}{n^2}\right]$.

解 由于对 $\forall\ k<n,3<n$ 有 $\cos\dfrac{k\pi}{n^2}>\dfrac{1}{2},\cos\dfrac{k\pi}{n^2}>\cos\dfrac{\pi}{n}$,从而

$$0\leqslant\frac{k\pi}{n^2}-\sin\frac{k\pi}{n^2}\leqslant\tan\frac{k\pi}{n^2}-\sin\frac{k\pi}{n^2}\leqslant\tan\frac{k\pi}{n^2}\left(1-\cos\frac{k\pi}{n^2}\right)\leqslant\frac{\sin\frac{k\pi}{n^2}}{\cos\frac{k\pi}{n^2}}\left(1-\cos\frac{k\pi}{n^2}\right)\leqslant\frac{2k\pi}{n^2}\left(1-\cos\frac{\pi}{n}\right).$$

故有

$$0\leqslant\sum_{k=1}^{n-1}\left(1+\frac{k}{n}\right)\left(\frac{k\pi}{n^2}-\sin\frac{k\pi}{n^2}\right)\leqslant\sum_{k=1}^{n-1}\left(1+\frac{k}{n}\right)\frac{2k\pi}{n^2}\left(1-\cos\frac{\pi}{n}\right)\leqslant 2\pi\left(1-\cos\frac{\pi}{n}\right)\to 0(n\to\infty).$$

于是

$$\lim_{n\to\infty}\sum_{k=1}^{n-1}\left(1+\frac{k}{n}\right)\sin\frac{k\pi}{n^2}=\lim_{n\to\infty}\sum_{k=1}^{n-1}\left(1+\frac{k}{n}\right)\frac{k\pi}{n^2}-\lim_{n\to\infty}\sum_{k=1}^{n-1}\left(1+\frac{k}{n}\right)\left(\frac{k\pi}{n^2}-\sin\frac{k\pi}{n^2}\right)$$

$$=\lim_{n\to\infty}\frac{1}{n}\sum_{k=1}^{n-1}\left(\frac{k\pi}{n}+\frac{k^2\pi}{n^2}\right)=\int_0^1\pi(x+x^2)\mathrm{d}x=\frac{5\pi}{6}.$$

【2228】 $\lim\limits_{n\to\infty}\sin\frac{\pi}{n}\sum\limits_{k=1}^{n}\frac{1}{2+\cos\frac{k\pi}{n}}$.

解　方法一　由于 $\sin\frac{\pi}{n}=\frac{\pi}{n}(1+\alpha_n)$，其中 $\lim\limits_{n\to\infty}\alpha_n=0$. 于是

$$\lim_{n\to\infty}\sin\frac{\pi}{n}\sum_{k=1}^{n}\frac{1}{2+\cos\frac{k\pi}{n}}=\lim_{n\to\infty}(1+\alpha_n)\frac{\pi}{n}\sum_{k=1}^{n}\frac{1}{2+\cos\frac{k\pi}{n}}=\pi\lim_{n\to\infty}\frac{1}{n}\sum_{k=1}^{n}\frac{1}{2+\cos\frac{k\pi}{n}}\cdot\lim_{n\to\infty}(1+\alpha_n)$$

$$=\pi\int_0^1\frac{\mathrm{d}x}{2+\cos\pi x}=\frac{2}{\sqrt{3}}\arctan\frac{\tan\frac{\pi x}{2}}{\sqrt{3}}\Bigg|_0^1=\frac{\pi}{\sqrt{3}}.$$

方法二

$$\pi\lim_{n\to 1}\frac{1}{n}\sum_{k=1}^{n}\frac{1}{2+\cos\frac{k\pi}{n}}=\lim_{n\to 1}\frac{\pi}{n}\sum_{k=1}^{n}\frac{1}{2+\cos\frac{k\pi}{n}}=\int_0^{\pi}\frac{\mathrm{d}x}{2+\cos x}=\frac{2}{\sqrt{3}}\arctan\frac{\tan\frac{x}{2}}{\sqrt{3}}\Bigg|_0^{\pi}=\frac{\pi}{\sqrt{3}}.$$

【2229】 $\lim\limits_{n\to\infty}\frac{\sum\limits_{k=1}^{n}\sqrt{(nx+k)(nx+k+1)}}{n^2}(x>0)$.

解　方法一　由于

$$0\leqslant\sqrt{\left(x+\frac{k}{n}\right)\left(x+\frac{k+1}{n}\right)}-\left(x+\frac{k}{n}\right)=\frac{\left(x+\frac{k}{n}\right)\left(x+\frac{k+1}{n}\right)-\left(x+\frac{k}{n}\right)^2}{\sqrt{\left(x+\frac{k}{n}\right)\left(x+\frac{k+1}{n}\right)}+\left(x+\frac{k}{n}\right)}\leqslant\frac{1}{2n},$$

故

$$0\leqslant\frac{\sum\limits_{k=1}^{n}\sqrt{(nx+k)(nx+k+1)}}{n^2}-\sum_{k=1}^{n}\frac{1}{n}\left(x+\frac{k}{n}\right)\leqslant\frac{1}{n}\sum_{k=1}^{n}\frac{1}{2n}=\frac{1}{2n}\to 0(n\to\infty).$$

于是

$$\lim_{n\to\infty}\frac{\sum\limits_{k=1}^{n}\sqrt{(nx+k)(nx+k+1)}}{n^2}=\lim_{n\to\infty}\frac{1}{n}\sum_{k=1}^{n}\left(x+\frac{k}{n}\right)=\int_0^1(x+t)\mathrm{d}t=x+\frac{1}{2}.$$

方法二　$\sum\limits_{k=1}^{n}\left(x+\frac{k}{n}\right)\cdot\frac{1}{n}\leqslant\frac{\sum\limits_{k=1}^{n}\sqrt{(nx+k)(nx+k+1)}}{n^2}\leqslant\sum\limits_{k=1}^{n}\left(x+\frac{k+1}{n}\right)\cdot\frac{1}{n}$，而

$$\lim_{n\to\infty}\sum_{k=1}^{n}\left(x+\frac{k}{n}\right)\cdot\frac{1}{n}=\int_0^1(x+t)\mathrm{d}t=x+\frac{1}{2},$$

$$\lim_{n\to\infty}\sum_{k=1}^{n}\left(x+\frac{k+1}{n}\right)\cdot\frac{1}{n}=\lim_{n\to\infty}\left[\frac{1}{n}+\sum_{k=1}^{n}\left(x+\frac{k}{n}\right)\cdot\frac{1}{n}\right]=0+\int_0^1(x+t)\mathrm{d}t=x+\frac{1}{2},$$

于是

$$\lim_{n\to\infty}\frac{\sum\limits_{k=1}^{n}\sqrt{(nx+k)(nx+k+1)}}{n^2}=x+\frac{1}{2}.$$

【2230】 $\lim\limits_{n\to\infty}\left(\dfrac{2^{\frac{1}{n}}}{n+1}+\dfrac{2^{\frac{2}{n}}}{n+\frac{1}{2}}+\cdots+\dfrac{2^{\frac{n}{n}}}{n+\frac{1}{n}}\right)$.

解 **方法一** 由于 $0<\dfrac{1}{n}-\dfrac{1}{n+\frac{1}{k}}=\dfrac{1}{n(nk+1)}<\dfrac{1}{n^2}$，故

$$0<\frac{1}{n}\sum_{k=1}^{n}2^{\frac{k}{n}}-\sum_{k=1}^{n}\frac{2^{\frac{k}{n}}}{n+\frac{1}{k}}<\frac{1}{n^2}\sum_{k=1}^{n}2^{\frac{k}{n}}<\frac{2}{n}\to 0(n\to\infty).$$

于是

$$\lim_{n\to\infty}\sum_{k=1}^{n}\left(\frac{1}{n+\frac{1}{k}}\cdot 2^{\frac{k}{n}}\right)=\lim_{n\to\infty}\frac{1}{n}\sum_{k=1}^{n}2^{\frac{k}{n}}=\int_0^1 2^x\mathrm{d}x=\frac{1}{\ln 2}.$$

方法二 $\dfrac{1}{n+1}\sum\limits_{k=1}^{n}2^{\frac{k}{n}}\leqslant\dfrac{2^{\frac{1}{n}}}{n+1}+\dfrac{2^{\frac{2}{n}}}{n+\frac{1}{2}}+\cdots+\dfrac{2^{\frac{n}{n}}}{n+\frac{1}{n}}\leqslant\dfrac{1}{n}\sum\limits_{k=1}^{n}2^{\frac{k}{n}}$，而

$$\lim_{n\to\infty}\frac{1}{n}\sum_{k=1}^{n}2^{\frac{k}{n}}=\int_0^1 2^x\mathrm{d}x=\frac{1}{\ln 2},$$

$$\lim_{n\to\infty}\frac{1}{n+1}\sum_{k=1}^{n}2^{\frac{k}{n}}=\lim_{n\to\infty}\frac{n}{n+1}\cdot\lim_{n\to\infty}\frac{1}{n}\sum_{k=1}^{n}2^{\frac{k}{n}}=\frac{1}{\ln 2},$$

于是

$$\lim_{n\to\infty}\left(\frac{2^{\frac{1}{n}}}{n+1}+\frac{2^{\frac{2}{n}}}{n+\frac{1}{2}}+\cdots+\frac{2^{\frac{n}{n}}}{n+\frac{1}{n}}\right)=\frac{1}{\ln 2}.$$

·知识拓展·

1. 变上限积分 设 $f(x)$ 在 $[a,b]$ 上可积，则 $\forall x\in[a,b]$，$f(x)$ 在 $[a,x]$ 上也可积，称函数

$$\Phi(x)=\int_a^x f(t)\mathrm{d}t,x\in[a,b]$$

为变上限积分.

2. 性质

(1) 若 $f(x)$ 在 $[a,b]$ 上可积，则 $\Phi(x)$ 在 $[a,b]$ 上连续.

(2) 若 $f(x)$ 在 $[a,b]$ 上连续，则 $\Phi(x)$ 在 $[a,b]$ 上可导，且 $\Phi'(x)=f(x)$.

(3) 若 $f(x)$ 在 $[a,b]$ 上连续，$\psi(x)$ 在 $[\alpha,\beta]$ 上可导 $(a\leqslant\psi(x)\leqslant b)$，则函数 $H(x)=\int_a^{\psi(x)}f(t)\mathrm{d}t$ 在 $[\alpha,\beta]$ 上可导，且

$$H'(x)=f[\psi(x)]\psi'(x).$$

(4) 若 $f(x)$ 在 $[a,b]$ 上连续，$\varphi(x)$ 和 $\psi(x)$ 在 $[\alpha,\beta]$ 上可导 $(a\leqslant\varphi(x),\psi(x)\leqslant b)$，则 $H(x)=\int_{\varphi(x)}^{\psi(x)}f(t)\mathrm{d}t$ 在 $[\alpha,\beta]$ 上可导，且

$$H'(x)=f[\psi(x)]\psi'(x)-f[\varphi(x)]\varphi'(x).$$

习题 2231—2244 变限积分

【2231】 求：$\frac{d}{dx}\int_a^b \sin x^2 dx, \frac{d}{da}\int_a^b \sin x^2 dx, \frac{d}{db}\int_a^b \sin x^2 dx$.

解 $\frac{d}{dx}\int_a^b \sin x^2 dx = 0, \frac{d}{da}\int_a^b \sin x^2 dx = -\frac{d}{da}\int_b^a \sin x^2 dx = -\sin a^2, \frac{d}{db}\int_a^b \sin x^2 dx = \sin b^2$.

【2232】 求：(1) $\frac{d}{dx}\int_0^{x^2} \sqrt{1+t^2}\, dt$； (2) $\frac{d}{dx}\int_{x^2}^{x^3} \frac{dt}{\sqrt{1+t^4}}$； (3) $\frac{d}{dx}\int_{\sin x}^{\cos x} \cos(\pi t^2) dt$.

解 (1) $\frac{d}{dx}\int_0^{x^2} \sqrt{1+t^2}\, dt = \left(\frac{d}{d(x^2)}\int_0^{x^2} \sqrt{1+t^2}\, dt\right)\frac{d}{dx}(x^2) = 2x\sqrt{1+x^4}$；

(2)
$$\frac{d}{dx}\int_{x^2}^{x^3} \frac{dt}{\sqrt{1+t^4}} = \frac{d}{dx}\int_{x^2}^{0} \frac{dt}{\sqrt{1+t^4}} + \frac{d}{dx}\int_0^{x^3} \frac{dt}{\sqrt{1+t^4}}$$
$$= \frac{d}{d(x^3)}\int_0^{x^3} \frac{dt}{\sqrt{1+t^4}} \cdot \frac{d}{dx}(x^3) - \frac{d}{d(x^2)}\int_0^{x^2} \frac{dt}{\sqrt{1+t^4}} \cdot \frac{d}{dx}(x^2)$$
$$= \frac{3x^2}{\sqrt{1+x^{12}}} - \frac{2x}{\sqrt{1+x^8}};$$

(3)
$$\frac{d}{dx}\int_{\sin x}^{\cos x} \cos(\pi t^2) dt = \frac{d}{dx}\int_{\sin x}^{0} \cos(\pi t^2) dt + \frac{d}{dx}\int_0^{\cos x} \cos(\pi t^2) dt$$
$$= -\frac{d}{d(\sin x)}\int_0^{\sin x} \cos(\pi t^2) dt \cdot \frac{d(\sin x)}{dx} + \frac{d}{d(\cos x)}\int_0^{\cos x} \cos(\pi t^2) dt \cdot \frac{d(\cos x)}{dx}$$
$$= -\cos x\cos(\pi\sin^2 x) - \sin x\cos(\pi\cos^2 x) = (\sin x - \cos x)\cos(\pi\sin^2 x).$$

注 $\cos(\pi\cos^2 x) = \cos(\pi - \pi\sin^2 x) = -\cos(\pi\sin^2 x)$.

【2233】 求：(1) $\lim\limits_{x\to 0}\frac{\int_0^x \cos u^2 du}{x}$； (2) $\lim\limits_{x\to+\infty}\frac{\int_0^x \arctan^2 u du}{\sqrt{x^2+1}}$； (3) $\lim\limits_{x\to+\infty}\frac{\left(\int_0^x e^{u^2} du\right)^2}{\int_0^x e^{2u^2} du}$.

解 (1) $\lim\limits_{x\to 0}\frac{\int_0^x \cos u^2 du}{x} = \lim\limits_{x\to 0}\cos x^2 = 1$；

(2) $\lim\limits_{x\to+\infty}\frac{\int_0^x \arctan^2 u du}{\sqrt{x^2+1}} = \lim\limits_{x\to+\infty}\frac{\arctan^2 x}{\frac{x}{\sqrt{1+x^2}}} = \frac{\pi^2}{4}$；

(3) $\lim\limits_{x\to+\infty}\frac{\left(\int_0^x e^{u^2} du\right)^2}{\int_0^x e^{2u^2} du} = \lim\limits_{x\to+\infty}\frac{2e^{x^2}\int_0^x e^{u^2} du}{e^{2x^2}} = \lim\limits_{x\to+\infty}\frac{2\int_0^x e^{u^2} du}{e^{x^2}} = \lim\limits_{x\to+\infty}\frac{2e^{x^2}}{2xe^{x^2}} = \lim\limits_{x\to+\infty}\frac{1}{x} = 0$.

【2234】 证明：当 $x\to\infty$ 时，$\int_0^x e^{u^2} du \sim \frac{1}{2x}e^{x^2}$.

证 由于
$$\lim_{x\to\infty}\frac{\int_0^x e^{u^2} du}{\frac{1}{2x}e^{x^2}} = \lim_{x\to\infty}\frac{e^{x^2}}{e^{x^2}\left(1-\frac{1}{2x^2}\right)} = \lim_{x\to\infty}\frac{1}{1-\frac{1}{2x^2}} = 1,$$
所以，当 $x\to\infty$ 时，$\int_0^x e^{u^2} du \sim \frac{1}{2x}e^{x^2}$.

【2235】 求 $\lim\limits_{x\to 0^+}\dfrac{\int_0^{\sin x}\sqrt{\tan u}\,\mathrm{d}u}{\int_0^{\tan x}\sqrt{\sin u}\,\mathrm{d}u}$.

解 $$\lim_{x\to 0^+}\frac{\int_0^{\sin x}\sqrt{\tan u}\,\mathrm{d}u}{\int_0^{\tan x}\sqrt{\sin u}\,\mathrm{d}u}=\lim_{x\to 0^+}\frac{\sqrt{\tan(\sin x)}\cos x}{\sqrt{\sin(\tan x)}\sec^2 x}=\lim_{x\to 0^+}\frac{\dfrac{\sqrt{\tan(\sin x)}}{\sqrt{\sin x}}}{\dfrac{\sqrt{\sin(\tan x)}}{\sqrt{\tan x}}}\cdot\frac{\sqrt{\tan x}}{\sqrt{\sin x}}\cdot\cos^3 x$$

$$=\lim_{x\to 0^+}\frac{\dfrac{\sqrt{\tan(\sin x)}}{\sqrt{\sin x}}}{\dfrac{\sqrt{\sin(\tan x)}}{\sqrt{\tan x}}}\cdot\frac{1}{\sqrt{\cos x}}\cdot\cos^3 x=1.$$

【2236】 设 $f(x)$ 为连续正值函数,证明:当 $x\geqslant 0$ 时,函数 $\varphi(x)=\dfrac{\int_0^x tf(t)\mathrm{d}t}{\int_0^x f(t)\mathrm{d}t}$ 递增.

证 首先 $\lim\limits_{x\to 0^+}\varphi(x)=\lim\limits_{x\to 0^+}\dfrac{xf(x)}{f(x)}=0$,令 $\varphi(0)=0$,则 $\varphi(x)$ 是 $x\geqslant 0$ 上的连续函数.

$$\varphi'(x)=\frac{xf(x)\int_0^x f(t)\mathrm{d}t-f(x)\int_0^x tf(t)\mathrm{d}t}{\left[\int_0^x f(t)\mathrm{d}t\right]^2}=\frac{f(x)}{\left[\int_0^x f(t)\mathrm{d}t\right]^2}\left[x\int_0^x f(t)\mathrm{d}t-\int_0^x tf(t)\mathrm{d}t\right],$$

令 $g(x)=x\int_0^x f(t)\mathrm{d}t-\int_0^x tf(t)\mathrm{d}t,x\in[0,+\infty)$.

方法一 $g(x)=\int_0^x(x-t)f(t)\mathrm{d}t>0$,所以 $\varphi'(x)>0$.

方法二 $g(x)=x\int_0^x f(t)\mathrm{d}t-\xi\int_0^x f(t)\mathrm{d}t=(x-\xi)\int_0^x f(t)\mathrm{d}t>0(0<\xi<x)$,所以 $\varphi'(x)>0$.

方法三 $g'(x)=\int_0^x f(t)\mathrm{d}t+xf(x)-xf(x)=\int_0^x f(t)\mathrm{d}t>0$,故 $g(x)$ 在$[0,+\infty)$ 上递增,因而 $g(x)>g(0)=0$,所以 $\varphi'(x)>0$.

故当 $x\geqslant 0$ 时,函数 $\varphi(x)$ 递增.

【2237】 设函数 $f(x)$ 在$[a,b]$ 上可积,函数 $F(x)$ 在$[a,b]$ 内除了有限个内点 $c_i(i=1,2,\cdots,p)$ 及 a 与 b 外皆满足等式 $F'(x)=f(x)$,而在这些点上 $F(x)$ 有第一类间断点(广义原函数). 证明:

$$\int_a^b f(x)\mathrm{d}x=F(b^-)-F(a^+)-\sum_{i=1}^p[F(c_i^+)-F(c_i^-)].$$

证 为确定起见,设 $a<c_1<c_2<\cdots<c_p<b$,并记 $a=c_0,b=c_{p+1}$,由于 $f(x)$ 在$[a,b]$ 上可积,故

$$\int_a^b f(x)\mathrm{d}x=\lim_{\eta\to 0^+}\sum_{i=1}^p\int_{c_i+\eta}^{c_{i+1}-\eta}f(x)\mathrm{d}x.$$

显然,在$[c_i+\eta,c_{i+1}-\eta]$ 上 $F'(x)=f(x)$,从而可应用牛顿—莱布尼茨公式,得

$$\int_{c_i+\eta}^{c_{i+1}-\eta}f(x)\mathrm{d}x=F(c_{i+1}-\eta)-F(c_i+\eta).$$

由此可知

$$\int_a^b f(x)\mathrm{d}x=\lim_{\eta\to 0^+}\sum_{i=0}^p[F(c_{i+1}-\eta)-F(c_i+\eta)]=\sum_{i=0}^p[F(c_{i+1}^-)-F(c_i^+)]$$

$$=F(b^-)-F(a^+)-\sum_{i=1}^p[F(c_i^+)-F(c_i^-)].$$

【2238】 设函数 $f(x)$ 在闭区间$[a,b]$上可积，而 $F(x)=C+\int_a^x f(t)\mathrm{d}t$ 为 $f(x)$ 的不定积分. 证明：函数 $F(x)$ 连续，且在函数 $f(x)$ 的一切连续点处成立等式

$$F'(x)=f(x),$$

问在函数 $f(x)$ 的不连续点处函数 $F(x)$ 的导数是什么？

解 由于 $f(x)$ 在$[a,b]$上可积，故 $\exists M>0$，$|f(x)|\leqslant M(a\leqslant x\leqslant b)$. 因此，对 $\forall x\in[a,b]$，有

$$|F(x+\Delta x)-F(x)|=\left|\int_x^{x+\Delta x}f(t)\mathrm{d}t\right|\leqslant M|\Delta x|\to 0(\Delta x\to 0).$$

由此可知 $F(x)$ 在$[a,b]$上连续.

设 $f(x)$ 在点 $x=x_0$ 处连续，则 $\forall\varepsilon>0$，$\exists\delta>0$，当 $|x-x_0|<\delta$ 时，有 $|f(x)-f(x_0)|<\varepsilon$. 于是，当 $0<|\Delta x|<\delta$ 时，有

$$\left|\frac{F(x_0+\Delta x)-F(x_0)}{\Delta x}-f(x_0)\right|=\left|\frac{1}{\Delta x}\int_{x_0}^{x_0+\Delta x}[f(t)-f(x_0)]\mathrm{d}t\right|\leqslant\left|\frac{1}{\Delta x}\int_{x_0}^{x_0+\Delta x}|f(t)-f(x_0)|\mathrm{d}t\right|<\varepsilon.$$

故 $F'(x)$ 存在，且 $F'(x_0)=\lim\limits_{\Delta x\to 0}\dfrac{F(x_0+\Delta x)-F(x_0)}{\Delta x}=f(x_0)$.

在不连续点处 $F'(x)$ 可能存在也可能不存在. 例如

(1) 设 $f(x)=\begin{cases}1, & x=\dfrac{1}{n},\\ 0, & x\neq\dfrac{1}{n}\end{cases}$ $(n=1,2,3,\cdots)$，则 $f(x)$ 在$[0,1]$上可积（仿 2194 题证明），显然有 $\int_0^x f(t)\mathrm{d}t=0(0\leqslant x\leqslant 1)$，且在不连续点 $x=\dfrac{1}{n}$ 处，$F(x)=C$ 的导数 $F'(x)\equiv 0$ 是存在的.

(2) 函数 $f(x)=\operatorname{sgn}x$ 在$[-1,1]$上可积，且 $\int_0^x f(x)\mathrm{d}x=|x|$，但在 $x=0$ 点处，$F(x)=|x|+C$ 的导数 $F'(0)$ 不存在.

【求下列有界不连续函数的不定积分(2239—2244)】

【2239】 $\int\operatorname{sgn}x\mathrm{d}x$.

解 $\int\operatorname{sgn}x\mathrm{d}x=\int_0^x\operatorname{sgn}t\mathrm{d}t+C=|x|+C.$

【2240】 $\int\operatorname{sgn}(\sin x)\mathrm{d}x$.

解 由于 $\operatorname{sgn}(\sin x)$ 在任何有限区间上都可积，故其原函数 $F(x)=\int_0^x\operatorname{sgn}(\sin t)\mathrm{d}t$ 是$(-\infty,+\infty)$内的连续函数. 对任何 x，必存在唯一的整数 k 使 $k\pi\leqslant x<(k+1)\pi$. 于是

$$\begin{aligned}F(x)&=\int_0^x\operatorname{sgn}(\sin t)\mathrm{d}t=\int_0^{k\pi+\frac{\pi}{2}}\operatorname{sgn}(\sin t)\mathrm{d}t+\int_{k\pi+\frac{\pi}{2}}^x\operatorname{sgn}(\sin t)\mathrm{d}t\\&=\frac{\pi}{2}+\int_{k\pi+\frac{\pi}{2}}^x\frac{\sin t}{\sqrt{1-\cos^2t}}\mathrm{d}t=\frac{\pi}{2}+\arccos(\cos t)\Big|_{k\pi+\frac{\pi}{2}}^x\\&=\frac{\pi}{2}+\arccos(\cos x)-\frac{\pi}{2}=\arccos(\cos x).\end{aligned}$$

故 $\int\operatorname{sgn}(\sin x)\mathrm{d}x=\arccos(\cos x)+C(-\infty<x<+\infty)$.

【2241】 $\int[x]\mathrm{d}x(x\geqslant 0)$.

解 $\int[x]\mathrm{d}x=\int_0^x[t]\mathrm{d}t+C=\sum\limits_{k=0}^{[x]-1}\int_k^{k+1}[t]\mathrm{d}t+\int_{[x]}^x[t]\mathrm{d}t+C$

$$= \sum_{k=0}^{[x]-1} k + [x](x-[x]) + C = \frac{[x]([x]-1)}{2} + [x](x-[x]) + C$$
$$= x[x] - \frac{[x]([x]+1)}{2} + C.$$

【2242】 $\int x[x]\mathrm{d}x (x \geqslant 0)$.

解 $\int x[x]\mathrm{d}x = \int_0^x t[t]\mathrm{d}t + C = \sum_{k=0}^{[x]-1}\int_k^{k+1} kt\,\mathrm{d}t + \int_{[x]}^x [x]t\mathrm{d}t + C$

$$= \sum_{k=0}^{[x]-1}\left(\frac{kt^2}{2}\bigg|_k^{k+1}\right) + \frac{[x]t^2}{2}\bigg|_{[x]}^x + C = \sum_{k=1}^{[x]-1}\left(k^2 + \frac{k}{2}\right) + \frac{[x](x^2-[x]^2)}{2} + C$$
$$= \frac{([x]-1)[x](2[x]-1)}{6} + \frac{[x]([x]-1)}{4} + \frac{x^2[x]-[x]^3}{2} + C$$
$$= \frac{x^2[x]}{2} - \frac{6[x]^3 - 3[x]([x]-1) - 2[x]([x]-1)(2[x]-1)}{12} + C$$
$$= \frac{x^2[x]}{2} - \frac{[x]([x]+1)(2[x]+1)}{12} + C.$$

【2243】 $\int (-1)^{[x]}\mathrm{d}x$.

解 $\int (-1)^{[x]}\mathrm{d}x = \int_0^x \mathrm{sgn}(\sin \pi t)\mathrm{d}t + C = \frac{1}{\pi}\arccos(\cos \pi t)\bigg|_0^x + C = \frac{1}{\pi}\arccos(\cos \pi x) + C.$

注 本题用到 2240 题的结果.

【2244】 $\int_0^x f(t)\mathrm{d}t$,其中 $f(x) = \begin{cases} 1, & |x| < l, \\ 0, & |x| > l. \end{cases}$

解

$$\int_0^x f(t)\mathrm{d}t = \int_0^l f(t)\mathrm{d}t + \int_l^x f(t)\mathrm{d}t = \int_0^l 1\mathrm{d}t + \int_l^x 0\mathrm{d}t = l (x \geqslant l),$$
$$\int_0^x f(t)\mathrm{d}t = \int_0^x 1\mathrm{d}t = x(|x| < l),$$
$$\int_0^x f(t)\mathrm{d}t = -\int_x^{-l} f(t)\mathrm{d}t - \int_{-l}^0 f(t)\mathrm{d}t = -l(x \leqslant -l).$$

合并得 $\int_0^x f(t)\mathrm{d}t = \frac{|l+x|-|l-x|}{2}$.

知识点 2 分部积分法

分部积分法 若函数 $f(x)$ 和 $g(x)$ 在 $[a,b]$ 上有连续导数 $f'(x)$ 和 $g'(x)$,则

$$\int_a^b f(x)g'(x)\mathrm{d}x = f(x)g(x)\bigg|_a^b - \int_a^b g(x)f'(x)\mathrm{d}x.$$

习题 2245—2250 利用分部积分法求定积分

【利用分部积分法,求下列定积分(2245—2250)】

【2245】 $\int_0^{\ln 2} x\mathrm{e}^{-x}\mathrm{d}x$.

解 $\int_0^{\ln 2} x\mathrm{e}^{-x}\mathrm{d}x = -\int_0^{\ln 2} x\mathrm{d}(\mathrm{e}^{-x}) = -x\mathrm{e}^{-x}\bigg|_0^{\ln 2} + \int_0^{\ln 2}\mathrm{e}^{-x}\mathrm{d}x$

$$=-\frac{1}{2}\ln 2-e^{-x}\Big|_0^{\ln 2}=-\frac{1}{2}\ln 2+\frac{1}{2}=\frac{1}{2}\ln\frac{e}{2}.$$

【2246】 $\int_0^{\pi} x\sin x\mathrm{d}x$.

解 $\int_0^{\pi} x\sin x\mathrm{d}x=-\int_0^{\pi} x\mathrm{d}(\cos x)=-x\cos x\Big|_0^{\pi}+\int_0^{\pi}\cos x\mathrm{d}x=\pi$.

【2247】 $\int_0^{2\pi} x^2\cos x\mathrm{d}x$.

解 $\int_0^{2\pi} x^2\cos x\mathrm{d}x=\int_0^{2\pi} x^2\mathrm{d}(\sin x)=x^2\sin x\Big|_0^{2\pi}-2\int_0^{2\pi} x\sin x\mathrm{d}x$

$$=2\int_0^{2\pi} x\mathrm{d}(\cos x)=2\left(x\cos x\Big|_0^{2\pi}-\int_0^{2\pi}\cos x\mathrm{d}x\right)=4\pi.$$

【2248】 $\int_{\frac{1}{e}}^{e} |\lg x|\mathrm{d}x$.

解 $\int_{\frac{1}{e}}^{e} |\lg x|\mathrm{d}x=\int_{\frac{1}{e}}^{1}(-\lg x)\mathrm{d}x+\int_1^{e}\lg x\mathrm{d}x$

$$=-(x\lg x)\Big|_{\frac{1}{e}}^{1}+\int_{\frac{1}{e}}^{1}\frac{1}{\ln 10}\mathrm{d}x+x\lg x\Big|_1^{e}-\int_1^{e}\frac{1}{\ln 10}\mathrm{d}x$$

$$=\frac{2}{\ln 10}\left(1-\frac{1}{e}\right).$$

【2249】 $\int_0^1 \arccos x\mathrm{d}x$.

解 $\int_0^1\arccos x\mathrm{d}x=x\arccos x\Big|_0^1+\int_0^1\frac{x}{\sqrt{1-x^2}}\mathrm{d}x=-\sqrt{1-x^2}\Big|_0^1=1$.

【2250】 $\int_0^{\sqrt{3}} x\arctan x\mathrm{d}x$.

解 $\int_0^{\sqrt{3}} x\arctan x\mathrm{d}x=\frac{1}{2}\int_0^{\sqrt{3}}\arctan x\mathrm{d}(x^2)=\frac{1}{2}x^2\arctan x\Big|_0^{\sqrt{3}}-\frac{1}{2}\int_0^{\sqrt{3}}\frac{x^2}{1+x^2}\mathrm{d}x$

$$=\frac{3}{2}\cdot\frac{\pi}{3}-\frac{1}{2}\int_0^{\sqrt{3}}\left(1-\frac{1}{1+x^2}\right)\mathrm{d}x=\frac{\pi}{2}-\frac{\sqrt{3}}{2}+\frac{1}{2}\cdot\frac{\pi}{3}=\frac{2\pi}{3}-\frac{\sqrt{3}}{2}.$$

知识点3 换元积分法

换元积分法 若：(1) 函数 $f(x)$ 在 $[a,b]$ 上连续；(2) 函数 $\varphi(t)$ 及其导数 $\varphi'(t)$ 在 $[\alpha,\beta]$ 上连续，其中 $a=\varphi(\alpha)$，$b=\varphi(\beta)$；(3) 复合函数 $f[\varphi(t)]$ 在 $[\alpha,\beta]$ 上连续，则

$$\int_a^b f(x)\mathrm{d}x=\int_\alpha^\beta f[\varphi(t)]\varphi'(t)\mathrm{d}t.$$

习题 2251—2269 利用换元积分法求定积分

【利用适当的变量代换，求下列定积分(2251—2255)】

【2251】 $\int_{-1}^{1}\frac{x\mathrm{d}x}{\sqrt{5-4x}}$.

解 设 $\sqrt{5-4x}=t$，则 $\int_{-1}^{1}\frac{x\mathrm{d}x}{\sqrt{5-4x}}=-\int_3^1\frac{5-t^2}{8}\mathrm{d}t=\frac{1}{8}\int_1^3(5-t^2)\mathrm{d}t=\frac{1}{6}$.

【2252】 $\int_0^a x^2\sqrt{a^2-x^2}\,dx(a>0)$.

解 设 $x=a\sin t$,则

$$\int_0^a x^2\sqrt{a^2-x^2}\,dx=a^4\int_0^{\frac{\pi}{2}}\sin^2 t\cos^2 t\,dt=a^4\int_0^{\frac{\pi}{2}}\sin^2 t(1-\sin^2 t)\,dt=a^4\left(\frac{1}{2}\cdot\frac{\pi}{2}-\frac{3}{4}\cdot\frac{1}{2}\cdot\frac{\pi}{2}\right)=\frac{\pi a^4}{16}.$$

【2253】 $\int_0^{0.75}\frac{dx}{(x+1)\sqrt{x^2+1}}$.

解 设 $t=\frac{1}{x+1}$,则

$$\int_0^{0.75}\frac{dx}{(x+1)\sqrt{x^2+1}}=\int_{\frac{4}{7}}^1\frac{dt}{\sqrt{2t^2-2t+1}}=\frac{1}{\sqrt{2}}\ln(2t-1+\sqrt{4t^2-4t+2})\Big|_{\frac{4}{7}}^1$$

$$=\frac{1}{\sqrt{2}}\ln\frac{1+\sqrt{2}}{\frac{1}{7}+\sqrt{\frac{50}{49}}}=\frac{1}{\sqrt{2}}\ln\frac{7+7\sqrt{2}}{1+5\sqrt{2}}=\frac{1}{\sqrt{2}}\ln\frac{9+4\sqrt{2}}{7}.$$

【2254】 $\int_0^{\ln 2}\sqrt{e^x-1}\,dx$.

解 设 $\sqrt{e^x-1}=t$,则

$$\int_0^{\ln 2}\sqrt{e^x-1}\,dx=2\int_0^1\frac{t^2\,dt}{1+t^2}=2(t-\arctan t)\Big|_0^1=2-\frac{\pi}{2}.$$

【2255】 $\int_0^1\frac{\arcsin\sqrt{x}}{\sqrt{x(1-x)}}dx$.

解 设$\sqrt{x}=t$,则

$$\int_0^1\frac{\arcsin\sqrt{x}}{\sqrt{x(1-x)}}dx=2\int_0^1\frac{\arcsin t}{\sqrt{1-t^2}}dt=(\arcsin t)^2\Big|_0^1=\frac{\pi^2}{4}.$$

【2256】 令 $x-\frac{1}{x}=t$,计算积分$\int_{-1}^1\frac{1+x^2}{1+x^4}dx$.

解 由于被积函数是偶函数,于是

$$\int_{-1}^1\frac{1+x^2}{1+x^4}dx=2\int_0^1\frac{1+x^2}{1+x^4}dx=2\int_0^1\frac{d\left(x-\frac{1}{x}\right)}{\left(x-\frac{1}{x}\right)^2+2}=2\int_{-\infty}^0\frac{1}{t^2+2}dt=\sqrt{2}\arctan\frac{t}{\sqrt{2}}\Big|_{-\infty}^0=\frac{\pi}{\sqrt{2}}.$$

【2257】 对于下列定积分和代换 $x=\varphi(t)$:

(1)$\int_{-1}^1 dx,t=x^{\frac{2}{3}}$; (2)$\int_{-1}^1\frac{dx}{1+x^2},x=\frac{1}{t}$; (3)$\int_0^{\pi}\frac{dx}{1+\sin^2 x},\tan x=t$.

说明为什么用 $\varphi(t)$ 代换 x 会导致不正确的结果.

解 (1)$\int_{-1}^1 dx=2$.但若作代换 $t=x^{\frac{2}{3}}$,则得

$$\int_{-1}^1 dx=\pm\frac{3}{2}\int_1^1 t^{\frac{1}{2}}\,dt=0.$$

其错误在于 $t=x^{\frac{2}{3}}$ 的反函数 $x=\pm t^{\frac{3}{2}}$ 不是单值的.

(2)$\int_{-1}^1\frac{dx}{1+x^2}=\arctan x\Big|_{-1}^1=\frac{\pi}{2}$.但若作代换 $x=\frac{1}{t}$,则得

$$\int_{-1}^1\frac{dx}{1+x^2}=-\int_{-1}^1\frac{dt}{1+t^2},$$

于是得出错误的结果$\int_{-1}^1\frac{dx}{1+x^2}=0$,其错误在于 $x=\frac{1}{t}$ 在 $t=0$ 处不连续.

(3) $\int_0^{\pi}\frac{dx}{1+\sin^2 x}>0$，但若作代换 $t=\tan x$，则得

$$\int_0^{\pi}\frac{dx}{1+\sin^2 x}=\frac{1}{\sqrt{2}}\arctan(\sqrt{2}\tan x)\Big|_0^{\pi}=0,$$

其错误在于 $t=\tan x$ 在 $x=\frac{\pi}{2}$ 处不连续.

【2258】 在积分 $\int_0^3 x\sqrt[3]{1+x^2}\,dx$ 中，令 $x=\sin t$ 是否可以？

解 不可以. 因为 $\sin t=x$ 不可能大于 1.

【2259】 在积分 $\int_0^1\sqrt{1-x^2}\,dx$ 中作变量代换 $x=\sin t$ 时，可否取数 π 和 $\frac{\pi}{2}$ 作为新的积分上下限？

解 可以. 因为满足定积分换元的条件. 事实上，

$$\int_0^1\sqrt{1-x^2}\,dx=\int_{\pi}^{\frac{\pi}{2}}\sqrt{1-\sin^2 t}\,d(\sin t)=\int_{\pi}^{\frac{\pi}{2}}|\cos t|\cos t\,dt$$

$$=-\int_{\pi}^{\frac{\pi}{2}}\cos^2 t\,dt=\int_{\frac{\pi}{2}}^{\pi}\cos^2 t\,dt=\int_0^{\frac{\pi}{2}}\cos^2 t\,dt=\frac{1}{2}\cdot\frac{\pi}{2}=\frac{\pi}{4}.$$

【2260】 证明：若函数 $f(x)$ 在 $[a,b]$ 上连续，则

$$\int_a^b f(x)\,dx=(b-a)\int_0^1 f[a+(b-a)x]\,dx.$$

证 设 $x=a+(b-a)t$，则 $dx=(b-a)dt$，代入得

$$\int_a^b f(x)\,dx=(b-a)\int_0^1 f[a+(b-a)t]\,dt，即\int_a^b f(x)\,dx=(b-a)\int_0^1 f[a+(b-a)x]\,dx.$$

【2261】 证明等式：$\int_0^a x^3 f(x^2)\,dx=\frac{1}{2}\int_0^{a^2}xf(x)\,dx\ (a>0)$.

证 设 $x=\sqrt{t}$，则

$$\int_0^a x^3 f(x^2)\,dx=\int_0^{a^2}t^{\frac{3}{2}}f(t)\frac{dt}{2\sqrt{t}}=\frac{1}{2}\int_0^{a^2}tf(t)\,dt，即\int_0^a x^3 f(x^2)\,dx=\frac{1}{2}\int_0^{a^2}xf(x)\,dx.$$

【2262】 设 $f(x)$ 为闭区间 $[a,b]\subset[A,B]$ 上的连续函数，当 $[a+x,b+x]\subset[A,B]$ 时，求 $\frac{d}{dx}\int_a^b f(x+y)\,dy$.

解 $\frac{d}{dx}\int_a^b f(x+y)\,dy=\frac{d}{dx}\int_{a+x}^{b+x}f(t)\,dt=f(b+x)-f(a+x)$.

【2263】 证明：若函数 $f(x)$ 在 $[0,1]$ 上连续，证明：

(1) $\int_0^{\frac{\pi}{2}}f(\sin x)\,dx=\int_0^{\frac{\pi}{2}}f(\cos x)\,dx$； (2) $\int_0^{\pi}xf(\sin x)\,dx=\frac{\pi}{2}\int_0^{\pi}f(\sin x)\,dx$.

证 (1) 令 $x=\frac{\pi}{2}-t$，则 $dx=-dt$，且当 $x=0$ 时，$t=\frac{\pi}{2}$，当 $x=\frac{\pi}{2}$ 时，$t=0$. 于是

$$\int_0^{\frac{\pi}{2}}f(\sin x)\,dx=-\int_{\frac{\pi}{2}}^0 f\left[\sin\left(\frac{\pi}{2}-t\right)\right]dt=\int_0^{\frac{\pi}{2}}f(\cos t)\,dt=\int_0^{\frac{\pi}{2}}f(\cos x)\,dx.$$

(2) 令 $x=\pi-t$，则 $dx=-dt$，且当 $x=0$ 时，$t=\pi$，当 $x=\pi$ 时，$t=0$. 于是

$$\int_0^{\pi}xf(\sin x)\,dx=-\int_{\pi}^0(\pi-t)f[\sin(\pi-t)]\,dt=\int_0^{\pi}(\pi-t)f(\sin t)\,dt$$

$$=\pi\int_0^{\pi}f(\sin t)\,dt-\int_0^{\pi}tf(\sin t)\,dt=\pi\int_0^{\pi}f(\sin x)\,dx-\int_0^{\pi}xf(\sin x)\,dx,$$

所以 $\int_0^{\pi} xf(\sin x)\mathrm{d}x = \frac{\pi}{2}\int_0^{\pi} f(\sin x)\mathrm{d}x$.

【2264】 证明:若函数 $f(x)$ 在闭区间 $[-l,l]$ 上连续,则

(1) 若函数 $f(x)$ 为偶函数,$\int_{-l}^{l} f(x)\mathrm{d}x = 2\int_0^{l} f(x)\mathrm{d}x$;

(2) 若函数 $f(x)$ 为奇函数,$\int_{-l}^{l} f(x)\mathrm{d}x = 0$.

给出这些事实的几何解释.

证 (1) 由于 $f(x)$ 为偶函数,即 $f(x) = f(-x)(x \in [-l,l])$. 于是,设 $x=-t$,则有

$$\int_{-l}^{l} f(x)\mathrm{d}x = \int_{-l}^{0} f(x)\mathrm{d}x + \int_0^{l} f(x)\mathrm{d}x = -\int_{-l}^{0} f(-x)\mathrm{d}(-x) + \int_0^{l} f(x)\mathrm{d}x$$
$$= -\int_{l}^{0} f(t)\mathrm{d}t + \int_0^{l} f(x)\mathrm{d}x = \int_0^{l} f(t)\mathrm{d}t + \int_0^{l} f(x)\mathrm{d}x = 2\int_0^{l} f(x)\mathrm{d}x.$$

几何解释:由于 $f(x) = f(-x)$,故它的图像关于 Oy 轴对称. 于是,由曲线 $y=f(x)$,直线 $x=-l$ 及 $x=l$ 所围成的面积为由曲线 $y=f(x)$,直线 $x=0$ 及 $x=l$ 所围成的面积 S 的两倍(图 4.9).

(2) 由于 $f(x)=-f(-x)$,设 $x=-t$,则

$$\int_{-l}^{l} f(x)\mathrm{d}x = -\int_{-l}^{0} f(-x)\mathrm{d}x + \int_0^{l} f(x)\mathrm{d}x = \int_{l}^{0} f(t)\mathrm{d}t + \int_0^{l} f(x)\mathrm{d}x = 0.$$

几何解释:由于 $f(x)=-f(-x)$,故它的图像关于原点对称. 于是,由 -1 到 0 之间所围的面积,与由 0 到 l 之间所围成的面积绝对值相等,符号相反,故其面积的代数和为零(图 4.10).

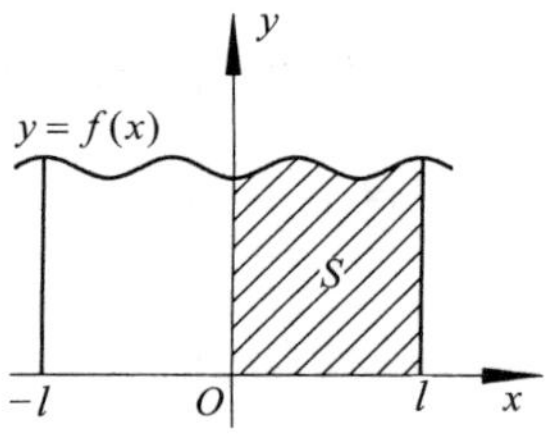

图 4.9

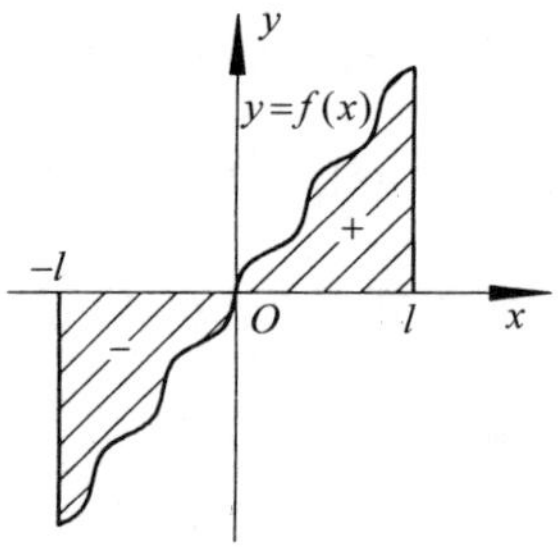

图 4.10

【2265】 证明:偶函数的原函数中的一个为奇函数,而奇函数的一切原函数皆为偶函数.

证 设 $f(x)$ 在 $[-l,l]$ 上有定义,且 $F(x)$ 是 $f(x)$ 的一个原函数.

当 $f(-x)=f(x)$ 时,由于

$$f(x) = \frac{\mathrm{d}}{\mathrm{d}x}F(x),\ f(-x) = -\frac{\mathrm{d}}{\mathrm{d}x}F(-x),$$

故有 $\frac{\mathrm{d}}{\mathrm{d}x}[F(x)+F(-x)] = 0$. 从而可得 $F(x)+F(-x)=C_1$,且 $C_1 = 2F(0)$. 于是 $f(x)$ 有一个原函数 $F(x)-F(0)$ 是奇函数.

当 $f(-x)=-f(x)$ 时,类似地可得 $F(x)-F(-x)=C_2$,且 $C_2=0$. 于是 $F(-x)=F(x)$,即 $f(x)$ 的任一原函数 $F(x)+C$(C 为任意常数) 也为偶函数.

注 如果 $f(x)$ 在 $[-l,l]$ 上连续,则由 $F_c(x) = \int_0^{x} f(t)\mathrm{d}t + C$($C$ 是任意常数) 也可获证,其中 $F_c(x)$ 为 $f(x)$ 的全部原函数.

【2266】 引入新变量 $t=x+\frac{1}{x}$，计算积分 $\int_{\frac{1}{2}}^{2}\left(1+x-\frac{1}{x}\right)e^{x+\frac{1}{x}}dx$.

解 设 $t=x+\frac{1}{x}$，则 $t^2-4=\left(x-\frac{1}{x}\right)^2$，$x=\frac{1}{2}(t\pm\sqrt{t^2-4})$，于是

$$\int_{\frac{1}{2}}^{2}\left(1+x-\frac{1}{x}\right)e^{x+\frac{1}{x}}dx=\int_{1}^{2}\left(1+x-\frac{1}{x}\right)e^{x+\frac{1}{x}}dx+\int_{\frac{1}{2}}^{1}\left(1+x-\frac{1}{x}\right)e^{x+\frac{1}{x}}dx$$

$$=\frac{1}{2}\int_{2}^{\frac{5}{2}}(1+\sqrt{t^2-4})e^t d(t+\sqrt{t^2-4})+\frac{1}{2}\int_{\frac{5}{2}}^{2}(1-\sqrt{t^2-4})e^t d(t-\sqrt{t^2-4})$$

$$=\frac{1}{2}\int_{2}^{\frac{5}{2}}(1+\sqrt{t^2-4})e^t\left(1+\frac{t}{\sqrt{t^2-4}}\right)dt-\frac{1}{2}\int_{2}^{\frac{5}{2}}(1-\sqrt{t^2-4})e^t\left(1-\frac{t}{\sqrt{t^2-4}}\right)dt$$

$$=\int_{2}^{\frac{5}{2}}e^t\left(\sqrt{t^2-4}+\frac{t}{\sqrt{t^2-4}}\right)dt=\int_{2}^{\frac{5}{2}}[\sqrt{t^2-4}\,d(e^t)+e^t d(\sqrt{t^2-4})]$$

$$=(e^t\sqrt{t^2-4})\Big|_{2}^{\frac{5}{2}}=\frac{3}{2}e^{\frac{5}{2}}.$$

【2267】 在积分 $\int_{0}^{2\pi}f(x)\cos x\,dx$ 中进行变量代换 $\sin x=t$.

解 $\int_{0}^{2\pi}f(x)\cos x\,dx=\int_{0}^{\frac{\pi}{2}}f(x)\cos x\,dx+\int_{\frac{\pi}{2}}^{\pi}f(x)\cos x\,dx+\int_{\pi}^{\frac{3\pi}{2}}f(x)\cos x\,dx+\int_{\frac{3\pi}{2}}^{2\pi}f(x)\cos x\,dx.$
在右端第一个积分中，设 $\sin x=t$；第二、第三个积分中，设 $\sin(\pi-x)=t$；第四个积分中，设 $\sin(2\pi-x)=-t$. 代入得

$$\int_{0}^{2\pi}f(x)\cos x\,dx=\int_{0}^{1}[f(\arcsin t)-f(\pi-\arcsin t)]dt+\int_{-1}^{0}[f(2\pi+\arcsin t)-f(\pi-\arcsin t)]dt.$$

【2268】 计算积分 $\int_{e^{-2n\pi}}^{1}\left|\left[\cos\left(\ln\frac{1}{x}\right)\right]'\right|dx$（$n$ 为正整数）.

解 $\left[\cos\left(\ln\frac{1}{x}\right)\right]'=\frac{\sin(-\ln x)}{x}$. 设 $x=e^{-t}$，则 $dx=-e^{-t}dt$，$\frac{\sin(-\ln x)}{x}=\frac{\sin t}{e^{-t}}=e^t\sin t$. 代入得

$$\int_{e^{-2n\pi}}^{1}\left|\left[\cos\left(\ln\frac{1}{x}\right)\right]'\right|dx=\int_{0}^{2n\pi}|\sin t|\,dt=2n\int_{0}^{\pi}|\sin t|\,dt=2\cdot 2n=4n.$$

【2269】 求积分 $\int_{0}^{\pi}\frac{x\sin x}{1+\cos^2 x}dx$.

解 $\int_{0}^{\pi}\frac{x\sin x}{1+\cos^2 x}dx=\frac{\pi}{2}\int_{0}^{\pi}\frac{\sin x}{1+\cos^2 x}dx=\frac{\pi}{2}[-\arctan(\cos x)]\Big|_{0}^{\pi}=\frac{\pi^2}{4}.$

注 本题用到 2263 题(2) 的结果.

习题 2270—2272 有关周期函数的定积分

【2270】 证明：若 $f(x)$ 为 $(-\infty,+\infty)$ 上周期为 T 的连续函数，则

$$\int_{a}^{a+T}f(x)dx=\int_{0}^{T}f(x)dx,$$

式中 a 为任意的数.

证
$$\int_{a}^{a+T}f(x)dx=\int_{a}^{0}f(x)dx+\int_{0}^{T}f(x)dx+\int_{T}^{a+T}f(x)dx.$$

对上述等式右端的第三个积分，设 $x-T=t$，则

$$\int_{T}^{a+T}f(x)dx=\int_{0}^{a}f(t+T)dt=\int_{0}^{a}f(t)dt.$$

于是 $\int_a^{a+T} f(x)\mathrm{d}x = \int_0^T f(x)\mathrm{d}x$.

【2271】 证明：当 n 为奇数时，函数

$$F(x) = \int_0^x \sin^n t\,\mathrm{d}t \text{ 及 } G(x) = \int_0^x \cos^n t\,\mathrm{d}t$$

为以 2π 为周期的周期函数；当 n 为偶数时，则皆为线性函数与周期函数之和.

证 当 n 为奇数时，$\sin^n x$ 是以 2π 为周期的奇函数. 于是

$$\begin{aligned}F(x+2\pi) &= \int_0^{x+2\pi} \sin^n t\,\mathrm{d}t = \int_0^{2\pi} \sin^n t\,\mathrm{d}t + \int_{2\pi}^{2\pi+x} \sin^n t\,\mathrm{d}t \\ &= \int_{-\pi}^{\pi} \sin^n t\,\mathrm{d}t + \int_0^x \sin^n t\,\mathrm{d}t = 0 + \int_0^x \sin^n t\,\mathrm{d}t = F(x), \\ G(x+2\pi) &= \int_0^{x+2\pi} \cos^n t\,\mathrm{d}t = \int_0^{2\pi} \cos^n t\,\mathrm{d}t + \int_{2\pi}^{2\pi+x} \cos^n t\,\mathrm{d}t \\ &= G(x) + \int_0^{2\pi} \cos^n t\,\mathrm{d}t = G(x) + \int_0^{\pi} \cos^n t\,\mathrm{d}t + \int_{\pi}^{2\pi} \cos^n t\,\mathrm{d}t \\ &= G(x) + \int_0^{\pi} \cos^n x\,\mathrm{d}x + \int_0^{\pi} \cos^n (x+\pi)\,\mathrm{d}x \\ &= G(x) + \int_0^{\pi} \cos^n x\,\mathrm{d}x + (-1)^n \int_0^{\pi} \cos^n t\,\mathrm{d}t = G(x).\end{aligned}$$

从而 $F(x)$ 和 $G(x)$ 都是以 2π 为周期的周期函数.

当 n 为偶数时，显然有

$$F(x+2\pi) = F(x) + \int_0^{2\pi} \sin^n t\,\mathrm{d}t, G(x+2\pi) = G(x) + \int_0^{2\pi} \cos^n t\,\mathrm{d}t,$$

但因

$$\int_0^{2\pi} \sin^n x\,\mathrm{d}x = \int_0^{2\pi} \cos^n x\,\mathrm{d}x = a > 0,$$

所以 $F(x)$ 和 $G(x)$ 都不是以 2π 为周期的周期函数.

设 $F_1(x) = F(x) - \frac{a}{2\pi}x$，则

$$\begin{aligned}F_1(x+2\pi) &= F(x+2\pi) - \frac{a}{2\pi}(x+2\pi) = F(x) + a - \frac{a}{2\pi}x - a \\ &= F(x) - \frac{a}{2\pi}x = F_1(x),\end{aligned}$$

即 $F_1(x)$ 是以 2π 为周期的周期函数，而

$$F(x) = F_1(x) + \frac{a}{2\pi}x,$$

所以 $F(x)$ 为周期函数与线性函数之和.

设 $G_1(x) = G(x) - \frac{a}{2\pi}x$，则

$$\begin{aligned}G_1(x+2\pi) &= G(x+2\pi) - \frac{a}{2\pi}(x+2\pi) = G(x) + a - \frac{a}{2\pi}x - a \\ &= G(x) - \frac{a}{2\pi}x = G_1(x),\end{aligned}$$

即 $G_1(x)$ 是以 2π 为周期的周期函数，而

$$G(x) = G_1(x) + \frac{a}{2\pi}x,$$

所以 $G(x)$ 也是周期函数与线性函数之和.

注 一般地，当 $f(x)$ 为周期函数时，可以证明：函数 $F(x)=\int_{x_0}^{x} f(t)\mathrm{d}t$ 可表示成线性函数与周期函数之和.

【2272】 证明：若 $f(x)$ 为以 T 为周期的连续函数，则函数

$$F(x)=\int_{x_0}^{x} f(x)\mathrm{d}x$$

在一般的情形下是线性函数与周期等于 T 的周期函数之和.

证 因为 $F(x)=\int_{x_0}^{x} f(x)\mathrm{d}x$，所以

$$F(x+T)-F(x)=\int_{x}^{x+T} f(x)\mathrm{d}x.$$

又因 $f(x)$ 是周期为 T 的连续函数，所以

$$\int_{x}^{x+T} f(x)\mathrm{d}x=\int_{0}^{T} f(x)\mathrm{d}x=K.$$

于是 $F(x+T)-F(x)=K$.

如果 $K=0$，则 $F(x)$ 为周期等于 T 的周期函数；

如果 $K\neq 0$，可考虑函数 $\varphi(x)=F(x)-\frac{K}{T}x$，则因

$$\varphi(x+T)=F(x+T)-\frac{K}{T}(x+T)=F(x+T)-\frac{K}{T}x-K=F(x)-\frac{K}{T}x=\varphi(x),$$

所以 $\varphi(x)$ 为以 T 为周期的周期函数，从而 $F(x)=\varphi(x)+\frac{K}{T}x$，即 $F(x)$ 是线性函数与周期等于 T 的周期函数之和.

习题 2273—2285 定积分计算综合练习

【计算下列积分(2273—2285)】

【2273】 $\int_{0}^{1} x(2-x^2)^{12}\mathrm{d}x$.

解 $\int_{0}^{1} x(2-x^2)^{12}\mathrm{d}x=-\frac{1}{26}(2-x^2)^{13}\Big|_{0}^{1}=\frac{8\,191}{26}$.

【2274】 $\int_{-1}^{1}\frac{x\mathrm{d}x}{x^2+x+1}$.

解 $$\int_{-1}^{1}\frac{x\mathrm{d}x}{x^2+x+1}=\frac{1}{2}\int_{-1}^{1}\frac{2x+1}{x^2+x+1}\mathrm{d}x-\frac{1}{2}\int_{-1}^{1}\frac{\mathrm{d}x}{\frac{3}{4}\left(x+\frac{1}{2}\right)^2}$$

$$=\frac{1}{2}\ln(x^2+x+1)\Big|_{-1}^{1}-\frac{1}{\sqrt{3}}\arctan\frac{2x+1}{\sqrt{3}}\Big|_{-1}^{1}=\frac{1}{2}\ln 3-\frac{\pi}{2\sqrt{3}}.$$

【2275】 $\int_{1}^{\mathrm{e}}(x\ln x)^2\mathrm{d}x$.

解 **方法一** $$\int_{1}^{\mathrm{e}}(x\ln x)^2\mathrm{d}x=x^3\ln^2 x\Big|_{1}^{\mathrm{e}}-2\int_{1}^{\mathrm{e}}x^2\ln x(1+\ln x)\mathrm{d}x$$

$$=\mathrm{e}^3-2\int_{1}^{\mathrm{e}}x^2\ln x\mathrm{d}x-2\int_{1}^{\mathrm{e}}(x\ln x)^2\mathrm{d}x.$$

移项合并得

$$\int_{1}^{\mathrm{e}}(x\ln x)^2\mathrm{d}x=\frac{\mathrm{e}^3}{3}-\frac{2}{3}\int_{1}^{\mathrm{e}}x^2\ln x\mathrm{d}x$$

$$= \frac{1}{3}e^3 - \frac{2}{9}\int_1^e \ln x\mathrm{d}(x^3) = \frac{1}{3}e^3 - \frac{2}{9}\left(x^3\ln x\Big|_1^e - \int_1^e x^2\mathrm{d}x\right)$$

$$= \frac{1}{3}e^3 - \frac{2}{9}\left(e^3 - \frac{1}{3}e^3 + \frac{1}{3}\right) = \frac{5}{27}e^3 - \frac{2}{27}.$$

方法二 $\int_1^e (x\ln x)^2\mathrm{d}x = \frac{1}{3}\int_1^e \ln^2 x\mathrm{d}(x^3) = \frac{1}{3}x^3\ln^2 x\Big|_1^e - \frac{2}{3}\int_1^e x^2\ln x\mathrm{d}x$

$$= \frac{1}{3}e^3 - \frac{2}{9}\int_1^e \ln x\mathrm{d}(x^3) = \frac{1}{3}e^3 - \frac{2}{9}\left(x^3\ln x\Big|_1^e - \int_1^e x^2\mathrm{d}x\right)$$

$$= \frac{1}{3}e^3 - \frac{2}{9}\left(e^3 - \frac{1}{3}e^3 + \frac{1}{3}\right) = \frac{5}{27}e^3 - \frac{2}{27}.$$

【2276】 $\int_1^9 x\sqrt[3]{1-x}\,\mathrm{d}x.$

解 设 $\sqrt[3]{1-x} = t$，则 $\int_1^9 x\sqrt[3]{1-x}\,\mathrm{d}x = 3\int_{-2}^0 (t^3 - t^6)\mathrm{d}t = -\frac{468}{7}.$

【2277】 $\int_{-2}^{-1} \frac{\mathrm{d}x}{x\sqrt{x^2-1}}.$

解 **方法一** 设 $x = \frac{1}{t}$，则 $\int_{-2}^{-1} \frac{\mathrm{d}x}{x\sqrt{x^2-1}} = \int_{-\frac{1}{2}}^{-1} \frac{\mathrm{d}t}{\sqrt{1-t^2}} = \arcsin x\Big|_{-\frac{1}{2}}^{-1} = -\frac{\pi}{3}.$

方法二 设 $x = \sec u$，则

$$\int_{-2}^{-1} \frac{1}{x\sqrt{x^2-1}}\mathrm{d}x = \int_{\frac{2}{3}\pi}^{\pi} \frac{\sec u\tan u}{\sec u\cdot(-\tan u)}\mathrm{d}u = -\int_{\frac{2}{3}\pi}^{\pi}\mathrm{d}u = -\frac{\pi}{3}.$$

【2278】 $\int_0^1 x^{15}\sqrt{1+3x^8}\,\mathrm{d}x.$

解 **方法一** 设 $1+3x^8 = t$，则 $24x^7\mathrm{d}x = \mathrm{d}t, x^8 = \frac{t-1}{3}$. 于是

$$\int_0^1 x^{15}\sqrt{1+3x^8}\,\mathrm{d}x = \frac{1}{72}\int_1^4 (t-1)t^{\frac{1}{2}}\mathrm{d}t = \frac{29}{270}.$$

方法二 设 $x^8 = t$，则

$$\int_0^1 x^{15}\sqrt{1+3x^8}\,\mathrm{d}x = \frac{1}{8}\int_0^1 x^8\sqrt{1+3x^8}\,\mathrm{d}(x^8) = \frac{1}{8}\int_0^1 t\sqrt{1+3t}\,\mathrm{d}t$$

$$\xlongequal{u=\sqrt{1+3t}} \frac{1}{36}\int_1^2 (u^2-1)u^2\mathrm{d}u = \frac{29}{270}.$$

【2279】 $\int_0^3 \arcsin\sqrt{\frac{x}{1+x}}\,\mathrm{d}x.$

解 $\int_0^3 \arcsin\sqrt{\frac{x}{1+x}}\,\mathrm{d}x = x\arcsin\sqrt{\frac{x}{1+x}}\Big|_0^3 - \int_0^3 \frac{\sqrt{x}\,\mathrm{d}x}{2(1+x)} \xlongequal{t=\sqrt{x}} \pi - \int_0^{\sqrt{3}} \frac{t^2\mathrm{d}t}{1+t^2}$

$$= \pi - (t - \arctan t)\Big|_0^{\sqrt{3}} = \frac{4\pi}{3} - \sqrt{3}.$$

【2280】 $\int_0^{2\pi} \frac{\mathrm{d}x}{(2+\cos x)(3+\cos x)}.$

解 $\int_0^{2\pi} \frac{\mathrm{d}x}{(2+\cos x)(3+\cos x)} = \int_0^{2\pi} \frac{\mathrm{d}x}{2+\cos x} - \int_0^{2\pi} \frac{\mathrm{d}x}{3+\cos x}$

$$= \int_0^{\pi} \frac{\mathrm{d}x}{2+\cos x} + \int_0^{\pi} \frac{\mathrm{d}x}{2-\cos x} - \int_0^{\pi} \frac{\mathrm{d}x}{3+\cos x} - \int_0^{\pi} \frac{\mathrm{d}x}{3-\cos x}$$

$$= 4\int_0^{\pi} \frac{\mathrm{d}x}{4-\cos^2 x} - 6\int_0^{\pi} \frac{\mathrm{d}x}{9-\cos^2 x} = 8\int_0^{\frac{\pi}{2}} \frac{\mathrm{d}x}{4\sin^2 x + 3\cos^2 x} - 12\int_0^{\frac{\pi}{2}} \frac{\mathrm{d}x}{9\sin^2 x + 8\cos^2 x}$$

$$= 8\cdot\frac{1}{2\sqrt{3}}\arctan\frac{2\tan x}{\sqrt{3}}\Big|_0^{\frac{\pi}{2}} - 12\cdot\frac{1}{3\sqrt{8}}\arctan\frac{3\tan x}{\sqrt{8}}\Big|_0^{\frac{\pi}{2}} = \pi\left(\frac{2}{\sqrt{3}} - \frac{1}{\sqrt{2}}\right).$$

【2281】 $\int_0^{2\pi}\frac{\mathrm{d}x}{\sin^4 x+\cos^4 x}$.

解 $\int_0^{2\pi}\frac{\mathrm{d}x}{\sin^4 x+\cos^4 x}=8\int_0^{\frac{\pi}{4}}\frac{\mathrm{d}x}{\sin^4 x+\cos^4 x}=\frac{8}{\sqrt{2}}\arctan\frac{\tan 2x}{\sqrt{2}}\Big|_0^{\frac{\pi}{4}}=2\sqrt{2}\pi.$

注 本题用到 2040 题的结果.

【2282】 $\int_0^{\frac{\pi}{2}}\sin x\sin 2x\sin 3x\mathrm{d}x$.

解 $\sin x\sin 2x\sin 3x=\frac{1}{2}(\cos 2x-\cos 4x)\sin 2x=\frac{1}{4}\sin 4x-\frac{1}{4}(\sin 6x-\sin 2x).$

于是

$$\int_0^{\frac{\pi}{2}}\sin x\sin 2x\sin 3x\mathrm{d}x=\left(-\frac{1}{16}\cos 4x+\frac{1}{24}\cos 6x-\frac{1}{8}\cos 2x\right)\Big|_0^{\frac{\pi}{2}}=\frac{1}{6}.$$

【2283】 $\int_0^{\pi}(x\sin x)^2\mathrm{d}x$.

解

$$\begin{aligned}\int_0^{\pi}(x\sin x)^2\mathrm{d}x&=\frac{1}{2}\int_0^{\pi}x^2(1-\cos 2x)\mathrm{d}x=\frac{1}{6}x^3\Big|_0^{\pi}-\frac{1}{2}\int_0^{\pi}x^2\cos 2x\mathrm{d}x\\&=\frac{\pi^3}{6}-\frac{1}{4}\int_0^{\pi}x^2\mathrm{d}(\sin 2x)=\frac{\pi^3}{6}-\frac{x^2}{4}\sin 2x\Big|_0^{\pi}+\frac{1}{2}\int_0^{\pi}x\sin 2x\mathrm{d}x\\&=\frac{\pi^3}{6}-\frac{1}{4}\int_0^{\pi}x\mathrm{d}(\cos 2x)=\frac{\pi^3}{6}-\frac{x}{4}\cos 2x\Big|_0^{\pi}+\frac{1}{4}\int_0^{\pi}\cos 2x\mathrm{d}x=\frac{\pi^3}{6}-\frac{\pi}{4}.\end{aligned}$$

【2284】 $\int_0^{\pi}\mathrm{e}^x\cos^2 x\mathrm{d}x$.

解 $\int_0^{\pi}\mathrm{e}^x\cos^2 x\mathrm{d}x=\int_0^{\pi}\frac{\mathrm{e}^x(1+\cos 2x)}{2}\mathrm{d}x=\left[\frac{\mathrm{e}^x}{2}+\frac{\mathrm{e}^x}{10}(\cos 2x+2\sin 2x)\right]\Big|_0^{\pi}=\frac{3}{5}(\mathrm{e}^{\pi}-1).$

注 本题用到 1826 题的结果.

【2285】 $\int_0^{\ln 2}\mathrm{sh}^4 x\mathrm{d}x$.

解

$$\begin{aligned}\int_0^{\ln 2}\mathrm{sh}^4 x\mathrm{d}x&=\int_0^{\ln 2}\mathrm{sh}^2 x(\mathrm{ch}^2 x-1)\mathrm{d}x=\frac{1}{4}\int_0^{\ln 2}\mathrm{sh}^2 2x\mathrm{d}x-\int_0^{\ln 2}\mathrm{sh}^2 x\mathrm{d}x\\&=\frac{1}{4}\left(-\frac{x}{2}+\frac{1}{8}\mathrm{sh}\,4x\right)\Big|_0^{\ln 2}-\left(-\frac{x}{2}+\frac{1}{4}\mathrm{sh}\,2x\right)\Big|_0^{\ln 2}=\frac{3}{8}\ln 2-\frac{225}{1\,042}.\end{aligned}$$

注 本题用到 1761 题的结果.

习题 2286—2292 利用递推公式计算定积分

【利用递推公式计算下列依赖于取正整数值的参数 n 的积分(2286—2292)】

【2286】 $I_n=\int_0^{\frac{\pi}{2}}\sin^n x\mathrm{d}x$.

解

$$\begin{aligned}I_n&=-\int_0^{\frac{\pi}{2}}\sin^{n-1}x\mathrm{d}(\cos x)=-\sin^{n-1}x\cos x\Big|_0^{\frac{\pi}{2}}+(n-1)\int_0^{\frac{\pi}{2}}\sin^{n-2}x\cos^2 x\mathrm{d}x\\&=(n-1)\int_0^{\frac{\pi}{2}}\sin^{n-2}x\mathrm{d}x-(n-1)\int_0^{\frac{\pi}{2}}\sin^n x\mathrm{d}x,\end{aligned}$$

移项合并得

$$I_n = \frac{n-1}{n} I_{n-2}.$$

利用上述递推公式即可求得

$$I_n = \begin{cases} \frac{(2k-1)!!}{(2k)!!} \cdot \frac{\pi}{2}, & n = 2k, \\ \frac{(2k)!!}{(2k+1)!!}, & n = 2k+1. \end{cases}$$

【2287】 $I_n = \int_0^{\frac{\pi}{2}} \cos^n x \, dx.$

解 设 $x = \frac{\pi}{2} - t$，则 $dx = -dt$，且 $\cos x = \cos\left(\frac{\pi}{2} - t\right) = \sin t$，代入得

$$I_n = \int_0^{\frac{\pi}{2}} \cos^n x \, dx = \int_0^{\frac{\pi}{2}} \sin^n t \, dt = \begin{cases} \frac{(2k-1)!!}{(2k)!!} \cdot \frac{\pi}{2}, & n = 2k, \\ \frac{(2k)!!}{(2k+1)!!}, & n = 2k+1. \end{cases}$$

【2288】 $I_n = \int_0^{\frac{\pi}{4}} \tan^{2n} x \, dx.$

解 $I_n = \int_0^{\frac{\pi}{4}} \tan^{2n-2} x (\sec^2 x - 1) dx = \int_0^{\frac{\pi}{4}} \tan^{2n-2} x d(\tan x) - \int_0^{\frac{\pi}{4}} \tan^{2n-2} x dx = \frac{1}{2n-1} - I_{n-1}$，

即

$$I_n = \frac{1}{2n-1} - I_{n-1}.$$

由于 $I_0 = \int_0^{\frac{\pi}{4}} dx = \frac{\pi}{4}$，于是，利用上述递推公式可得

$$I_n = \frac{1}{2n-1} - \left(\frac{1}{2n-3} - I_{n-2}\right) = \cdots = \frac{1}{2n-1} - \frac{1}{2n-3} + \frac{1}{2n-5} - \cdots + (-1)^n I_0$$
$$= (-1)^n \left[\frac{\pi}{4} - \left(1 - \frac{1}{3} + \frac{1}{5} - \cdots + \frac{(-1)^{n-1}}{2n-1}\right)\right].$$

【2289】 $I_n = \int_0^1 (1 - x^2)^n dx.$

解 设 $x = \sin t$，代入得

$$I_n = \int_0^{\frac{\pi}{2}} \cos^{2n+1} t dt = \frac{(2n)!!}{(2n+1)!!} = 2^{2n} \frac{(n!)^2}{(2n+1)!}.$$

【2290】 $I_n = \int_0^1 \frac{x^n dx}{\sqrt{1 - x^2}}.$

解 设 $x = \sin t$，代入得

$$I_n = \int_0^1 \frac{x^n dx}{\sqrt{1-x^2}} = \int_0^{\frac{\pi}{2}} \sin^n t dt = \begin{cases} \frac{(2k-1)!!}{(2k)!!} \cdot \frac{\pi}{2}, & n = 2k, \\ \frac{(2k)!!}{(2k+1)!!}, & n = 2k+1. \end{cases}$$

【2291】 $I_n = \int_0^1 x^m (\ln x)^n dx.$

解 $I_n = \int_0^1 x^m (\ln x)^n dx = \frac{1}{m+1} \int_0^1 \ln^n x d(x^{m+1}) = \left(\frac{1}{m+1} x^{m+1} \ln^n x\right)\Big|_0^1 - \frac{n}{m+1} \int_0^1 x^m (\ln x)^{n-1} dx$

$$= -\frac{n}{m+1} \int_0^1 x^m (\ln x)^{n-1} dx = -\frac{n}{m+1} I_{n-1},$$

于是 $I_n=-\frac{n}{m+1}I_{n-1}=\left(-\frac{n}{m+1}\right)\left(-\frac{n-1}{m+1}\right)\cdots\left(-\frac{1}{m+1}\right)I_0=(-1)^n\frac{n!}{(m+1)^{n+1}}$.

【2292】 $I_n=\int_0^{\frac{\pi}{4}}\left(\frac{\sin x-\cos x}{\sin x+\cos x}\right)^{2n+1}dx$.

提示 注意 $\frac{\sin x-\cos x}{\sin x+\cos x}=\tan\left(x-\frac{\pi}{4}\right)$ 及 $I_n=-\frac{1}{2n}-I_{n-1}$.

解 $I_n=\int_0^{\frac{\pi}{4}}\left(\frac{\sin x-\cos x}{\sin x+\cos x}\right)^{2n+1}dx=\int_0^{\frac{\pi}{4}}\tan^{2n+1}\left(x-\frac{\pi}{4}\right)dx$

$$=\int_0^{\frac{\pi}{4}}\tan^{2n-1}\left(x-\frac{\pi}{4}\right)\left[\sec^2\left(x-\frac{\pi}{4}\right)-1\right]dx$$

$$=\int_0^{\frac{\pi}{4}}\tan^{2n-1}\left(x-\frac{\pi}{4}\right)d\left[\tan\left(x-\frac{\pi}{4}\right)\right]-I_{n-1}=-\frac{1}{2n}-I_{n-1},$$

即 $I_n=-\frac{1}{2n}-I_{n-1}$. 递推可得

$$I_n=-\frac{1}{2n}+\frac{1}{2(n-1)}-\frac{1}{2(n-2)}+\cdots+(-1)^n\frac{1}{2}+(-1)^nI_0.$$

$$I_0=\int_0^{\frac{\pi}{4}}\tan\left(x-\frac{\pi}{4}\right)dx=-\ln\left|\cos\left(x-\frac{\pi}{4}\right)\right|\Big|_0^{\frac{\pi}{4}}=-\frac{1}{2}\ln 2,$$

于是

$$I_n=(-1)^n\left\{-\frac{1}{2}\ln 2+\frac{1}{2}\left[1-\frac{1}{2}+\cdots+(-1)^{n-1}\frac{1}{n}\right]\right\}.$$

习题 2293—2305 利用欧拉公式计算定积分

定理 设 $f(x)=f_1(x)+\mathrm{i}f_2(x)$ 是实变量 x 的复函数，其中 $f_1(x)=\mathrm{Re}\,f(x)$，$f_2(x)=\mathrm{Im}\,f(x)$ 及 $\mathrm{i}^2=-1$，则有

$$\int f(x)dx=\int f_1(x)dx+\mathrm{i}\int f_2(x)dx,$$

显然也有

$$\mathrm{Re}\int f(x)dx=\int \mathrm{Re}\,f(x)dx,\mathrm{Im}\int f(x)dx=\int \mathrm{Im}\,f(x)dx.$$

【2293】 利用欧拉公式 $e^{\mathrm{i}x}=\cos x+\mathrm{i}\sin x$，证明：

$$\int_0^{2\pi}e^{\mathrm{i}nx}e^{-\mathrm{i}mx}dx=\begin{cases}0, & m\neq n,\\ 2\pi, & m=n\end{cases}(n\text{ 及 }m\text{ 为整数}).$$

证 当 $m=n$ 时，$\int_0^{2\pi}e^{\mathrm{i}nx}e^{-\mathrm{i}mx}dx=\int_0^{2\pi}dx=2\pi$；

当 $m\neq n$ 时，

$$\int_0^{2\pi}e^{\mathrm{i}nx}e^{-\mathrm{i}mx}dx=\int_0^{2\pi}(\cos nx+\mathrm{i}\sin nx)(\cos mx-\mathrm{i}\sin mx)dx$$

$$=\int_0^{2\pi}\cos(m-n)xdx-\mathrm{i}\int_0^{2\pi}\sin(m-n)xdx=0.$$

【2294】 证明：$\int_a^b e^{(\alpha+\mathrm{i}\beta)x}dx=\frac{e^{b(\alpha+\mathrm{i}\beta)}-e^{a(\alpha+\mathrm{i}\beta)}}{\alpha+\mathrm{i}\beta}$（$\alpha$ 及 β 为常数）.

证 $\int_a^b e^{(\alpha+\mathrm{i}\beta)x}dx=\int_a^b e^{\alpha x}\cos\beta x dx+\mathrm{i}\int_a^b e^{\alpha x}\sin\beta x dx$

$$=\frac{e^{\alpha x}[\alpha\cos\beta x+\beta\sin\beta x+\mathrm{i}(\alpha\sin\beta x-\beta\cos\beta x)]}{\alpha^2+\beta^2}\Big|_a^b$$

$$= \frac{e^{\alpha x}(\alpha - i\beta)(\cos\beta x + i\sin\beta x)}{(\alpha+i\beta)(\alpha-i\beta)}\bigg|_a^b$$

$$= \frac{e^{(\alpha+i\beta)x}}{\alpha+i\beta}\bigg|_a^b = \frac{e^{b(\alpha+i\beta)} - e^{a(\alpha+i\beta)}}{\alpha+i\beta}.$$

【利用欧拉公式:$\cos x = \frac{e^{ix}+e^{-ix}}{2}$,$\sin x = \frac{e^{ix}-e^{-ix}}{2i}$**,计算下列积分(**$m$ **及** n **为正整数)**(2295—2299)**】**

【2295】 $\int_0^{\frac{\pi}{2}} \sin^{2m}x\cos^{2n}x\,dx.$

解　方法一　记 $I_0 = \int_0^{\frac{\pi}{2}} \sin^{2m}x\cos^{2n}x\,dx$,则易知 $I_0 = \frac{1}{4}I$,其中 $I = \int_0^{2\pi} \sin^{2m}x\cos^{2n}x\,dx.$

利用欧拉公式,有

$$\sin^{2m}x\cos^{2n}x = \left(\frac{e^{ix}-e^{-ix}}{2i}\right)^{2m}\left(\frac{e^{ix}+e^{-ix}}{2}\right)^{2n} = \frac{(-1)^m}{2^{2n+2m}}\sum_{k=0}^{2m}(-1)^k C_{2m}^k e^{2(m-k)ix}\sum_{l=0}^{2n}C_{2n}^l e^{2(n-l)ix}$$

$$= \frac{(-1)^m}{2^{2n+2m}}\sum_{k=0}^{2m}\sum_{l=0}^{2n}(-1)^k C_{2m}^k C_{2n}^l e^{2(m+n-k-l)ix}$$

$$= \frac{(-1)^m}{2^{2n+2m}}\sum_{k=0}^{2m}\sum_{l=0}^{2n}(-1)^k C_{2m}^k C_{2n}^l[\cos 2(m+n-k-l)x + i\sin 2(m+n-k-l)x].$$

不妨设 $m \leqslant n$(若 $m > n$,作代换 $x = \frac{\pi}{2} - u$ 即可),作积分计算,则有

$$I = \frac{(-1)^m}{2^{2m+2n}}\sum_{k=0}^{2m}\sum_{l=0}^{2n}(-1)^k C_{2m}^k C_{2n}^l\left[\int_0^{2\pi}\cos 2(m+n-k-l)x\,dx + i\int_0^{2\pi}\sin 2(m+n-k-l)x\,dx\right]$$

$$= \frac{(-1)^m\pi}{2^{2m+2n-1}}\sum_{\substack{k+l=m+n\\0\leqslant k\leqslant 2m\\0\leqslant l\leqslant 2n}}(-1)^k C_{2m}^k C_{2n}^l = \frac{(-1)^m\pi}{2^{2m+2n-1}}\sum_{k=0}^{2m}(-1)^k C_{2m}^k C_{2n}^{m+n-k},$$

经计算,可以验证有

$$(-1)^m\sum_{k=0}^{2m}(-1)^k C_{2m}^k C_{2n}^{m+n-k} = \frac{(2m)!(2n)!}{m!n!(m+n)!}.$$

于是,得

$$I_0 = \frac{1}{4}I = \frac{\pi(2m)!(2n)!}{2^{2m+2n+1}m!n!(m+n)!}.$$

方法二　令 $I_{m,n} = \int_0^{\frac{\pi}{2}} \sin^{2m}x\cos^{2n}x\,dx$. 显然有

$$I_{m,0} = \int_0^{\frac{\pi}{2}} \sin^{2m}x\,dx = \frac{(2m-1)!!}{(2m)!!}\cdot\frac{\pi}{2}.$$

$$I_{m,n} = \int_0^{\frac{\pi}{2}} \sin^{2m}x\cos^{2n-1}x\,d(\sin x) = \frac{1}{2m+1}\int_0^{\frac{\pi}{2}}\cos^{2n-1}x\,d(\sin^{2m+1}x)$$

$$= \frac{1}{2m+1}\cos^{2n-1}x\sin^{2m+1}x\bigg|_0^{\frac{\pi}{2}} - \frac{1}{2m+1}\int_0^{\frac{\pi}{2}}\sin^{2m+1}x\,d(\cos^{2n-1}x)$$

$$= \frac{2n-1}{2m+1}\int_0^{\frac{\pi}{2}}\sin^{2m+2}x\cos^{2n-2}x\,dx$$

$$= \frac{2n-1}{2m+1}\int_0^{\frac{\pi}{2}}\sin^{2m}x(1-\cos^2 x)\cos^{2(n-1)}x\,dx$$

$$= \frac{2n-1}{2m+1}I_{m,n-1} - \frac{2n-1}{2m+1}I_{m,n},$$

整理后得

$$I_{m,n} = \frac{2n-1}{2(m+n)}I_{m,n-1}.$$

由此得到

$$I_{m,n}=\frac{(2n-1)!!}{2^n(m+n)(m+n-1)\cdots(m+1)}I_{m,0}=\frac{(2n-1)!!m!}{2^n(m+n)!}\cdot\frac{(2m-1)!!}{(2m)!!}\cdot\frac{\pi}{2}$$
$$=\frac{\pi(2n-1)!!(2m-1)!!}{2^{m+n+1}(m+n)!}=\frac{\pi(2m)!(2n)!}{2^{2m+2n+1}m!n!(m+n)!}.$$

方法三 （利用 $\mathrm{B}(m,n)$ 函数）

$$I_{m,n}=\int_0^{\frac{\pi}{2}}\sin^{2m}x\cos^{2n}x\,\mathrm{d}x=\frac{1}{2}\cdot 2\int_0^{\frac{\pi}{2}}\sin^{2(m+\frac{1}{2})-1}x\cos^{2(n+\frac{1}{2})-1}x\,\mathrm{d}x$$
$$=\frac{1}{2}\mathrm{B}\left(m+\frac{1}{2},n+\frac{1}{2}\right)=\frac{1}{2}\cdot\frac{\Gamma\left(m+\frac{1}{2}\right)\cdot\Gamma\left(n+\frac{1}{2}\right)}{\Gamma(m+n+1)}$$
$$=\frac{\left(m-\frac{1}{2}\right)\left(m-\frac{3}{2}\right)\cdots\frac{1}{2}\cdot\sqrt{\pi}\cdot\left(n-\frac{1}{2}\right)\cdot\left(n-\frac{3}{2}\right)\cdots\frac{1}{2}\cdot\sqrt{\pi}}{2(m+n)!}$$
$$=\frac{(2m)!(2n)!\pi}{2^{2m+2n+1}m!n!(m+n)!}.$$

【2296】 $\int_0^{\pi}\frac{\sin nx}{\sin x}\mathrm{d}x.$

解 设 $u=\frac{\sin nx}{\sin x}$，利用欧拉公式得 $u=\frac{\mathrm{e}^{\mathrm{i}nx}-\mathrm{e}^{-\mathrm{i}nx}}{\mathrm{e}^{\mathrm{i}x}-\mathrm{e}^{-\mathrm{i}x}}.$

当 $n=2k$ 时，

$$u=(\mathrm{e}^{\mathrm{i}kx}+\mathrm{e}^{-\mathrm{i}kx})[\mathrm{e}^{\mathrm{i}(k-1)x}+\mathrm{e}^{\mathrm{i}(k-3)x}+\cdots+\mathrm{e}^{-\mathrm{i}(k-3)x}+\mathrm{e}^{-\mathrm{i}(k-1)x}]$$
$$=\mathrm{e}^{(2k-1)\mathrm{i}x}+\mathrm{e}^{(2k-3)\mathrm{i}x}+\cdots+\mathrm{e}^{\mathrm{i}x}+\mathrm{e}^{-\mathrm{i}x}+\cdots+\mathrm{e}^{-(2k-1)\mathrm{i}x}$$
$$=2[\cos(2k-1)x+\cos(2k-3)x+\cdots+\cos x].$$

于是

$$\int_0^{\pi}u\,\mathrm{d}x=2\left[\frac{\sin(2k-1)x}{2k-1}+\frac{\sin(2k-3)x}{2k-3}+\cdots+\sin x\right]\Bigg|_0^{\pi}=0.$$

当 $n=2k+1$ 时，同上得

$$u=2[\cos 2kx+\cos 2(k-1)x+\cdots+\cos 2x]+1,$$

于是 $\int_0^{\pi}u\,\mathrm{d}x=\pi.$

最后得到

$$\int_0^{\pi}\frac{\sin nx}{\sin x}\mathrm{d}x=\begin{cases}0, & n\text{ 为偶数},\\ \pi, & n\text{ 为奇数}.\end{cases}$$

【2297】 $\int_0^{\pi}\frac{\cos(2n+1)x}{\cos x}\mathrm{d}x.$

解 $\frac{\cos(2n+1)x}{\cos x}=\frac{\mathrm{e}^{\mathrm{i}(2n+1)x}+\mathrm{e}^{-\mathrm{i}(2n+1)x}}{\mathrm{e}^{\mathrm{i}x}+\mathrm{e}^{-\mathrm{i}x}}=\mathrm{e}^{2n\mathrm{i}x}-\mathrm{e}^{2(n-1)\mathrm{i}x}+\cdots+(-1)^n+\cdots+\mathrm{e}^{-2n\mathrm{i}x}$

$$=2[\cos 2nx-\cos 2(n-1)x+\cdots+(-1)^{n-1}\cos 2x]+(-1)^n.$$

于是 $\int_0^{\pi}\frac{\cos(2n+1)x}{\cos x}\mathrm{d}x=(-1)^n\pi.$

【2298】 $\int_0^{\pi}\cos^n x\cos nx\,\mathrm{d}x$

解 $\cos^n x\cos nx=\frac{1}{2^{n+1}}(\mathrm{e}^{\mathrm{i}x}+\mathrm{e}^{-\mathrm{i}x})^n(\mathrm{e}^{\mathrm{i}nx}+\mathrm{e}^{-\mathrm{i}nx})$

$$=\frac{1}{2^n}[\cos 2nx+C_n^1\cos 2(n-1)x+\cdots+C_n^{n-1}\cos 2x+1].$$

于是 $\int_0^{\pi}\cos^n x\cos nx\,\mathrm{d}x=\frac{\pi}{2^n}.$

【2299】 $\int_0^{\pi}\sin^n x\sin nx\,\mathrm{d}x$.

解 方法一

$$\int_0^{\pi}\sin^n x\sin nx\,\mathrm{d}x=\frac{1}{(2\mathrm{i})^{n+1}}\int_0^{\pi}\Big[\sum_{k=0}^{n}(-1)^k C_n^k \mathrm{e}^{\mathrm{i}(n-2k)x}(\mathrm{e}^{\mathrm{i}nx}-\mathrm{e}^{-\mathrm{i}nx})\Big]\mathrm{d}x$$

$$=\frac{1}{(2\mathrm{i})^{n+1}}\Big[\sum_{k=0}^{n}(-1)^k C_n^k\int_0^{\pi}\mathrm{e}^{\mathrm{i}(2n-2k)x}\mathrm{d}x-\sum_{k=0}^{n}(-1)^k C_n^k\int_0^{\pi}\mathrm{e}^{-\mathrm{i}2kx}\mathrm{d}x\Big]$$

$$=\frac{1}{2^{n+1}\mathrm{i}^{n+1}}[(-1)^n C_n^n\pi-(-1)^0C_n^0\pi]=\begin{cases}0, & n\text{ 为偶数},\\ \dfrac{\pi}{2^n}(-1)^{\frac{n+1}{2}+1}, & n\text{ 为奇数}.\end{cases}$$

由于

$$\sin\frac{n\pi}{2}=\begin{cases}0, & n\text{ 为偶数},\\ (-1)^{\frac{n+1}{2}+1}, & n\text{ 为奇数},\end{cases}$$

于是 $\int_0^{\pi}\sin^n x\sin nx\,\mathrm{d}x=\frac{\pi}{2^n}\sin\frac{n\pi}{2}$.

方法二 设 $x=\frac{\pi}{2}-t$,则

$$\int_0^{\pi}\sin^n x\sin nx\,\mathrm{d}x=\int_{-\frac{\pi}{2}}^{\frac{\pi}{2}}\cos^n t\sin\Big(\frac{n\pi}{2}-nt\Big)\mathrm{d}t=\sin\frac{n\pi}{2}\int_{-\frac{\pi}{2}}^{\frac{\pi}{2}}\cos^n t\cos nt\,\mathrm{d}t-\cos\frac{n\pi}{2}\int_{-\frac{\pi}{2}}^{\frac{\pi}{2}}\cos^n t\sin nt\,\mathrm{d}t$$

$$=\sin\frac{n\pi}{2}\int_0^{\pi}\cos^n x\cos nx\,\mathrm{d}x=\frac{\pi}{2^n}\sin\frac{n\pi}{2}.$$

【求下列积分(n 为正整数)(2300—2303)】

【2300】 $\int_0^{\pi}\sin^{n-1}x\cos(n+1)x\,\mathrm{d}x$.

解

$$\int_0^{\pi}\sin^{n-1}x\cos(n+1)x\,\mathrm{d}x=\int_0^{\pi}\sin^{n-1}x(\cos nx\cos x-\sin nx\sin x)\mathrm{d}x$$

$$=\int_0^{\pi}\sin^{n-1}x\cos nx\,\mathrm{d}(\sin x)-\int_0^{\pi}\sin^n x\sin nx\,\mathrm{d}x$$

$$=\frac{1}{n}\int_0^{\pi}\cos nx\,\mathrm{d}(\sin^n x)-\int_0^{\pi}\sin^n x\sin nx\,\mathrm{d}x$$

$$=\frac{\sin^n x\cos nx}{n}\Big|_0^{\pi}-\frac{1}{n}\int_0^{\pi}\sin^n x\,\mathrm{d}(\cos nx)-\int_0^{\pi}\sin^n x\sin nx\,\mathrm{d}x=0.$$

【2301】 $\int_0^{\pi}\cos^{n-1}x\sin(n+1)x\,\mathrm{d}x$.

提示 对积分$\int_0^{\pi}\cos^{n+1}x\sin(n+1)x\,\mathrm{d}x$ 使用两次分部积分.

解 方法一 考虑积分 $I=\int_0^{\pi}\cos^{n+1}x\sin(n+1)x\,\mathrm{d}x$,并对它作两次分部积分,可得

$$I=I-\frac{n}{n+1}\int_0^{\pi}\cos^{n-1}x\sin(n+1)x\,\mathrm{d}x.$$

于是

$$\int_0^{\pi}\cos^{n-1}x\sin(n+1)x\,\mathrm{d}x=0.$$

方法二 显然 $\cos^{n-1}x\sin(n+1)x$ 是以 π 为周期的函数,又是奇函数,于是

$$\int_0^{\pi}\cos^{n-1}x\sin(n+1)x\,\mathrm{d}x=\int_{-\frac{\pi}{2}}^{\frac{\pi}{2}}\cos^{n-1}x\sin(n+1)x\,\mathrm{d}x=0.$$

【2302】 $\int_0^{2\pi}\mathrm{e}^{-ax}\cos^{2n}x\,\mathrm{d}x$.

解 **方法一** $\cos^{2n}x=\left(\frac{e^{ix}+e^{-ix}}{2}\right)^{2n}=\frac{1}{2^{2n}}\left[C_{2n}^{n}+2\sum_{k=0}^{n-1}C_{2n}^{k}\cos 2(n-k)x\right]$，故

$$\begin{aligned}
I&=\int_0^{2\pi}e^{-ax}\cos^{2n}x\,dx=\frac{1}{2^{2n}}\left[C_{2n}^{n}\int_0^{2\pi}e^{-ax}\,dx+2\sum_{k=0}^{n-1}C_{2n}^{k}\int_0^{2\pi}e^{-ax}\cos 2(n-k)x\,dx\right]\\
&=\frac{1}{2^{2n}}\left[-\frac{1}{a}C_{2n}^{n}e^{-ax}\Big|_0^{2\pi}+2\sum_{k=0}^{n-1}C_{2n}^{k}\frac{(2n-2k)\sin 2(n-k)x-a\cos 2(n-k)x}{a^2+(2n-2k)^2}e^{-ax}\Big|_0^{2\pi}\right]\\
&=\frac{1}{2^{2n}}\left[-\frac{1}{a}C_{2n}^{n}(e^{-2\pi a}-1)-a(e^{-2\pi a}-1)\sum_{k=0}^{n-1}\frac{2C_{2n}^{k}}{a^2+(2n-2k)^2}\right]\\
&=\frac{1-e^{-2\pi a}}{2^{2n}a}\left[C_{2n}^{n}+2\sum_{k=0}^{n-1}C_{2n}^{k}\frac{a^2}{a^2+(2n-2k)^2}\right].
\end{aligned}$$

即

$$\int_0^{2\pi}e^{-ax}\cos^{2n}x\,dx=\frac{1-e^{-2\pi a}}{2^{2n}a}\left[C_{2n}^{n}+2\sum_{k=0}^{n-1}C_{2n}^{k}\frac{a^2}{a^2+(2n-2k)^2}\right].$$

方法二 由于

$$\int_0^{2\pi}e^{(a+ik)x}\,dx=\frac{e^{(a+ik)x}}{a+ik}\Big|_0^{2\pi}=\frac{e^{2\pi a}-1}{a+ik}=\frac{(e^{2\pi a}-1)(a-ik)}{a^2+k^2},$$

取实部，得

$$\mathrm{Re}\int_0^{2\pi}e^{(a+ik)x}\,dx=\frac{a(e^{2\pi a}-1)}{a^2+k^2},$$

于是

$$\begin{aligned}
\int_0^{2\pi}e^{-ax}\cos^{2n}x\,dx&=\int_0^{2\pi}e^{-ax}\left(\frac{e^{ix}+e^{-ix}}{2}\right)^{2n}dx\\
&=\frac{1}{2^{2n}}\int_0^{2\pi}e^{-ax}\left(\sum_{k=0}^{2n}C_{2n}^{k}e^{i(2n-2k)x}\right)dx=\frac{1}{2^{2n}}\sum_{k=0}^{2n}C_{2n}^{k}\int_0^{2\pi}e^{-a+i(2n-2k)x}\,dx\\
&=\frac{1}{2^{2n}}\sum_{k=0}^{2n}C_{2n}^{k}\frac{e^{-2\pi a}-1}{-a+i(2n-2k)}=\frac{1}{2^{2n}}\sum_{k=0}^{2n}C_{2n}^{k}\frac{a(1-e^{-2\pi a})}{a^2+(2n-2k)^2}\\
&=\frac{1-e^{-2\pi a}}{2^{2n}a}\left[C_{2n}^{n}+2\sum_{k=0}^{n-1}C_{2n}^{k}\frac{a^2}{a^2+(2n-2k)^2}\right].
\end{aligned}$$

【2303】 $\int_0^{\frac{\pi}{2}}\cos 2nx\ln\cos x\,dx$.

解 利用分部积分法，得

$$\begin{aligned}
\int_0^{\frac{\pi}{2}}\cos 2nx\ln\cos x\,dx&=\frac{1}{2n}\int_0^{\frac{\pi}{2}}\ln\cos x\,d(\sin 2nx)\\
&=\frac{1}{2n}\sin 2nx\ln\cos x\Big|_0^{\frac{\pi}{2}}+\frac{1}{2n}\int_0^{\frac{\pi}{2}}\frac{\sin 2nx\sin x}{\cos x}dx\\
&=0+\frac{1}{4n}\int_0^{\frac{\pi}{2}}\frac{\cos(2n-1)x}{\cos x}dx-\frac{1}{4n}\int_0^{\frac{\pi}{2}}\frac{\cos(2n+1)x}{\cos x}dx.
\end{aligned}$$

对于上述等式右端的第二项和第三项的被积函数有下列等式：

$$\begin{aligned}
\frac{\cos(2n-1)x}{\cos x}&=\frac{e^{i(2n-1)x}+e^{-i(2n-1)x}}{e^{ix}+e^{-ix}}\\
&=2[\cos 2(n-1)x-\cos 2(n-2)x+\cdots+(-1)^{n-2}\cos 2x]+(-1)^{n-1},\\
\frac{\cos(2n+1)x}{\cos x}&=2[\cos 2nx-\cos 2(n-1)x+\cdots+(-1)^{n-1}\cos 2x]+(-1)^{n}.
\end{aligned}$$

由于积分$\int_0^{\frac{\pi}{2}}\cos 2kx\,dx\equiv 0$（$k$ 为任意的正整数），所以，积分

$$\int_0^{\frac{\pi}{2}}\frac{\cos(2n-1)x}{\cos x}dx=(-1)^{n-1}\frac{\pi}{2},\int_0^{\frac{\pi}{2}}\frac{\cos(2n+1)x}{\cos x}dx=(-1)^{n}\frac{\pi}{2}.$$

于是

$$\int_0^{\frac{\pi}{2}} \ln\cos x\cos 2nx\mathrm{d}x = \frac{1}{4n}\left[(-1)^{n-1}\frac{\pi}{2}-(-1)^n\frac{\pi}{2}\right]=\frac{\pi}{4n}(-1)^{n-1}.$$

注 (1) 在 $x=0$ 处，$\sin 2nx\ln\cos x=0$；

(2) 在 $x=\frac{\pi}{2}$ 处，为"$0\cdot\infty$"型，采用洛必达法则：

$$\lim_{x\to(\frac{\pi}{2})^-}\sin 2nx\ln\cos x=\lim_{x\to(\frac{\pi}{2})^-}\frac{\ln\cos x}{\frac{1}{\sin 2nx}}=\frac{1}{2n}\lim_{x\to(\frac{\pi}{2})^-}\frac{\sin x\sin^2 2nx}{\cos x\cos 2nx}$$

$$=\frac{1}{2n}\lim_{x\to(\frac{\pi}{2})^-}\frac{\cos x\sin^2 nx+4n\sin x\sin 2nx\cos 2nx}{-\sin x\cos 2nx-2n\cos x\sin 2nx}=0.$$

【2304】 利用多次的分部积分法，计算欧拉积分：

$$\mathrm{B}(m,n)=\int_0^1 x^{m-1}(1-x)^{n-1}\mathrm{d}x,$$

其中 m 及 n 为正整数.

解 $\mathrm{B}(m,n)=\int_0^1 x^{m-1}(1-x)^{n-1}\mathrm{d}x=\frac{1}{m}\int_0^1(1-x)^{n-1}\mathrm{d}(x^m)$

$$=\frac{1}{m}x^m(1-x)^{n-1}\Big|_0^1+\frac{n-1}{m}\int_0^1 x^m(1-x)^{n-2}\mathrm{d}x=\frac{n-1}{m}\mathrm{B}(m+1,n-1).$$

继续利用分部积分法，可得

$$\mathrm{B}(m,n)=\frac{(n-1)(n-2)\cdots 2\cdot 1}{m(m+1)\cdots(m+n-2)}\int_0^1 x^{m+n-2}\mathrm{d}x$$

$$=\frac{(n-1)!(m-1)!}{(m+n-2)!}\cdot\frac{1}{m+n-1}x^{m+n-1}\Big|_0^1=\frac{(n-1)!(m-1)!}{(m+n-1)!}.$$

【2305】 勒让德多项式 $P_n(x)$ 可由下面公式来定义：

$$P_n(x)=\frac{1}{2^n n!}\frac{\mathrm{d}^n}{\mathrm{d}x^n}[(x^2-1)^n]\ (n=0,1,2,\cdots).$$

证明：

$$\int_{-1}^1 P_m(x)P_n(x)\mathrm{d}x=\begin{cases}0, & m\neq n,\\ \frac{2}{2n+1}, & m=n.\end{cases}$$

证 当 $m\neq n$ 时，不失一般性，设 $n<m$. 由于 $P_m(x)$ 为 m 次的多项式，记

$$P_m(x)=R^{(m)}(x),$$

其中 $R(x)=\frac{1}{2^m m!}(x^2-1)^m$. 多次利用分部积分法，得

$$\int_{-1}^1 P_m(x)P_n(x)\mathrm{d}x$$

$$=[P_n(x)R^{(m-1)}(x)-P'_n(x)R^{(m-2)}(x)+\cdots+(-1)^{m-1}P_n^{(m-1)}(x)R(x)]\Big|_{-1}^1+(-1)^m\int_{-1}^1 R(x)P_n^{(m)}(x)\mathrm{d}x$$

$$=0.$$

当 $m=n$ 时，$\int_{-1}^1 P_m(x)P_n(x)\mathrm{d}x=\frac{1}{2^{2n}(n!)^2}\int_{-1}^1\left[\frac{\mathrm{d}^n(x^2-1)^n}{\mathrm{d}x^n}\right]^2\mathrm{d}x.$

设 $u=\frac{\mathrm{d}^n}{\mathrm{d}x^n}[(x^2-1)^n]$，$v=(x^2-1)^n$，则

$$\int_{-1}^1 P_n^2(x)\mathrm{d}x=\frac{1}{2^{2n}(n!)^2}[uv^{(n-1)}-u'v^{(n-2)}+\cdots+(-1)^{n-1}u^{(n-1)}v]\Big|_{-1}^1+(-1)^n\frac{1}{2^{2n}(n!)^2}\int_{-1}^1 vu^{(n)}\mathrm{d}x$$

$$= \frac{(-1)^n}{2^{2n}(n!)^2}\int_{-1}^{1}(x^2-1)^n\frac{\mathrm{d}^{2n}}{\mathrm{d}x^{2n}}[(x^2-1)^n]\mathrm{d}x = \frac{(2n)!}{2^{2n-1}(n!)^2}\int_0^1(1-x^2)^n\mathrm{d}x$$

$$= \frac{(2n)!}{2^{2n-1}(n!)^2}\int_0^{\frac{\pi}{2}}\cos^{2n+1}t\mathrm{d}t = \frac{(2n)!}{2^{2n-1}(n!)^2}\cdot\frac{(2n)!!}{(2n+1)!!} = \frac{2}{2n+1}.$$

注 本题用到2287题的结果.

习题2306—2315 其他类型的定积分计算

【计算下列有界不连续函数的定积分（2306—2311）】

【2306】 $\int_0^3 \operatorname{sgn}(x-x^3)\mathrm{d}x.$

解 $\operatorname{sgn}(x-x^3)=\begin{cases}1, & x\in(0,1),\\ -1, & x\in(1,3].\end{cases}$ 于是

$$\int_0^3 \operatorname{sgn}(x-x^3)\mathrm{d}x = \int_0^1\mathrm{d}x-\int_1^3\mathrm{d}x=-1.$$

【2307】 $\int_0^2[\mathrm{e}^x]\mathrm{d}x.$

解 $\int_0^2[\mathrm{e}^x]\mathrm{d}x=\int_0^{\ln 2}1\mathrm{d}x+\int_{\ln 2}^{\ln 3}2\mathrm{d}x+\int_{\ln 3}^{\ln 4}3\mathrm{d}x+\int_{\ln 4}^{\ln 5}4\mathrm{d}x+\int_{\ln 5}^{\ln 6}5\mathrm{d}x+\int_{\ln 6}^{\ln 7}6\mathrm{d}x+\int_{\ln 7}^{2}7\mathrm{d}x$

$=\ln 2+2(\ln 3-\ln 2)+3(\ln 4-\ln 3)+4(\ln 5-\ln 4)+5(\ln 6-\ln 5)+6(\ln 7-\ln 6)+7(-\ln 7+2)$

$=14-(\ln 2+\ln 3+\ln 4+\ln 5+\ln 6+\ln 7)=14-\ln 7!.$

【2308】 $\int_0^6[x]\sin\frac{\pi x}{6}\mathrm{d}x.$

解 $\int_0^6[x]\sin\frac{\pi x}{6}\mathrm{d}x=\int_1^2\sin\frac{\pi x}{6}\mathrm{d}x+\int_2^3 2\sin\frac{\pi x}{6}\mathrm{d}x+\int_3^4 3\sin\frac{\pi x}{6}\mathrm{d}x+\int_4^5 4\sin\frac{\pi x}{6}\mathrm{d}x+\int_5^6 5\sin\frac{\pi x}{6}\mathrm{d}x=\frac{30}{\pi}.$

【2309】 $\int_0^{\pi}x\operatorname{sgn}(\cos x)\mathrm{d}x.$

解 $\int_0^{\pi}x\operatorname{sgn}(\cos x)\mathrm{d}x=\int_0^{\frac{\pi}{2}}x\mathrm{d}x+\int_{\frac{\pi}{2}}^{\pi}(-x)\mathrm{d}x=-\frac{\pi^2}{4}.$

【2310】 $\int_1^{n+1}\ln[x]\mathrm{d}x$，其中 n 为正整数.

解 $\int_1^{n+1}\ln[x]\mathrm{d}x=\int_2^3\ln 2\mathrm{d}x+\int_3^4\ln 3\mathrm{d}x+\cdots+\int_n^{n+1}\ln n\mathrm{d}x=\ln n!.$

【2311】 $\int_0^1\operatorname{sgn}[\sin(\ln x)]\mathrm{d}x.$

解 $\int_0^1\operatorname{sgn}[\sin(\ln x)]\mathrm{d}x=\int_{\mathrm{e}^{-\pi}}^1(-1)\mathrm{d}x+\lim\limits_{n\to\infty}\sum\limits_{k=1}^{n}(-1)^{k+1}\int_{\mathrm{e}^{-(k+1)\pi}}^{\mathrm{e}^{-k\pi}}\mathrm{d}x$

$$=-1+2\mathrm{e}^{-\pi}\lim_{n\to\infty}\sum_{k=1}^{n}(-1)^{k-1}\mathrm{e}^{-(k-1)x}=-1+\frac{2\mathrm{e}^{-\pi}}{1+\mathrm{e}^{-\pi}}=\frac{1-\mathrm{e}^{\pi}}{1+\mathrm{e}^{\pi}}.$$

【2312】 求 $\int_E|\cos x|\sqrt{\sin x}\mathrm{d}x$，其中 E 为 $[0,4\pi]$ 中使被积分式有意义的一切值的集合.

解 $\int_E|\cos x|\sqrt{\sin x}\mathrm{d}x=\int_0^{\pi}|\cos x|\sqrt{\sin x}\mathrm{d}x+\int_{2\pi}^{3\pi}|\cos x|\sqrt{\sin x}\mathrm{d}x$

$$= \int_0^{\frac{\pi}{2}} \cos x \sqrt{\sin x}\,dx + \int_{\frac{\pi}{2}}^{\pi} (-\cos x)\sqrt{\sin x}\,dx +$$

$$\int_{2\pi}^{\frac{5}{2}\pi} \cos x \sqrt{\sin x}\,dx + \int_{\frac{5}{2}\pi}^{3\pi} (-\cos x)\sqrt{\sin x}\,dx$$

$$= 4\int_0^{\frac{\pi}{2}} \cos x \sqrt{\sin x}\,dx = \frac{8}{3}(\sin x)^{\frac{3}{2}}\Big|_0^{\frac{\pi}{2}} = \frac{8}{3}.$$

【2313】 设 $f(x) = \dfrac{(x+1)^2(x-1)}{x^3(x-2)}$，求积分 $\displaystyle\int_{-1}^{3} \frac{f'(x)}{1+f^2(x)}dx$.

解 $$\int_{-1}^{3} \frac{f'(x)}{1+f^2(x)}dx = \int_{-1}^{0} \frac{f'(x)}{1+f^2(x)}dx + \int_{0}^{2} \frac{f'(x)}{1+f^2(x)}dx + \int_{2}^{3} \frac{f'(x)}{1+f^2(x)}dx$$

$$= \arctan f(x)\Big|_{-1}^{0} + \arctan f(x)\Big|_{0}^{2} + \arctan f(x)\Big|_{2}^{3}$$

$$= \left(-\frac{\pi}{2} - 0\right) + \left(-\frac{\pi}{2} - \frac{\pi}{2}\right) + \left(\arctan\frac{4^2\cdot 2}{3^3\cdot 1} - \frac{\pi}{2}\right)$$

$$= \arctan\frac{32}{27} - 2\pi.$$

【2314】 求：

(1) $\displaystyle\int_0^2 f(x)dx$，设 $f(x) = \begin{cases} x^2, & 0\leqslant x\leqslant 1, \\ 2-x, & 1< x\leqslant 2; \end{cases}$

(2) $\displaystyle\int_0^1 f(x)dx$，设 $f(x) = \begin{cases} x, & 0\leqslant x\leqslant t, \\ t\dfrac{1-x}{1-t}, & t\leqslant x\leqslant 1. \end{cases}$

解 (1) $\displaystyle\int_0^2 f(x)dx = \int_0^1 x^2 dx + \int_1^2 (2-x)dx = \frac{1}{3} + 2 - \frac{1}{2}\cdot(4-1) = \frac{5}{6}.$

(2) $\displaystyle\int_0^1 f(x)dx = \int_0^t x dx + \int_t^1 t\frac{1-x}{1-t}dx = \frac{t^2}{2} + \frac{t}{1-t}\left[1-t-\frac{1}{2}(1-t^2)\right] = \frac{t}{2}.$

【2315】 计算下列积分，并作出这些积分对参数 α 的函数关系 $I = I(\alpha)$ 的图像：

(1) $I = \displaystyle\int_0^1 x\,|x-\alpha|\,dx$； (2) $I = \displaystyle\int_0^{\pi} \frac{\sin^2 x}{1+2\alpha\cos x+\alpha^2}dx$； (3) $I = \displaystyle\int_0^{\pi} \frac{\sin x dx}{\sqrt{1-2\alpha\cos x+\alpha^2}}$.

解 (1) 分三种情况：

① 若 $\alpha<0$，则 $I = \displaystyle\int_0^1 x(x-\alpha)dx = \frac{1}{3} - \frac{\alpha}{2}$；

② 若 $\alpha>1$，则 $I = \displaystyle\int_0^1 x(\alpha-x)dx = \frac{\alpha}{2} - \frac{1}{3}$；

③ 若 $0\leqslant\alpha\leqslant 1$，则 $I = \displaystyle\int_0^{\alpha} x(\alpha-x)dx + \int_{\alpha}^1 x(x-\alpha)dx = \frac{\alpha^3}{3} - \frac{\alpha}{2} + \frac{1}{3}.$

于是

$$\int_0^1 x\,|x-\alpha|\,dx = \begin{cases} \dfrac{1}{3} - \dfrac{\alpha}{2}, & \alpha<0, \\ \dfrac{\alpha^3}{3} - \dfrac{\alpha}{2} + \dfrac{1}{3}, & 0\leqslant\alpha\leqslant 1, \\ \dfrac{\alpha}{2} - \dfrac{1}{3}, & \alpha>1. \end{cases}$$

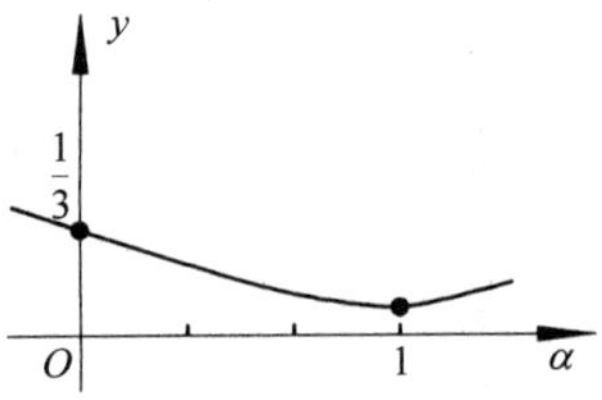

图 4.11

图像如图 4.11 所示.

(2) 分两种情况：

① 若 $|\alpha|\leqslant 1$，则

$$I = \int_0^{\pi} \frac{\sin^2 x}{1+2\alpha\cos x+\alpha^2}dx = \frac{1}{4\alpha^2}\int_0^{\pi} \frac{4\alpha^2(1-\cos^2 x)}{(1+\alpha^2)+2\alpha\cos x}dx$$

$$=\frac{1}{4\alpha^2}\int_0^{\pi}\frac{[(1+\alpha^2)^2-4\alpha^2\cos^2 x]+[4\alpha^2-(1+\alpha^2)^2]}{(1+\alpha^2)+2\alpha\cos x}\mathrm{d}x$$

$$=\frac{1}{4\alpha^2}\int_0^{\pi}[(1+\alpha^2)-2\alpha\cos x]\mathrm{d}x-\frac{(1-\alpha^2)^2}{4\alpha^2}\int_0^{\pi}\frac{1}{(1+\alpha^2)+2\alpha\cos x}\mathrm{d}x$$

$$=\frac{1}{4\alpha^2}[(1+\alpha^2)-2\alpha\sin x]\Big|_0^{\pi}-\frac{(1-\alpha^2)^2}{4\alpha^2}\cdot\frac{2}{1-\alpha^2}\arctan\left(\sqrt{\frac{1+\alpha^2-2\alpha}{1+\alpha^2+2\alpha}}\tan\frac{x}{2}\right)\Big|_0^{\pi}$$

$$=\frac{1+\alpha^2}{4\alpha^2}\pi-\frac{1-\alpha^2}{4\alpha^2}\pi=\frac{\pi}{2}.$$

② 若 $|\alpha|>1$，则

$$I=\int_0^{\pi}\frac{\sin^2 x}{1+2\alpha\cos x+\alpha^2}\mathrm{d}x=\frac{1}{4\alpha^2}\int_0^{\pi}\frac{4\alpha^2(1-\cos^2 x)}{(1+\alpha^2)+2\alpha\cos x}\mathrm{d}x$$

$$=\frac{1}{4\alpha^2}\int_0^{\pi}\frac{[(1+\alpha^2)^2-4\alpha^2\cos^2 x]+[4\alpha^2-(1+\alpha^2)^2]}{(1+\alpha^2)+2\alpha\cos x}\mathrm{d}x$$

$$=\frac{1}{4\alpha^2}\int_0^{\pi}[(1+\alpha^2)-2\alpha\cos x]\mathrm{d}x-\frac{(1-\alpha^2)^2}{4\alpha^2}\int_0^{\pi}\frac{1}{(1+\alpha^2)+2\alpha\cos x}\mathrm{d}x$$

$$=\frac{1}{4\alpha^2}[(1+\alpha^2)-2\alpha\sin x]\Big|_0^{\pi}-\frac{(1-\alpha^2)^2}{4\alpha^2}\cdot\frac{2}{\alpha^2-1}\arctan\left(\sqrt{\frac{1+\alpha^2-2\alpha}{1+\alpha^2+2\alpha}}\tan\frac{x}{2}\right)\Big|_0^{\pi}$$

$$=\frac{(1+\alpha^2)\pi}{4\alpha^2}-\frac{(\alpha^2-1)^2}{4\alpha^2}\cdot\frac{2}{\alpha^2-1}\arctan\left(\sqrt{\frac{1+\alpha^2-2\alpha}{1+\alpha^2+2\alpha}}\tan\frac{x}{2}\right)\Big|_0^{\pi}$$

$$=\frac{(1+\alpha^2)\pi}{4\alpha^2}-\frac{(\alpha^2-1)\pi}{4\alpha^2}=\frac{\pi}{2\alpha^2}.$$

于是

$$\int_0^{\pi}\frac{\sin^2 x\mathrm{d}x}{1+2\alpha\cos x+\alpha^2}=\begin{cases}\dfrac{\pi}{2}, & |\alpha|\leqslant 1,\\ \dfrac{\pi}{2\alpha^2}, & |\alpha|>1.\end{cases}$$

图像如图 4.12 所示.

注 本题用到 2033 题(1) 的结果.

(3) $\displaystyle\int_0^{\pi}\frac{\sin x\mathrm{d}x}{\sqrt{1-2\alpha\cos x+\alpha^2}}=\frac{1}{\alpha}\sqrt{1+\alpha^2-2\alpha\cos x}\Big|_0^{\pi}=\begin{cases}2, & |\alpha|\leqslant 1,\\ \dfrac{2}{|\alpha|}, & |\alpha|>1.\end{cases}$

图像如图 4.13 所示.

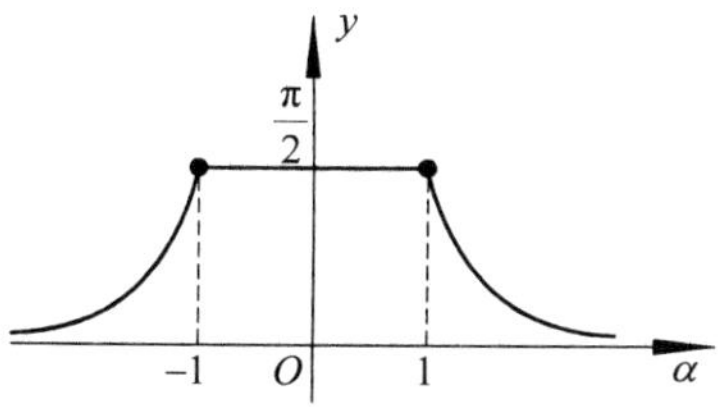

图 4.12

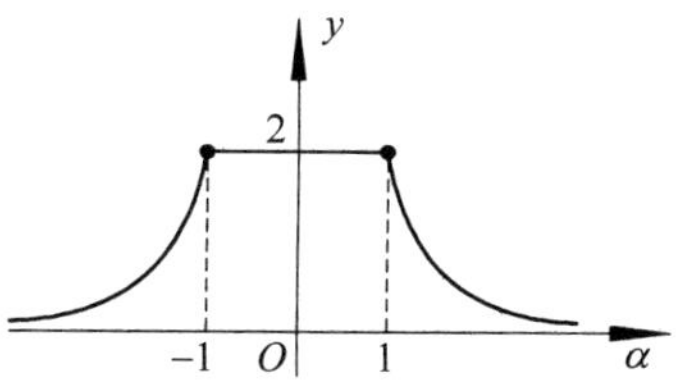

图 4.13

第3节 积分中值定理（习题2316—2333）

知识点预览

序号	知识点	题目序号	所在页码
1	函数的平均值	2316—2321	P202
2	积分第一中值定理	2322—2326	P204
3	积分第二中值定理	2327—2333	P206

知识点1 函数的平均值

1. 定义 数 $M[f]=\frac{1}{b-a}\int_a^b f(x)\mathrm{d}x$,称为函数 $f(x)$ 在区间$[a,b]$上的平均值.

2. 定理 若函数 $f(x)$ 在$[a,b]$上连续,则存在点 $c\in(a,b)$,使得

$$f(c)=M[f]=\frac{1}{b-a}\int_a^b f(x)\mathrm{d}x.$$

习题 2316—2321 函数的平均值

【2316】 求下列函数在所给区间内的平均值:

(1)$f(x)=x^2$ 在$[0,1]$上;

(2)$f(x)=\sqrt{x}$ 在$[0,100]$上;

(3)$f(x)=10+2\sin x+3\cos x$ 在$[0,2\pi]$上;

(4)$f(x)=\sin x\sin(x+\varphi)$ 在$[0,2\pi]$上.

解 (1)$M[f]=\int_0^1 x^2\mathrm{d}x=\frac{1}{3}$;

(2)$M[f]=\frac{1}{100}\int_0^{100}\sqrt{x}\mathrm{d}x=\frac{20}{3}$;

(3)$M[f]=\frac{1}{2\pi}\int_0^{2\pi}(10+2\sin x+3\cos x)\mathrm{d}x=10$;

(4)$M[f]=\frac{1}{2\pi}\int_0^{2\pi}\sin x\sin(x+\varphi)\mathrm{d}x=\frac{1}{4\pi}\int_0^{2\pi}[\cos\varphi-\cos(2x+\varphi)]\mathrm{d}x=\frac{1}{2}\cos\varphi$.

【2317】 求椭圆的焦径 $r=\frac{p}{1-\varepsilon\cos\varphi}(0<\varepsilon<1)$ 长度的平均值.

解 设 $\varphi=\pi+t$,则

$$M(r)=\frac{1}{2\pi}\int_0^{2\pi}\frac{p}{1-\varepsilon\cos\varphi}\mathrm{d}\varphi=\frac{1}{2\pi}\int_{-\pi}^{\pi}\frac{p}{1+\varepsilon\cos t}\mathrm{d}t$$
$$=\frac{1}{2\pi}\int_0^{2\pi}\frac{p}{1+\varepsilon\cos\varphi}\mathrm{d}\varphi=\frac{p}{2\pi}\frac{2\pi}{\sqrt{1-\varepsilon^2}}=\frac{p}{\sqrt{1-\varepsilon^2}}=b,$$

其中 b 为椭圆的短半轴.

注 本题用到 2213 题的结果.

【2318】 求初速度为 v_0 的自由落体的速度的平均值.

解 自由落体速度 $v=v_0+gt$，从 $t=0$ 到 $t=T$ 时间内的速度的平均值为

$$M[v]=\frac{1}{T}\int_0^T(v_0+gt)\mathrm{d}t=\frac{1}{2}gT+v_0=\frac{1}{2}(v_0+v_T).$$

注 物理意义：平均速度等于初速与末速之和的一半.

【2319】 电流强度依规律

$$i=I_m\sin\left(\frac{2\pi t}{T}+\varphi\right)$$

变化，其中 I_m 为振幅，t 为时间，T 为周期，φ 为初相，求电流强度平方的平均值.

解 $M(i^2)=\frac{1}{T}\int_0^T I_m^2\sin^2\left(\frac{2\pi t}{T}+\varphi\right)\mathrm{d}t=\frac{I_m^2}{2\pi}\left[\frac{1}{2}\left(\frac{2\pi t}{T}+\varphi\right)-\frac{1}{4}\sin 2\left(\frac{2\pi t}{T}+\varphi\right)\right]\Bigg|_0^T=\frac{I_m^2}{2}.$

注 将上式开平方，即得电流的有效值$\frac{I_m}{\sqrt{2}}$.

【2320】 确定哪个积分较大：

(1) $\int_0^{\frac{\pi}{2}}\sin^{10}x\mathrm{d}x$ 与 $\int_0^{\frac{\pi}{2}}\sin^2x\mathrm{d}x$；

(2) $\int_0^1\mathrm{e}^{-x}\mathrm{d}x$ 与 $\int_0^1\mathrm{e}^{-x^2}\mathrm{d}x$；

(3) $\int_0^{\pi}\mathrm{e}^{-x^2}\cos^2x\mathrm{d}x$ 与 $\int_{\pi}^{2\pi}\mathrm{e}^{-x^2}\cos^2x\mathrm{d}x$.

解 (1) 当 $x\in\left(0,\frac{\pi}{2}\right)$ 时，$0<\sin x<1$，从而 $0<\sin^{10}x<\sin^2x$. 于是

$$\int_0^{\frac{\pi}{2}}\sin^{10}x\mathrm{d}x<\int_0^{\frac{\pi}{2}}\sin^2x\mathrm{d}x.$$

(2) 当 $x\in(0,1)$ 时，$x>x^2$，从而 $\mathrm{e}^{-x}<\mathrm{e}^{-x^2}$. 于是 $\int_0^1\mathrm{e}^{-x}\mathrm{d}x<\int_0^1\mathrm{e}^{-x^2}\mathrm{d}x$.

(3) $\int_{\pi}^{2\pi}\mathrm{e}^{-x^2}\cos^2x\mathrm{d}x=\int_0^{\pi}\mathrm{e}^{-(\pi+x)^2}\cos^2x\mathrm{d}x<\int_0^{\pi}\mathrm{e}^{-x^2}\cos^2x\mathrm{d}x.$

【2321】 令 $\int_0^x f(t)\mathrm{d}t=xf(\theta x)$，求 θ，设：

(1) $f(t)=t^n(n>-1)$； (2) $f(t)=\ln t$； (3) $f(t)=\mathrm{e}^t$，$\lim\limits_{x\to0}\theta$ 及 $\lim\limits_{x\to+\infty}\theta$ 等于什么？

解 (1) $\int_0^x f(t)\mathrm{d}t=\int_0^x t^n\mathrm{d}t=\frac{x^{n+1}}{n+1}$，从而 $\frac{x^{n+1}}{n+1}=\theta^n\cdot x^{n+1}$. 于是 $\theta=\sqrt[n]{\frac{1}{n+1}}$.

(2) $\int_0^x f(t)\mathrm{d}t=\int_0^x\ln t\mathrm{d}t=t(\ln t-1)\Big|_0^x=x(\ln x-1)$，从而 $x(\ln x-1)=x\ln\theta x$. 于是 $\theta=\frac{1}{\mathrm{e}}$.

(3) $\int_0^x f(t)\mathrm{d}t=\int_0^x\mathrm{e}^t\mathrm{d}t=\mathrm{e}^t\Big|_0^x=\mathrm{e}^x-1$，从而 $\mathrm{e}^x-1=x\mathrm{e}^{\theta x}$，于是 $\theta=\frac{1}{x}\ln\frac{\mathrm{e}^x-1}{x}$.

由于 $\lim\limits_{x\to0}\frac{\mathrm{e}^x-1}{x}=1$，故当 $x\to0$ 时，$\frac{1}{x}\ln\frac{\mathrm{e}^x-1}{x}$ 是 $\frac{0}{0}$ 型未定式. 因此

$$\lim_{x\to0}\theta=\lim_{x\to0}\frac{1}{x}\ln\frac{\mathrm{e}^x-1}{x}=\lim_{x\to0}\left[\frac{x}{\mathrm{e}^x-1}\cdot\frac{x\mathrm{e}^x-(\mathrm{e}^x-1)}{x^2}\right]=\lim_{x\to0}\frac{x\mathrm{e}^x-\mathrm{e}^x+1}{x(\mathrm{e}^x-1)}$$

$$= \lim_{x \to 0} \frac{xe^x}{e^x - 1 + xe^x} = \lim_{x \to 0} \frac{(x+1)e^x}{(x+2)e^x} = \lim_{x \to 0} \frac{x+1}{x+2} = \frac{1}{2},$$

$$\lim_{x \to +\infty} \theta = \lim_{x \to +\infty} \frac{1}{x} \ln \frac{e^x - 1}{x} = \lim_{x \to +\infty} \frac{xe^x - e^x + 1}{x(e^x - 1)} = \lim_{x \to +\infty} \frac{xe^x}{e^x - 1 + xe^x} = \lim_{x \to +\infty} \frac{(x+1)e^x}{(x+2)e^x} = 1.$$

于是$\lim\limits_{x \to 0} \theta = \frac{1}{2}$ 且 $\lim\limits_{x \to +\infty} \theta = 1$.

知识点 2 积分第一中值定理

1. 积分第一中值定理 若函数 $f(x)$ 在$[a,b]$上连续，则 $\exists \xi \in [a,b]$，使得

$$\int_a^b f(x) dx = f(\xi)(b-a).$$

2. 推广的积分第一中值定理 若函数 $f(x)$ 和 $\varphi(x)$ 都在$[a,b]$上连续，且 $\varphi(x)$ 在$[a,b]$上不变号，则

$$\int_a^b f(x)\varphi(x) dx = \mu \int_a^b \varphi(x) dx,$$

其中 $m \leqslant \mu \leqslant M$ 且 $M = \sup\limits_{a \leqslant x \leqslant b} f(x)$，$m = \inf\limits_{a \leqslant x \leqslant b} f(x)$.

注 可以证明，ξ 可取值使 $a < \xi < b$.

习题 2322—2326 积分第一中值定理

【2322】 确定下列定积分的符号：

(1)$\int_0^{2\pi} x\sin x dx$； (2)$\int_0^{2\pi} \frac{\sin x}{x} dx$； (3)$\int_{-2}^{2} x^3 2^x dx$； (4)$\int_{\frac{1}{2}}^{1} x^2 \ln x dx$.

解 (1) $\int_0^{2\pi} x\sin x dx = \int_0^{\pi} x\sin x dx + \int_{\pi}^{2\pi} x\sin x dx$

$$= \int_0^{\pi} x\sin x dx - \int_0^{\pi} (t+\pi)\sin t dt = -\pi \int_0^{\pi} \sin x dx < 0.$$

(2) 由积分第一中值定理知

$$\int_0^{2\pi} \frac{\sin x}{x} dx = \int_0^{\pi} \frac{\sin x}{x} dx + \int_{\pi}^{2\pi} \frac{\sin x}{x} dx = \int_0^{\pi} \frac{\sin x}{x} dx - \int_0^{\pi} \frac{\sin t}{t+\pi} dt$$

$$= \pi \int_0^{\pi} \frac{\sin x}{x(x+\pi)} dx = \frac{\pi^2 \sin c}{c(c+\pi)} > 0 (\text{其中 } 0 < c < \pi).$$

(3) 由积分第一中值定理知

$$\int_{-2}^{2} x^3 e^x dx = \int_{-2}^{0} x^3 e^x dx + \int_0^2 x^3 e^x dx = \int_2^0 t^3 e^{-t} dt + \int_0^2 x^3 e^x dx$$

$$= \int_0^2 x^3 (e^x - e^{-x}) dx = 2c^3 (e^c - e^{-c}) > 0 (\text{其中 } 0 < c < 2).$$

(4) 由积分第一中值定理知

$$\int_{\frac{1}{2}}^{1} x^2 \ln x dx = \frac{1}{2} c^2 \ln c < 0 (\text{其中} \frac{1}{2} < c < 1).$$

【利用积分第一中值定理，估计下列积分(2323—2325)】

【2323】 $\int_0^{2\pi} \frac{dx}{1+0.5\cos x}$.

解 由于

$$\frac{1}{1+0.5}\leqslant\frac{1}{1+0.5\cos x}\leqslant\frac{1}{1-0.5},$$

即

$$\frac{2}{3}\leqslant\frac{1}{1+0.5\cos x}\leqslant 2.$$

于是

$$\frac{4\pi}{3}\leqslant\int_0^{2\pi}\frac{\mathrm{d}x}{1+0.5\cos x}\leqslant 4\pi.$$

【2324】 $\int_0^1\frac{x^9}{\sqrt{1+x}}\mathrm{d}x.$

解 由于$\frac{x^9}{\sqrt{2}}\leqslant\frac{x^9}{\sqrt{1+x}}\leqslant x^9(0\leqslant x\leqslant 1)$，从而

$$\frac{1}{\sqrt{2}}\int_0^1 x^9\mathrm{d}x\leqslant\int_0^1\frac{x^9}{\sqrt{1+x}}\mathrm{d}x\leqslant\int_0^1 x^9\mathrm{d}x,$$

即

$$\frac{1}{10\sqrt{2}}\leqslant\int_0^1\frac{x^9}{\sqrt{1+x}}\mathrm{d}x\leqslant\frac{1}{10}.$$

【2325】 $\int_0^{100}\frac{\mathrm{e}^{-x}}{x+100}\mathrm{d}x.$

解
$$I=\int_0^{50}\frac{\mathrm{e}^{-x}}{x+100}\mathrm{d}x+\int_{50}^{100}\frac{\mathrm{e}^{-x}}{x+100}\mathrm{d}x=\frac{1}{100+\xi_1}\int_0^{50}\mathrm{e}^{-x}\mathrm{d}x+\frac{1}{100+\xi_2}\int_{50}^{100}\mathrm{e}^{-x}\mathrm{d}x$$
$$=\frac{1-\mathrm{e}^{-50}}{100+\xi_1}+\frac{\mathrm{e}^{-50}-\mathrm{e}^{-100}}{100+\xi_2},$$

其中$0\leqslant\xi_1\leqslant 50,50\leqslant\xi_2\leqslant 100$. 显然

$$\frac{1-\mathrm{e}^{-50}}{100+\xi_1}+\frac{\mathrm{e}^{-50}-\mathrm{e}^{-100}}{100+\xi_2}\leqslant\frac{1-\mathrm{e}^{-50}}{100+\xi_1}+\frac{\mathrm{e}^{-50}-\mathrm{e}^{-100}}{100+\xi_1}=\frac{1-\mathrm{e}^{-100}}{100+\xi_1}<\frac{1}{100},$$
$$\frac{1-\mathrm{e}^{-50}}{100+\xi_1}+\frac{\mathrm{e}^{-50}-\mathrm{e}^{-100}}{100+\xi_2}>\frac{1-\mathrm{e}^{-50}}{100+\xi_1}\geqslant\frac{1-\mathrm{e}^{-50}}{150}>\frac{1}{200},$$

故$\frac{1}{200}<I<\frac{1}{100}$.

【2326】 证明等式：

(1) $\lim\limits_{n\to\infty}\int_0^1\frac{x^n}{1+x}\mathrm{d}x=0$； (2) $\lim\limits_{n\to\infty}\int_0^{\frac{\pi}{2}}\sin^n x\,\mathrm{d}x=0$.

证 (1) **方法一** $\lim\limits_{n\to\infty}\int_0^1\frac{x^n}{1+x}\mathrm{d}x=\lim\limits_{n\to\infty}\frac{1}{1+\xi_n}\int_0^1 x^n\mathrm{d}x=\lim\limits_{n\to\infty}\left(\frac{1}{1+\xi_n}\cdot\frac{1}{n+1}\right)=0.$

方法二 $0\leqslant\int_0^1\frac{x^n}{1+x}\mathrm{d}x\leqslant\int_0^1 x^n\mathrm{d}x=\frac{1}{n+1}\to 0(n\to\infty)$，故$\lim\limits_{n\to\infty}\int_0^1\frac{x^n}{1+x}\mathrm{d}x=0$.

(2) $\forall\varepsilon>0$(不妨设$\varepsilon<\frac{\pi}{2}$)，则

$$0\leqslant\int_0^{\frac{\pi}{2}}\sin^n x\mathrm{d}x\leqslant\int_0^{\frac{\pi}{2}-\frac{\varepsilon}{2}}\sin^n x\mathrm{d}x+\frac{\varepsilon}{2}\leqslant\frac{\varepsilon}{2}+\left(\frac{\pi}{2}-\frac{\varepsilon}{2}\right)\sin^n\left(\frac{\pi}{2}-\frac{\varepsilon}{2}\right)<\frac{\varepsilon}{2}+2\cos^n\frac{\varepsilon}{2}.$$

由于$\lim\limits_{n\to\infty}\cos^n\frac{\varepsilon}{2}=0$，故$\exists N$，当$n>N$时，有$\left|\cos^n\frac{\varepsilon}{2}\right|<\frac{\varepsilon}{4}$，所以当$n>N$时，有

$$\left|\int_0^{\frac{\pi}{2}}\sin^n x\mathrm{d}x\right|<\frac{\varepsilon}{2}+2\cos^n\frac{\varepsilon}{2}<\varepsilon,$$

故$\lim\limits_{n\to\infty}\int_0^{\frac{\pi}{2}}\sin^n x\mathrm{d}x=0$.

知识点 3 积分第二中值定理

1. 积分第二中值定理 设函数 $f(x)$ 在 $[a,b]$ 上可积.

(1) 若函数 $\varphi(x)$ 在 $[a,b]$ 上单调减少，且 $\varphi(x) \geqslant 0$，则 $\exists \xi \in [a,b]$，使得

$$\int_a^b f(x)\varphi(x)\mathrm{d}x = \varphi(a)\int_a^\xi f(x)\mathrm{d}x.$$

(2) 若函数 $\varphi(x)$ 在 $[a,b]$ 上单调增加，且 $\varphi(x) \geqslant 0$，则 $\exists \xi \in [a,b]$，使得

$$\int_a^b f(x)\varphi(x)\mathrm{d}x = \varphi(b)\int_\xi^b f(x)\mathrm{d}x.$$

2. 推论 设函数 $f(x)$ 在 $[a,b]$ 上可积，若 $\varphi(x)$ 在 $[a,b]$ 上为单调函数，则 $\exists \xi \in [a,b]$，使得

$$\int_a^b f(x)\varphi(x)\mathrm{d}x = \varphi(a)\int_a^\xi f(x)\mathrm{d}x + \varphi(b)\int_\xi^b f(x)\mathrm{d}x.$$

习题 2327—2329 积分第二中值定理

【利用积分第二中值定理，估计下列积分(2327—2329)】

【2327】 $\displaystyle\int_{100\pi}^{200\pi} \frac{\sin x}{x}\mathrm{d}x.$

解 设 $f(x) = \sin x, \varphi(x) = \dfrac{1}{x}$，则 $f(x)$ 及 $\varphi(x)$ 在 $[100\pi, 200\pi]$ 上满足积分第二中值定理的条件，又 $\varphi(x) = \dfrac{1}{x}$ 单调下降且 $\varphi(x) > 0$，于是

$$\int_{100\pi}^{200\pi} \frac{\sin x}{x}\mathrm{d}x = \frac{1}{100\pi}\int_{100\pi}^{\xi} \sin x\mathrm{d}x = \frac{1-\cos\xi}{100\pi} = \frac{\sin^2\dfrac{\xi}{2}}{50\pi} = \frac{\theta}{50\pi},$$

其中 $100\pi \leqslant \xi \leqslant 200\pi$ 及 $0 \leqslant \theta \leqslant 1$.

【2328】 $\displaystyle\int_a^b \frac{\mathrm{e}^{-\alpha x}}{x}\sin x\mathrm{d}x (\alpha \geqslant 0; 0 < a < b).$

解 设函数 $f(x) = \sin x, \varphi(x) = \dfrac{\mathrm{e}^{-\alpha x}}{x}$，则 $f(x)$ 及 $\varphi(x)$ 在 $[a,b]$ 上满足积分第二中值定理的条件，又 $\varphi(x) = \dfrac{\mathrm{e}^{-\alpha x}}{x}$ 单调下降且 $\varphi(x) > 0$，于是

$$\begin{aligned}\int_a^b \frac{\mathrm{e}^{-\alpha x}}{x}\sin x\mathrm{d}x &= \frac{\mathrm{e}^{-\alpha a}}{a}\int_a^\xi \sin x\mathrm{d}x = \frac{1}{a\mathrm{e}^{\alpha a}}(\cos a - \cos\xi)\\ &= -\frac{2}{a}\mathrm{e}^{-\alpha a}\sin\frac{a+\xi}{2}\sin\frac{a-\xi}{2} = \frac{2}{a}\theta,\end{aligned}$$

其中 $a \leqslant \xi \leqslant b$ 及 $|\theta| < 1$.

【2329】 $\displaystyle\int_a^b \sin x^2\mathrm{d}x (0 < a < b).$

解 设 $x = \sqrt{t}$，则

$$\int_a^b \sin x^2\mathrm{d}x = \frac{1}{2}\int_{a^2}^{b^2} \frac{\sin t}{\sqrt{t}}\mathrm{d}t.$$

其次，设 $f(t)=\sin t$，$\varphi(t)=\dfrac{1}{\sqrt{t}}$，则 $\varphi(t)$ 单调下降，且 $\varphi(t)>0$. 于是

$$\frac{1}{2}\int_{a^2}^{b^2}\frac{\sin t}{\sqrt{t}}\mathrm{d}t=\frac{1}{2a}\int_{a^2}^{\xi}\sin t\mathrm{d}t=\frac{1}{2a}(\cos a^2-\cos\xi)=\frac{1}{a}\sin\frac{\xi+a^2}{2}\sin\frac{\xi-a^2}{2}=\frac{1}{a}\theta,$$

其中 $a^2\leqslant\xi\leqslant b^2$，$|\theta|\leqslant 1$. 故

$$\int_a^b\sin x^2\mathrm{d}x=\frac{\theta}{a}(|\theta|\leqslant 1).$$

习题 2330—2333 综合练习

【2330】 设函数 $f(x)$ 在 $[a,b]$ 上连续，而 $\varphi(x)$ 在 $[a,b]$ 上连续且在 (a,b) 内可微，并且当 $a<x<b$ 时 $\varphi'(x)\geqslant 0$，应用分部积分法及积分第一中值定理，证明积分第二中值定理.

证 设 $F(x)=\int_a^x f(t)\mathrm{d}t$，则

$$\begin{aligned}\int_a^b f(x)\varphi(x)\mathrm{d}x&=\int_a^b\varphi(x)\mathrm{d}F(x)=F(x)\varphi(x)\Big|_a^b-\int_a^b F(x)\varphi'(x)\mathrm{d}x\\&=F(b)\varphi(b)-F(a)\varphi(a)-F(\xi)\int_a^b\varphi'(x)\mathrm{d}x\\&=F(b)\varphi(b)-F(a)\varphi(a)-F(\xi)[\varphi(b)-\varphi(a)]\\&=\varphi(b)[F(b)-F(\xi)]+\varphi(a)[F(\xi)-F(a)]\\&=\varphi(b)\int_\xi^b f(x)\mathrm{d}x+\varphi(a)\int_a^\xi f(x)\mathrm{d}x.\end{aligned}$$

注 一些数学分析教材中已有积分第二中值定理的证明，本题限用分部积分法证明，应加 $\varphi'(x)$ 在 $[a,b]$ 上连续的条件.

【2331】 设函数 $\varphi(x)$ 及 $\psi(x)$ 和它们的平方在 $[a,b]$ 上可积. 证明柯西—施瓦茨 (Cauchy-Schwarz) 不等式：

$$\left[\int_a^b\varphi(x)\psi(x)\mathrm{d}x\right]^2\leqslant\int_a^b\varphi^2(x)\mathrm{d}x\int_a^b\psi^2(x)\mathrm{d}x.$$

证 **方法一**

$$\begin{aligned}I&=\int_a^b\varphi^2(x)\mathrm{d}x\int_a^b\psi^2(x)\mathrm{d}x-\left[\int_a^b\varphi(x)\psi(x)\mathrm{d}x\right]^2\\&=\int_a^b\varphi^2(x)\mathrm{d}x\int_a^b\psi^2(y)\mathrm{d}y-\int_a^b\varphi(x)\psi(x)\mathrm{d}x\int_a^b\varphi(y)\psi(y)\mathrm{d}y\\&=\iint_D\varphi^2(x)\psi^2(y)\mathrm{d}x\mathrm{d}y-\iint_D\varphi(x)\psi(x)\varphi(y)\psi(y)\mathrm{d}x\mathrm{d}y\\&=\iint_D[\varphi^2(x)\psi^2(y)-\varphi(x)\psi(x)\varphi(y)\psi(y)]\mathrm{d}x\mathrm{d}y,\end{aligned}$$

同理可得

$$I=\iint_D[\varphi^2(y)\psi^2(x)-\varphi(y)\psi(y)\varphi(x)\psi(x)]\mathrm{d}x\mathrm{d}y,$$

两式相加可得

$$I=\iint_D[\varphi(y)\psi(x)-\varphi(x)\psi(y)]^2\mathrm{d}x\mathrm{d}y\geqslant 0,$$

故 $\left[\int_a^b\varphi(x)\psi(x)\mathrm{d}x\right]^2\leqslant\int_a^b\varphi^2(x)\mathrm{d}x\int_a^b\psi^2(x)\mathrm{d}x$.

方法二 由于$\int_a^b[\varphi(x)+\lambda\psi(x)]^2\mathrm{d}x\geqslant 0$,即

$$\lambda^2\int_a^b\psi^2(x)\mathrm{d}x+2\lambda\int_a^b\varphi(x)\psi(x)\mathrm{d}x+\int_a^b\varphi^2(x)\mathrm{d}x\geqslant 0,$$

左边是关于变量λ的二次三项式. 于是,其判别式

$$\left[2\int_a^b\varphi(x)\psi(x)\mathrm{d}x\right]^2-4\int_a^b\varphi^2(x)\mathrm{d}x\int_a^b\psi^2(x)\mathrm{d}x\leqslant 0,$$

即

$$\left[\int_a^b\varphi(x)\psi(x)\mathrm{d}x\right]^2\leqslant\int_a^b\varphi^2(x)\mathrm{d}x\int_a^b\psi^2(x)\mathrm{d}x.$$

【2332】 设函数$f(x)$在闭区间$[a,b]$上连续可微,且$f(a)=0$,证明:

$$M^2\leqslant(b-a)\int_a^b f'^2(x)\mathrm{d}x,$$

其中$M=\sup|f(x)|$.

证 设x为$[a,b]$上任一点,利用柯西—施瓦茨不等式得到

$$\left[\int_a^x f'(x)\mathrm{d}x\right]^2\leqslant\int_a^x 1\mathrm{d}x\int_a^x f'^2(x)\mathrm{d}x,$$

即

$$f^2(x)=[f(x)-f(a)]^2\leqslant(x-a)\int_a^x f'^2(x)\mathrm{d}x\leqslant(b-a)\int_a^b f'^2(x)\mathrm{d}x,$$

由此可知

$$M^2=\sup_{x\in[a,b]}f^2(x)\leqslant(b-a)\int_a^b f'^2(x)\mathrm{d}x.$$

【2333】 证明:$\lim\limits_{n\to\infty}\int_n^{n+p}\frac{\sin x}{x}\mathrm{d}x=0$.

证 **方法一** 应用积分第一中值定理,知

$$\lim_{n\to\infty}\int_n^{n+p}\frac{\sin x}{x}\mathrm{d}x=\lim_{n\to\infty}\frac{\sin\xi_n}{\xi_n}p=0,$$

其中ξ_n介于n与$n+p$之间.

方法二 应用积分第二中值定理,得

$$\left|\int_n^{n+p}\frac{\sin x}{x}\mathrm{d}x\right|=\frac{1}{n}\left|\int_n^{\xi}\sin x\mathrm{d}x\right|=\frac{1}{n}|\cos n-\cos\xi'_n|\leqslant\frac{2}{n}\to 0(n\to\infty),$$

其中ξ'_n是介于n与$n+p$之间. 于是$\lim\limits_{n\to\infty}\int_p^{n+p}\frac{\sin x}{x}\mathrm{d}x=0$.

第4节 广义积分（习题2334—2395）

知识点预览

序号	知识点	题目序号	所在页码
1	函数的广义可积性	2334—2357	P209
2	反常积分敛散性判别法	2358—2377	P217
3	绝对收敛和条件收敛	2378—2389	P225
4	柯西主值	2390—2395	P233

知识点1 函数的广义可积性

1. 无穷积分 若函数 $f(x)$ 在每一个有限区间 $[a,b]$ 上黎曼可积，则定义

$$\int_a^{+\infty} f(x)\mathrm{d}x = \lim_{b\to+\infty}\int_a^b f(x)\mathrm{d}x \quad ①$$

为 $f(x)$ 在 $[a,+\infty)$ 上的无穷限反常积分(简称为无穷积分).

2. 瑕积分 若函数 $f(x)$ 在点 a 的邻域内无界且在每一个区间 $[a+\delta,b](\delta>0)$ 上黎曼可积，则定义

$$\int_a^b f(x)\mathrm{d}x = \lim_{\delta\to0^+}\int_{a+\delta}^b f(x)\mathrm{d}x \quad ②$$

为无界函数 $f(x)$ 在 $[a,b]$ 上的反常积分，又称为瑕积分.

3. 收敛性 若极限①或②存在，则相应的积分 $\int_a^{+\infty} f(x)\mathrm{d}x$ 及 $\int_a^b f(x)\mathrm{d}x$ 称为收敛的，否则称为发散的.

习题 2334—2357 计算反常积分

【计算下列积分(2334—2347)】

【2334】 $\int_a^{+\infty}\frac{\mathrm{d}x}{x^2}(a>0)$.

解 **方法一** $\int_a^{+\infty}\frac{\mathrm{d}x}{x^2} = -\frac{1}{x}\Big|_a^{+\infty} = \frac{1}{a}$.

方法二 由于 $\lim\limits_{b\to+\infty}\int_a^b\frac{\mathrm{d}x}{x^2} = \lim\limits_{b\to+\infty}\left(\frac{1}{a}-\frac{1}{b}\right) = \frac{1}{a}$，所以 $\int_a^{+\infty}\frac{\mathrm{d}x}{x^2} = \frac{1}{a}$.

【2335】 $\int_0^1 \ln x\mathrm{d}x$.

解 **方法一** $\int_0^1 \ln x\mathrm{d}x = (x\ln x - x)\Big|_0^1 = -1$.

方法二 由于 $\lim\limits_{\varepsilon\to0^+}\int_\varepsilon^1 \ln x\mathrm{d}x = \lim\limits_{\varepsilon\to0^+}(x\ln x - x)\Big|_\varepsilon^1 = \lim\limits_{\varepsilon\to0^+}(\varepsilon-\varepsilon\ln\varepsilon-1) = -1$，所以 $\int_0^1\ln x\mathrm{d}x = -1$.

【2336】 $\int_{-\infty}^{+\infty}\frac{\mathrm{d}x}{1+x^2}$.

解 方法一 $\int_{-\infty}^{+\infty}\frac{\mathrm{d}x}{1+x^2}=\arctan x\Big|_{-\infty}^{+\infty}=\pi$.

方法二 由于 $\lim\limits_{a\to-\infty}\int_a^0\frac{\mathrm{d}x}{1+x^2}+\lim\limits_{b\to+\infty}\int_0^b\frac{\mathrm{d}x}{1+x^2}=\lim\limits_{a\to-\infty}(-\arctan a)+\lim\limits_{b\to+\infty}\arctan b=\pi$,

所以$\int_{-\infty}^{+\infty}\frac{\mathrm{d}x}{1+x^2}=\pi$.

【2337】 $\int_{-1}^{1}\frac{\mathrm{d}x}{\sqrt{1-x^2}}$.

解 方法一 $\int_{-1}^{1}\frac{\mathrm{d}x}{\sqrt{1-x^2}}=\arcsin x\Big|_{-1}^{1}=\pi$.

方法二 由于

$$\lim_{\varepsilon\to0^+}\int_{-1+\varepsilon}^{0}\frac{\mathrm{d}x}{\sqrt{1-x^2}}+\lim_{\varepsilon'\to0^+}\int_0^{1-\varepsilon'}\frac{\mathrm{d}x}{\sqrt{1-x^2}}=\lim_{\varepsilon\to0^+}[-\arcsin(-1+\varepsilon)]+\lim_{\varepsilon'\to0^+}\arcsin(1-\varepsilon')=\pi,$$

所以$\int_{-1}^{1}\frac{\mathrm{d}x}{\sqrt{1-x^2}}=\pi$.

【2338】 $\int_{2}^{+\infty}\frac{\mathrm{d}x}{x^2+x-2}$.

解 方法一 $\int_{2}^{+\infty}\frac{\mathrm{d}x}{x^2+x-2}=\int_2^{+\infty}\frac{\mathrm{d}x}{(x-1)(x+2)}=\frac{1}{3}\ln\frac{x-1}{x+2}\Big|_2^{+\infty}=\frac{2}{3}\ln 2$.

方法二 由于

$$\lim_{b\to+\infty}\int_2^b\frac{\mathrm{d}x}{x^2+x-2}=\lim_{b\to+\infty}\left(\frac{1}{3}\ln\frac{x-1}{x+2}\right)\Big|_2^b=\frac{1}{3}\lim_{b\to+\infty}\left(\ln\frac{b-1}{b+2}+2\ln 2\right)=\frac{2}{3}\ln 2,$$

所以 $\int_{2}^{+\infty}\frac{\mathrm{d}x}{x^2+x-2}=\frac{2}{3}\ln 2$.

【2339】 $\int_{-\infty}^{+\infty}\frac{\mathrm{d}x}{(x^2+x+1)^2}$.

解 方法一 $\int_{-\infty}^{+\infty}\frac{\mathrm{d}x}{(x^2+x+1)^2}=\left[\frac{2x+1}{3(x^2+x+1)}+\frac{4}{3\sqrt3}\arctan\frac{2x+1}{\sqrt3}\right]\Big|_{-\infty}^{+\infty}=\frac{4\pi}{3\sqrt3}$.

方法二 $\int\frac{\mathrm{d}x}{(x^2+x+1)^2}=\frac{2x+1}{3(x^2+x+1)}+\frac{4}{3\sqrt3}\arctan\frac{2x+1}{\sqrt3}+C$. 由于

$$\begin{aligned}&\lim_{a\to-\infty}\int_a^0\frac{\mathrm{d}x}{(x^2+x+1)^2}+\lim_{b\to+\infty}\int_0^b\frac{\mathrm{d}x}{(x^2+x+1)^2}\\&=\lim_{a\to-\infty}\left\{\left(\frac{1}{3}+\frac{4}{3\sqrt3}\arctan\frac{1}{\sqrt3}\right)-\left[\frac{2a+1}{3(a^2+a+1)}+\frac{4}{3\sqrt3}\arctan\frac{2a+1}{\sqrt3}\right]\right\}+\\&\quad\lim_{b\to+\infty}\left\{\left[\frac{2b+1}{3(b^2+b+1)}+\frac{4}{3\sqrt3}\arctan\frac{2b+1}{\sqrt3}\right]-\left(\frac{1}{3}+\frac{4}{3\sqrt3}\arctan\frac{1}{\sqrt3}\right)\right\}\\&=\frac{4\pi}{3\sqrt3},\end{aligned}$$

所以$\int_{-\infty}^{+\infty}\frac{\mathrm{d}x}{(x^2+x+1)^2}=\frac{4\pi}{3\sqrt3}$.

注 本题用到1921题的递推公式.

【2340】 $\int_{0}^{+\infty}\frac{\mathrm{d}x}{1+x^3}$.

解 方法一 $\int_0^{+\infty}\frac{\mathrm{d}x}{1+x^3}=\left[\frac{1}{6}\ln\frac{(x+1)^2}{x^2-x+1}+\frac{1}{\sqrt{3}}\arctan\frac{2x-1}{\sqrt{3}}\right]\Bigg|_0^{+\infty}=\frac{2\pi}{3\sqrt{3}}.$

方法二 由于 $\lim\limits_{b\to+\infty}\int_0^b\frac{\mathrm{d}x}{1+x^3}=\lim\limits_{b\to+\infty}\left[\frac{1}{6}\ln\frac{(x+1)^2}{x^2-x+1}+\frac{1}{\sqrt{3}}\arctan\frac{2x-1}{\sqrt{3}}\right]\Bigg|_0^b=\frac{2\pi}{3\sqrt{3}}$，

所以$\int_0^{+\infty}\frac{\mathrm{d}x}{1+x^3}=\frac{2\pi}{3\sqrt{3}}.$

注 本题用到1881题的结果.

【2341】 $\int_0^{+\infty}\frac{x^2+1}{x^4+1}\mathrm{d}x.$

解 方法一 $\int_0^{+\infty}\frac{x^2+1}{x^4+1}\mathrm{d}x=\int_0^{+\infty}\frac{1+\frac{1}{x^2}}{x^2+\frac{1}{x^2}}\mathrm{d}x=\int_0^{+\infty}\frac{1}{\left(x-\frac{1}{x}\right)^2+2}\mathrm{d}\left(x-\frac{1}{x}\right)$

$$=\frac{1}{\sqrt{2}}\arctan\frac{x^2-1}{\sqrt{2}x}\Bigg|_0^{+\infty}=\frac{\pi}{\sqrt{2}}.$$

方法二 由于 $\lim\limits_{\substack{b\to+\infty\\c\to0^+}}\int_c^b\frac{x^2+1}{x^4+1}\mathrm{d}x=\lim\limits_{\substack{b\to+\infty\\c\to0^+}}\left(\frac{1}{\sqrt{2}}\arctan\frac{x^2-1}{\sqrt{2}x}\right)\Bigg|_c^b=\frac{\pi}{\sqrt{2}}$，所以

$$\int_0^{+\infty}\frac{x^2+1}{x^4+1}\mathrm{d}x=\frac{\pi}{\sqrt{2}}.$$

注 本题用到1712题的结果.

【2342】 $\int_0^1\frac{\mathrm{d}x}{(2-x)\sqrt{1-x}}.$

解 方法一 先求$\int\frac{\mathrm{d}x}{(2-x)\sqrt{1-x}}$. 设$\sqrt{1-x}=t$，则$x=1-t^2$，$\mathrm{d}x=-2t\mathrm{d}t$. 代入得

$$\int\frac{\mathrm{d}x}{(2-x)\sqrt{1-x}}=-2\int\frac{\mathrm{d}t}{1+t^2}=-2\arctan t+C=-2\arctan\sqrt{1-x}+C.$$

由于

$$\lim_{\varepsilon\to0^+}\int_0^{1-\varepsilon}\frac{\mathrm{d}x}{(2-x)\sqrt{1-x}}=\lim_{\varepsilon\to0^+}\left(-2\arctan\sqrt{1-x}\Bigg|_0^{1-\varepsilon}\right)$$

$$=-2\lim_{\varepsilon\to0^+}\left[\arctan\sqrt{1-(1-\varepsilon)}-\frac{\pi}{4}\right]=\frac{\pi}{2},$$

所以$\int_0^1\frac{\mathrm{d}x}{(2-x)\sqrt{1-x}}=\frac{\pi}{2}.$

方法二 令$\sqrt{1-x}=t$，则

$$\int_0^1\frac{\mathrm{d}x}{(2-x)\sqrt{1-x}}=-2\int_1^0\frac{t\mathrm{d}t}{(1+t^2)t}=2\int_0^1\frac{\mathrm{d}t}{1+t^2}=2\arctan t\Bigg|_0^1=\frac{\pi}{2}.$$

【2343】 $\int_1^{+\infty}\frac{\mathrm{d}x}{x\sqrt{1+x^5+x^{10}}}.$

解 设$\sqrt{1+x^5+x^{10}}=t-x^5$，则

$$\int_1^{+\infty}\frac{\mathrm{d}x}{x\sqrt{1+x^5+x^{10}}}=\frac{2}{5}\int_{1+\sqrt{3}}^{+\infty}\frac{\mathrm{d}t}{t^2-1}=\frac{1}{5}\ln\frac{t-1}{t+1}\Bigg|_{1+\sqrt{3}}^{+\infty}=\frac{1}{5}\ln1-\frac{1}{5}\ln\frac{\sqrt{3}}{2+\sqrt{3}}$$

$$=\frac{1}{5}\ln\left(1+\frac{2}{\sqrt{3}}\right).$$

注 牛顿—莱布尼茨公式对于反常积分也成立.例如

$$\int_a^{+\infty} f(x)\mathrm{d}x = F(+\infty) - F(a) = F(x)\Big|_a^{+\infty},$$

其中 $F(+\infty)$ 表示 $\lim\limits_{x\to+\infty} F(x)$(假定此极限存在且有限),下同,不再说明.

【2344】 $\displaystyle\int_0^{+\infty} \frac{x\ln x}{(1+x^2)^2}\mathrm{d}x.$

解 先求原函数.

$$\int \frac{x\ln x}{(1+x^2)^2}\mathrm{d}x = -\frac{1}{2}\int \ln x\mathrm{d}\left(\frac{1}{1+x^2}\right) = -\frac{\ln x}{2(1+x^2)} + \frac{1}{2}\int \frac{\mathrm{d}x}{x(1+x^2)}$$
$$= -\frac{\ln x}{2(1+x^2)} + \frac{1}{2}\int\left(\frac{1}{x} - \frac{x}{1+x^2}\right)\mathrm{d}x$$
$$= -\frac{\ln x}{2(1+x^2)} + \frac{1}{4}\ln\frac{x^2}{1+x^2} + C.$$

由于

$$\lim_{\substack{\varepsilon\to0^+\\ b\to+\infty}}\int_\varepsilon^b \frac{x\ln x}{(1+x^2)^2}\mathrm{d}x = \lim_{\substack{\varepsilon\to0^+\\ b\to+\infty}}\left[-\frac{\ln x}{2(1+x^2)} + \frac{1}{4}\ln\frac{x^2}{1+x^2}\right]\Bigg|_\varepsilon^b$$
$$= \lim_{\substack{\varepsilon\to0^+\\ b\to+\infty}}\left[-\frac{\ln b}{2(1+b^2)} + \frac{\ln\varepsilon}{2(1+\varepsilon^2)} + \frac{1}{4}\ln\frac{b^2}{b^2+1} - \frac{1}{4}\ln\frac{\varepsilon^2}{\varepsilon^2+1}\right]$$
$$= \lim_{\varepsilon\to0^+}\left[-\frac{\varepsilon^2}{2(\varepsilon^2+1)}\ln\varepsilon + \frac{1}{4}\ln(\varepsilon^2+1)\right] = 0,$$

所以$\displaystyle\int_0^{+\infty} \frac{x\ln x}{(1+x^2)^2}\mathrm{d}x = 0.$

注 $\varepsilon\to0^+$ 与 $b\to+\infty$ 的极限过程是独立的,因此,可分别取极限.

【2345】 $\displaystyle\int_0^{+\infty} \frac{\arctan x}{(1+x^2)^{\frac{3}{2}}}\mathrm{d}x.$

解 设 $x=\tan t$,则$\displaystyle\int_0^{+\infty} \frac{\arctan x}{(1+x^2)^{\frac{3}{2}}}\mathrm{d}x = \int_0^{\frac{\pi}{2}} \frac{t\sec^2 t\mathrm{d}t}{\sec^3 t} = (t\sin t + \cos t)\Big|_0^{\frac{\pi}{2}} = \frac{\pi}{2} - 1.$

【2346】 $\displaystyle\int_a^{+\infty} \mathrm{e}^{-ax}\cos bx\mathrm{d}x\,(a>0).$

解 $\displaystyle\int_a^{+\infty} \mathrm{e}^{-ax}\cos bx\mathrm{d}x = \frac{\mathrm{e}^{-ax}(-a\cos bx + b\sin bx)}{a^2+b^2}\Bigg|_a^{+\infty} = \frac{a}{a^2+b^2}.$

注 本题用到 1826 题的结果.

【2347】 $\displaystyle\int_0^{+\infty} \mathrm{e}^{-ax}\sin bx\mathrm{d}x\,(a>0).$

解 $\displaystyle\int_0^{+\infty} \mathrm{e}^{-ax}\sin bx\mathrm{d}x = \frac{\mathrm{e}^{-ax}(-a\sin bx - b\cos bx)}{a^2+b^2}\Bigg|_0^{+\infty} = \frac{b}{a^2+b^2}.$

注 本题用到 1827 题的结果.

【利用递推公式计算下列反常积分($n\in\mathbf{N}_+$)(2348—2357)】

【2348】 $I_n = \displaystyle\int_0^{+\infty} x^n\mathrm{e}^{-x}\mathrm{d}x.$

解 $I_n = -\int_0^{+\infty} x^n \mathrm{d}(\mathrm{e}^{-x}) = -x^n \mathrm{e}^{-x}\Big|_0^{+\infty} + n\int_0^{+\infty} x^{n-1}\mathrm{e}^{-x}\mathrm{d}x = n\int_0^{+\infty} x^{n-1}\mathrm{e}^{-x}\mathrm{d}x = nI_{n-1}$，即 $I_n = nI_{n-1}$，利用此递推公式及 $I_0 = \int_0^{+\infty}\mathrm{e}^{-x}\mathrm{d}x = 1$，可得

$$I_n = n(n-1)\cdots 2\cdot 1\cdot I_0 = n!.$$

【2349】 $I_n = \int_{-\infty}^{+\infty} \frac{\mathrm{d}x}{(ax^2+2bx+c)^n}(ac-b^2>0)$.

提示 利用1921题的递推公式及定义可得

$$I_n = \frac{2n-3}{2(n-1)}\cdot\frac{a}{ac-b^2}I_{n-1},$$

并注意 $I_1 = \frac{\pi\operatorname{sgn} a}{\sqrt{ac-b^2}}$.

解 $I_n = \frac{ax+b}{2(n-1)(ac-b^2)(ax^2+2bx+c)^{n-1}}\Big|_{-\infty}^{+\infty} + \frac{2n-3}{n-1}\cdot\frac{a}{2(ac-b^2)}I_{n-1}$

$$= \frac{2n-3}{2(n-1)}\cdot\frac{a}{ac-b^2}I_{n-1},$$

即 $$I_n = \frac{2n-3}{2(n-1)}\cdot\frac{a}{ac-b^2}I_{n-1}(n>1).$$

$$I_1 = \int_{-\infty}^{+\infty}\frac{\mathrm{d}x}{ax^2+2bx+c} = \frac{\operatorname{sgn} a}{\sqrt{ac-b^2}}\arctan\frac{|a|\left(x+\frac{b}{a}\right)}{\sqrt{ac-b^2}}\Bigg|_{-\infty}^{+\infty} = \frac{\pi\operatorname{sgn} a}{\sqrt{ac-b^2}}.$$

利用递推公式及 I_1 容易得到

$$I_n = \frac{(2n-3)(2n-5)\cdots3\cdot1}{(2n-2)(2n-4)\cdots4\cdot2}\cdot\frac{\pi a^{n-1}\operatorname{sgn} a}{(ac-b^2)^{n-\frac{1}{2}}} = \frac{(2n-3)!!}{(2n-2)!!}\cdot\frac{\pi a^{n-1}\operatorname{sgn} a}{(ac-b^2)^{n-\frac{1}{2}}}.$$

注 本题用到1921题的结果.

【2350】 $I_n = \int_1^{+\infty}\frac{\mathrm{d}x}{x(x+1)\cdots(x+n)}$.

解 由于 $\lim\limits_{x\to+\infty} x^{n+1}\cdot\frac{1}{x(x+1)\cdots(x+n)} = 1$ 且 $n+1>1$，所以积分 I_n 收敛. 由于

$$\frac{1}{x(x+1)\cdots(x+n)} = \frac{1}{n!x} - \frac{1}{(n-1)!(x+1)} + \frac{1}{2!(n-2)!(x+2)} - \cdots +$$
$$(-1)^k\frac{1}{k!(n-k)!(x+k)} + \cdots + (-1)^n\frac{1}{n!(x+n)},$$

所以

$$I_n = \frac{1}{n!}\int_1^{+\infty}\sum_{k=0}^{n}\mathrm{C}_n^k(-1)^k\frac{\mathrm{d}x}{x+k} = \frac{1}{n!}\sum_{k=0}^{n}(-1)^k\mathrm{C}_n^k\ln(x+k)\Big|_1^{+\infty},$$

其中 C_n^k 为从 n 个元素中每次取 k 个的组合数.

对于 n，不论是偶数还是奇数，用上限代入（此处理解为趋近于无穷时的极限）后均为零.

事实上，当 $n=2m$ 时，有

$$\sum_{k=0}^{2m}(-1)^k\mathrm{C}_n^k\ln(x+k) = \ln\frac{x(x+2)^{\mathrm{C}_{2m}^2}\cdots(x+2m)^{\mathrm{C}_{2m}^{2m}}}{(x+1)^{\mathrm{C}_{2m}^1}(x+3)^{\mathrm{C}_{2m}^3}\cdots(x+2m-1)^{\mathrm{C}_{2m}^{2m-1}}}.$$

由于

$$1+\mathrm{C}_{2m}^2+\cdots+\mathrm{C}_{2m}^{2m} = \mathrm{C}_{2m}^1+\mathrm{C}_{2m}^3+\cdots+\mathrm{C}_{2m}^{2m-1},$$

所以

$$\lim_{m\to+\infty}\sum_{k=0}^{2m}(-1)^k C_n^k\ln(x+k)=\ln 1=0.$$

当 $n=2m-1$ 时，由于 $1+C_{2m-1}^2+\cdots+C_{2m-1}^{2m-2}<C_{2m-1}^1+C_{2m-1}^3+\cdots+C_{2m-1}^{2m-1}$，故

$$\lim_{m\to+\infty}\sum_{k=0}^{2m-1}(-1)^k C_n^k\ln(x+k)=\lim_{m\to+\infty}\ln\frac{x(x+2)^{C_{2m-1}^2}\cdots(x+2m-2)^{C_{2m-1}^{2m-2}}}{(x+1)^{C_{2m-1}^1}(x+3)^{C_{2m-1}^3}\cdots(x+2m-2)^{C_{2m-1}^{2m-1}}}=0.$$

最后得到 $I_n=\dfrac{1}{n!}\sum_{k=0}^{n}(-1)^{k+1}C_n^k\ln(1+k)$.

【2351】 $I_n=\displaystyle\int_0^1\frac{x^n\,dx}{\sqrt{(1-x)(1+x)}}$.

解 因 $\lim\limits_{x\to1^-}\sqrt{1-x}\cdot\dfrac{x^n}{\sqrt{(1-x)(1+x)}}=\dfrac{1}{2}$，且 $p=\dfrac{1}{2}<1$，故 I_n 收敛. 设 $x=\sin t$，则

$$I_n=\int_0^{\frac{\pi}{2}}\sin^n t\,dt=\begin{cases}\dfrac{(2k-1)!!}{(2k)!!}\cdot\dfrac{\pi}{2}, & n=2k,\\ \dfrac{(2k-2)!!}{(2k-1)!!}, & n=2k-1.\end{cases}$$

【2352】 $I_n=\displaystyle\int_0^{+\infty}\frac{dx}{\mathrm{ch}^{n+1}x}$.

解 设 $x=\ln\left(\tan\dfrac{t}{2}\right)$，则

$$I_n=\int_0^{+\infty}\frac{dx}{\mathrm{ch}^{n+1}x}=\int_{\frac{\pi}{2}}^{\pi}\sin^n t\,dt=\int_0^{\frac{\pi}{2}}\cos^n u\,du=\begin{cases}\dfrac{(2k-1)!!}{(2k)!!}\cdot\dfrac{\pi}{2}, & n=2k,\\ \dfrac{(2k-2)!!}{(2k-1)!!}, & n=2k-1.\end{cases}$$

【2353】 (1) $\displaystyle\int_0^{\frac{\pi}{2}}\ln\sin x\,dx$； (2) $\displaystyle\int_0^{\frac{\pi}{2}}\ln\cos x\,dx$.

解 先证明它们是收敛的. 事实上，由于

$$\lim_{x\to0^+}\sqrt{x}\ln\sin x=0，且\ p=\frac{1}{2}<1,$$

所以积分 $\displaystyle\int_0^{\frac{\pi}{2}}\ln\sin x\,dx$ 收敛. 同理可证积分 $\displaystyle\int_0^{\frac{\pi}{2}}\ln\cos x\,dx$ 也收敛.

其次，求这两个积分的值. 设 $x=\dfrac{\pi}{2}-t$，则有

$$\int_0^{\frac{\pi}{2}}\ln\cos x\,dx=\int_0^{\frac{\pi}{2}}\ln\sin x\,dx=A,$$

相加得

$$\begin{aligned}2A&=\int_0^{\frac{\pi}{2}}(\ln\sin x+\ln\cos x)\,dx=\int_0^{\frac{\pi}{2}}\ln\left(\frac{1}{2}\sin 2x\right)dx=\int_0^{\frac{\pi}{2}}\ln\sin 2x\,dx-\ln 2\int_0^{\frac{\pi}{2}}dx\\&=\frac{1}{2}\int_0^{\pi}\ln\sin t\,dt-\frac{\pi}{2}\ln 2=\frac{1}{2}\left(\int_0^{\frac{\pi}{2}}\ln\sin t\,dt+\int_{\frac{\pi}{2}}^{\pi}\ln\sin t\,dt\right)-\frac{\pi}{2}\ln 2\\&=\int_0^{\frac{\pi}{2}}\ln\sin t\,dt-\frac{\pi}{2}\ln 2=A-\frac{\pi}{2}\ln 2.\end{aligned}$$

于是 $2A=A-\dfrac{\pi}{2}\ln 2$，$A=-\dfrac{\pi}{2}\ln 2$，即

$$\int_0^{\frac{\pi}{2}}\ln\sin x\,dx=\int_0^{\frac{\pi}{2}}\ln\cos x\,dx=-\frac{\pi}{2}\ln 2.$$

【2354】 求 $\displaystyle\int_E e^{-\frac{x}{2}}\frac{|\sin x-\cos x|}{\sqrt{\sin x}}\,dx$，其中 E 表示区间 $(0,+\infty)$ 中使被积函数有意

义的一切 x 值的集合.

解 $\int_E \mathrm{e}^{-\frac{x}{2}} \frac{|\sin x-\cos x|}{\sqrt{\sin x}}\mathrm{d}x=\sum_{k=0}^{\infty}\int_{2k\pi}^{(2k+1)\pi}\mathrm{e}^{-\frac{x}{2}}\frac{|\sin x-\cos x|}{\sqrt{\sin x}}\mathrm{d}x.$

对于反常积分 $\int_{2k\pi}^{(2k+1)\pi}\mathrm{e}^{-\frac{x}{2}}\frac{|\sin x-\cos x|}{\sqrt{\sin x}}\mathrm{d}x$ 作如下处理：

$$\begin{aligned}\int_{2k\pi}^{(2k+1)\pi}\mathrm{e}^{-\frac{x}{2}}\frac{|\sin x-\cos x|}{\sqrt{\sin x}}\mathrm{d}x&=\int_{2k\pi}^{(2k+\frac{1}{4})\pi}\mathrm{e}^{-\frac{x}{2}}\frac{\cos x-\sin x}{\sqrt{\sin x}}\mathrm{d}x+\int_{(2k+\frac{1}{4})\pi}^{(2k+1)\pi}\mathrm{e}^{-\frac{x}{2}}\frac{\sin x-\cos x}{\sqrt{\sin x}}\mathrm{d}x\\&=2\mathrm{e}^{-\frac{x}{2}}\sqrt{\sin x}\Big|_{2k\pi}^{(2k+\frac{1}{4})\pi}-2\mathrm{e}^{-\frac{x}{2}}\sqrt{\sin x}\Big|_{(2k+\frac{1}{4})\pi}^{(2k+1)\pi}\\&=2\sqrt[4]{8}\,\mathrm{e}^{-k\pi}\mathrm{e}^{-\frac{\pi}{8}}.\end{aligned}$$

由于 $\lim\limits_{n\to\infty}\sum\limits_{k=0}^{n}2\sqrt[4]{8}\,\mathrm{e}^{-\frac{\pi}{8}}\mathrm{e}^{-k\pi}=2\sqrt[4]{8}\,\mathrm{e}^{-\frac{\pi}{8}}\lim\limits_{n\to\infty}\frac{1-\mathrm{e}^{-(n+1)\pi}}{1-\mathrm{e}^{-\pi}}=\frac{2\sqrt[4]{8}\,\mathrm{e}^{-\frac{\pi}{8}}}{1-\mathrm{e}^{-\pi}}$，故

$$\int_E \mathrm{e}^{-\frac{x}{2}}\frac{|\sin x-\cos x|}{\sqrt{\sin x}}\mathrm{d}x=\frac{2\sqrt[4]{8}\,\mathrm{e}^{-\frac{\pi}{8}}}{1-\mathrm{e}^{-\pi}}.$$

【2355】 证明等式：$\int_0^{+\infty}f\left(ax+\frac{b}{x}\right)\mathrm{d}x=\frac{1}{a}\int_0^{+\infty}f(\sqrt{x^2+4ab})\mathrm{d}x$，其中 $a>0,b>0$（假定等式左端的积分有意义）.

证 设 $ax-\frac{b}{x}=t$，则当 $0<x<+\infty$ 时，$-\infty<t<+\infty$，有 $ax+\frac{b}{x}=\sqrt{t^2+4ab}$.

将此二式相加得

$$x=\frac{1}{2a}(t+\sqrt{t^2+4ab}),$$

从而有

$$\mathrm{d}x=\frac{1}{2a}\frac{t+\sqrt{t^2+4ab}}{\sqrt{t^2+4ab}}\mathrm{d}t.$$

所以

$$\begin{aligned}\int_0^{+\infty}f\left(ax+\frac{b}{x}\right)\mathrm{d}x&=\frac{1}{2a}\int_{-\infty}^{+\infty}f(\sqrt{t^2+4ab})\frac{t+\sqrt{t^2+4ab}}{\sqrt{t^2+4ab}}\mathrm{d}t\\&=\frac{1}{2a}\int_{-\infty}^{0}f(\sqrt{t^2+4ab})\frac{t+\sqrt{t^2+4ab}}{\sqrt{t^2+4ab}}\mathrm{d}t+\frac{1}{2a}\int_0^{+\infty}f(\sqrt{t^2+4ab})\frac{t+\sqrt{t^2+4ab}}{\sqrt{t^2+4ab}}\mathrm{d}t\\&=\frac{1}{2a}\int_0^{+\infty}f(\sqrt{t^2+4ab})\frac{\sqrt{t^2+4ab}-t}{\sqrt{t^2+4ab}}\mathrm{d}t+\frac{1}{2a}\int_0^{+\infty}f(\sqrt{t^2+4ab})\frac{t+\sqrt{t^2+4ab}}{\sqrt{t^2+4ab}}\mathrm{d}t\\&=\frac{1}{2a}\int_0^{+\infty}f(\sqrt{t^2+4ab})\frac{\sqrt{t^2+4ab}-t+\sqrt{t^2+4ab}+t}{\sqrt{t^2+4ab}}\mathrm{d}t\\&=\frac{1}{a}\int_0^{+\infty}f(\sqrt{t^2+4ab})\mathrm{d}t.\end{aligned}$$

于是 $\int_0^{+\infty}f\left(ax+\frac{b}{x}\right)\mathrm{d}x=\frac{1}{a}\int_0^{+\infty}f(\sqrt{x^2+4ab})\mathrm{d}x.$

【2356】 数

$$M[f]=\lim_{x\to+\infty}\frac{1}{x}\int_0^x f(t)\mathrm{d}t$$

称为函数 $f(x)$ 在区间 $(0,+\infty)$ 上的平均值. 求下列函数在 $(0,+\infty)$ 上的平均值：

(1) $f(x)=\sin^2 x+\cos^2(\sqrt{2}x)$； (2) $f(x)=\arctan x$； (3) $f(x)=\sqrt{x}\sin x$.

解 (1) 由于 $\int_0^x[\sin^2 t+\cos^2(\sqrt{2}t)]\mathrm{d}t=\frac{1}{2}\int_0^x[1-\cos 2t+1+\cos(2\sqrt{2}t)]\mathrm{d}t$

$$= x - \frac{1}{4}\sin 2x + \frac{1}{4\sqrt{2}}\sin(2\sqrt{2}x),$$

所以

$$M[f] = \lim_{x\to+\infty}\frac{1}{x}\int_0^x [\sin^2 t + \cos^2(\sqrt{2}t)]\mathrm{d}t = \lim_{x\to+\infty}\left[1 + \frac{1}{4x}\sin 2x + \frac{1}{4\sqrt{2}x}\sin(2\sqrt{2}x)\right] = 1.$$

$$(2) M[f] = \lim_{x\to+\infty}\frac{1}{x}\int_0^x \arctan t\mathrm{d}t = \lim_{x\to+\infty}\frac{x\arctan x - \frac{1}{2}\ln(1+x^2)}{x}$$

$$= \lim_{x\to+\infty}\left[\arctan x - \frac{\ln(1+x^2)}{2x}\right] = \frac{\pi}{2}.$$

(3) 利用积分第二中值定理，得

$$\int_0^x \sqrt{t}\sin t\mathrm{d}t = \sqrt{x}\int_c^x \sin t\mathrm{d}t = \sqrt{x}(\cos c - \cos x)(0 \leqslant c \leqslant x).$$

于是 $M[f] = \lim\limits_{x\to+\infty}\frac{1}{x}\int_0^x \sqrt{t}\sin t\mathrm{d}t = \lim\limits_{x\to+\infty}\frac{\cos c - \cos x}{\sqrt{x}} = 0.$

【2357】 求：

(1) $\lim\limits_{x\to 0} x\int_x^1 \frac{\cos t}{t^2}\mathrm{d}t$； (2) $\lim\limits_{x\to\infty}\frac{\int_0^x \sqrt{1+t^4}\,\mathrm{d}t}{x^3}$； (3) $\lim\limits_{x\to 0^+}\frac{\int_x^{+\infty} t^{-1}\mathrm{e}^{-t}\mathrm{d}t}{\ln\frac{1}{x}}$；

(4) $\lim\limits_{x\to 0^+} x^a\int_x^1 \frac{f(t)}{t^{a+1}}\mathrm{d}t$，其中 $a > 0$，$f(t)$ 为闭区间 $[0,1]$ 上的连续函数.

解 (1) **方法一** 由于 $1 - \frac{t^2}{2} \leqslant \cos t \leqslant 1$，所以

$$\int_x^1 \frac{1-\frac{t^2}{2}}{t^2}\mathrm{d}t \leqslant \int_x^1 \frac{\cos t}{t^2}\mathrm{d}t \leqslant \int_x^1 \frac{\mathrm{d}t}{t^2},$$

即 $-\frac{3}{2} + \frac{x}{2} + \frac{1}{x} \leqslant \int_x^1 \frac{\cos t}{t^2}\mathrm{d}t \leqslant -1 + \frac{1}{x}$.

又由于 $\lim\limits_{x\to 0} x\left(-\frac{3}{2} + \frac{x}{2} + \frac{1}{x}\right) = 1$ 及 $\lim\limits_{x\to 0} x\left(-1 + \frac{1}{x}\right) = 1$，故 $\lim\limits_{x\to 0} x\int_x^1 \frac{\cos t}{t^2}\mathrm{d}t = 1$.

方法二 利用洛必达法则，有

$$\lim_{x\to 0} x\int_x^1 \frac{\cos t}{t^2}\mathrm{d}t = \lim_{x\to 0}\frac{\int_x^1 \frac{\cos t}{t^2}\mathrm{d}t}{\frac{1}{x}} = \lim_{x\to 0}\frac{-\frac{\cos x}{x^2}}{-\frac{1}{x^2}} = \lim_{x\to 0}\cos x = 1.$$

(2) 利用洛必达法则，得

$$\lim_{x\to+\infty}\frac{\int_0^x \sqrt{1+t^4}\,\mathrm{d}t}{x^3} = \lim_{x\to+\infty}\frac{\sqrt{1+x^4}}{3x^2} = \frac{1}{3}.$$

(3) 利用洛必达法则，得

$$\lim_{x\to 0^+}\frac{\int_x^{+\infty} t^{-1}\mathrm{e}^{-t}\mathrm{d}t}{\ln\frac{1}{x}} = \lim_{x\to 0^+}\frac{-\mathrm{e}^{-x}x^{-1}}{-\frac{1}{x}} = \lim_{x\to 0^+}\mathrm{e}^{-x} = 1.$$

(4) **方法一** 由于 $f(t)$ 在 $t = 0$ 处右连续，故 $\forall\varepsilon > 0$，$\exists\delta' > 0$，当 $0 < t < \delta'$ 时，有

$$|f(t) - f(0)| < \frac{a\varepsilon}{2}.$$

取 $0 < \delta < \delta'$，当 $0 < x < \delta$ 时，有

$$\left| x^a \int_{\delta'}^1 \frac{f(t)-f(0)}{t^{a+1}} \mathrm{d}t \right| < \frac{\varepsilon}{2}.$$

于是，当 $0 < x < \delta$ 时，就有

$$\left| x^a \int_x^1 \frac{f(t)-f(0)}{t^{a+1}} \mathrm{d}t \right| = \left| x^a \int_x^{\delta'} \frac{f(t)-f(0)}{t^{a+1}} \mathrm{d}t + x^a \int_{\delta'}^1 \frac{f(t)-f(0)}{t^{a+1}} \mathrm{d}t \right|$$

$$\leqslant \frac{a\varepsilon}{2} x^a \int_x^{\delta'} \frac{\mathrm{d}t}{t^{a+1}} + \frac{\varepsilon}{2} = \frac{\varepsilon}{2} x^a \left(\frac{1}{x^a} - \frac{1}{\delta'^a} \right) + \frac{\varepsilon}{2} < \frac{\varepsilon}{2} + \frac{\varepsilon}{2} = \varepsilon.$$

故

$$\lim_{x \to 0^+} x^a \int_x^1 \frac{f(t)-f(0)}{t^{a+1}} \mathrm{d}x = 0.$$

最后得到

$$\lim_{x \to 0^+} x^a \int_x^1 \frac{f(t)}{t^{a+1}} \mathrm{d}t = \lim_{x \to 0^+} x^a \int_x^1 \frac{f(0)}{t^{a+1}} \mathrm{d}t = \lim_{x \to 0^+} x^a f(0) \left(-\frac{1}{a} t^{-a} \right) \Big|_x^1$$

$$= \lim_{x \to 0^+} x^a f(0) \left(\frac{1}{a x^a} - \frac{1}{a} \right) = \frac{f(0)}{a}.$$

方法二 利用洛必达法则，有

$$\lim_{x \to 0^+} x^a \int_x^1 \frac{f(t)}{t^{a+1}} \mathrm{d}t = \lim_{x \to 0^+} \frac{\int_x^1 \frac{f(t)}{t^{a+1}} \mathrm{d}t}{x^{-a}} = \lim_{x \to 0^+} \frac{-\frac{f(x)}{x^{a+1}}}{-a x^{-a-1}} = \frac{1}{a} \lim_{x \to 0^+} f(x) = \frac{f(0)}{a}.$$

知识点2 反常积分敛散性判别法

1. 柯西准则

(1) 积分 $\int_a^{+\infty} f(x) \mathrm{d}x$ 收敛的充要条件为：对于 $\forall \varepsilon > 0$，$\exists G \geqslant a$，当 $u_1, u_2 > G$ 时，有

$$\left| \int_{u_1}^{u_2} f(x) \mathrm{d}x \right| < \varepsilon.$$

(2) 积分 $\int_a^b f(x) \mathrm{d}x$（瑕点为 a）收敛的充要条件为：对于 $\forall \varepsilon > 0$，$\exists \delta > 0$，当 $u_1, u_2 \in (a, a+\delta)$ 时，有

$$\left| \int_{u_1}^{u_2} f(x) \mathrm{d}x \right| < \varepsilon.$$

2. 比较判别法（Ⅰ）

(1) 设定义在 $[a, +\infty)$ 上的两个非负函数 $f(x)$ 和 $g(x)$ 都任何有限区间 $[a,b]$ 上可积，且满足

$$f(x) \leqslant g(x), x \in [a, +\infty),$$

则当 $\int_a^{+\infty} g(x) \mathrm{d}x$ 收敛时，$\int_a^{+\infty} f(x) \mathrm{d}x$ 必收敛；当 $\int_a^{+\infty} f(x) \mathrm{d}x$ 发散时，$\int_a^{+\infty} g(x) \mathrm{d}x$ 必发散.

(2) 设定义在 $(a,b]$ 上的两个非负函数 $f(x)$ 和 $g(x)$（瑕点同为 a）都在 $[a+\delta, b]$ $(\delta > 0)$ 上可积，且满足

$$f(x) \leqslant g(x), x \in (a,b],$$

则当 $\int_a^b g(x) \mathrm{d}x$ 收敛时，$\int_a^b f(x) \mathrm{d}x$ 必收敛；当 $\int_a^b f(x) \mathrm{d}x$ 发散时，$\int_a^b g(x) \mathrm{d}x$ 必发散.

(3) 比较判别法的极限形式：若非负函数 $f(x)$ 和 $g(x)$ 都在任何有限区间 $[a,b]$ 上可积，

$x\in[a,+\infty)$ 时，$g(x)>0$ 且 $\lim\limits_{x\to+\infty}\dfrac{f(x)}{g(x)}=k(0\leqslant k\leqslant+\infty)$，则

① 当 $0<k<+\infty$ 时，积分 $\int_a^{+\infty}f(x)\mathrm{d}x$ 与 $\int_a^{+\infty}g(x)\mathrm{d}x$ 同时收敛或同时发散；

② 当 $k=0$ 时，由 $\int_a^{+\infty}g(x)\mathrm{d}x$ 收敛可推知 $\int_a^{+\infty}f(x)\mathrm{d}x$ 收敛；

③ 当 $k=+\infty$ 时，由 $\int_a^{+\infty}g(x)\mathrm{d}x$ 发散可推知 $\int_a^{+\infty}f(x)\mathrm{d}x$ 发散.

(4) 设定义在 $(a,b]$ 上的两个非负函数 $f(x)$ 和 $g(x)$（瑕点同为 a）都在 $[a+\delta,b](\delta>0)$ 上可积，当 $x\in(a,b)$ 时，$g(x)>0$ 且 $\lim\limits_{x\to a^+}\dfrac{f(x)}{g(x)}=k(0\leqslant k\leqslant+\infty)$，则

① 当 $0<k<+\infty$ 时，积分 $\int_a^b f(x)\mathrm{d}x$ 与 $\int_a^b g(x)\mathrm{d}x$ 同时收敛或同时发散；

② 当 $k=0$ 时，由 $\int_a^b g(x)\mathrm{d}x$ 收敛可推知 $\int_a^b f(x)\mathrm{d}x$ 收敛；

③ 当 $k=+\infty$ 时，由 $\int_a^b g(x)\mathrm{d}x$ 发散可推知 $\int_a^b f(x)\mathrm{d}x$ 发散.

3. 比较判别法(Ⅱ)

(1) 若 $f(x)$ 在 $[a,+\infty)(a>0)$ 上有定义，且在任何有限区间 $[a,u]$ 上可积，则

① 当 $0\leqslant f(x)\leqslant\dfrac{1}{x^p}$，$x\in[a,+\infty)$，且 $p>1$ 时，积分 $\int_a^{+\infty}f(x)\mathrm{d}x$ 收敛；

② 当 $f(x)\geqslant\dfrac{1}{x^p}$，$x\in[a,+\infty)$，且 $p\leqslant1$ 时，积分 $\int_a^{+\infty}f(x)\mathrm{d}x$ 发散.

(2) 若 $f(x)$ 在 $(a,b]$ 上有定义，瑕点为 a，且在任何 $[u,b]\subset(a,b]$ 上可积，则

① 当 $0\leqslant f(x)\leqslant\dfrac{1}{(x-a)^p}$，且 $0<p<1$ 时，积分 $\int_a^b f(x)\mathrm{d}x$ 收敛；

② 当 $f(x)\geqslant\dfrac{1}{(x-a)^p}$，且 $p\geqslant1$ 时，积分 $\int_a^b f(x)\mathrm{d}x$ 发散.

4. 狄利克雷判别法

(1) 若 $F(u)=\int_a^u f(x)\mathrm{d}x$ 在 $[a,+\infty)$ 上有界，$g(x)$ 在 $[a,+\infty)$ 上单调且 $\lim\limits_{x\to+\infty}g(x)=0$，则 $\int_a^{+\infty}f(x)g(x)\mathrm{d}x$ 收敛.

(2) 设 a 为 $f(x)$ 的瑕点，$F(u)=\int_u^b f(x)\mathrm{d}x$ 在 $(a,b]$ 上有界，$g(x)$ 在 $(a,b]$ 上单调且 $\lim\limits_{x\to a^+}g(x)=0$，则 $\int_a^b f(x)g(x)\mathrm{d}x$ 收敛.

5. 阿贝尔判别法

(1) 若 $\int_a^{+\infty}f(x)\mathrm{d}x$ 收敛，$g(x)$ 在 $[a,+\infty)$ 上单调有界，则 $\int_a^{+\infty}f(x)g(x)\mathrm{d}x$ 收敛.

(2) 设 a 为 $f(x)$ 的瑕点，瑕积分 $\int_a^b f(x)\mathrm{d}x$ 收敛，函数 $g(x)$ 在 $(a,b]$ 上单调且有界，则瑕积分 $\int_a^b f(x)g(x)\mathrm{d}x$ 收敛.

习题 2358—2377 判定反常积分的敛散性

【研究下列积分的收敛性(2358—2377)】

【2358】 $\int_0^{+\infty}\frac{x^2\mathrm{d}x}{x^4-x^2+1}$.

解 由于 $\lim\limits_{x\to+\infty}\left(x^2\cdot\frac{x^2}{x^4-x^2+1}\right)=1$ 且 $p=2>1$,所以积分$\int_0^{+\infty}\frac{x^2\mathrm{d}x}{x^4-x^2+1}$ 收敛.

【2359】 $\int_1^{+\infty}\frac{\mathrm{d}x}{x\sqrt[3]{x^2+1}}$.

解 由于 $\lim\limits_{x\to+\infty}\left(x^{\frac{5}{3}}\cdot\frac{1}{x\sqrt[3]{x^2+1}}\right)=1$ 且 $p=\frac{5}{3}>1$,所以积分$\int_1^{+\infty}\frac{\mathrm{d}x}{x\sqrt[3]{x^2+1}}$ 收敛.

【2360】 $\int_0^2\frac{\mathrm{d}x}{\ln x}$.

解 当 $0<x<1$ 时,$\ln x<0$. 由于

$$\lim_{x\to1^-}\left[(1-x)\cdot\frac{1}{-\ln x}\right]=\lim_{x\to1^-}\frac{-1}{-\frac{1}{x}}=1\text{ 且 }p=1,$$

所以积分$\int_0^1\frac{\mathrm{d}x}{\ln x}$ 发散,从而积分$\int_0^2\frac{\mathrm{d}x}{\ln x}$ 也发散.

【2361】 $\int_0^{+\infty}x^{p-1}\mathrm{e}^{-x}\mathrm{d}x$.

解 将积分分成

$$\int_0^{+\infty}x^{p-1}\mathrm{e}^{-x}\mathrm{d}x=\int_0^1x^{p-1}\mathrm{e}^{-x}\mathrm{d}x+\int_1^{+\infty}x^{p-1}\mathrm{e}^{-x}\mathrm{d}x.$$

对于积分$\int_0^1x^{p-1}\mathrm{e}^{-x}\mathrm{d}x$. 由于

$$\lim_{x\to0^+}[x^{1-p}\cdot(x^{p-1}\mathrm{e}^{-x})]=1,$$

知当 $1-p<1$,即 $p>0$ 时,积分$\int_0^1x^{p-1}\mathrm{e}^{-x}\mathrm{d}x$ 收敛.

对于积分$\int_1^{+\infty}x^{p-1}\mathrm{e}^{-x}\mathrm{d}x$. 由于

$$\lim_{x\to+\infty}[x^2\cdot(x^{p-1}\mathrm{e}^{-x})]=\lim_{x\to+\infty}\frac{x^{p+1}}{\mathrm{e}^x}=0,$$

故对于一切 p 值,积分$\int_1^{+\infty}x^{p-1}\mathrm{e}^{-x}\mathrm{d}x$ 都收敛.

综上,当 $p>0$ 时,积分$\int_0^{+\infty}x^{p-1}\mathrm{e}^{-x}\mathrm{d}x$ 收敛.

【2362】 $\int_0^1x^p\ln^q\frac{1}{x}\mathrm{d}x$.

解 将积分分成

$$\int_0^1x^p\ln^q\frac{1}{x}\mathrm{d}x=\int_0^{\frac{1}{2}}x^p\ln^q\frac{1}{x}\mathrm{d}x+\int_{\frac{1}{2}}^1x^p\ln^q\frac{1}{x}\mathrm{d}x.$$

对于积分$\int_{\frac{1}{2}}^1x^p\ln^q\frac{1}{x}\mathrm{d}x$,由于

$$\lim_{x\to1^-}\left[(1-x)^{-q}\cdot x^p\ln^q\frac{1}{x}\right]=\lim_{x\to1^-}x^p\left(\frac{\ln\frac{1}{x}}{1-x}\right)^q=\left(\lim_{x\to1^-}\frac{\ln\frac{1}{x}}{1-x}\right)^q=\left(\lim_{x\to1^-}\frac{-\frac{1}{x}}{-1}\right)^q=1,$$

故当 $-q<1$ 即 $q>-1$ 时,积分$\int_{\frac{1}{2}}^{1} x^p \ln^q \frac{1}{x}\mathrm{d}x$ 收敛;当 $-q\geqslant 1$ 即 $q\leqslant -1$ 时,积分$\int_{\frac{1}{2}}^{1} x^p \ln^q \frac{1}{x}\mathrm{d}x$ 发散. 于是,当 $q\leqslant -1$ 时,积分$\int_{0}^{1} x^p \ln^q \frac{1}{x}\mathrm{d}x$ 必发散. 故下面在 $q>-1$ 的假定下讨论$\int_{0}^{\frac{1}{2}} x^p \ln^q \frac{1}{x}\mathrm{d}x$.

当 $p>-1$ 时,可取 $\tau>0$ 充分小,使 $p-\tau>-1$,于是

$$\lim_{x\to 0^+}\left(x^{-p+\tau}\cdot x^p\ln^q\frac{1}{x}\right)=\lim_{x\to 0^+}\frac{\left(\ln\frac{1}{x}\right)^q}{\left(\frac{1}{x}\right)^\tau}=0.$$

由于 $-p+\tau<1$,故此时$\int_{0}^{\frac{1}{2}} x^p \ln^q \frac{1}{x}\mathrm{d}x$ 收敛.

若 $p\leqslant -1$(设 $q>-1$),则

$$\int_{0}^{\frac{1}{2}} x^p \ln^q \frac{1}{x}\mathrm{d}x\geqslant\int_{0}^{\frac{1}{2}} x^{-1} \ln^q \frac{1}{x}\mathrm{d}x=-\int_{0}^{\frac{1}{2}}(-\ln x)^q\mathrm{d}(-\ln x)=-\left.\frac{(-\ln x)^{q+1}}{q+1}\right|_{0}^{\frac{1}{2}}=+\infty,$$

故此时$\int_{0}^{\frac{1}{2}} x^p \ln^q \frac{1}{x}\mathrm{d}x$ 发散.

总之,仅当 $p>-1$ 且 $q>-1$ 时,积分$\int_{0}^{1} x^p \ln^q \frac{1}{x}\mathrm{d}x$ 收敛.

【2363】 $\int_{0}^{+\infty}\frac{x^m}{1+x^n}\mathrm{d}x(n\geqslant 0)$.

解 先考虑积分$\int_{0}^{1}\frac{x^m}{1+x^n}\mathrm{d}x$. 由于

$$\lim_{x\to 0^+}\left(x^{-m}\cdot\frac{x^m}{1+x^n}\right)=1,$$

故积分$\int_{0}^{1}\frac{x^m}{1+x^n}\mathrm{d}x$ 仅当 $-m<1$,即仅当 $m>-1$ 时收敛.

再考虑积分$\int_{1}^{+\infty}\frac{x^m}{1+x^n}\mathrm{d}x$. 由于

$$\lim_{x\to+\infty}\left(x^{n-m}\cdot\frac{x^m}{1+x^n}\right)=1,$$

故积分$\int_{1}^{+\infty}\frac{x^m}{1+x^n}\mathrm{d}x$ 仅当 $n-m>1$ 时收敛.

于是,当 $m>-1$ 且 $n-m>1$ 时,积分$\int_{0}^{+\infty}\frac{x^m}{1+x^n}\mathrm{d}x(n\geqslant 0)$ 收敛.

【2364】 $\int_{0}^{+\infty}\frac{\arctan ax}{x^n}\mathrm{d}x(a\neq 0)$.

解 由于 $\arctan ax=-\arctan(-ax)$,故可设 $a>0$,先考虑积分$\int_{0}^{1}\frac{\arctan ax}{x^n}\mathrm{d}x$. 由于

$$\lim_{x\to 0^+}\left(x^{n-1}\cdot\frac{\arctan ax}{x^n}\right)=\lim_{x\to 0^+}\frac{\arctan ax}{x}=\lim_{x\to 0^+}\frac{ax}{x}=a,$$

故积分$\int_{0}^{1}\frac{\arctan ax}{x^n}\mathrm{d}x$ 仅当 $n-1<1$ 即当 $n<2$ 时收敛.

再考虑积分$\int_{1}^{+\infty}\frac{\arctan ax}{x^n}\mathrm{d}x$. 由于

$$\lim_{x\to+\infty}\left(x^n\cdot\frac{\arctan ax}{x^n}\right)=\frac{\pi}{2},$$

故积分$\int_{1}^{+\infty}\frac{\arctan ax}{x^n}\mathrm{d}x$ 仅当 $n>1$ 时收敛.

于是,当 $1<n<2$ 时,积分$\int_{1}^{+\infty}\frac{\arctan ax}{x^n}\mathrm{d}x(a\neq 0)$ 收敛.

【2365】 $\int_0^{+\infty}\frac{\ln(1+x)}{x^n}dx$.

解 先考虑积分$\int_1^{+\infty}\frac{\ln(1+x)}{x^n}dx$. 当$n>1$时,取$a>0$充分小,使$n-a>1$. 由于

$$\lim_{x\to+\infty}\left[x^{n-a}\cdot\frac{\ln(1+x)}{x^n}\right]=\lim_{x\to+\infty}\frac{\ln(1+x)}{x^a}=0,$$

故此时积分$\int_1^{+\infty}\frac{\ln(1+x)}{x^n}dx$收敛.

当$n\leqslant 1$时,由于

$$\lim_{x\to+\infty}\left[x^n\cdot\frac{\ln(1+x)}{x^n}\right]=\lim_{x\to+\infty}\ln(1+x)=+\infty,$$

故此时积分$\int_1^{+\infty}\frac{\ln(1+x)}{x^n}dx$发散.

再考虑积分$\int_0^1\frac{\ln(1+x)}{x^n}dx$. 由于

$$\lim_{x\to0^+}\left[x^{n-1}\cdot\frac{\ln(1+x)}{x^n}\right]=\lim_{x\to0^+}\frac{\ln(1+x)}{x}=1,$$

故积分$\int_0^1\frac{\ln(1+x)}{x^n}dx$仅当$n-1<1$即当$n<2$时收敛.

于是,当$1<n<2$时,积分$\int_0^{+\infty}\frac{\ln(1+x)}{x^n}dx$收敛.

【2366】 $\int_0^{+\infty}\frac{x^m\arctan x}{2+x^n}dx(n\geqslant 0)$.

解 先考虑积分$\int_0^1\frac{x^m\arctan x}{2+x^n}dx$. 由于

$$\lim_{x\to0^+}\left(x^{-m-1}\cdot\frac{x^m\arctan x}{2+x^n}\right)=\frac{1}{2}\lim_{x\to0^+}\frac{\arctan x}{x}=\frac{1}{2},$$

故积分$\int_0^1\frac{x^m\arctan x}{2+x^n}dx$仅当$-m-1<1$即当$m>-2$时收敛.

再考虑积分$\int_1^{+\infty}\frac{x^m\arctan x}{2+x^n}dx$. 由于

$$\lim_{x\to+\infty}\left(x^{n-m}\cdot\frac{x^m\arctan x}{2+x^n}\right)=\lim_{x\to+\infty}\frac{x^n\arctan x}{2+x^n}=\frac{\pi}{2},$$

故积分$\int_1^{+\infty}\frac{x^m\arctan x}{2+x^n}dx$仅当$n-m>1$时收敛.

于是,当$m>-2$且$n-m>1$时,积分$\int_0^{+\infty}\frac{x^m\arctan x}{2+x^n}dx(n\geqslant 0)$收敛.

【2367】 $\int_0^{+\infty}\frac{\cos ax}{1+x^n}dx(n\geqslant 0)$.

解 当$n=0$时,对$\forall a\in\mathbf{R}$,积分显然发散.

当$n>0$时,设$f(x)=\cos ax, g(x)=\frac{1}{1+x^n}$.

当$a\neq0$时,对$\forall A>0$,有$\left|\int_0^A f(x)dx\right|\leqslant\frac{2}{a}$;$g(x)$单调下降且$\lim\limits_{x\to+\infty}g(x)=0$. 由狄利克雷判别法知,积分$\int_0^{+\infty}\frac{\cos ax}{1+x^n}dx$收敛.

当$a=0$时,由于$\lim\limits_{x\to+\infty}x^n\cdot\frac{1}{1+x^n}=1$,故积分$\int_0^{+\infty}\frac{\cos ax}{1+x^n}dx$仅当$n>1$时收敛.

于是，当 $a \neq 0$ 且 $n > 0$ 及 $a = 0$ 且 $n > 1$ 时，积分 $\int_0^{+\infty} \frac{\cos ax}{1+x^n}\mathrm{d}x$ 收敛.

【2368】 $\int_0^{+\infty} \frac{\sin^2 x}{x}\mathrm{d}x$.

解 **方法一** $\frac{\sin^2 x}{x} = \frac{1-\cos 2x}{2x} = \frac{1}{2}\left(\frac{1}{x} - \frac{\cos 2x}{x}\right)$. 积分 $\int_1^{+\infty} \frac{\mathrm{d}x}{x}$ 显然发散.

又对 $\forall A > 1$，$\left|\int_1^A \cos 2x\mathrm{d}x\right| \leqslant 2$，$\frac{1}{x}$ 单调下降且 $\lim\limits_{x\to+\infty} \frac{1}{x} = 0$，由狄利克雷判别法知，$\int_1^{+\infty} \frac{\cos 2x}{x}\mathrm{d}x$ 收敛.

于是，积分 $\int_1^{+\infty} \frac{\sin^2 x}{x}\mathrm{d}x$ 发散，从而积分 $\int_0^{+\infty} \frac{\sin^2 x}{x}\mathrm{d}x$ 发散.

方法二 $\int_0^{+\infty} \frac{\sin^2 x}{x}\mathrm{d}x = \sum\limits_{n=0}^{\infty}\int_{n\pi}^{(n+1)\pi} \frac{\sin^2 x}{x}\mathrm{d}x = \sum\limits_{n=0}^{\infty}\int_0^{\pi} \frac{\sin^2 t}{t+n\pi}\mathrm{d}t \geqslant \frac{1}{\pi}\int_0^{\pi}\sin^2 t\mathrm{d}t\sum\limits_{n=1}^{\infty}\frac{1}{n} = \frac{1}{2}\sum\limits_{n=1}^{\infty}\frac{1}{n}$，

由 $\sum\limits_{n=1}^{\infty}\frac{1}{n}$ 发散可知，积分 $\int_0^{+\infty} \frac{\sin^2 x}{x}\mathrm{d}x$ 发散.

【2369】 $\int_0^{\frac{\pi}{2}} \frac{\mathrm{d}x}{\sin^p x\cos^q x}$.

解 先考虑积分 $\int_0^{\frac{\pi}{4}} \frac{\mathrm{d}x}{\sin^p x\cos^q x}$. 对于任何 q 值，由于

$$\lim_{x\to0^+}\left(x^p \cdot \frac{1}{\sin^p x\cos^q x}\right) = \lim_{x\to0^+}\left(\frac{x}{\sin x}\right)^p \lim_{x\to0^+}\frac{1}{\cos^q x} = 1,$$

故积分 $\int_0^{\frac{\pi}{4}} \frac{\mathrm{d}x}{\sin^p x\cos^q x}$ 仅当 $p < 1$（q 为任意值）时收敛.

再考虑积分 $\int_{\frac{\pi}{4}}^{\frac{\pi}{2}} \frac{\mathrm{d}x}{\sin^p x\cos^q x}$. 对于任何 p 值，由于

$$\lim_{x\to\left(\frac{\pi}{2}\right)^-}\left(\frac{\pi}{2}-x\right)^q\frac{1}{\sin^p x\cos^q x} = \lim_{x\to\left(\frac{\pi}{2}\right)^-}\left[\frac{\frac{\pi}{2}-x}{\cos x}\right]^q \lim_{x\to\left(\frac{\pi}{2}\right)^-}\left(\frac{1}{\sin^p x}\right) = \lim_{t\to0^+}\left(\frac{t}{\sin t}\right)^q = 1,$$

故积分 $\int_{\frac{\pi}{4}}^{\frac{\pi}{2}} \frac{\mathrm{d}x}{\sin^p x\cos^q x}$ 仅当 $q < 1$（p 为任意值）时收敛.

于是，当 $p < 1$ 且 $q < 1$ 时，积分 $\int_0^{\frac{\pi}{2}} \frac{\mathrm{d}x}{\sin^p x\cos^q x}$ 收敛.

【2370】 $\int_0^1 \frac{x^n\mathrm{d}x}{\sqrt{1-x^2}}$.

解 先考虑积分 $\int_0^{\frac{1}{2}} \frac{x^n\mathrm{d}x}{\sqrt{1-x^2}}$. 由于

$$\lim_{x\to0^+}\left(x^{-n}\cdot\frac{x^n}{\sqrt{1-x^2}}\right) = 1,$$

故积分 $\int_0^{\frac{1}{2}} \frac{x^n\mathrm{d}x}{\sqrt{1-x^2}}$ 仅当 $-n < 1$ 即 $n > -1$ 时收敛.

再考虑积分 $\int_{\frac{1}{2}}^1 \frac{x^n}{\sqrt{1-x^2}}\mathrm{d}x$. 对于任意的 n，由于

$$\lim_{x\to1^-}\left(\sqrt{1-x}\cdot\frac{x^n}{\sqrt{1-x^2}}\right) = \lim_{x\to1^-}\frac{x^n}{\sqrt{1+x}} = \frac{1}{\sqrt{2}},$$

故积分 $\int_{\frac{1}{2}}^1 \frac{x^n}{\sqrt{1-x^2}}\mathrm{d}x$ 对于任意的 n 都收敛.

于是，当 $n>-1$ 时，积分 $\int_0^1 \frac{x^n\mathrm{d}x}{\sqrt{1-x^2}}$ 收敛.

【2371】 $\int_0^{+\infty} \frac{\mathrm{d}x}{x^p+x^q}$.

解 先考虑积分 $\int_0^1 \frac{\mathrm{d}x}{x^p+x^q}$. 不妨设 $\min\{p,q\}=p$，由于

$$\lim_{x\to 0^+}\left(x^p\cdot\frac{1}{x^p+x^q}\right)=\lim_{x\to 0^+}\frac{1}{1+x^{q-p}}=1,$$

故积分 $\int_0^1 \frac{\mathrm{d}x}{x^p+x^q}$ 仅当 $p<1$，即当 $\min\{p,q\}<1$ 时收敛.

再考虑积分 $\int_1^{+\infty} \frac{\mathrm{d}x}{x^p+x^q}$. 不妨设 $\max\{p,q\}=q$，由于

$$\lim_{x\to+\infty}\left(x^q\cdot\frac{1}{x^p+x^q}\right)=\lim_{x\to+\infty}\frac{1}{x^{-(q-p)}+1}=1,$$

故积分 $\int_1^{+\infty} \frac{\mathrm{d}x}{x^p+x^q}$ 仅当 $q>1$ 即当 $\max\{p,q\}>1$ 时收敛.

于是，当 $\min\{p,q\}<1$ 且 $\max\{p,q\}>1$ 时，积分 $\int_0^{+\infty} \frac{\mathrm{d}x}{x^p+x^q}$ 收敛.

【2372】 $\int_0^1 \frac{\ln x}{1-x^2}\mathrm{d}x$.

解 先考虑积分 $\int_0^{\frac{1}{2}} \frac{\ln x}{1-x^2}\mathrm{d}x$. 由于 $\lim_{x\to 0^+}\left(\sqrt{x}\cdot\frac{\ln x}{1-x^2}\right)=0$，故积分 $\int_0^{\frac{1}{2}} \frac{\ln x}{1-x^2}\mathrm{d}x$ 收敛.
再考虑积分 $\int_{\frac{1}{2}}^1 \frac{\ln x}{1-x^2}\mathrm{d}x$，由于 $\lim_{x\to 1^-}\left(\sqrt{1-x}\cdot\frac{\ln x}{1-x^2}\right)=0$，故积分 $\int_{\frac{1}{2}}^1 \frac{\ln x}{1-x^2}\mathrm{d}x$ 收敛.
于是，积分 $\int_0^1 \frac{\ln x}{1-x^2}\mathrm{d}x$ 收敛.

【2373】 $\int_0^{\frac{\pi}{2}} \frac{\ln(\sin x)}{\sqrt{x}}\mathrm{d}x$.

解 由于

$$\lim_{x\to 0^+}\left[x^{\frac{5}{6}}\cdot\frac{\ln(\sin x)}{\sqrt{x}}\right]=\lim_{x\to 0^+}\left[\left(\frac{x}{\sin x}\right)^{\frac{1}{3}}\sqrt[3]{\sin x}\ln(\sin x)\right]=0,$$

故积分 $\int_0^{\frac{\pi}{2}} \frac{\ln(\sin x)}{\sqrt{x}}\mathrm{d}x$ 收敛.

【2374】 $\int_1^{+\infty} \frac{\mathrm{d}x}{x^p\ln^q x}$.

解 先考虑 $\int_1^2 \frac{\mathrm{d}x}{x^p\ln^q x}$. 对于任意的 p，由于

$$\lim_{x\to 1^+}\left[(x-1)^q\cdot\frac{1}{x^p\ln^q x}\right]=\lim_{x\to 1^+}\left[\frac{1}{x^p}\left(\frac{x-1}{\ln x}\right)^q\right]=\left(\lim_{x\to 1^+}\frac{x-1}{\ln x}\right)^q=\left(\lim_{x\to 1^+}\frac{1}{\frac{1}{x}}\right)^q=1,$$

故积分 $\int_1^2 \frac{\mathrm{d}x}{x^p\ln^q x}$ 仅当 $q<1$ 且 p 为任意值时收敛.

再考虑积分 $\int_2^{+\infty} \frac{\mathrm{d}x}{x^p\ln^q x}$. 如果 $p>1$，取 $\alpha>0$ 充分小，使 $p-\alpha>1$，则对于 $\forall q$，因

$$\lim_{x\to+\infty}\left(x^{p-\alpha}\cdot\frac{1}{x^p\ln^q x}\right)=\lim_{x\to+\infty}\frac{1}{x^\alpha\ln^q x}=0,$$

故积分 $\int_2^{+\infty} \frac{\mathrm{d}x}{x^p\ln^q x}$ 收敛；如果 $p\leqslant 1, q<1$，由于

$$\int_2^{+\infty}\frac{dx}{x^p\ln^q x}\geqslant\int_2^{+\infty}\frac{dx}{x\ln^q x}=\frac{(\ln x)^{1-q}}{1-q}\bigg|_2^{+\infty}=+\infty,$$

故积分$\int_2^{+\infty}\frac{dx}{x^p\ln^q x}$发散.

于是,当 $p>1$ 且 $q<1$ 时,积分$\int_1^{+\infty}\frac{dx}{x^p\ln^q x}$收敛.

【2375】 $\int_e^{+\infty}\frac{dx}{x^p(\ln x)^q(\ln\ln x)^r}$.

解 先考虑积分$\int_e^3\frac{dx}{x^p(\ln x)^q(\ln\ln x)^r}$. 对于任意的 p 和 q,由于

$$\lim_{x\to e^+}\frac{(x-e)^r}{x^p(\ln x)^q(\ln\ln x)^r}=\frac{1}{e^p}\left(\lim_{x\to e^+}\frac{x-e}{\ln\ln x}\right)^r=\frac{1}{e^p}\left(\lim_{x\to e^+}\frac{1}{\frac{1}{x\ln x}}\right)^r=e^{r-p},$$

故积分$\int_e^3\frac{dx}{x^p(\ln x)^q(\ln\ln x)^r}$仅当 $r<1$ 和 p,q 为任意值时收敛.

再考虑积分$\int_3^{+\infty}\frac{dx}{x^p(\ln x)^q(\ln\ln x)^r}$. 仅讨论当 $r<1$ 的情形,分三种情形讨论:

(1) 如果 $p>1$,q 和 r 为任意值. 取 $\alpha>0$ 充分小,使 $p-\alpha>1$,由于

$$\lim_{x\to+\infty}\frac{x^{p-\alpha}}{x^p(\ln x)^q(\ln\ln x)^r}=\lim_{x\to+\infty}\frac{1}{x^\alpha(\ln x)^q(\ln\ln x)^r}=0,$$

故此时积分$\int_3^{+\infty}\frac{dx}{x^p(\ln x)^q(\ln\ln x)^r}$收敛.

(2) 当 $p=1$ 时,则有

$$\int_3^{+\infty}\frac{dx}{x^p(\ln x)^q(\ln\ln x)^r}=\int_{\ln 3}^{+\infty}\frac{dt}{t^q(\ln t)^r},$$

利用 2374 题的结果得知,当 $p=1,q>1$ 时,积分$\int_3^{+\infty}\frac{dx}{x^p(\ln x)^q(\ln\ln x)^r}$收敛.

(3) 当 $p<1$ 时,取 $\delta>0$ 充分小,使 $p+\delta<1$. 对于任意的 q 和 r,由于

$$\lim_{x\to+\infty}\frac{x^{p+\delta}}{x^p(\ln x)^q(\ln\ln x)^r}=\lim_{x\to+\infty}\frac{x^\delta}{(\ln x)^q(\ln\ln x)^r}=+\infty,$$

故此时积分$\int_3^{+\infty}\frac{dx}{x^p(\ln x)^q(\ln\ln x)^r}$发散.

于是,当 $p>1,\forall q$ 且 $r<1$ 和当 $p=1,q>1$ 且 $r<1$ 时,$\int_e^{+\infty}\frac{dx}{x^p(\ln x)^q(\ln\ln x)^r}$收敛.

【2376】 $\int_{-\infty}^{+\infty}\frac{dx}{|x-a_1|^{p_1}|x-a_2|^{p_2}\cdots|x-a_n|^{p_n}}(a_1<a_2<\cdots<a_n)$.

解 首先,被积函数关于$\frac{1}{x}$是$\sum_{i=1}^n p_i$级无穷小(当 $x\to\pm\infty$ 时). 其次,

$$\lim_{x\to a_i}\left(|x-a_i|^{p_i}\cdot\frac{1}{|x-a_1|^{p_1}|x-a_2|^{p_2}\cdots|x-a_n|^{p_n}}\right)=c_i,0<c_i<+\infty(i=1,2,\cdots,n),$$

故当$\sum_{i=1}^n p_i>1$且 $p_i<1(i=1,2,\cdots,n)$ 时积分$\int_{-\infty}^{+\infty}\frac{1}{|x-a_1|^{p_1}|x-a_2|^{p_2}\cdots|x-a_n|^{p_n}}$收敛.

【2377】 $\int_0^{+\infty}\frac{P_m(x)}{P_n(x)}dx$,其中 $P_m(x)$ 及 $P_n(x)$ 为次数分别为 m 及 n 的互素的多项式.

解 当 $P_n(x)=0$ 在$[0,+\infty)$上有根 λ 并设其重数为 $r(\geqslant1)$ 时,由于 $P_n(x)$ 与 $P_m(x)$ 互素,故 λ 不是 $P_m(x)$ 的根. 从而有

$$\lim_{x\to\lambda}\left[(x-\lambda)^r\cdot\frac{P_m(x)}{P_n(x)}\right]=a\neq0,$$

而且显然在点 λ 的右(左) 近旁，$\frac{P_m(x)}{P_n(x)}$ 都保持定号. 由于 $r \geqslant 1$，故积分发散. 由于

$$\lim_{x\to+\infty}\left[x^{n-m}\cdot\frac{P_m(x)}{P_n(x)}\right]=b\neq 0,$$

故积分 $\int_0^{+\infty}\frac{P_m(x)}{P_n(x)}dx$ 仅当 $n-m>1$ 即当 $n>m+1$ 时收敛.

于是，当 $P_n(x)$ 在区间 $[0,+\infty)$ 内无根且 $n>m+1$ 时，积分 $\int_0^{+\infty}\frac{P_m(x)}{P_n(x)}dx$ 收敛.

知识点3 绝对收敛和条件收敛

1. 定义 若 $\int_a^{+\infty}|f(x)|dx$ 收敛，则称积分 $\int_a^{+\infty}f(x)dx$ 绝对收敛；称收敛而不绝对收敛的无穷积分为条件收敛.

若瑕积分 $\int_a^b|f(x)|dx$ 收敛，则称瑕积分 $\int_a^b f(x)dx$ 绝对收敛；称收敛而不绝对收敛的瑕积分为条件收敛.

2. 性质 绝对收敛必收敛，且有

$$\left|\int_a^{+\infty}f(x)dx\right|\leqslant\int_a^{+\infty}|f(x)|dx;\qquad \left|\int_a^b f(x)dx\right|\leqslant\int_a^b|f(x)|dx.$$

习题2378—2383 反常积分的绝对收敛和条件收敛

【研究下列积分的绝对收敛性和条件收敛性(2378—2382)】

【2378】 $\int_0^{+\infty}\frac{\sin x}{x}dx$.

解 对于 $\forall A>1$，有 $\left|\int_1^A\sin x dx\right|\leqslant 2$. 又 $\frac{1}{x}$ 单调且 $\lim\limits_{x\to+\infty}\frac{1}{x}=0$，由狄利克雷判别法知，积分 $\int_1^{+\infty}\frac{\sin x}{x}dx$ 收敛.

而积分 $\int_0^1\frac{\sin x}{x}dx$ 是普通的定积分，$x=0$ 为被积函数的可去间断点，故补充定义可使 $\frac{\sin x}{x}$ 在 $[0,1]$ 上连续，因而积分 $\int_0^1\frac{\sin x}{x}dx$ 收敛. 但它不是绝对收敛的.

事实上，当 $x>0$ 时，$\left|\frac{\sin x}{x}\right|\geqslant\frac{\sin^2 x}{x}$，由2368题知，积分 $\int_0^{+\infty}\frac{\sin^2 x}{x}dx$ 发散，故积分 $\int_0^{+\infty}\left|\frac{\sin x}{x}\right|dx$ 发散，因而 $\int_0^{+\infty}\frac{\sin x}{x}dx$ 条件收敛.

【2379】 $\int_0^{+\infty}\frac{\sqrt{x}\cos x}{x+100}dx$.

解 对于 $\forall A>0$，有 $\left|\int_0^A\cos x dx\right|\leqslant 2$，又 $\frac{\sqrt{x}}{x+100}$ 单调且 $\lim\limits_{x\to+\infty}\frac{\sqrt{x}}{x+100}=0$，由狄利克雷判别法知，积分 $\int_0^{+\infty}\frac{\sqrt{x}\cos x}{x+100}dx$ 收敛. 但它不是绝对收敛的.

事实上，由于

$$\frac{\sqrt{x}\,|\cos x|}{x+100}\geqslant\frac{\sqrt{x}\cos^2 x}{x+100}=\frac{1}{2}\left(\frac{\sqrt{x}}{x+100}-\frac{\sqrt{x}\cos 2x}{x+100}\right),$$

且 $\lim\limits_{x\to+\infty}\left(x^{\frac{1}{2}}\cdot\dfrac{\sqrt{x}}{x+100}\right)=1$，故$\int_0^{+\infty}\dfrac{\sqrt{x}}{x+100}\mathrm{d}x$ 发散. 再由狄利克雷判别法可知$\int_0^{+\infty}\dfrac{\sqrt{x}\cos 2x}{x+100}\mathrm{d}x$ 收敛，从而积分$\int_0^{+\infty}\dfrac{\sqrt{x}\cos^2 x}{x+100}\mathrm{d}x$ 发散，故积分$\int_0^{+\infty}\dfrac{\sqrt{x}\mid\cos x\mid}{x+100}\mathrm{d}x$ 发散.

因而$\int_0^{+\infty}\dfrac{\sqrt{x}\cos x}{x+100}\mathrm{d}x$ 条件收敛.

【2380】 $\int_0^{+\infty}x^p\sin x^q\mathrm{d}x(q\neq 0)$.

解 设 $t=x^q$，则 $\mathrm{d}x=\dfrac{1}{q}t^{\frac{1}{q}-1}\mathrm{d}t$. 于是

$$\int_0^{+\infty}x^p\sin x^q\mathrm{d}x=\frac{1}{\mid q\mid}\int_0^{+\infty}t^{\frac{p+1}{q}-1}\sin t\mathrm{d}t.$$

先考虑积分$\int_0^1 t^{\frac{p+1}{q}-1}\sin t\mathrm{d}t$. 由于

$$\lim_{t\to0^+}(t^{-\frac{p+1}{q}}\cdot t^{\frac{p+1}{q}-1}\sin t)=\lim_{t\to0^+}\frac{\sin t}{t}=1,$$

故积分$\int_0^1 t^{\frac{p+1}{q}-1}\sin t\mathrm{d}t$仅当$-\dfrac{p+1}{q}<1$，即当$\dfrac{p+1}{q}>-1$时收敛. 又由于被积函数在$[0,1]$上非负，故也是绝对收敛的.

再考虑积分$\int_1^{+\infty}t^{\frac{p+1}{q}-1}\sin t\mathrm{d}t$.

如果$\dfrac{p+1}{q}<1$，则对 $\forall A>1$，$\left|\int_1^A\sin t\mathrm{d}t\right|\leqslant 2$，$t^{\frac{p+1}{q}-1}$ 单调且 $\lim\limits_{t\to+\infty}t^{\frac{p+1}{q}-1}=0$，故此时积分$\int_1^{+\infty}t^{\frac{p+1}{q}-1}\sin t\mathrm{d}t$ 收敛；

如果$\dfrac{p+1}{q}=1$，则$\int_1^{+\infty}t^{\frac{p+1}{q}-1}\sin t\mathrm{d}t=\int_1^{+\infty}\sin t\mathrm{d}t$，显然发散. 故积分$\int_0^{+\infty}t^{\frac{p+1}{q}-1}\sin t\mathrm{d}t$ 也发散；

如果$\dfrac{p+1}{q}>1$，则由于 $\lim\limits_{t\to+\infty}t^{\frac{p+1}{q}-1}=+\infty$，故对 $\forall A>0$，$\exists N$，使 $2N\pi+\dfrac{\pi}{4}>A$，且当 $t>2N\pi+\dfrac{\pi}{4}$ 时，有 $t^{\frac{p+1}{q}-1}>\sqrt{2}$. 取 $A'=2N\pi+\dfrac{\pi}{4}$，$A''=2N\pi+\dfrac{\pi}{2}$，则有

$$\left|\int_{A'}^{A''}t^{\frac{p+1}{q}-1}\sin t\mathrm{d}t\right|>\sqrt{2}\left|\int_{A'}^{A''}\sin t\mathrm{d}t\right|=1,$$

由柯西准则知，积分$\int_1^{+\infty}t^{\frac{p+1}{q}-1}\sin t\mathrm{d}t$ 发散，从而积分$\int_0^{+\infty}t^{\frac{p+1}{q}-1}t\mathrm{d}t$ 也发散.

于是，仅当$-1<\dfrac{p+1}{q}<1$时，积分$\int_0^{+\infty}t^{\frac{p+1}{q}-1}\sin t\mathrm{d}t$ 收敛；且当$\dfrac{p+1}{q}>-1$时，积分$\int_0^1 t^{\frac{p+1}{q}-1}\sin t\mathrm{d}t$ 绝对收敛.

下面考虑积分$\int_1^{+\infty}t^{\frac{p+1}{q}-1}\sin t\mathrm{d}t$ 的绝对收敛性. 分三种情形讨论：

(1) 当$\dfrac{p+1}{q}<0$时，由于

$$\left|t^{\frac{p+1}{q}-1}\sin t\right|\leqslant t^{\frac{p+1}{q}-1}(1\leqslant t<+\infty),$$

且$\int_1^{+\infty}t^{\frac{p+1}{q}-1}\mathrm{d}t$ 收敛，故当$\dfrac{p+1}{q}<0$时，积分$\int_1^{+\infty}t^{\frac{p+1}{q}-1}\sin t\mathrm{d}t$ 绝对收敛；

(2) 当$\dfrac{p+1}{q}=0$时，因$\int_1^{+\infty}\mid t^{\frac{p+1}{q}-1}\sin t\mid\mathrm{d}t=\int_1^{+\infty}\dfrac{\mid\sin t\mid}{t}\mathrm{d}t$ 发散，故此时积分条件收敛.

(3) 当$\dfrac{p+1}{q}>0$时，由于

$$\int_1^{+\infty}|t^{\frac{p+1}{q}-1}\sin t|\,\mathrm{d}t\geqslant\int_1^{+\infty}\frac{|\sin t|}{t}\mathrm{d}t=+\infty,$$

故此时积分也不是绝对收敛的.

于是，当 $-1<\dfrac{p+1}{q}<0$ 时，积分 $\int_0^{+\infty}t^{\frac{p+1}{q}-1}\sin t\mathrm{d}t$ 绝对收敛.

综上，当 $-1<\dfrac{p+1}{q}<0$ 时，积分 $\int_0^{+\infty}x^p\sin(x^q)\mathrm{d}x$ 绝对收敛；当 $0\leqslant\dfrac{p+1}{q}<1$ 时，条件收敛.

【2381】 $\int_0^{+\infty}\dfrac{x^p\sin x}{1+x^q}\mathrm{d}x(q\geqslant 0)$.

解 先考虑积分 $\int_0^1\dfrac{x^p\sin x}{1+x^q}\mathrm{d}x$. 由于

$$\lim_{x\to0^+}\left(x^{-1-p}\cdot\frac{x^p\sin x}{1+x^q}\right)=\lim_{x\to0^+}\left(\frac{\sin x}{x}\cdot\frac{1}{1+x^q}\right)=1,$$

故积分 $\int_0^1\dfrac{x^p\sin x}{1+x^q}\mathrm{d}x$ 仅当 $-1-p<1$ 即当 $p>-2$ 时收敛，且绝对收敛.

再考虑积分 $\int_1^{+\infty}\dfrac{x^p\sin x}{1+x^q}\mathrm{d}x$.

(1) 若 $p\geqslant q$，则对 $\forall A>1$，$\exists N$，使 $2N\pi+\dfrac{\pi}{4}>A$，且当 $x\geqslant 2N\pi+\dfrac{\pi}{4}$ 时，恒有 $\dfrac{x^p}{1+x^q}>\dfrac{1}{3}$. 于是，取 $A'=2N\pi+\dfrac{\pi}{4}$，$A''=2N\pi+\dfrac{\pi}{2}$，有

$$\left|\int_{A'}^{A''}\frac{x^p}{1+x^q}\sin x\mathrm{d}x\right|>\frac{1}{3}\int_{A'}^{A''}\sin x\mathrm{d}x=\frac{\sqrt{2}}{6},$$

故由柯西准则知积分 $\int_1^{+\infty}\dfrac{x^p\sin x}{1+x^q}\mathrm{d}x$ 发散.

(2) 若 $p<q-1$，取 $\alpha>0$，使 $p+\alpha<q-1$，即 $q-p-\alpha>1$，由于

$$\lim_{x\to+\infty}\left(x^{q-p-\alpha}\cdot\frac{x^p}{1+x^q}|\sin x|\right)=\lim_{x\to+\infty}\left(\frac{x^q}{1+x^q}\cdot\frac{|\sin x|}{x^\alpha}\right)=0,$$

故积分 $\int_1^{+\infty}\dfrac{x^p\sin x}{1+x^q}\mathrm{d}x$ 绝对收敛.

(3) 现设 $q-1\leqslant p<q$. 先证 $\int_1^{+\infty}\dfrac{x^p|\sin x|}{1+x^q}\mathrm{d}x$ 发散. 事实上，此时，可取 $A_0>1$，使当 $x\geqslant A_0$ 时，$\dfrac{x^{p+1}}{1+x^q}>\dfrac{1}{3}$. 故

$$\int_{A_0}^{+\infty}\frac{x^p|\sin x|}{1+x^q}\mathrm{d}x=\int_{A_0}^{+\infty}\left(\frac{x^{p+1}}{1+x^q}\cdot\left|\frac{\sin x}{x}\right|\right)\mathrm{d}x\geqslant\frac{1}{3}\int_{A_0}^{+\infty}\left|\frac{\sin x}{x}\right|\mathrm{d}x=+\infty,$$

从而 $\int_1^{+\infty}\dfrac{x^p|\sin x|}{1+x^q}\mathrm{d}x$ 发散.

再证 $\int_1^{+\infty}\dfrac{x^p\sin x}{1+x^q}\mathrm{d}x$ 收敛. 事实上，

若 $q=0$，则 $-1\leqslant p<0$，此时积分 $\int_1^{+\infty}\dfrac{x^p\sin x}{1+x^q}\mathrm{d}x=\dfrac{1}{2}\int_1^{+\infty}x^p\sin x\mathrm{d}x$ 显然收敛；

若 $q>0$，由于 $\left(\dfrac{x^p}{1+x^q}\right)'=\dfrac{x^{p-1}[p-(q-p)x^q]}{(1+x^q)^2}<0$（当 x 充分大时），故当 x 充分大时，$\dfrac{x^p}{1+x^q}$ 单调递减且 $\lim\limits_{x\to+\infty}\dfrac{x^p}{1+x^q}=0$. 而 $\left|\int_1^A\sin x\mathrm{d}x\right|=|\cos 1-\cos A|\leqslant 2$ 有界，故由狄利克雷判别法知，积分 $\int_1^{+\infty}\dfrac{x^p\sin x}{1+x^q}\mathrm{d}x$ 收敛. 总之，当 $q-1\leqslant p<q$ 时，$\int_1^{+\infty}\dfrac{x^p\sin x}{1+x^q}\mathrm{d}x$ 条件收敛.

综上，积分$\int_0^{+\infty}\frac{x^p\sin x}{1+x^q}dx$当$p>-2,q>p+1$时绝对收敛；当$p>-2,p<q\leqslant p+1$时条件收敛.

【2382】 $\int_0^{+\infty}\frac{\sin\left(x+\frac{1}{x}\right)}{x^n}dx$.

解 当$n\leqslant 0$时，积分显然是发散的；

当$n>0$时，首先考虑积分$\int_a^{+\infty}\frac{\sin\left(x+\frac{1}{x}\right)}{x^n}dx(a>1)$. 由于

$$\int_a^{+\infty}\frac{\sin\left(x+\frac{1}{x}\right)}{x^n}dx=\int_a^{+\infty}\frac{\left(1-\frac{1}{x^2}\right)\sin\left(x+\frac{1}{x}\right)}{x^n\left(1-\frac{1}{x^2}\right)}dx,$$

而

$$\left|\int_a^A\left(1-\frac{1}{x^2}\right)\sin\left(x+\frac{1}{x}\right)dx\right|=\left|\cos\left(a+\frac{1}{a}\right)-\cos\left(A+\frac{1}{A}\right)\right|\leqslant 2.$$

又当x充分大时，有

$$\frac{d}{dx}\left[x^n\left(1-\frac{1}{x^2}\right)\right]=nx^{n-3}\left(x^2-\frac{n-2}{n}\right)>0,$$

故当x充分大时，$x^n\left(1-\frac{1}{x^2}\right)$是递增的，从而$\frac{1}{x^n\left(1-\frac{1}{x^2}\right)}$当$x$充分大时递减，且$\lim\limits_{x\to+\infty}\frac{1}{x^n\left(1-\frac{1}{x^2}\right)}=0$，故由狄利克雷判别法知，积分$\int_a^{+\infty}\frac{\sin\left(x+\frac{1}{x}\right)}{x^n}dx$当$n>0$时收敛.

再考虑积分$\int_0^{a'}\frac{\sin\left(x+\frac{1}{x}\right)}{x^n}dx(0<a'<1)$. 设$x=\frac{1}{t}$，则

$$\int_0^{a'}\frac{\sin\left(x+\frac{1}{x}\right)}{x^n}dx=\int_{\frac{1}{a'}}^{+\infty}\frac{\sin\left(t+\frac{1}{t}\right)}{t^{2-n}}dt.$$

由前所述，此积分仅当$2-n>0$即当$n<2$时收敛.

又$\int_{a'}^{a}\frac{\sin\left(x+\frac{1}{x}\right)}{x^n}dx(0<a'<1<a)$是一个通常的定积分. 于是，当$0<n<2$时，积分

$$\int_0^{+\infty}\frac{\sin\left(x+\frac{1}{x}\right)}{x^n}dx$$

收敛.

可以证明：当$0<n<2$时，积分$\int_0^{+\infty}\frac{\left|\sin\left(x+\frac{1}{x}\right)\right|}{x^n}dx$发散. 事实上，

$$\frac{\left|\sin\left(x+\frac{1}{x}\right)\right|}{x^n}\geqslant\frac{\sin^2\left(x+\frac{1}{x}\right)}{x^n}=\frac{1-\cos\left(2x+\frac{2}{x}\right)}{2x^n}.$$

而当$0<n\leqslant 1$时，积分$\int_a^{+\infty}\frac{dx}{x^n}$显然发散，积分$\int_a^{+\infty}\frac{\cos\left(2x+\frac{2}{x}\right)}{x^n}dx$收敛（仿前半段证明），故当$0<n\leqslant 1$时，积分$\int_a^{+\infty}\frac{\left|\sin\left(x+\frac{1}{x}\right)\right|}{x^n}dx$发散，从而当$0<n\leqslant 1$时，积分$\int_0^{+\infty}\frac{\left|\sin\left(x+\frac{1}{x}\right)\right|}{x^n}dx$发散.

对于 $1<n<2$ 的情况，可考虑对积分作变换 $x=\frac{1}{t}$，则得

$$\int_0^a \frac{\left|\sin\left(x+\frac{1}{x}\right)\right|}{x^n}\mathrm{d}x=\int_{\frac{1}{a}}^{+\infty}\frac{\left|\sin\left(t+\frac{1}{t}\right)\right|}{t^{2-n}}\mathrm{d}t.$$

仿前可知，当 $0<2-n\leqslant 1$ 即当 $1\leqslant n<2$ 时，积分$\int_0^a \frac{\left|\sin\left(x+\frac{1}{x}\right)\right|}{x^n}\mathrm{d}x$ 发散.

从而，当 $1<n<2$ 时，积分$\int_0^{+\infty}\frac{\left|\sin\left(x+\frac{1}{x}\right)\right|}{x^n}\mathrm{d}x$ 发散.

综上可得，当 $0<n<2$ 时，积分$\int_0^{+\infty}\frac{\sin\left(x+\frac{1}{x}\right)}{x^n}\mathrm{d}x$ 条件收敛.

【2383】 $\int_a^{+\infty}\frac{P_m(x)}{P_n(x)}\sin x\mathrm{d}x$，其中 $P_m(x)$ 及 $P_n(x)$ 为整多项式，且若 $x\geqslant a$，$P_n(x)>0$.

解 设 $P_m(x)=a_0x^m+a_1x^{m-1}+\cdots+a_m$，$P_n(x)=b_0x^n+b_1x^{n-1}+\cdots+b_n$，其中 m,n 是非负整数，$a_0\neq 0$，$b_0\neq 0$. 下面分 3 种情况讨论：

(1) 若 $n>m+1$，可取 $\alpha>0$ 充分小，使 $n-\alpha>m+1$. 由于

$$\lim_{x\to+\infty}x^{n-m-\alpha}\left|\frac{P_m(x)}{P_n(x)}\sin x\right|=\lim_{x\to+\infty}\left|\frac{x^nP_m(x)}{x^mP_n(x)}\right|\frac{|\sin x|}{x^\alpha}=0,$$

而 $n-m-\alpha>1$，故积分$\int_a^{+\infty}\frac{P_m(x)}{P_n(x)}\sin x\mathrm{d}x$ 绝对收敛.

(2) 若 $n=m+1$，则$\int_a^{+\infty}\frac{P_m(x)}{P_n(x)}\sin x\mathrm{d}x$ 条件收敛. 事实上，由于 $\lim\limits_{x\to+\infty}\frac{xP_m(x)}{P_n(x)}=\frac{a_0}{b_0}$，故 $\exists A_0>a$，使当 $x\geqslant A_0$ 时，恒有 $\left|\frac{xP_m(x)}{P_n(x)}\right|>\frac{|a_0|}{2|b_0|}$，于是

$$\int_{A_0}^{+\infty}\left|\frac{P_m(x)}{P_n(x)}\sin x\right|\mathrm{d}x=\int_{A_0}^{+\infty}\left|\frac{xP_m(x)}{P_n(x)}\right|\left|\frac{\sin x}{x}\right|\mathrm{d}x\geqslant\frac{|a_0|}{2|b_0|}\int_{A_0}^{+\infty}\left|\frac{\sin x}{x}\right|\mathrm{d}x=+\infty,$$

故$\int_a^{+\infty}\left|\frac{P_m(x)}{P_n(x)}\sin x\right|\mathrm{d}x$ 发散. 此外，易知当 $n=m+1$ 时，有

$$\left(\frac{P_m(x)}{P_n(x)}\right)'=\frac{1}{[P_n(x)]^2}[-a_0b_0x^{2m}-2a_1b_0x^{2m-1}+\cdots+(a_{m-1}b_{m+1}-a_mb_m)].$$

故若 $a_0b_0>0$，则当 x 充分大时，有$\left(\frac{P_m(x)}{P_n(x)}\right)'<0$，函数$\frac{P_m(x)}{P_n(x)}$ 递减；

若 $a_0b_0<0$，则当 x 充分大时，有$\left(\frac{P_m(x)}{P_n(x)}\right)'>0$，函数$\frac{P_m(x)}{P_n(x)}$ 递增.

总之，当 x 充分大时，$\frac{P_m(x)}{P_n(x)}$ 单调且 $\lim\limits_{x\to+\infty}\frac{P_m(x)}{P_n(x)}=0$.

又显然对 $\forall A>a$，有$\left|\int_a^A\sin x\mathrm{d}x\right|\leqslant 2$，因此根据狄利克雷判别法知，积分$\int_a^{+\infty}\frac{P_m(x)}{P_n(x)}\sin x\mathrm{d}x$ 收敛.

(3) 若 $n<m+1$. 由于 m,n 都是非负整数，故 $n\leqslant m$. 因此

$$\lim_{x\to+\infty}\frac{P_m(x)}{P_n(x)}=\begin{cases}\frac{a_0}{b_0}, & n=m,\\ +\infty, & n<m\text{ 且 }a_0b_0>0,\\ -\infty, & n<m\text{ 且 }a_0b_0<0.\end{cases}$$

于是，$\exists A^*>a$ 及 $\tau>0$，使当 $x\geqslant A^*$ 时，$\frac{P_m(x)}{P_n(x)}$ 保持定号，且$\left|\frac{P_m(x)}{P_n(x)}\right|>\tau$. 对 $\forall A>a$，取 $N\in\mathbf{N}_+$，使

$2N\pi+\frac{\pi}{4}\geqslant\max\{A,A^*\}$. 令 $A'=2N\pi+\frac{\pi}{4}$, $A''=2N\pi+\frac{\pi}{2}$, 则

$$\left|\int_{A'}^{A''}\frac{P_m(x)}{P_n(x)}\sin x\mathrm{d}x\right|>\tau\int_{A'}^{A''}\sin x\mathrm{d}x=\frac{\tau}{\sqrt{2}},$$

由柯西准则知 $\int_a^{+\infty}\frac{P_m(x)}{P_n(x)}\sin x\mathrm{d}x$ 发散.

综上可得,当 $n>m+1$ 时 $\int_a^{+\infty}\frac{P_m(x)}{P_n(x)}\sin x\mathrm{d}x$ 绝对收敛;当 $n=m+1$ 时条件收敛.

习题 2384—2389 反常积分收敛与被积函数的极限的关系

【2384】 若 $\int_a^{+\infty}f(x)\mathrm{d}x$ 收敛,则当 $x\to+\infty$ 时是否必有 $f(x)\to 0$? 研究例子:

(1) $\int_0^{+\infty}\sin x^2\mathrm{d}x$; (2) $\int_0^{+\infty}(-1)^{[x^2]}\mathrm{d}x$.

解 不一定.

(1) 积分 $\int_0^{+\infty}\sin x^2\mathrm{d}x$ 收敛. 事实上,它是 2380 题的特例: $p=0$, $q=2$. 但是 $\lim\limits_{x\to+\infty}\sin x^2$ 不存在;或者令 $t=x^2$, 则 $\int_0^{+\infty}\sin x^2\mathrm{d}x=\frac{1}{2}\int_0^{+\infty}\frac{\sin t}{t^{\frac{1}{2}}}\mathrm{d}t$ 收敛. 但是 $\lim\limits_{x\to+\infty}\sin x^2$ 不存在.

(2) 先证积分 $\int_0^{+\infty}(-1)^{[x^2]}\mathrm{d}x$ 收敛. 事实上,对 $\forall A>0$, 存在唯一的非负整数 n, 使 $\sqrt{n}\leqslant A<\sqrt{n+1}$. 显然 $A\to+\infty\Leftrightarrow n\to\infty$. 当 $\sqrt{k}\leqslant x<\sqrt{k+1}$ (k 为非负整数) 时, $[x^2]=k$. 于是

$$\begin{aligned}\int_0^A(-1)^{[x^2]}\mathrm{d}x&=\sum_{k=0}^{n-1}\int_{\sqrt{k}}^{\sqrt{k+1}}(-1)^k\mathrm{d}x+(-1)^n(A-\sqrt{n})\\&=\sum_{k=0}^{n-1}(-1)^k\frac{1}{\sqrt{k+1}+\sqrt{k}}+(-1)^n(A-\sqrt{n}).\end{aligned}$$

由于 $\frac{1}{\sqrt{k+1}+\sqrt{k}}$ 递减且 $\lim\limits_{k\to\infty}\frac{1}{\sqrt{k+1}+\sqrt{k}}=0$, 由莱布尼茨判别法知, $\sum\limits_{n=0}^{\infty}(-1)^n\frac{1}{\sqrt{n+1}+\sqrt{n}}$ 收敛,设其和为 S. 又显然

$$|(-1)^n(A-\sqrt{n})|<\sqrt{n+1}-\sqrt{n}=\frac{1}{\sqrt{n+1}+\sqrt{n}}\to 0(n\to\infty),$$

故 $\lim\limits_{A\to+\infty}\int_a^A(-1)^{[x^2]}\mathrm{d}x=S$, 因此,积分 $\int_0^{+\infty}(-1)^{[x^2]}\mathrm{d}x$ 收敛. 但显然 $\lim\limits_{x\to+\infty}(-1)^{[x^2]}$ 不存在.

【2385】 设函数 $f(x)$ 在 $[a,b]$ 上有定义且无界,能否把收敛的反常积分 $\int_a^b f(x)\mathrm{d}x$ 看作对应函数 $f(x)$ 的积分和

$$\sum_{i=1}^n f(\xi_i)\Delta x_i$$

的极限,其中 $x_{i-1}\leqslant\xi_i\leqslant x_i$, $\Delta x_i=x_i-x_{i-1}$?

解 不能. 因为若 $c(a\leqslant c\leqslant b)$ 是瑕点,则对于 $[a,b]$ 的任何分法,不论 $\max\{\Delta x_i\}$ 多么小,当分法确定以后,设 $c\in[x_{j-1},x_j]$, 则总可以取 $\xi_j\in[x_{j-1},x_j]$, 使 $\sum\limits_{i=1}^n f(\xi_i)\Delta x_i$ 大于任何预先给定的值. 因此,当 $\max\{\Delta x_i\}\to 0$ 时, $\sum\limits_{i=1}^n f(\xi_i)\Delta x_i$ 不可能具有有限极限.

【2386】 设$\int_a^{+\infty} f(x)\mathrm{d}x$收敛，函数$\varphi(x)$有界，则

(1) 积分$\int_a^{+\infty} f(x)\varphi(x)\mathrm{d}x$是否必定收敛？举出适当的例子.

(2) 若积分$\int_a^{+\infty} f(x)\mathrm{d}x$绝对收敛，问积分$\int_a^{+\infty} f(x)\varphi(x)\mathrm{d}x$的收敛性如何？

解 (1) 不一定. 例如，积分$\int_0^{+\infty} \frac{\sin x}{x}\mathrm{d}x$收敛，且$\varphi(x)=\sin x$有界，但积分$\int_0^{+\infty}\frac{\sin^2 x}{x}\mathrm{d}x$发散.

(2) 若积分$\int_a^{+\infty} f(x)\mathrm{d}x$绝对收敛，$\varphi(x)$有界，则$\int_a^{+\infty} f(x)\varphi(x)\mathrm{d}x$一定绝对收敛. 事实上，设$|\varphi(x)|\leqslant L$，则由不等式

$$|f(x)\varphi(x)|\leqslant L|f(x)|,$$

及$\int_a^{+\infty}|f(x)|\mathrm{d}x$的收敛性可获证.

【2387】 证明：若$\int_a^{+\infty} f(x)\mathrm{d}x$收敛，$f(x)$为单调函数，则$f(x)=o\left(\frac{1}{x}\right)$.

证 不妨设$f(x)$单调递减. 先证当$x\geqslant a$时，$f(x)\geqslant 0$. 若不然，则存在点$c\geqslant a$，使$f(c)<0$. 由于$f(x)$单调递减，故当$x\geqslant c$时，$f(x)\leqslant f(c)$，从而

$$\int_c^{+\infty} f(x)\mathrm{d}x\leqslant\int_c^{+\infty} f(c)\mathrm{d}x=-\infty.$$

因此，积分$\int_c^{+\infty} f(x)\mathrm{d}x$发散，这与积分$\int_a^{+\infty} f(x)\mathrm{d}x$收敛矛盾. 于是，$f(x)$为非负的单调函数.

下证$f(x)=o\left(\frac{1}{x}\right)$. 由于积分$\int_a^{+\infty} f(x)\mathrm{d}x$收敛，故$\forall\varepsilon>0$，总$\exists A>a$，当$x>A$时，恒有

$$\left|\int_{\frac{x}{2}}^{x} f(t)\mathrm{d}t\right|<\frac{\varepsilon}{2}.$$

又

$$\left|\int_{\frac{x}{2}}^{x} f(t)\mathrm{d}t\right|=\int_{\frac{x}{2}}^{x} f(t)\mathrm{d}t\geqslant f(x)\left(x-\frac{x}{2}\right)=\frac{x}{2}f(x),$$

故当$x>A$时，有$0\leqslant xf(x)<\varepsilon$，所以$\lim\limits_{x\to+\infty} xf(x)=0$，即$f(x)=o\left(\frac{1}{x}\right)$.

如果$f(x)$单调递增，则可考虑$-f(x)$（它是单调递减的）. 同理可证$f(x)=o\left(\frac{1}{x}\right)$.

【2388】 设函数$f(x)$在区间$(0,1]$内是单调函数，且在点$x=0$的邻域内无界，证明：若$\int_0^1 f(x)\mathrm{d}x$存在，则

$$\lim_{n\to\infty}\frac{1}{n}\sum_{k=1}^{n} f\left(\frac{k}{n}\right)=\int_0^1 f(x)\mathrm{d}x.$$

证 设函数$f(x)$在$(0,1]$内单调递减，这时$\lim\limits_{x\to0^+} f(x)=+\infty$. 先设$f(x)\geqslant 0(x\in(0,1])$. 由于积分$\int_0^1 f(x)\mathrm{d}x$存在，故把区间$[0,1]n$等分后，即得

$$\int_0^1 f(x)\mathrm{d}x=\sum_{k=0}^{n-1}\int_{\frac{k}{n}}^{\frac{k+1}{n}} f(x)\mathrm{d}x<\int_0^{\frac{1}{n}} f(x)\mathrm{d}x+\sum_{k=1}^{n-1} f\left(\frac{k}{n}\right)\frac{1}{n}<\int_0^{\frac{1}{n}} f(x)\mathrm{d}x+\sum_{k=1}^{n} f\left(\frac{k}{n}\right)\frac{1}{n}.$$

另一方面，又有$\int_0^1 f(x)\mathrm{d}x>\sum\limits_{k=1}^{n} f\left(\frac{k}{n}\right)\frac{1}{n}$，从而就有

$$0<\int_0^1 f(x)\mathrm{d}x-\frac{1}{n}\sum_{k=1}^n f\left(\frac{k}{n}\right)<\int_0^{\frac{1}{n}} f(x)\mathrm{d}x.$$

由于$\lim\limits_{n\to\infty}\int_0^{\frac{1}{n}} f(x)\mathrm{d}x=0$,故

$$\lim_{n\to\infty}\frac{1}{n}\sum_{k=1}^n f\left(\frac{k}{n}\right)=\int_0^1 f(x)\mathrm{d}x.$$

如果不满足 $f(x)\geqslant 0$,即 $f(x)$ 可正可负,则 $\varphi(x)=f(x)-f(1)$ 满足 $\varphi(x)\geqslant 0(0<x\leqslant 1)$,且 $\varphi(x)$ 单调递减,$\lim\limits_{x\to 0^+}\varphi(x)=+\infty$. 故根据已证的结果,知

$$\lim_{n\to\infty}\frac{1}{n}\sum_{k=1}^n \varphi\left(\frac{k}{n}\right)=\int_0^1 \varphi(x)\mathrm{d}x,$$

即

$$\lim_{n\to\infty}\frac{1}{n}\sum_{k=1}^n \left[f\left(\frac{k}{n}\right)-f(1)\right]=\int_0^1 [f(x)-f(1)]\mathrm{d}x,$$

由此即得$\lim\limits_{n\to\infty}\frac{1}{n}\sum\limits_{k=1}^n f\left(\frac{k}{n}\right)=\int_0^1 f(x)\mathrm{d}x$.

当 $f(x)$ 在$[0,1]$单调递增时(这时 $\lim\limits_{x\to 0^+}f(x)=-\infty$),只需对函数 $-f(x)$ 应用上述结果即获证.

【2389】 证明:若 $f(x)$ 在$(0,a)$内单调,且$\int_0^a x^p f(x)\mathrm{d}x$ 存在,则 $\lim\limits_{x\to 0^+}x^{p+1}f(x)=0$.

证 不妨设 $f(x)$ 在$(0,a)$内单调递减. 先设 $\exists\delta\in(0,a)$,当 $0<x<\delta$ 时,$f(x)\geqslant 0$,有

$$\int_{\frac{x}{2}}^x t^p f(t)\mathrm{d}t\geqslant f(x)\int_{\frac{x}{2}}^x t^p\mathrm{d}t=C_p x^{p+1}f(x)\geqslant 0,$$

其中 $C_p=\begin{cases}\dfrac{1-\left(\frac{1}{2}\right)^{p+1}}{p+1}, & p\neq -1,\\ \ln 2, & p=-1.\end{cases}$ 故 C_p 是正的常数. 于是,由$\int_0^a x^p f(x)\mathrm{d}x$ 存在,知

$$\lim_{x\to 0^+}\int_{\frac{x}{2}}^x t^p f(t)\mathrm{d}t=0,$$

从而 $\lim\limits_{x\to 0^+}x^{p+1}f(x)=0$.

再设不存在上述 δ. 于是,由 $f(x)$ 递减知,当 $0<x<a$ 时,有 $f(x)<0$. 故当 $0<x<\frac{a}{2}$ 时,有

$$\int_x^{2x} t^p f(t)\mathrm{d}t\leqslant f(x)\int_x^{2x} t^p\mathrm{d}t=C_{p1}x^{p+1}f(x)<0,$$

其中 $C_{p1}=\begin{cases}\dfrac{2^{p+1}-1}{p+1}, & p\neq -1,\\ \ln 2, & p=-1,\end{cases}$ 故 C_{p1} 也是正的常数.

于是

$$|x^{p+1}f(x)|<\frac{1}{C_{p1}}\left|\int_x^{2x} t^p f(t)\mathrm{d}t\right|.$$

由$\int_0^a x^p f(x)\mathrm{d}x$ 存在知,$\lim\limits_{x\to 0^+}\int_x^{2x} t^p f(t)\mathrm{d}t=0$,从而 $\lim\limits_{x\to 0^+}x^{p+1}f(x)=0$.

知识点 4 柯西主值

柯西主值 若 $\forall \varepsilon > 0$，函数 $f(x)$（仅 c 为瑕点）的积分

$$\int_a^{c-\varepsilon} f(x)\mathrm{d}x \text{ 及} \int_{c+\varepsilon}^b f(x)\mathrm{d}x (a < c < b)$$

存在，则柯西主值（V. P.）为

$$\text{V. P.}\int_a^b f(x)\mathrm{d}x = \lim_{\varepsilon\to 0^+}\left[\int_a^{c-\varepsilon} f(x)\mathrm{d}x + \int_{c+\varepsilon}^b f(x)\mathrm{d}x\right].$$

相仿地，

$$\text{V. P.}\int_{-\infty}^{+\infty} f(x)\mathrm{d}x = \lim_{a\to+\infty}\int_{-a}^{a} f(x)\mathrm{d}x.$$

习题 2390—2395 柯西主值

【2390】 证明：(1) $\text{V. P.}\int_{-1}^1 \frac{\mathrm{d}x}{x} = 0$； (2) $\text{V. P.}\int_0^{+\infty} \frac{\mathrm{d}x}{1-x^2} = 0$；

(3) $\text{V. P.}\int_{-\infty}^{+\infty} \sin x\mathrm{d}x = 0$.

证 (1) 因 $\lim\limits_{\varepsilon\to 0^+}\left(\int_{-1}^{-\varepsilon}\frac{\mathrm{d}x}{x} + \int_{\varepsilon}^{1}\frac{\mathrm{d}x}{x}\right) = \lim\limits_{\varepsilon\to 0^+}(\ln\varepsilon - \ln 1 + \ln 1 - \ln\varepsilon) = 0$，故 $\text{V. P.}\int_{-1}^1\frac{\mathrm{d}x}{x} = 0$.

(2) 由于

$$\lim_{\substack{\varepsilon\to 0^+\\ b\to+\infty}}\left(\int_0^{1-\varepsilon}\frac{\mathrm{d}x}{1-x^2} + \int_{1+\varepsilon}^{b}\frac{\mathrm{d}x}{1-x^2}\right)$$

$$= \lim_{\substack{\varepsilon\to 0^+\\ b\to+\infty}}\left(\frac{1}{2}\ln\left|\frac{2-\varepsilon}{\varepsilon}\right| + \frac{1}{2}\ln\left|\frac{1+b}{1-b}\right| - \frac{1}{2}\ln\left|\frac{2+\varepsilon}{\varepsilon}\right|\right) = \frac{1}{2}\lim_{\substack{\varepsilon\to 0^+\\ b\to+\infty}}\ln\left|\frac{2-\varepsilon}{2+\varepsilon}\right| = 0,$$

所以 $\text{V. P.}\int_0^{+\infty}\frac{\mathrm{d}x}{1-x^2} = 0$.

(3) 由于 $\lim\limits_{b\to+\infty}\int_{-b}^{b}\sin x\mathrm{d}x = \lim\limits_{b\to+\infty}(-\cos b + \cos b) = 0$，所以 $\text{V. P.}\int_{-\infty}^{+\infty}\sin x\mathrm{d}x = 0$.

【2391】 证明：当 $x \geqslant 0$ 且 $x \neq 1$ 时，$\mathrm{li}\, x = \text{V. P.}\int_0^x \frac{\mathrm{d}t}{\ln t}$ 存在.

证 当 $0 \leqslant x < 1$ 时，由于 $\lim\limits_{t\to 0^+}\frac{1}{\ln t} = 0$，故将 $\frac{1}{\ln t}$ 在 $t = 0$ 处补充定义后成为连续函数，则积分存在.

当 $x > 1$ 时，首先注意到下面这样一个结论：当 $a < c < b$ 时，

$$\text{V. P.}\int_a^b \frac{\mathrm{d}x}{x-c} = \lim_{\varepsilon\to 0^+}\left(\int_a^{c-\varepsilon}\frac{\mathrm{d}x}{x-c} + \int_{c+\varepsilon}^{b}\frac{\mathrm{d}x}{x-c}\right) = \ln\frac{b-c}{c-a}.$$

其次，利用带佩亚诺型余项的泰勒公式，有

$$\ln x = (x-1) + [\alpha(x) - 1]\frac{(x-1)^2}{2},$$

其中 $\lim\limits_{x\to 1}\alpha(x) = 0$. 由此即得

$$\frac{1}{\ln x} = \frac{1}{x-1} - \frac{\frac{1}{2}[\alpha(x)-1]}{1 + \frac{[\alpha(x)-1]}{2}(x-1)},$$

上式等式右端的第二项在 $x = 1$ 的附近保持有界，且对于任意的 x 值连续，因而可积. 第一项的“主值”如前所述，它是存在的.

于是，当 $x\geqslant 0$ 且 $x\neq 1$ 时，$\mathrm{li}\,x$ 存在.

注 原题误为“当 $x\geqslant 0$ 时，…”，现修改为“当 $x\geqslant 0$ 且 $x\neq 1$ 时”.

【求下列柯西主值(2392—2395)】

【2392】 $\mathrm{V.P.}\int_0^{+\infty}\frac{\mathrm{d}x}{x^2-3x+2}$.

解 由于

$$\begin{aligned}&\lim_{\substack{\varepsilon\to0^+\\ \eta\to0^+\\ b\to+\infty}}\left(\int_0^{1-\varepsilon}\frac{\mathrm{d}x}{x^2-3x+2}+\int_{1+\varepsilon}^{2-\eta}\frac{\mathrm{d}x}{x^2-3x+2}+\int_{2+\eta}^{b}\frac{\mathrm{d}x}{x^2-3x+2}\right)\\&=\lim_{\substack{\varepsilon\to0^+\\ \eta\to0^+\\ b\to+\infty}}\left(\ln\frac{\varepsilon+1}{\varepsilon}-\ln 2+\ln\frac{\eta}{1-\eta}-\ln\frac{1-\varepsilon}{\varepsilon}+\ln\left|\frac{b-2}{b-1}\right|-\ln\frac{\eta}{1+\eta}\right)\\&=\lim_{\substack{\varepsilon\to0^+\\ \eta\to0^+}}\left(\ln\frac{\varepsilon+1}{1-\varepsilon}-\ln 2+\ln\frac{1+\eta}{1-\eta}\right)=-\ln 2,\end{aligned}$$

所以 $\mathrm{V.P.}\int_0^{+\infty}\frac{\mathrm{d}x}{x^2-3x+2}=-\ln 2$.

【2393】 $\mathrm{V.P.}\int_{\frac{1}{2}}^{2}\frac{\mathrm{d}x}{x\ln x}$.

解 由于

$$\begin{aligned}\lim_{\varepsilon\to0^+}\left(\int_{\frac{1}{2}}^{1-\varepsilon}\frac{\mathrm{d}x}{x\ln x}+\int_{1+\varepsilon}^{2}\frac{\mathrm{d}x}{x\ln x}\right)&=\lim_{\varepsilon\to0^+}[\ln|\ln(1-\varepsilon)|-\ln|\ln(1+\varepsilon)|]\\&=\lim_{\varepsilon\to0^+}\ln\left|\frac{\ln(1-\varepsilon)}{\ln(1+\varepsilon)}\right|=\ln\left|\lim_{\varepsilon\to0^+}\frac{\ln(1-\varepsilon)}{\ln(1+\varepsilon)}\right|\\&=\ln\left|\lim_{\varepsilon\to0^+}\frac{\frac{-1}{1-\varepsilon}}{\frac{1}{1+\varepsilon}}\right|=\ln 1=0,\end{aligned}$$

所以 $\mathrm{V.P.}\int_{\frac{1}{2}}^{2}\frac{\mathrm{d}x}{x\ln x}=0$.

【2394】 $\mathrm{V.P.}\int_{-\infty}^{+\infty}\frac{1+x}{1+x^2}\mathrm{d}x$.

解 由于 $\lim\limits_{b\to+\infty}\int_{-b}^{b}\frac{1+x}{1+x^2}\mathrm{d}x=2\lim\limits_{b\to+\infty}\int_0^b\frac{1}{1+x^2}\mathrm{d}x=2\lim\limits_{b\to+\infty}\arctan b=\pi$，所以

$$\mathrm{V.P.}\int_{-\infty}^{+\infty}\frac{1+x}{1+x^2}\mathrm{d}x=\pi.$$

【2395】 $\mathrm{V.P.}\int_{-\infty}^{+\infty}\arctan x\mathrm{d}x$.

解 由于 $\lim\limits_{b\to+\infty}\int_{-b}^{b}\arctan x\mathrm{d}x=\lim\limits_{b\to+\infty}0=0$，所以 $\mathrm{V.P.}\int_{-\infty}^{+\infty}\arctan x\mathrm{d}x=0$.

第5节 面积的计算法（习题2396—2430）

知识点预览

序号	知识点	题目序号	所在页码
1	直角坐标系中图形的面积	2396—2412	P235
2	用参数方程给出的曲线所围成的面积	2413—2419	P239
3	极坐标系中平面图形的面积	2420—2430	P242

知识点1 直角坐标系中图形的面积

定理 以两条连续曲线 $y=y_1(x)$ 和 $y=y_2(x)[y_2(x)\geqslant y_1(x)]$ 与两条直线 $x=a$ 和 $x=b(a<b)$ 为界的图形 $A_1A_2B_2B_1$（图 4.14），其面积等于

$$S=\int_a^b[y_2(x)-y_1(x)]\mathrm{d}x.$$

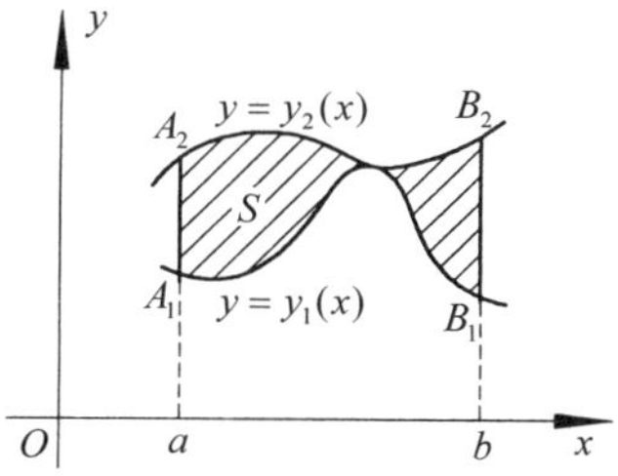

图 4.14

习题 2396—2412 直角坐标系中图形的面积

【2396】 证明：正抛物线弓形的面积等于 $S=\dfrac{2}{3}bh$，其中 b 为弓形的底，h 为高（图 4.15）.

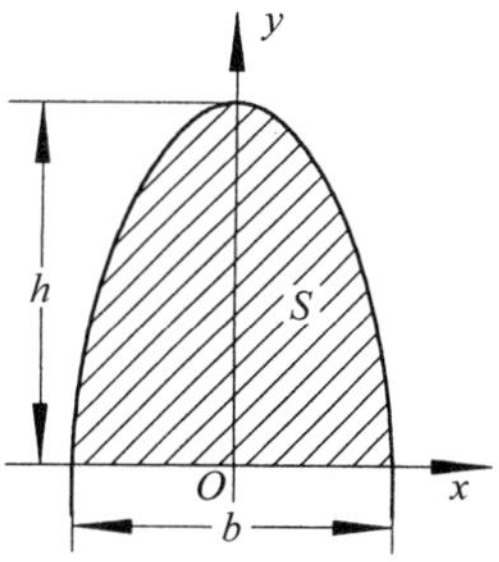

图 4.15

证 设抛物线方程为 $y=Ax^2+Bx+C$，则当 $x=\pm\dfrac{b}{2}$ 时，得

$$y=\frac{Ab^2}{4}\pm\frac{Bb}{2}+C=0;$$

当 $x=0$ 时，得 $y=C=h$. 解得 $A=-\dfrac{4h}{b^2}$，$B=0$.

从而，$y=-\dfrac{4h}{b^2}x^2+h$. 于是，由对称性所求面积为

$$S=2\int_0^{\frac{b}{2}}\left(h-\frac{4h}{b^2}x^2\right)\mathrm{d}x=2\left(hx-\frac{4h}{3b^2}x^3\right)\Bigg|_0^{\frac{b}{2}}=\frac{2}{3}bh.$$

【求以下列直角坐标方程所给曲线为界的图形的面积(假设参数都是正的,后续题目均参照本假设)(2397—2410)】

【2397】 $ax=y^2, ay=x^2$.

解 如图 4.16 所示,交点为 $A(a,a)$ 及 $O(0,0)$. 所求面积为

$$S=\int_0^a\left(\sqrt{ax}-\frac{x^2}{a}\right)\mathrm{d}x=\left[\frac{2}{3a}(ax)^{\frac{3}{2}}-\frac{1}{3a}x^3\right]\Bigg|_0^a=\frac{a^2}{3}.$$

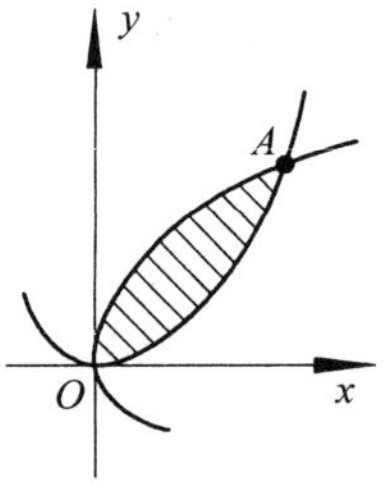

图 4.16

【2398】 $y=x^2, x+y=2$.

解 如图 4.17 所示,交点为 $A(-2,4)$ 及 $B(1,1)$. 所求面积为

$$S=\int_{-2}^1[(2-x)-x^2]\mathrm{d}x=\left(2x-\frac{x^2}{2}-\frac{x^3}{3}\right)\Bigg|_{-2}^1=\frac{9}{2}.$$

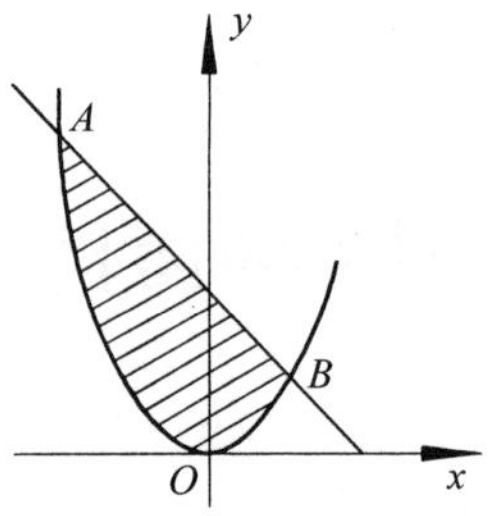

图 4.17

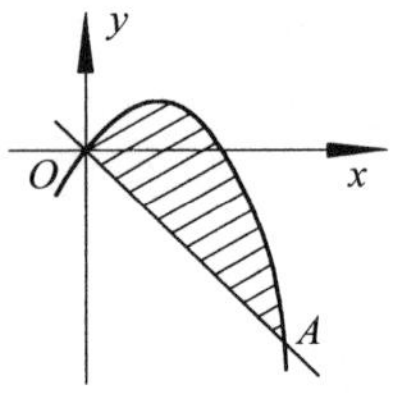

图 4.18

【2399】 $y=2x-x^2, x+y=0$.

解 如图 4.18 所示,交点为 $A(3,-3)$ 及 $O(0,0)$. 所求面积为

$$S=\int_0^3[(2x-x^2)-(-x)]\mathrm{d}x=\left(\frac{3x^2}{2}-\frac{1}{3}x^3\right)\Bigg|_0^3=\frac{9}{2}.$$

【2400】 $y=|\lg x|, y=0, x=0.1, x=10$.

解 如图 4.19 所示,所求面积为

$$S=-\int_{0.1}^1\lg x\mathrm{d}x+\int_1^{10}\lg x\mathrm{d}x=(-x\lg x+x\lg \mathrm{e})\Big|_{0.1}^1+$$

$$(x\lg x-x\lg \mathrm{e})\Big|_1^{10}=9.9-\frac{8.1}{\ln 10}.$$

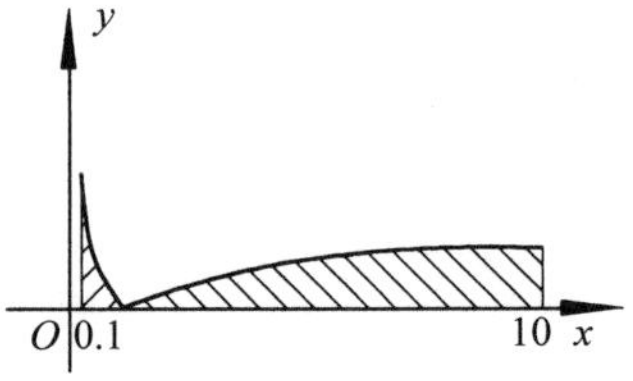

图 4.19

【2401】 $y=x, y=x+\sin^2x(0\leqslant x\leqslant \pi)$.

解 由对称性所求面积为

$$S=\int_0^{\pi}(x+\sin^2x-x)\mathrm{d}x=\left(\frac{x}{2}-\frac{1}{4}\sin 2x\right)\Bigg|_0^{\pi}=\frac{\pi}{2}.$$

【2402】 $y=\dfrac{a^3}{a^2+x^2}, y=0$.

解 所求面积为

$$S=\int_{-\infty}^{+\infty}\frac{a^3}{a^2+x^2}\mathrm{d}x=2a^3\lim_{b\to+\infty}\int_0^b\frac{\mathrm{d}x}{a^2+x^2}=2a^3\lim_{b\to+\infty}\frac{1}{a}\arctan\frac{b}{a}=\pi a^2.$$

【2403】 $\dfrac{x^2}{a^2}+\dfrac{y^2}{b^2}=1$.

解 **方法一** 所求面积为

$$S=4\int_0^a\frac{b}{a}\sqrt{a^2-x^2}\mathrm{d}x=\frac{4b}{a}\left(\frac{x}{2}\sqrt{a^2-x^2}+\frac{a^2}{2}\arcsin\frac{x}{a}\right)\Bigg|_0^a=\pi ab.$$

方法二 由定积分的几何意义知

$$S=4\int_0^a \frac{b}{a}\sqrt{a^2-x^2}\,dx=\frac{4b}{a}\int_0^a\sqrt{a^2-x^2}\,dx=\frac{4b}{a}\cdot\frac{\pi}{4}a^2=\pi ab.$$

【2404】 $y^2=x^2(a^2-x^2)$.

解 如图 4.20 所示，图形对称于原点. 所求面积为

$$S=4\int_0^a x\sqrt{a^2-x^2}\,dx=-\frac{4}{3}(a^2-x^2)^{\frac{3}{2}}\Big|_0^a=\frac{4}{3}a^3.$$

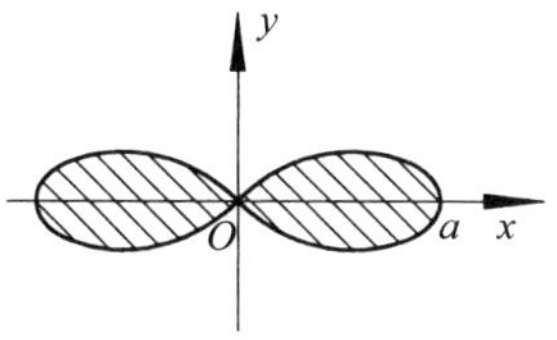

图 4.20

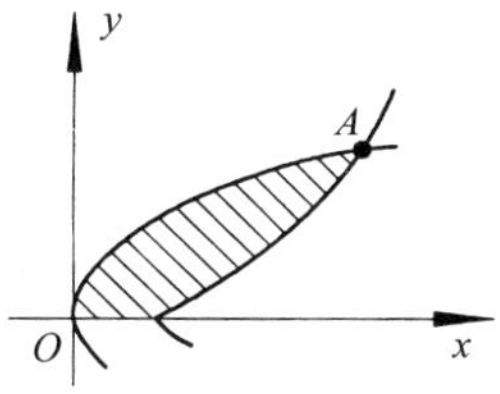

图 4.21

【2405】 $y^2=2px,27py^2=8(x-p)^3$.

解 曲线 $L_1:27py^2=8(x-p)^3$ 与 $L_2:y^2=2px$ 在第一象限内的交点为 $A(4p,2\sqrt{2}p)$，如图 4.21 所示，所求面积为

$$S=2\int_0^{2\sqrt{2}p}\left[\left(p+\frac{3}{2}p^{\frac{1}{3}}y^{\frac{2}{3}}\right)-\frac{1}{2p}y^2\right]dy=2\left(py+\frac{9}{10}p^{\frac{1}{3}}y^{\frac{5}{3}}-\frac{1}{6p}y^3\right)\Big|_0^{2\sqrt{2}p}=\frac{88}{15}\sqrt{2}p^2.$$

【2406】 $Ax^2+2Bxy+Cy^2=1(AC-B^2>0)$.

解 解方程，得

$$y_1=\frac{-Bx-\sqrt{B^2x^2-C(Ax^2-1)}}{C},y_2=\frac{-Bx+\sqrt{B^2x^2-C(Ax^2-1)}}{C}.$$

当 $B^2x^2-C(Ax^2-1)\geqslant 0$，即 $|x|\leqslant\sqrt{\dfrac{C}{AC-B^2}}$ 时，y_1 及 y_2 才有实数值. 设 $a=\sqrt{\dfrac{C}{AC-B^2}}$，则所求面积为

$$S=\int_{-a}^{a}(y_2-y_1)dx=\frac{2}{C}\int_{-a}^{a}\sqrt{C^2-(AC-B^2)x^2}\,dx$$
$$=\frac{2}{C}\sqrt{AC-B^2}\int_{-a}^{a}\sqrt{a^2-x^2}\,dx=\frac{2}{C}\sqrt{AC-B^2}\cdot\frac{\pi}{2}a^2=\frac{\pi}{\sqrt{AC-B^2}}.$$

【2407】 $y^2=\dfrac{x^3}{2a-x}$（蔓叶线），$x=2a$.

提示 参阅 280 题的图像.

解 由对称性所求面积为

$$S=2\int_0^{2a}x\sqrt{\frac{x}{2a-x}}\,dx\xlongequal{令t=\sqrt{\frac{x}{2a-x}}}16a^2\int_0^{+\infty}\frac{t^4}{(t^2+1)^3}dt$$
$$=16a^2\lim_{b\to+\infty}\int_0^b\left[\frac{1}{t^2+1}-\frac{2}{(t^2+1)^2}+\frac{1}{(t^2+1)^3}\right]dt$$
$$=16a^2\lim_{b\to+\infty}\left[\frac{3}{8}\arctan t-\frac{5t}{8(t^2+1)}+\frac{t}{4(t^2+1)^2}\right]\Big|_0^b=3\pi a^2.$$

注 本题用到 1921 题的递推公式.

【2408】 $x=a\ln\dfrac{a+\sqrt{a^2-y^2}}{y}-\sqrt{a^2-y^2}$（曳物线），$y=0$.

解 如图 4.22 所示，所求面积为

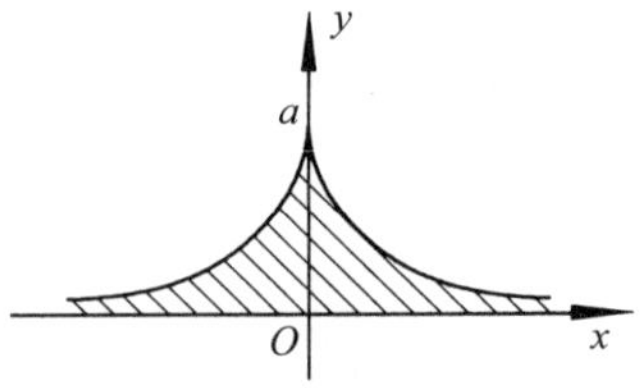

图 4.22

$$S=2\int_0^a\left(a\ln\frac{a+\sqrt{a^2-y^2}}{y}-\sqrt{a^2-y^2}\right)\mathrm{d}y$$

$$=2a\lim_{\varepsilon\to0^+}\int_\varepsilon^a\ln\frac{a+\sqrt{a^2-y^2}}{y}\mathrm{d}y-2\left(\frac{y}{2}\sqrt{a^2-y^2}+\frac{a^2}{2}\arcsin\frac{y}{a}\right)\Big|_0^a$$

$$=2a\lim_{\varepsilon\to0^+}\left(y\ln\frac{a+\sqrt{a^2-y^2}}{y}+a\arcsin\frac{y}{a}\right)\Big|_\varepsilon^a-\frac{\pi a^2}{2}$$

$$=\pi a^2-\frac{\pi a^2}{2}=\frac{\pi a^2}{2}.$$

【2409】 $y^2=\dfrac{x^n}{(1+x^{n+2})^2}(x>0,n>-2)$.

解 由于图形关于 x 轴对称，故所求面积为

$$S=2\int_0^{+\infty}\frac{x^{\frac{n}{2}}}{1+x^{n+2}}\mathrm{d}x\xlongequal{t=x^{\frac{n+2}{2}}}2\lim_{b\to+\infty}\int_0^b\frac{2}{n+2}\cdot\frac{\mathrm{d}t}{1+t^2}=\frac{4}{n+2}\lim_{b\to+\infty}\arctan t\Big|_0^b=\frac{2\pi}{n+2}.$$

【2410】 $y=\mathrm{e}^{-x}\sin x,y=0(x\geqslant0)$.

提示 所求面积 $S=\lim\limits_{n\to\infty}\sum\limits_{k=0}^n(-1)^k\int_{k\pi}^{(k+1)\pi}\mathrm{e}^{-x}\sin x\mathrm{d}x$，并利用 1827 题的结果.

解 令 $\sin x=0$，得 $x=k\pi(k=0,\pm1,\pm2,\cdots)$. 当 $x\geqslant0$ 时，由于 $\sin x$ 在 $(\pi,2\pi),(3\pi,4\pi),\cdots,((2k-1)\pi,2k\pi),\cdots$ 中的值为负，而在 $(0,\pi),(2\pi,3\pi),\cdots,(2k\pi,(2k+1)\pi),\cdots$ 中的值为正，故所求面积为

$$S=\int_0^\pi\mathrm{e}^{-x}\sin x\mathrm{d}x-\int_\pi^{2\pi}\mathrm{e}^{-x}\sin x\mathrm{d}x+\int_{2\pi}^{3\pi}\mathrm{e}^{-x}\sin x\mathrm{d}x-\cdots+(-1)^k\int_{k\pi}^{(k+1)\pi}\mathrm{e}^{-x}\sin x\mathrm{d}x+\cdots$$

$$=\lim_{n\to\infty}\sum_{k=0}^n(-1)^k\int_{k\pi}^{(k+1)\pi}\mathrm{e}^{-x}\sin x\mathrm{d}x=\lim_{n\to\infty}\sum_{k=0}^n(-1)^k\frac{-\mathrm{e}^{-x}(\sin x+\cos x)}{2}\Big|_{k\pi}^{(k+1)\pi}$$

$$=\lim_{n\to\infty}\sum_{k=0}^n(-1)^{k+1}\frac{1}{2}[\mathrm{e}^{-(k+1)\pi}\cos(k+1)\pi-\mathrm{e}^{-k\pi}\cos k\pi]$$

$$=\lim_{n\to\infty}\sum_{k=0}^n\frac{1}{2}(-1)^{k+1}[(-1)^{k+1}\mathrm{e}^{-(k+1)\pi}-(-1)^k\mathrm{e}^{-k\pi}]=\frac{1}{2}\lim_{n\to\infty}\sum_{k=0}^n[\mathrm{e}^{-(k+1)\pi}+\mathrm{e}^{-k\pi}]$$

$$=\frac{1}{2}\lim_{n\to\infty}\left[1+2\mathrm{e}^{-\pi}\sum_{k=0}^{n-1}\mathrm{e}^{-k\pi}+\mathrm{e}^{-(n+1)\pi}\right]$$

$$=\frac{1}{2}\lim_{n\to\infty}\left[1+2\mathrm{e}^{-\pi}\frac{1-\mathrm{e}^{-n\pi}}{1-\mathrm{e}^{-\pi}}+\mathrm{e}^{-(n+1)\pi}\right]$$

$$=\frac{1}{2}\left(1+\frac{2\mathrm{e}^{-\pi}}{1-\mathrm{e}^{-\pi}}\right)=\frac{\mathrm{e}^\pi+1}{2(\mathrm{e}^\pi-1)}.$$

【2411】 抛物线 $y^2=2x$ 把圆 $x^2+y^2=8$ 的面积分为两部分，这两部分的比如何？

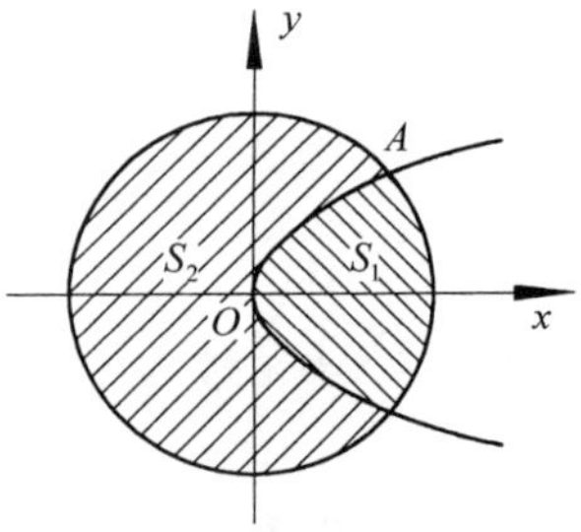

图 4.23

解 抛物线 $y^2=2x$ 和圆 $x^2+y^2=8$ 在第一象限内的交点为 $A(2,2)$. 设这两部分的面积分别为 S_1 及 S_2（图 4.23），则有

$$S_1 = 2\int_0^2 \left(\sqrt{8-y^2} - \frac{y^2}{2}\right)\mathrm{d}y$$

$$= 2\left(\frac{y}{2}\sqrt{8-y^2} + \frac{8}{2}\arcsin\frac{y}{2\sqrt{2}} - \frac{1}{6}y^3\right)\Bigg|_0^2 = 2\pi + \frac{4}{3},$$

$$S_2 = 8\pi - \left(2\pi + \frac{4}{3}\right) = 6\pi - \frac{4}{3}.$$

于是，它们的面积之比为 $\dfrac{S_1}{S_2} = \dfrac{2\pi + \frac{4}{3}}{6\pi - \frac{4}{3}} = \dfrac{3\pi + 2}{9\pi - 2}$.

【2412】 把双曲线 $x^2 - y^2 = a^2$ 上的点 $M(x, y)$ 的坐标表示为双曲线扇形 $OM'M$ 的面积 S 的函数，此扇形以双曲线的弧 $M'M$ 与两射线 OM 及 OM' 为界，其中 $M'(x, -y)$ 是点 M 相对于 Ox 轴的对称点.

解 如图 4.24 所示，则有

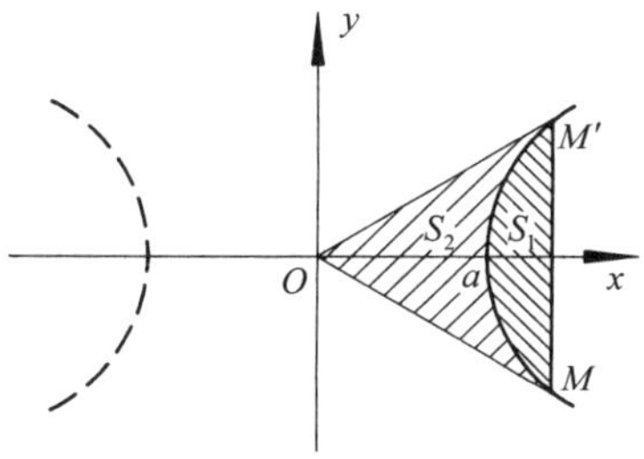

图 4.24

$$\frac{S_1}{2} = \int_a^x \sqrt{x^2 - a^2}\,\mathrm{d}x = \left[\frac{x}{2}\sqrt{x^2-a^2} - \frac{a^2}{2}\ln(x + \sqrt{x^2-a^2})\right]\Bigg|_a^x = \frac{1}{2}xy - \frac{a^2}{2}\ln\frac{x+y}{a},$$

$$S_2 = 2\left(\frac{xy}{2} - \frac{S_1}{2}\right) = a^2\ln\frac{x+y}{a}.$$

若记 $S_2 = S$，则由上式得

$$x + y = a\mathrm{e}^{\frac{S}{a^2}}. \qquad ①$$

以 ① 式代入 $x^2 - y^2 = a^2$ 中，得

$$x - y = a\mathrm{e}^{-\frac{S}{a^2}}. \qquad ②$$

由 ① 式及 ② 式，解得

$$x = a\frac{\mathrm{e}^{\frac{S}{a^2}} + \mathrm{e}^{-\frac{S}{a^2}}}{2} = a\operatorname{ch}\frac{S}{a^2},\ y = a\frac{\mathrm{e}^{\frac{S}{a^2}} - \mathrm{e}^{-\frac{S}{a^2}}}{2} = a\operatorname{sh}\frac{S}{a^2}.$$

知识点 2 用参数方程给出的曲线所围成的面积

定理 1 设曲线 C 由参数方程 $x = x(t), y = y(t), t \in [\alpha, \beta]$ 给出，$y(t) \in C[\alpha, \beta]$，$x'(t) \in C[\alpha, \beta]$ 且 $x'(t) \neq 0 (t \in [\alpha, \beta])$. 记 $x(\alpha) = a, x(\beta) = b$，则由曲线 C 及直线 $x = a$，$x = b$ 所围图形的面积 $S = \int_\alpha^\beta |y(t)x'(t)|\,\mathrm{d}t$.

类似地，若 $y'(t) \in C[\alpha, \beta]$ 且 $y'(t) \neq 0 (t \in [\alpha, \beta])$. 记 $y(\alpha) = c, y(\beta) = d$，则由曲线 C 及直线 $y = c, y = d$ 所围图形的面积 $S = \int_\alpha^\beta |x(t)y'(t)|\,\mathrm{d}t$.

定理 2 若 $x=x(t),y=y(t)(0\leqslant t\leqslant T)$ 为一分段光滑的简单封闭曲线 C 的参数方程，并且当 t 从 0 增加到 T 时，人沿曲线逆时针方向行走，该曲线所围图形总位于人的左侧（图 4.25），则图形的面积 S 为

$$S=-\int_0^T y(t)x'(t)\mathrm{d}t=\int_0^T x(t)y'(t)\mathrm{d}t.$$

或

$$S=\frac{1}{2}\int_0^T[x(t)y'(t)-x'(t)y(t)]\mathrm{d}t.$$

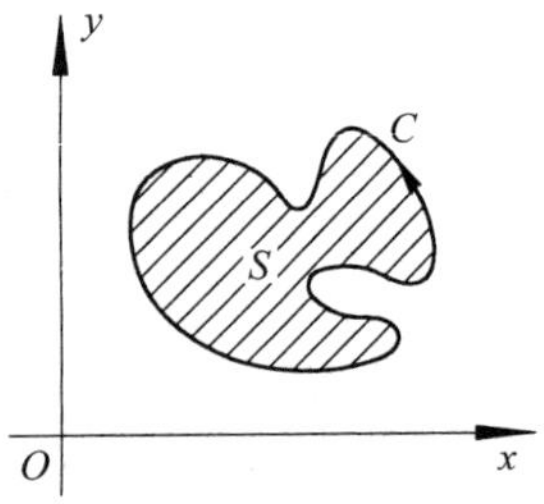

图 4.25

注 若是右侧，则

$$S=\int_0^T y(t)x'(t)\mathrm{d}t=-\int_0^T x(t)y'(t)\mathrm{d}t \text{ 或 } S=\frac{1}{2}\int_0^T[y(t)x'(t)-x(t)y'(t)]\mathrm{d}t.$$

习题 2413—2419 参数方程给出的曲线所围的面积

【求下列参数方程所给曲线所围图形的面积(2413—2417)】

【2413】 $x=a(t-\sin t),y=a(1-\cos t)(0\leqslant t\leqslant 2\pi)$（摆线）及 $y=0$.

解 所求面积为

$$S=\int_0^{2\pi}a(1-\cos t)a(1-\cos t)\mathrm{d}t=a^2\int_0^{\pi}\left(1-2\cos t+\frac{1+\cos 2t}{2}\right)\mathrm{d}t$$

$$=a^2\left(\frac{3}{2}t-2\sin t+\frac{1}{4}\sin 2t\right)\Bigg|_0^{2\pi}=3\pi a^2.$$

由此可见，所求摆线一拱的面积等于原来母圆面积的三倍.

【2414】 $x=2t-t^2,y=2t^2-t^3$.

解 **方法一** 当 t 从 0 增加到 2π 时，图形位于人的右侧.

当 $t=0$ 及 2 时，$x=0,y=0$；当 $0<t<2$ 时，$x>0,y>0$；

当 $t<0$ 时，$x<0,y>0$；当 $t>2$ 时，$x<0,y<0$.

如图 4.26 所示，所求面积为

$$S=-\int_0^2(2t^2-t^3)2(1-t)\mathrm{d}t=-2\int_0^2(t^4-3t^3+2t^2)\mathrm{d}t=\frac{8}{15}.$$

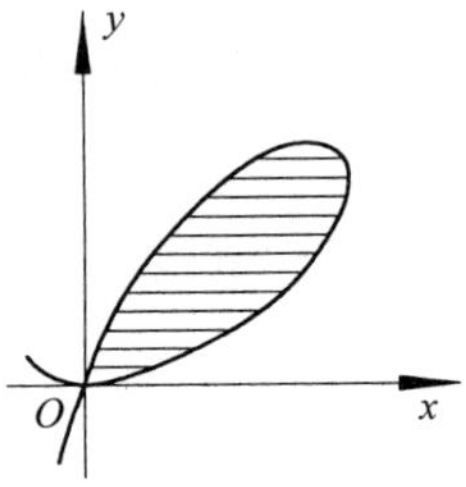

图 4.26

方法二 由 $x'(t)=2(1-t)=0$ 得 $t=1$ 及当 $t=\frac{4}{3}$ 时 y 取最大值. 根据定理 1 可得

$$S=\int_1^2|y(t)x'(t)|\mathrm{d}t-\int_0^1|x(t)y'(t)|\mathrm{d}t=\frac{8}{15}.$$

【2415】 $x=a(\cos t+t\sin t),y=a(\sin t-t\cos t)(0\leqslant t\leqslant 2\pi)$（圆的渐伸线）及 $x=a,y\leqslant 0$.

解 所求面积为

$$S=-\int_0^{2\pi}a(\sin t-t\cos t)at\cos t\mathrm{d}t$$

$$=a^2\left(\frac{1}{6}t^3+\frac{1}{4}t^2\sin 2t+\frac{1}{2}t\cos 2t-\frac{1}{4}\sin 2t\right)\Bigg|_0^{2\pi}=\frac{a^2}{3}(4\pi^3+3\pi).$$

【2416】 $x=a(2\cos t-\cos 2t),y=a(2\sin t-\sin 2t)$.

解 所求面积为

$$S=\frac{1}{2}\int_0^{2\pi}(xy'_t-yx'_t)\mathrm{d}t$$

$$=\frac{1}{2}\int_0^{2\pi}[a(2\cos t-\cos 2t)a(2\cos t-2\cos 2t)-a(2\sin t-\sin 2t)a(-2\sin t+2\sin 2t)]\mathrm{d}t$$

$$=3a^2\int_0^{2\pi}(1-\cos t\cos 2t-\sin t\sin 2t)\mathrm{d}t=3a^2\int_0^{2\pi}(1-\cos t)\mathrm{d}t=6\pi a^2.$$

【2417】 $x=\frac{c^2}{a}\cos^3 t,y=\frac{c^2}{b}\sin^3 t(c^2=a^2-b^2)$（椭圆的渐屈线）.

解 如图 4.27 所示，所求面积为

$$S=4\int_0^{\frac{\pi}{2}}\frac{c^2}{b}\sin^3 t\,\frac{3c^2}{a}\cos^2 t\sin t\mathrm{d}t=\frac{12c^4}{ab}\int_0^{\frac{\pi}{2}}\sin^4 t(1-\sin^2 t)\mathrm{d}t=\frac{3\pi c^4}{8ab}.$$

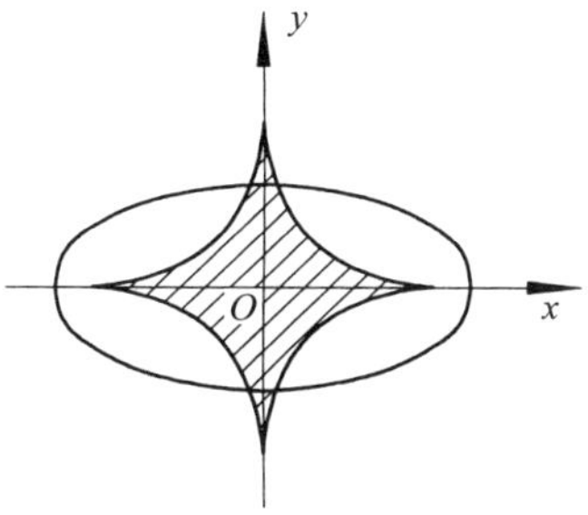

图 4.27

【用参数方程的形式给出下列曲线，再求曲线所围图形的面积(2418—2419)】

【2418】 $x^{\frac{2}{3}}+y^{\frac{2}{3}}=a^{\frac{2}{3}}$（星形线）.

解 设 $x=a\cos^3 t,y=a\sin^3 t$，其中 $0\leqslant t\leqslant\frac{\pi}{2}$，它对应于四分之一的面积. 所求面积为

$$S=4\int_0^a y\mathrm{d}x=4\int_{\frac{\pi}{2}}^0(-3a^2\sin^4 t\cos^2 t)\mathrm{d}t=12a^2\int_0^{\frac{\pi}{2}}(\sin^4 t-\sin^6 t)\mathrm{d}t=\frac{3\pi a^2}{8}.$$

【2419】 $x^4+y^4=ax^2y$.

解 设 $y=tx$，则曲线的参数方程为 $\begin{cases}x=\dfrac{at}{1+t^4},\\ y=\dfrac{at^2}{1+t^4}\end{cases}(-\infty<t<+\infty)$. 利用对称性知，所求面积为

$$S=-2\int_0^{+\infty}\frac{at^2}{1+t^4}\frac{a(1-3t^4)}{(1+t^4)^2}\mathrm{d}t=-2a^2\left[\int_0^{+\infty}\frac{t^2}{(1+t^4)^3}\mathrm{d}t-3\int_0^{+\infty}\frac{t^6}{(1+t^4)^3}\mathrm{d}t\right].$$

因为

$$\int\frac{x^n\mathrm{d}x}{(a+bx^4)^m}=\frac{x^{n-3}}{(n+1-4m)b(a+bx^4)^{m-1}}-\frac{(n-3)a}{b(n+1-4m)}\int\frac{x^{n-4}}{(a+bx^4)^m}\mathrm{d}x,$$

所以

$$\int_0^{+\infty}\frac{t^6}{(1+t^4)^3}\mathrm{d}t=-\frac{t^3}{5(1+t^4)^2}\bigg|_0^{+\infty}+\frac{3}{5}\int_0^{+\infty}\frac{t^2}{(1+t^4)^3}\mathrm{d}t=\frac{3}{5}\int_0^{+\infty}\frac{t^2}{(1+t^4)^3}\mathrm{d}t.$$

于是 $S=\frac{8}{5}a^2\int_0^{+\infty}\frac{t^2}{(1+t^4)^3}\mathrm{d}t$. 又因

$$\int\frac{x^n\mathrm{d}x}{(a+bx^4)^m}=\frac{x^{n+1}}{4a(m-1)(a+bx^4)^{m-1}}+\frac{4m-n-5}{4a(m-1)}\int\frac{x^n\mathrm{d}x}{(a+bx^4)^{m-1}},$$

所以

$$\int_0^{+\infty}\frac{t^2}{(1+t^4)^3}\mathrm{d}t=\frac{t^3}{8(1+t^4)^2}\bigg|_0^{+\infty}+\frac{5}{8}\int_0^{+\infty}\frac{t^2}{(1+t^4)^2}\mathrm{d}t=\frac{5}{8}\int_0^{+\infty}\frac{t^2}{(1+t^4)^2}\mathrm{d}t$$

$$=\frac{5}{8}\left[\frac{t^3}{4(1+t^4)}\bigg|_0^{+\infty}+\frac{1}{4}\int_0^{+\infty}\frac{t^2\,\mathrm{d}t}{1+t^4}\right]=\frac{5}{32}\int_0^{+\infty}\frac{t^2}{1+t^4}\mathrm{d}t.$$

于是 $S=\frac{1}{4}a^2\int_0^{+\infty}\frac{t^2}{1+t^4}\mathrm{d}t$. 利用

$$\int\frac{x^2}{a+bx^4}\mathrm{d}x=\frac{1}{4b\sqrt[4]{\frac{a}{b}}\sqrt{2}}\left(\ln\frac{x^2-\sqrt[4]{\frac{a}{b}}\sqrt{2}x+\sqrt{\frac{a}{b}}}{x^2+\sqrt[4]{\frac{a}{b}}\sqrt{2}x+\sqrt{\frac{a}{b}}}+2\arctan\frac{\sqrt[4]{\frac{a}{b}}\sqrt{2}x}{\sqrt{\frac{a}{b}}-x^2}\right)\ (ab>0),$$

即得 $\int\frac{t^2}{1+t^4}\mathrm{d}t=\frac{1}{4\sqrt{2}}\left(\ln\frac{t^2-\sqrt{2}t+1}{t^2+\sqrt{2}t+1}+2\arctan\frac{\sqrt{2}t}{1-t^2}\right)+C.$

考虑到上述式子右端的函数 $\arctan\frac{\sqrt{2}t}{1-t^2}$ 在 $(0,+\infty)$ 中的 $t=1$ 点不连续，并且

$$\lim_{t\to1^+}\arctan\frac{\sqrt{2}t}{1-t^2}=-\frac{\pi}{2},\ \lim_{t\to1^-}\arctan\frac{\sqrt{2}t}{1-t^2}=\frac{\pi}{2}.$$

于是

$$\int_0^{+\infty}\frac{t^2}{1+t^4}\mathrm{d}t=\int_0^1\frac{t^2}{1+t^4}\mathrm{d}t+\int_1^{+\infty}\frac{t^2}{1+t^4}\mathrm{d}t$$

$$=\frac{1}{4\sqrt{2}}\left(\ln\frac{t^2-\sqrt{2}t+1}{t^2+\sqrt{2}t+1}+2\arctan\frac{\sqrt{2}t}{1-t^2}\right)\bigg|_0^1+$$

$$\frac{1}{4\sqrt{2}}\left(\ln\frac{t^2-\sqrt{2}t+1}{t^2+\sqrt{2}t+1}+2\arctan\frac{\sqrt{2}t}{1-t^2}\right)\bigg|_1^{+\infty}$$

$$=\frac{2}{4\sqrt{2}}\left(\frac{\pi}{2}+\frac{\pi}{2}\right)=\frac{\sqrt{2}\pi}{4}.$$

最后得所求面积为

$$S=\frac{\sqrt{2}\pi}{16}a^2.$$

知识点 3 极坐标系中平面图形的面积

定理 以连续曲线 $r=r(\theta)$ 和两条射线 $\theta=\alpha,\theta=\beta(\alpha<\beta)$ 为界的扇形 OAB（图 4.28），其面积 S 等于

$$S=\frac{1}{2}\int_\alpha^\beta r^2(\theta)\mathrm{d}\theta.$$

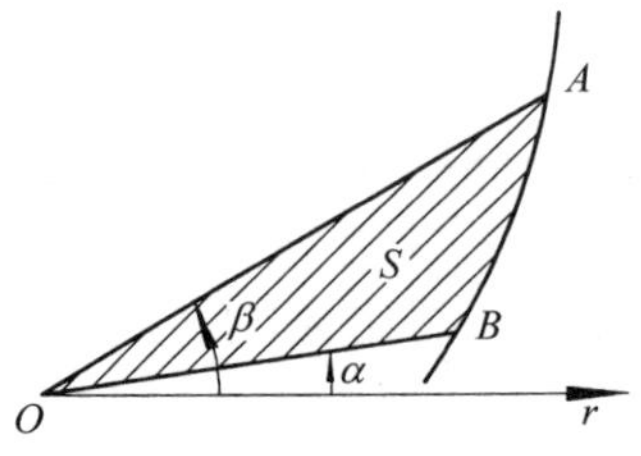

图 4.28

习题 2420—2430 极坐标系中平面图形的面积

【求下列极坐标方程所给曲线所围图形 S 的面积(2420—2425)】

【2420】 $r^2 = a^2\cos 2\theta$(双纽线).

解 如图 4.29 所示.所求面积为

$$S = 4\cdot\frac{1}{2}\int_0^{\frac{\pi}{4}} a^2\cos 2\theta\mathrm{d}\theta = a^2.$$

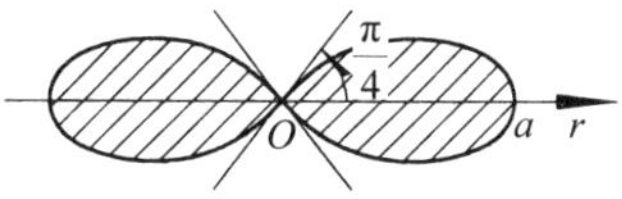

图 4.29

【2421】 $r = a(1+\cos\theta)$(心脏线).

解 如图 4.30 所示.所求面积为

$$S = 2\cdot\frac{1}{2}\int_0^{\pi} a^2(1+\cos\theta)^2\mathrm{d}\theta = \frac{3}{2}\pi a^2.$$

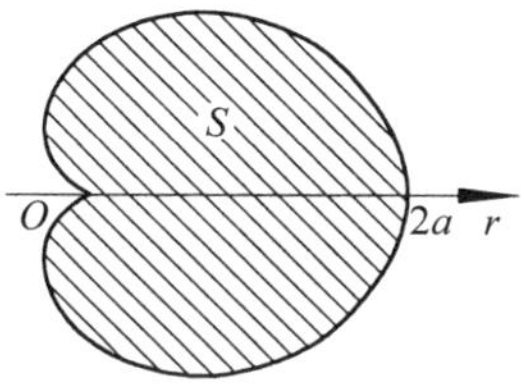

图 4.30

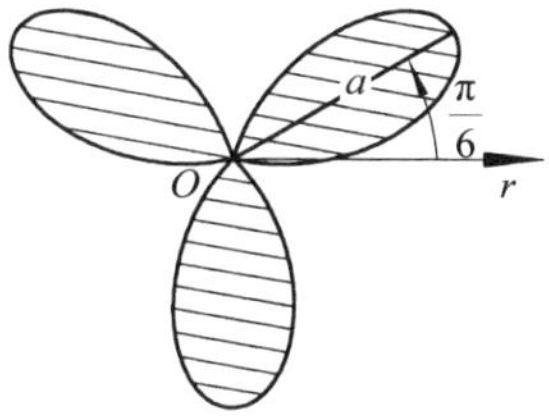

图 4.31

【2422】 $r = a\sin 3\theta$(三叶线).

解 如图 4.31 所示,所求面积为

$$S = 6\cdot\frac{1}{2}\int_0^{\frac{\pi}{6}} a^2\sin^2 3\theta\mathrm{d}\theta = \frac{\pi a^2}{4}.$$

【2423】 $r = \dfrac{p}{1-\cos\theta}$(抛物线),$\theta = \dfrac{\pi}{4}$,$\theta = \dfrac{\pi}{2}$.

解 所求面积为

$$\begin{aligned} S &= \frac{1}{2}\int_{\frac{\pi}{4}}^{\frac{\pi}{2}} \frac{p^2}{(1-\cos\theta)^2}\mathrm{d}\theta = \frac{p^2}{4}\int_{\frac{\pi}{4}}^{\frac{\pi}{2}}\csc^4\frac{\theta}{2}\mathrm{d}\left(\frac{\theta}{2}\right) \\ &= -\frac{p^2}{4}\left(\cot\frac{\theta}{2}+\frac{1}{3}\cot^3\frac{\theta}{2}\right)\Bigg|_{\frac{\pi}{4}}^{\frac{\pi}{2}} = \frac{p^2}{6}(4\sqrt{2}+3). \end{aligned}$$

注 $\cot\dfrac{\pi}{8} = 1+\sqrt{2}$.

【2424】 $r = \dfrac{p}{1+\varepsilon\cos\theta}(0<\varepsilon<1)$(椭圆).

解 所求面积为

$$S = 2\cdot\frac{1}{2}\int_0^{\pi}\frac{p^2\mathrm{d}\theta}{(1+\varepsilon\cos\theta)^2} = p^2\int_0^{\pi}\frac{\mathrm{d}\theta}{(1+\varepsilon\cos\theta)^2}.$$

设 $\tan\dfrac{\theta}{2} = t$,并记 $a^2 = \dfrac{1+\varepsilon}{1-\varepsilon}$,则有

$$\begin{aligned} \int\frac{\mathrm{d}\theta}{(1+\varepsilon\cos\theta)^2} &= \int\frac{2(t^2+1)\mathrm{d}t}{(1-\varepsilon)^2(t^2+a^2)^2} = \frac{2}{(1-\varepsilon)^2}\int\frac{\mathrm{d}t}{t^2+a^2}+\frac{2(1-a^2)}{(1-\varepsilon)^2}\int\frac{\mathrm{d}t}{(t^2+a^2)^2} \\ &= \frac{2}{a(1-\varepsilon)^2}\arctan\frac{t}{a}+\frac{2(1-a^2)}{(1-\varepsilon)^2}\left[\frac{t}{2a^2(t^2+a^2)}+\frac{1}{2a^3}\arctan\frac{t}{a}\right]+C. \end{aligned}$$

当 $0\leqslant\theta\leqslant\pi$ 时,$0\leqslant t<+\infty$,从而得

$$S=2\cdot\frac{1}{2}\int_0^{\pi}\frac{p^2\mathrm{d}\theta}{(1+\varepsilon\cos\theta)^2}=p^2\int_0^{\pi}\frac{\mathrm{d}\theta}{(1+\varepsilon\cos\theta)^2}$$

$$=p^3\left\{\frac{2}{a(1-\varepsilon)^2}\arctan\frac{t}{a}+\frac{2(1-a^2)}{(1-\varepsilon)^2}\left[\frac{t}{2a^2(t^2+a^2)}+\frac{1}{2a^3}\arctan\frac{t}{a}\right]\right\}\Bigg|_0^{\pi}$$

$$=\left[\frac{\pi}{a(1-\varepsilon)^2}+\frac{(1-a^2)\pi}{2a^3(1-\varepsilon)^2}\right]p^2=\frac{\pi p^2}{(1-\varepsilon^2)^{\frac{3}{2}}}.$$

注 本题用到 1921 题的递推公式.

【2425】 $r=a\cos\theta, r=a(\cos\theta+\sin\theta)\left[M\left(\frac{a}{2},0\right)\in S\right]$.

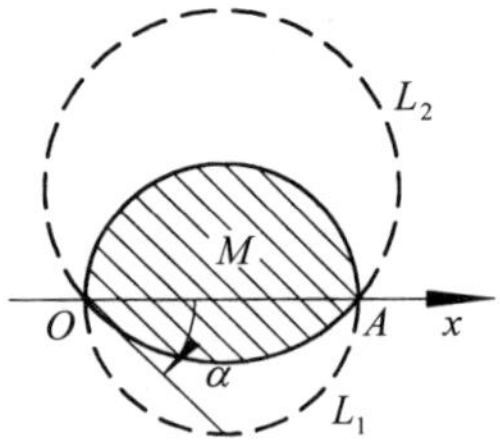

图 4.32

解 如图 4.32 所示，$|OA|=a$，$\alpha=-\frac{\pi}{4}$，阴影部分即为所求面积.

曲线 $L_1: r=a\cos\theta$，$L_2: r=a(\cos\theta+\sin\theta)$. 所求面积为

$$S=\frac{\pi}{2}\left(\frac{a}{2}\right)^2+\frac{1}{2}\int_{-\frac{\pi}{4}}^{0}a^2(\cos\theta+\sin\theta)^2\mathrm{d}\theta=\frac{a^2(\pi-1)}{4}.$$

【2426】 求由曲线 $\theta=r\arctan r$ 及两射线 $\theta=0$ 及 $\theta=\frac{\pi}{\sqrt{3}}$ 所围成的扇形的面积.

解 当 θ 由 0 变到 $\frac{\pi}{\sqrt{3}}$，r 从 0 变到 $\sqrt{3}$，而

$$\mathrm{d}\theta=\left(\frac{r}{1+r^2}+\arctan r\right)\mathrm{d}r.$$

所求面积为

$$S=\frac{1}{2}\int_0^{\frac{\pi}{\sqrt{3}}}r^2\mathrm{d}\theta=\frac{1}{2}\int_0^{\sqrt{3}}\left(\frac{r^3}{1+r^2}+r^2\arctan r\right)\mathrm{d}r$$

$$=\left[\frac{1}{6}r^2-\frac{1}{6}\ln(1+r^2)+\frac{1}{6}r^3\arctan r\right]\Bigg|_0^{\sqrt{3}}=\frac{1}{2}-\frac{1}{3}\ln 2+\frac{\sqrt{3}}{6}\pi.$$

【2427】 求封闭曲线 $r=\frac{2at}{1+t^2}$，$\theta=\frac{\pi t}{1+t}$ 所围图形的面积.

解 当曲线封闭时，t 由 0 变化到 $+\infty$，所求面积为

$$S=\frac{1}{2}\int_0^{+\infty}r^2\mathrm{d}\theta=2\pi a^2\int_0^{+\infty}\frac{t^2}{(1+t^2)(1+t)^2}\mathrm{d}t$$

$$=2\pi a^2\lim_{b\to+\infty}\left[\int_0^b\frac{\mathrm{d}t}{4(1+t)^2}-\frac{1}{4}\int_0^b\frac{\mathrm{d}t}{1+t^2}+\frac{1}{2}\int_0^b\frac{t\mathrm{d}t}{(1+t^2)^2}\right]$$

$$=2\pi a^2\lim_{b\to+\infty}\left[-\frac{1}{4(1+t)}-\frac{1}{4}\arctan t-\frac{1}{4}\cdot\frac{1}{1+t^2}\right]\Bigg|_0^b$$

$$=\pi a^2\left(1-\frac{\pi}{4}\right).$$

【化为极坐标，求下列曲线所围图形的面积(2428—2430)】

【2428】 $x^3+y^3=3axy$(笛卡尔叶形线).

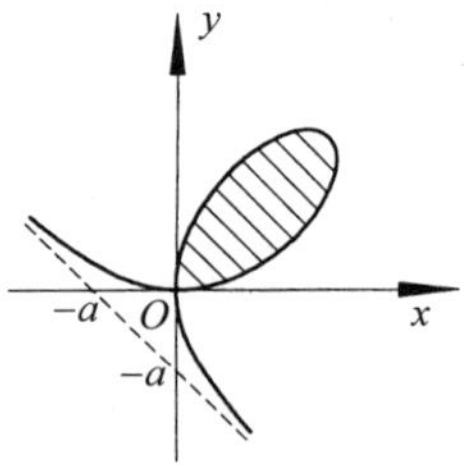

图 4.33

解 $r^3(\cos^3\theta+\sin^3\theta)=3ar^2\cos\theta\sin\theta$，于是 $r=\frac{3a\sin\theta\cos\theta}{\sin^3\theta+\cos^3\theta}$.

当 $\theta\in\left[0,\frac{\pi}{2}\right]$ 时，$r\geqslant 0$，且当 $\theta=0$ 及 $\theta=\frac{\pi}{2}$ 时，$r=0$. 所以，从 $\theta=0$ 到 $\theta=\frac{\pi}{2}$，叶形线位于第一象限部分所围成的面积，即为所要求的面积(图 4.33)，有

$$S=\frac{1}{2}\int_0^{\frac{\pi}{2}}\frac{9a^2\sin^2\theta\cos^2\theta}{(\sin^3\theta+\cos^3\theta)^2}d\theta\xlongequal{\text{令}\tan\theta=t}\frac{9a^2}{2}\int_0^{+\infty}\frac{t^2\,dt}{(1+t^3)^2}=\frac{9a^2}{2}\lim_{b\to+\infty}\frac{-1}{3(1+t^3)}\Bigg|_0^b=\frac{3a^2}{2}.$$

【2429】 $x^4+y^4=a^2(x^2+y^2)$.

解 $r^4(\sin^4\theta+\cos^4\theta)=a^2r^2$，于是 $r=\dfrac{\sqrt{2}a}{\sqrt{2-\sin^2 2\theta}}$. 如图 4.34 所示，所求面积为

$$S=8\cdot\frac{1}{2}\int_0^{\frac{\pi}{4}}\frac{2a^2}{2-\sin^2 2\theta}d\theta=4a^2\int_0^{\frac{\pi}{2}}\frac{1}{2-\sin^2 t}dt$$
$$=\frac{2a^2}{\sqrt{2}}\int_0^{\frac{\pi}{2}}\left(\frac{1}{\sqrt{2}-\sin t}+\frac{1}{\sqrt{2}+\sin t}\right)dt$$
$$=\sqrt{2}a^2\left[2\arctan\left(\sqrt{2}\tan\frac{t}{2}-1\right)+2\arctan\left(\sqrt{2}\tan\frac{t}{2}+1\right)\right]\Bigg|_0^{\frac{\pi}{2}}$$
$$=2\sqrt{2}a^2[\arctan(\sqrt{2}-1)+\arctan(\sqrt{2}+1)]=\sqrt{2}\pi a^2.$$

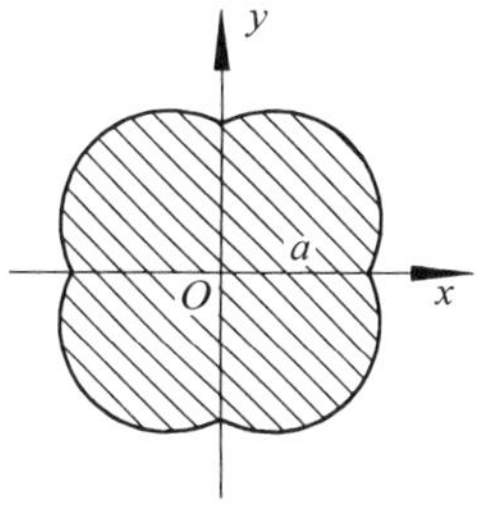

图 4.34

【2430】 $(x^2+y^2)^2=2a^2xy$（双纽线）.

解 $r^2=a^2\sin 2\theta$（图 4.35），所求面积为

$$S=4\cdot\frac{1}{2}\int_0^{\frac{\pi}{4}}a^2\sin 2\theta d\theta=a^2.$$

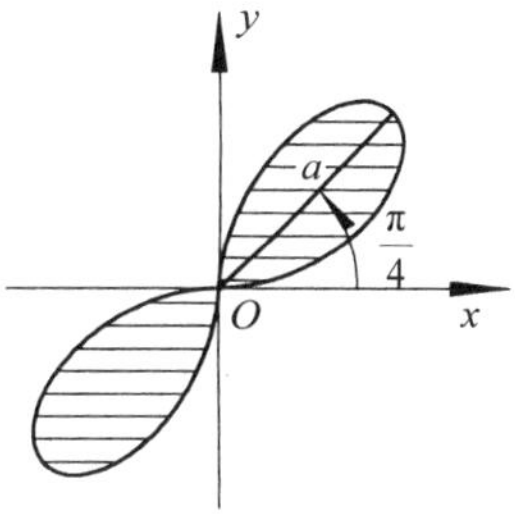

图 4.35

第6节 弧长的计算法（习题2431—2455）

知识点预览

序号	知识点	题目序号	所在页码
1	直角坐标系中曲线的弧长	2431—2440	P245
2	参数方程所给曲线的弧长	2441—2445	P247
3	极坐标系中曲线的弧长	2446—2455	P248

知识点1 直角坐标系中曲线的弧长

定理 光滑（连续可微）曲线 $y=y(x)(a\leqslant x\leqslant b)$ 的弧长为

$$s=\int_a^b\sqrt{1+y'^2(x)}\,dx.$$

习题 2431—2440 直角坐标系中的曲线弧长

【求下列曲线的弧长(2431—2440)】

【2431】 $y = x^{\frac{3}{2}}(0 \leqslant x \leqslant 4)$.

解 所求弧长为

$$s = \int_0^4 \sqrt{1 + \frac{9}{4}x}\,dx = \frac{8}{27}(10\sqrt{10} - 1).$$

【2432】 $y^2 = 2px(0 \leqslant x \leqslant x_0)$.

解 $y' = \frac{p}{y}, \sqrt{1 + y'^2} = \sqrt{1 + \frac{p^2}{y^2}} = \sqrt{1 + \frac{p}{2x}} = \frac{1}{\sqrt{2}}\frac{\sqrt{p + 2x}}{\sqrt{x}}$. 故所求弧长为

$$\begin{aligned} s &= 2\int_0^{x_0} \frac{1}{\sqrt{2}}\frac{\sqrt{p + 2x}}{\sqrt{x}}dx = 2\sqrt{2}\int_0^{x_0} \sqrt{p + 2x}\,d(\sqrt{x}) \\ &= 2\sqrt{2}\left[\frac{1}{2}\sqrt{x(p + 2x)} + \frac{p}{2\sqrt{2}}\ln\left(\sqrt{x} + \sqrt{x + \frac{p}{2}}\right)\right]\Bigg|_0^{x_0} \\ &= 2\sqrt{x_0\left(x_0 + \frac{p}{2}\right)} + p\ln\left(\frac{\sqrt{2x_0} + \sqrt{2x_0 + p}}{\sqrt{p}}\right). \end{aligned}$$

【2433】 $y = a\operatorname{ch}\frac{x}{a}$ 从点 $A(0,a)$ 至点 $B(b,h)$.

解 所求弧长为 $s = \int_0^b \sqrt{1 + \operatorname{sh}^2\frac{x}{a}}\,dx = \int_0^b \operatorname{ch}\frac{x}{a}dx = a\operatorname{sh}\frac{x}{a}\Big|_0^b = a\operatorname{sh}\frac{b}{a} = \sqrt{h^2 - a^2}$.

【2434】 $y = e^x(0 \leqslant x \leqslant x_0)$.

解 所求弧长为

$$\begin{aligned} s &= \int_0^{x_0} \sqrt{1 + e^{2x}}\,dx = \left(\sqrt{1 + e^{2x}} + \frac{1}{2}\ln\frac{\sqrt{1 + e^{2x}} - 1}{\sqrt{1 + e^{2x}} + 1}\right)\Bigg|_0^{x_0} \\ &= \sqrt{1 + e^{2x_0}} - \sqrt{2} + \frac{1}{2}\ln\frac{\sqrt{1 + e^{2x_0}} - 1}{\sqrt{1 + e^{2x_0}} + 1} - \frac{1}{2}\ln\frac{\sqrt{2} - 1}{\sqrt{2} + 1} \\ &= x_0 - \sqrt{2} + \sqrt{1 + e^{2x_0}} - \ln\frac{1 + \sqrt{1 + e^{2x_0}}}{1 + \sqrt{2}}. \end{aligned}$$

【2435】 $x = \frac{1}{4}y^2 - \frac{1}{2}\ln y(1 \leqslant y \leqslant e)$.

解 所求弧长为

$$s = \int_1^e \sqrt{1 + \left(\frac{y}{2} - \frac{1}{2y}\right)^2}\,dy = \int_1^e \frac{1 + y^2}{2y}dy = \frac{e^2 + 1}{4}.$$

【2436】 $y = a\ln\frac{a^2}{a^2 - x^2}(0 \leqslant x \leqslant b < a)$.

解 $y' = \frac{2ax}{a^2 - x^2}, \sqrt{1 + y'^2} = \frac{a^2 + x^2}{a^2 - x^2}$. 所求弧长为

$$s = \int_0^b \frac{a^2 + x^2}{a^2 - x^2}dx = a\ln\frac{a + b}{a - b} - b.$$

【2437】 $y = \ln\cos x\left(0 \leqslant x \leqslant a < \frac{\pi}{2}\right)$.

解 所求弧长为

$$s=\int_0^a\sqrt{1+\tan^2x}\,dx=\int_0^a\sec x\,dx=\ln|\sec x+\tan x|\Big|_0^a=\ln\tan\left(\frac{\pi}{4}+\frac{a}{2}\right).$$

【2438】 $x=a\ln\dfrac{a+\sqrt{a^2-y^2}}{y}-\sqrt{a^2-y^2}\,(0<b\leqslant y\leqslant a)$.

解 $\dfrac{dx}{dy}=-\dfrac{\sqrt{a^2-y^2}}{y}$，$\sqrt{1+\left(\dfrac{dx}{dy}\right)^2}=\dfrac{a}{y}$. 所求弧长为

$$s=\int_b^a\frac{a}{y}dy=a\ln\frac{a}{b}.$$

【2439】 $y^2=\dfrac{x^3}{2a-x}$，$\left(0\leqslant x\leqslant\dfrac{5}{3}a\right)$.

解 如图 4.36 所示. 设 $y=tx$，得$\begin{cases}x=\dfrac{2at^2}{1+t^2},\\ y=\dfrac{2at^3}{1+t^2},\end{cases}$

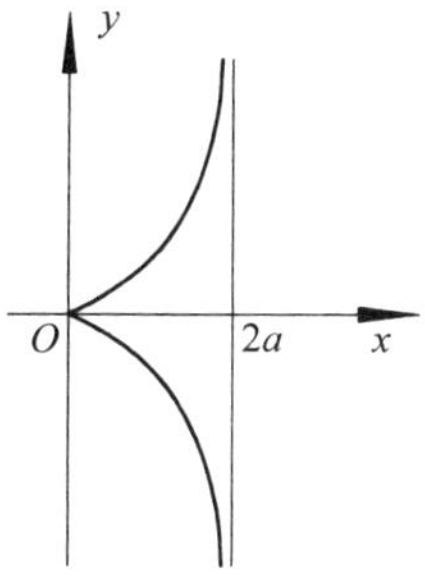

图 4.36

当 $0\leqslant x\leqslant\dfrac{5}{3}a$ 时，$0\leqslant t\leqslant\sqrt{5}$（一半弧长）.

$$x'(t)=\frac{4at}{(t^2+1)^2},y'(t)=\frac{2at^4+6at^2}{(t^2+1)^2}\quad\sqrt{x'^2(t)+y'^2(t)}=\frac{2at\sqrt{t^2+4}}{t^2+1}.$$

所求弧长为

$$s=2\int_0^{\sqrt{5}}\frac{2at\sqrt{t^2+4}}{t^2+1}dt\xlongequal{t=2\tan\theta}32a\int_0^{\arctan\frac{\sqrt{5}}{2}}\frac{\sin\theta}{\cos^2\theta(1+3\sin^2\theta)}d\theta$$

$$=\frac{32a}{3}\int_1^{\frac{2}{3}}\frac{dz}{z^2\left(z^2-\frac{4}{3}\right)}=\frac{32a}{3}\left(\frac{3}{4}\cdot\frac{1}{z}+\frac{3\sqrt{3}}{16}\ln\frac{\sqrt{3}z-2}{\sqrt{3}z+2}\right)\Bigg|_1^{\frac{2}{3}}$$

$$=4a\left(1+3\sqrt{3}\ln\frac{1+\sqrt{3}}{\sqrt{2}}\right).$$

注 原题误为 $y^2=\dfrac{x^2}{2a-x}$，现将原题改为 $y^2=\dfrac{x^3}{2a-x}$.

【2440】 $x^{\frac{2}{3}}+y^{\frac{2}{3}}=a^{\frac{2}{3}}$（星形线）.

解 $y'=-\sqrt[3]{\dfrac{y}{x}}$，$\sqrt{1+y'^2}=\left(\dfrac{a}{x}\right)^{\frac{1}{3}}$. 所求弧长为

$$s=4\int_0^a\left(\frac{a}{x}\right)^{\frac{1}{3}}dx=6a.$$

知识点2 参数方程所给曲线的弧长

定理 若曲线 C 由参数方程

$$x=x(t),y=y(t)\,(t_0\leqslant t\leqslant T)$$

给出，式中 $x(t),y(t)$ 在$[t_0,T]$上具有连续导数，且 $x'(t),y'(t)$ 不同时为零，则曲线 C 的弧长等于

$$s=\int_{t_0}^T\sqrt{x'^2(t)+y'^2(t)}\,dt.$$

习题 2441—2445 参数方程所给曲线的弧长

【2441】 $x=\frac{c^2}{a}\cos^3 t, y=\frac{c^2}{b}\sin^3 t, c^2=a^2-b^2$(椭圆的渐屈线).

解 $\sqrt{x'^2(t)+y'^2(t)}=\frac{3c^2}{ab}\sin t\cos t\sqrt{b^2\cos^2 t+a^2\sin^2 t}$. 所求弧长为

$$s=4\int_0^{\frac{\pi}{2}}\frac{3c^2}{ab}\sin t\cos t\sqrt{b^2\cos^2 t+a^2\sin^2 t}\,dt$$

$$=\frac{12c^2}{3ab(a^2-b^2)}[b^2+(a^2-b^2)\sin^2 t]^{\frac{3}{2}}\Big|_0^{\frac{\pi}{2}}=\frac{4(a^3-b^3)}{ab}.$$

【2442】 $x=a\cos^4 t, y=a\sin^4 t$.

解 $\sqrt{x'^2(t)+y'^2(t)}=4a\sin t\cos t\sqrt{\cos^4 t+\sin^4 t}$. 所求弧长为

$$s=\int_0^{\frac{\pi}{2}}4a\sin t\cos t\sqrt{\cos^4 t+\sin^4 t}\,dt=2a\int_0^{\frac{\pi}{2}}\sqrt{2\left(\sin^2 t-\frac{1}{2}\right)^2+\frac{1}{2}}\,d\left(\sin^2 t-\frac{1}{2}\right)$$

$$=2a\left[\frac{\sin^2 t-\frac{1}{2}}{2}\sqrt{\cos^4 t+\sin^4 t}+\frac{1}{4\sqrt{2}}\ln\left|\sin^2 t-\frac{1}{2}+\sqrt{\frac{1}{2}(\cos^4 t+\sin^4 t)}\right|\right]\Bigg|_0^{\frac{\pi}{2}}$$

$$=\left[1+\frac{1}{\sqrt{2}}\ln(1+\sqrt{2})\right]a.$$

【2443】 $x=a(t-\sin t), y=a(1-\cos t)(0\leqslant t\leqslant 2\pi)$.

解 所求弧长为

$$s=\int_0^{2\pi}\sqrt{a^2(1-\cos t)^2+a^2\sin^2 t}\,dt=2a\int_0^{2\pi}\sin\frac{t}{2}\,dt=8a.$$

【2444】 $x=a(\cos t+t\sin t), y=a(\sin t-t\cos t)(0\leqslant t\leqslant 2\pi)$(圆的渐伸线).

解 $x'(t)=at\cos t, y'(t)=at\sin t, \sqrt{x'^2(t)+y'^2(t)}=at$. 所求弧长为 $s=\int_0^{2\pi}at\,dt=2\pi^2 a$.

【2445】 $x=a(\operatorname{sh} t-t), y=a(\operatorname{ch} t-1)(0\leqslant t\leqslant T)$.

解 $\sqrt{x'^2(t)+y'^2(t)}=\sqrt{2}a\sqrt{\operatorname{ch}^2 t-\operatorname{ch} t}$. 所求弧长为

$$s=\int_0^T\sqrt{2}a\sqrt{\operatorname{ch}^2 t-\operatorname{ch} t}\,dt\xlongequal{\theta=\operatorname{ch} t}\sqrt{2}a\int_1^{\operatorname{ch} T}\sqrt{\frac{\theta}{\theta+1}}\,d\theta\xlongequal{\theta=\tan^2 z}2\sqrt{2}a\int_{\frac{\pi}{4}}^{\arctan\sqrt{\operatorname{ch} T}}\frac{\sin^2 z}{\cos^3 z}\,dz$$

$$=2\sqrt{2}a\left[\frac{\sin z}{2\cos^2 z}-\frac{1}{2}\ln\tan\left(\frac{\pi}{4}+\frac{z}{2}\right)\right]\Bigg|_{\frac{\pi}{4}}^{\arctan\sqrt{\operatorname{ch} T}}$$

$$=\sqrt{2}a(\sqrt{\operatorname{ch} T}\sqrt{1+\operatorname{ch} T}-\sqrt{2})-\sqrt{2}a[\ln(\sqrt{\operatorname{ch} T}+\sqrt{1+\operatorname{ch} T})-\ln(1+\sqrt{2})]$$

$$=2a\left(\operatorname{ch}\frac{T}{2}\sqrt{\operatorname{ch} T}-1\right)-\sqrt{2}a\ln\frac{\sqrt{2}\operatorname{ch}\frac{T}{2}+\sqrt{\operatorname{ch} T}}{\sqrt{2}+1}.$$

知识点 3 极坐标系中曲线的弧长

定理 若 $r=r(\theta)(\alpha\leqslant\theta\leqslant\beta)$, $r(\theta)$ 在 $[\alpha,\beta]$ 上具有连续导数,则相应曲线的弧长为

$$s=\int_\alpha^\beta\sqrt{r^2(\theta)+r'^2(\theta)}\,d\theta.$$

注 关于空间曲线的弧长可参阅第八章.

习题 2446—2452 极坐标系中曲线的弧长

【求下列曲线的弧长(2446—2452)】

【2446】 $r=a\theta$(阿基米德螺线)$(0\leqslant\theta\leqslant2\pi)$.

解 所求弧长为

$$s=\int_0^{2\pi}\sqrt{a^2\theta^2+a^2}\,\mathrm{d}\theta=a\left[\frac{\theta}{2}\sqrt{\theta^2+1}+\frac{1}{2}\ln(\theta+\sqrt{\theta^2+1})\right]\Bigg|_0^{2\pi}$$

$$=a\left[\pi\sqrt{1+4\pi^2}+\frac{1}{2}\ln(2\pi+\sqrt{1+4\pi^2})\right].$$

【2447】 $r=a\mathrm{e}^{m\theta}(m>0)$ 当 $0<r<a$.

解 $0<r<a,-\infty<\theta<0$. 所求弧长为

$$s=\int_{-\infty}^0\sqrt{a^2\mathrm{e}^{2m\theta}+a^2m^2\mathrm{e}^{2m\theta}}\,\mathrm{d}\theta=\sqrt{m^2+1}\,a\int_{-\infty}^0\mathrm{e}^{m\theta}\mathrm{d}\theta=\frac{\sqrt{1+m^2}\,a}{m}.$$

【2448】 $r=a(1+\cos\theta)$.

解 $\sqrt{r^2+r'^2}=2a\cos\dfrac{\theta}{2}$. 所求弧长为

$$s=2\int_0^{\pi}2a\cos\frac{\theta}{2}\mathrm{d}\theta=8a.$$

【2449】 $r=\dfrac{p}{1+\cos\theta}\left(|\theta|\leqslant\dfrac{\pi}{2}\right)$.

解 $r'=\dfrac{p\sin\theta}{(1+\cos\theta)^2},\sqrt{r^2+r'^2}=\dfrac{2p\cos\dfrac{\theta}{2}}{(1+\cos\theta)^2}$. 所求弧长为

$$s=\int_{-\frac{\pi}{2}}^{\frac{\pi}{2}}\frac{2p\cos\dfrac{\theta}{2}}{(1+\cos\theta)^2}\mathrm{d}\theta=\frac{p}{2}\int_{-\frac{\pi}{2}}^{\frac{\pi}{2}}\sec^3\frac{\theta}{2}\mathrm{d}\theta=\frac{p}{2}\int_{-\frac{\pi}{2}}^{\frac{\pi}{2}}\sec\frac{\theta}{2}\left(1+\tan^2\frac{\theta}{2}\right)\mathrm{d}\theta$$

$$=p\left[\int_0^{\frac{\pi}{2}}\frac{\mathrm{d}\theta}{\cos\dfrac{\theta}{2}}+2\int_0^{\frac{\pi}{2}}\sqrt{\sec^2\frac{\theta}{2}-1}\,\mathrm{d}\left(\sec\frac{\theta}{2}\right)\right]$$

$$=2p\left[\ln\tan\left(\frac{\pi}{4}+\frac{\theta}{4}\right)+\frac{\sec\dfrac{\theta}{2}}{2}\sqrt{\sec^2\frac{\theta}{2}-1}-\frac{1}{2}\ln\left(\sec\frac{\theta}{2}+\tan\frac{\theta}{2}\right)\right]\Bigg|_0^{\frac{\pi}{2}}$$

$$=[\sqrt{2}+\ln(\sqrt{2}+1)]p.$$

【2450】 $r=a\sin^3\dfrac{\theta}{3}$.

解 $\sqrt{r^2+r'^2}=a\sin^2\dfrac{\theta}{3}(0\leqslant\theta\leqslant3\pi)$(图 4.37). 所求弧长为

$$s=\int_0^{3\pi}a\sin^2\frac{\theta}{3}\mathrm{d}\theta=\frac{3\pi a}{2}.$$

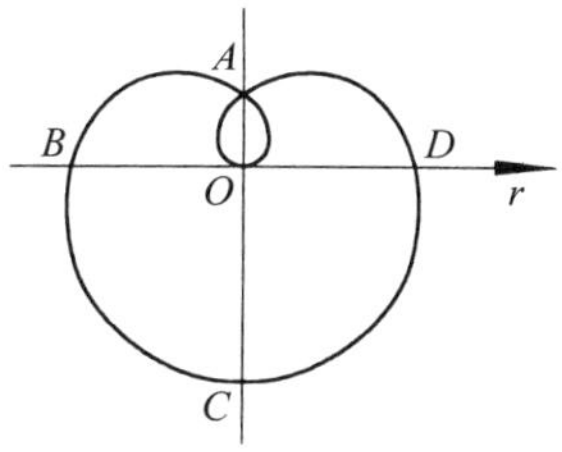

图 4.37

甚至可以证明：

(1) 弧$\overset{\frown}{AB}$为弧$\overset{\frown}{OABC}$的三分之一；

(2) $\overset{\frown}{OA},\overset{\frown}{AB},\overset{\frown}{BC}$之间依次是等差的，其公差为$\dfrac{3\sqrt{3}}{8}a$.

不仅如此，还可以证明更一般的情况：

曲线 $r=a\sin^n\dfrac{\theta}{n}$（$n$ 为正整数）的全长为

$$s=\begin{cases}\dfrac{(2k-2)!!}{(2k-1)!!}4ka, & n=2k,\\ \dfrac{(2k+1)!!}{(2k)!!}\pi a, & n=2k+1.\end{cases}$$

【2451】 $r=a\operatorname{th}\dfrac{\theta}{2}(0\leqslant\theta\leqslant 2\pi)$.

解
$$r'=\frac{a}{2}\cdot\frac{1}{\operatorname{ch}^2\dfrac{\theta}{2}}.$$

$$\sqrt{r^2+r'^2}=\frac{a}{2\operatorname{ch}^2\dfrac{\theta}{2}}\sqrt{4\operatorname{sh}^2\frac{\theta}{2}\operatorname{ch}^2\frac{\theta}{2}+1}=\frac{a}{2\operatorname{ch}^2\dfrac{\theta}{2}}\sqrt{\operatorname{sh}^2\theta+1}$$

$$=\frac{a\operatorname{ch}\theta}{2\operatorname{ch}^2\dfrac{\theta}{2}}=\frac{a\operatorname{ch}\theta}{1+\operatorname{ch}\theta}=a\left(1-\frac{1}{1+\operatorname{ch}\theta}\right)=a\left(1-\frac{1}{2\operatorname{ch}^2\dfrac{\theta}{2}}\right).$$

所求弧长为

$$s=\int_0^{2\pi}a\left(1-\frac{1}{2\operatorname{ch}^2\dfrac{\theta}{2}}\right)\mathrm{d}\theta=a\left(\theta-\operatorname{th}\frac{\theta}{2}\right)\Big|_0^{2\pi}=a(2\pi-\operatorname{th}\pi).$$

【2452】 $\theta=\dfrac{1}{2}\left(r+\dfrac{1}{r}\right)(1\leqslant r\leqslant 3)$.

解 $r^2-2r\theta+1=0$，两边对 θ 求导，得 $2rr'-2\theta r'-2r=0$，即 $r'=\dfrac{r}{r-\theta}$，从而

$$\sqrt{r^2+r'^2}=\frac{r\theta}{r-\theta}=\frac{r^3+r}{r^2-1},\mathrm{d}\theta=\frac{1}{2}\left(1-\frac{1}{r^2}\right)\mathrm{d}r.$$

所求弧长为

$$s=\frac{1}{2}\int_1^3\frac{r^3+r}{r^2-1}\frac{r^2-1}{r^2}\mathrm{d}r=\frac{1}{2}\int_1^3\left(r+\frac{1}{r}\right)\mathrm{d}r=2+\frac{1}{2}\ln 3.$$

习题 2453—2455 曲线的弧长综合题

【2453】 证明：椭圆 $x=a\cos t,y=b\sin t$ 的弧长等于正弦曲线 $y=c\sin\dfrac{x}{b}$ 的一波之长，其中 $c=\sqrt{a^2-b^2}$.

证 对于椭圆，其全长为

$$s_1=\int_0^{2\pi}\sqrt{a^2\sin^2t+b^2\cos^2t}\,\mathrm{d}t=\int_0^{2\pi}\sqrt{a^2-c^2\cos^2t}\,\mathrm{d}t=a\int_0^{2\pi}\sqrt{1-\varepsilon^2\cos^2t}\,\mathrm{d}t=a\int_0^{2\pi}\sqrt{1-\varepsilon^2\sin^2t}\,\mathrm{d}t.$$

对于正弦曲线，其一波（x 由 0 到 $2\pi b$）之长为

$$s_2=\int_0^{2\pi b}\sqrt{1+\frac{c^2}{b^2}\cos^2\frac{x}{b}}\,\mathrm{d}x=\int_0^{2\pi}\sqrt{b^2+c^2\cos^2t}\,\mathrm{d}t=\int_0^{2\pi}\sqrt{a^2-c^2\sin^2t}\,\mathrm{d}t=a\int_0^{2\pi}\sqrt{1-\varepsilon^2\sin^2t}\,\mathrm{d}t.$$

所以 $s_1=s_2$.

【2454】 抛物线 $4ay=x^2$ 沿 Ox 轴滚动. 证明：抛物线焦点的轨迹是悬链线.

解 如图 4.38 所示，设抛物线切 Ox 轴于点 $A(s,0)$，O' 为抛物线的顶点，P' 为焦点，且 $O'Y'$ 为对称轴，$O'X'\perp O'Y'$，过 A 作 $AB\perp O'X'$.

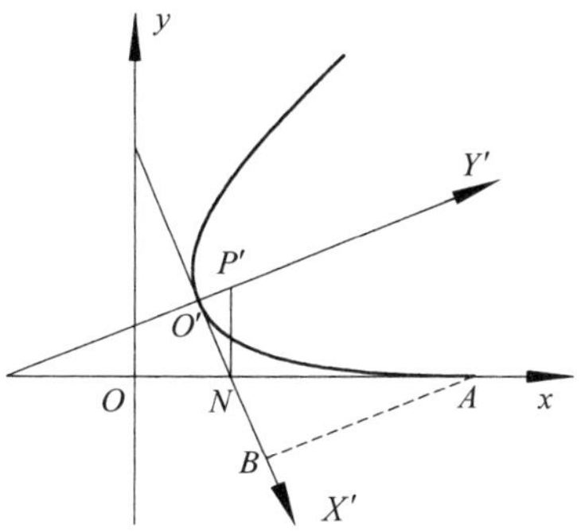

图 4.38

引入参数 $O'N = t$，则由抛物线的性质易知：$P'N \perp Ox$，$O'B = 2O'N = 2t$，从而有

$$AB = \frac{(2t)^2}{4a} = \frac{t^2}{a}, AN = t\sqrt{1+\frac{t^2}{a^2}},$$

$$s = \int_0^{2t}\sqrt{1+\left(\frac{x}{2a}\right)^2}\,dx = t\sqrt{1+\left(\frac{t}{a}\right)^2} + a\ln\left[\frac{t}{a}+\sqrt{1+\left(\frac{t}{a}\right)^2}\right],$$

$$P'N = a\sqrt{1+\left(\frac{t}{a}\right)^2}.$$

于是，焦点 P' 的坐标 x, y 由参数 t 表出：

$$\begin{cases} x = s - AN = a\ln\left[\frac{t}{a}+\sqrt{1+\left(\frac{t}{a}\right)^2}\right], & ① \\ y = P'N = a\sqrt{1+\left(\frac{t}{a}\right)^2}. & ② \end{cases}$$

由 ① 式得

$$e^{\frac{x}{a}} = \frac{t}{a}+\sqrt{1+\left(\frac{t}{a}\right)^2}, e^{-\frac{x}{a}} = -\frac{t}{a}+\sqrt{1+\left(\frac{t}{a}\right)^2}.$$

上面两式相加，得

$$e^{\frac{x}{a}} + e^{-\frac{x}{a}} = 2\sqrt{1+\left(\frac{t}{a}\right)^2}.$$

再以 ② 式代入上式，可得 $y = \frac{a}{2}(e^{\frac{x}{a}} + e^{-\frac{x}{a}}) = a\operatorname{ch}\frac{x}{a}$. 这说明抛物线焦点的轨迹是悬链线.

【2455】 求曲线 $y = \pm\left(\frac{1}{3}-x\right)\sqrt{x}$ 的封闭部分与等周长圆周所分别围成的面积之比.

解 当 $x = 0$ 及 $x = \frac{1}{3}$ 时，$y = 0$. 此曲线所围图形的面积为

$$S_1 = 2\int_0^{\frac{1}{3}}\left(\frac{1}{3}-x\right)\sqrt{x}\,dx = \frac{8}{135\sqrt{3}}.$$

此环线的周长为

$$s = 2\int_0^{\frac{1}{3}}\sqrt{1+\left(\frac{1}{6\sqrt{x}}-\frac{3\sqrt{x}}{2}\right)^2}\,dx = 2\int_0^{\frac{1}{3}}\left(\frac{1}{6\sqrt{x}}+\frac{3\sqrt{x}}{2}\right)dx = \frac{4}{3\sqrt{3}}.$$

按题设有 $\frac{4}{3\sqrt{3}} = 2\pi R$，所以 $R = \frac{2}{3\sqrt{3}\pi}$. 圆面积 $S_2 = \pi R^2 = \frac{4}{27\pi}$. 故

$$\frac{S_1}{S_2} = \frac{2\pi}{5\sqrt{3}}.$$

第7节 体积的计算法（习题2456—2485）

知识点预览

序号	知识点	题目序号	所在页码
1	由已知截面面积函数计算物体的体积	2456—2470	P252
2	旋转体的体积	2471—2485	P256

知识点1 由已知截面面积函数计算物体的体积

定理 若物体的体积 V 存在，且 $S=S(x)(a\leqslant x\leqslant b)$ 为物体的截面面积，此横截面经过点 x 且垂直于 Ox 轴，则

$$V=\int_a^b S(x)\,\mathrm{d}x.$$

习题 2456—2470 已知截面面积函数计算物体的体积

【2456】 求顶楼的体积，其底是边长为 a 和 b 的矩形，其顶的棱边等于 c，而高等于 h.

解 如图4.39所示的顶楼，取 x 轴向下，则有

$$\frac{y}{b}=\frac{x}{h}\text{ 或 }y=\frac{b}{h}x,\ \frac{z-c}{a-c}=\frac{x}{h}\text{ 或 }z=\frac{a-c}{h}x+c.$$

于是，所求顶楼的体积为

$$V=\int_0^h yz\,\mathrm{d}x=\int_0^h\frac{b}{h}x\left(\frac{a-c}{h}x+c\right)\mathrm{d}x$$

$$=\frac{b}{h}\cdot\frac{a-c}{h}\cdot\frac{1}{3}h^3+\frac{bc}{h}\cdot\frac{1}{2}h^2=\frac{bh}{6}(2a+c).$$

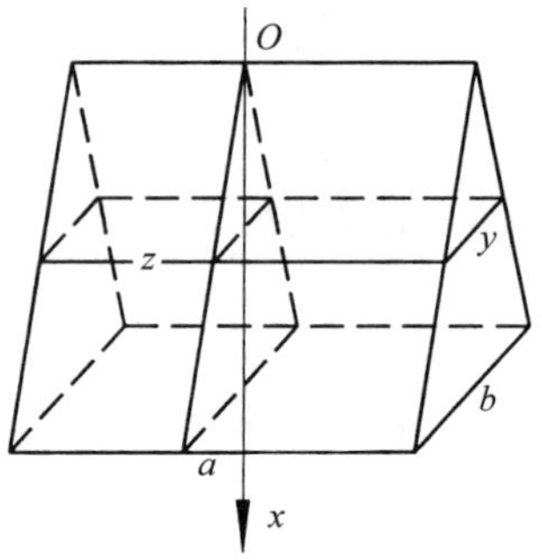

图 4.39

【2457】 求截楔形的体积，其平行的上下底为边长分别等于 A,B 和 a,b 的矩形，而高等于 h.

解 如图4.40所示，$OO'=\frac{A}{2}$，$QQ'=\frac{a}{2}$，$OQ=h$. 设 $OP=x$，则

$$PP'=\frac{a}{2}+\frac{h-x}{h}\left(\frac{A-a}{2}\right).$$

同样可得

$$LP'=\frac{b}{2}+\frac{h-x}{h}\left(\frac{B-b}{2}\right).$$

从而，面积

$$f(x)=ab+(A-a)(B-b)\left(1-\frac{x}{h}\right)^2+[a(B-b)+b(A-a)]\left(1-\frac{x}{h}\right).$$

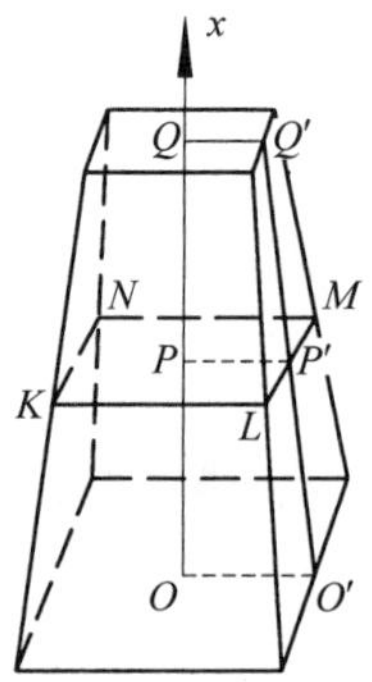

图 4.40

于是，所求截楔形的体积为

$$V=\int_0^h f(x)\mathrm{d}x=\frac{h}{6}[(2A+a)B+(2a+A)b].$$

【2458】 求截锥体的体积，其上下底为半轴长分别等于 A,B 和 a,b 的椭圆，而高等于 h.

解 同2457题，任一平行于上下底，且距离下底为 x 的截面为一椭圆，其半轴分别为

$$a'=a+\left(1-\frac{x}{h}\right)(A-a),b'=b+\left(1-\frac{x}{h}\right)(B-b).$$

从而，此截面的面积为

$$S(x)=\pi a'b'=\pi\left\{ab+(A-a)(B-b)\left(1-\frac{x}{h}\right)^2+[a(B-b)+b(A-a)]\left(1-\frac{x}{h}\right)\right\}.$$

于是，所求的体积为

$$V=\int_0^h S(x)\mathrm{d}x=\frac{\pi h}{6}[(2A+a)B+(A+2a)b].$$

【2459】 求旋转抛物体的体积，其底为 S，而高等于 H.

解 不失一般性，假设抛物线方程为 $y^2=2px$，绕 Ox 轴旋转，如图4.41所示. 记 $OA=H,OB=x$，按假设有

$$S=\pi AC^2=\pi(2pH)=2\pi pH,$$

距原点为 x 的截面面积为

$$S(x)=\pi y^2=2\pi px.$$

于是，所求的体积为 $V=\int_0^H S(x)\mathrm{d}x=\pi pH^2=\dfrac{SH}{2}.$

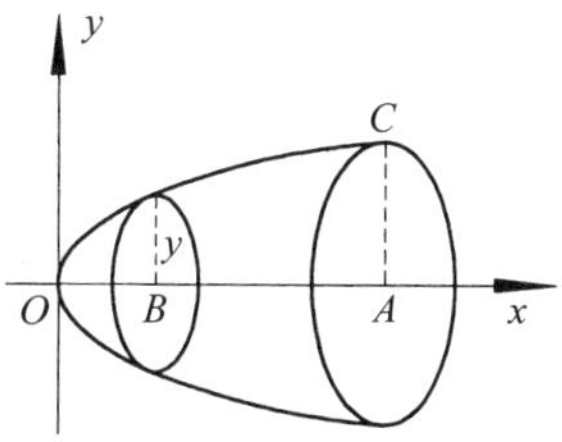

图4.41

【2460】 设立体之垂直于 Ox 轴的横截面的面积 $S=S(x)$ 依下面的二次式规律变化：

$$S(x)=Ax^2+Bx+C(a\leqslant x\leqslant b),$$

其中 A,B 及 C 为常数. 证明：此物体的体积等于

$$V=\frac{H}{6}\left[S(a)+4S\left(\frac{a+b}{2}\right)+S(b)\right]\text{（辛普森公式）},$$

其中 $H=b-a$.

证
$$\begin{aligned}V&=\int_a^b(Ax^2+Bx+C)\mathrm{d}x=\frac{A}{3}(b^3-a^3)+\frac{B}{2}(b^2-a^2)+C(b-a)\\&=\frac{b-a}{6}[2A(b^2+ab+a^2)+3B(a+b)+6C]\\&=\frac{H}{6}[(Aa^2+Ba+C)+(Ab^2+Bb+C)+A(a^2+2ab+b^2)+2B(a+b)+4C]\\&=\frac{H}{6}\left[S(a)+S(b)+4S\left(\frac{a+b}{2}\right)\right].\end{aligned}$$

【2461】 物体是点 $M(x,y,z)$ 的集合，其中 $0\leqslant z\leqslant 1$，当 z 为有理数时，$0\leqslant x\leqslant 1$，$0\leqslant y\leqslant 1$；当 z 为无理数时，$-1\leqslant x\leqslant 0$，$-1\leqslant y\leqslant 0$. 证明：此物体的体积不存在，尽管相应积分

$$\int_0^1 S(z)\mathrm{d}z=1.$$

证 显然，对任何 $0\leqslant z\leqslant 1$，不论 z 是有理数还是无理数，都有 $S(z)=1$. 从而

$$\int_0^1 S(z)\mathrm{d}z=\int_0^1\mathrm{d}z=1.$$

下证此物体 (V) 的体积不存在.

显然，无完全含于 (V) 内的多面体 (X) 存在，从而，这种 (X) 的体积的上确界为零，即 (V) 的内体积 V_*

$=\sup\{X\}=0$. 另一方面,(V) 的外体积 $V^*=\inf\{Y\}$,其中的下确界是对所有完全包含着 (V) 的多面体 (Y) 的体积 Y 来取的. 由于 $0\leqslant z\leqslant 1$ 中的有理数和无理数都在 $0\leqslant z\leqslant 1$ 中是稠密的,故显然知,上述任何完全包含着 (V) 的多面体 (Y) 都必完全包含着点集

$$(Y_0)=\{(x,y,z)\mid 0\leqslant z\leqslant 1,0\leqslant x\leqslant 1,0\leqslant y\leqslant 1,\text{以及}-1\leqslant x\leqslant 0,-1\leqslant y\leqslant 0\};$$

而 (Y_0) 又完全包含着 (V),并且 (Y_0) 的体积 $Y_0=2$. 由此可知 $V^*=\inf\{Y\}=2$. 于是,$V_*\neq V^*$. 故此物体 (V) 的体积不存在.

【求下列曲面所围成的体积(2462—2470)】

【2462】 $\dfrac{x^2}{a^2}+\dfrac{y^2}{b^2}=1,z=\dfrac{c}{a}x,z=0.$

解 如图 4.42 所示,用垂直 Oy 轴的平面截割,得一直角三角形 PQR. 设 $OP=y$,则高 $QR=\dfrac{c}{a}x$,从而,它的面积为

$$\frac{1}{2}\cdot\frac{c}{a}x^2=\frac{ac}{2}\left(1-\frac{y^2}{b^2}\right).$$

于是,所求的体积为 $V=2\displaystyle\int_0^b\frac{ac}{2}\left(1-\frac{y^2}{b^2}\right)\mathrm{d}y=\frac{2}{3}abc.$

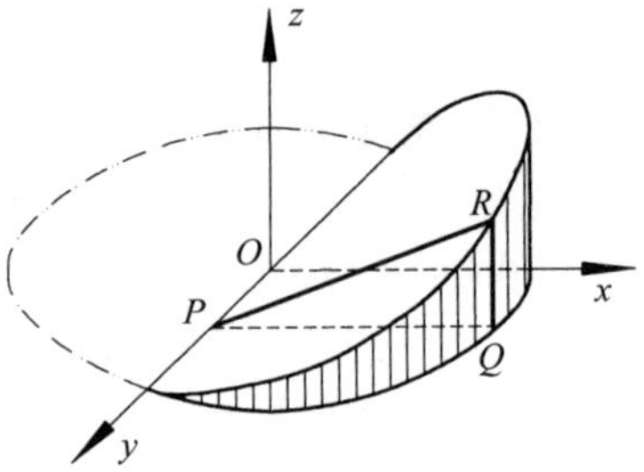

图 4.42

【2463】 $\dfrac{x^2}{a^2}+\dfrac{y^2}{b^2}+\dfrac{z^2}{c^2}=1$(椭球面).

解 用垂直于 Ox 轴的平面截椭球面得截痕为一椭圆,它在 yOz 平面上的投影为

$$\frac{y^2}{b^2\left(1-\dfrac{x^2}{a^2}\right)}+\frac{z^2}{c^2\left(1-\dfrac{x^2}{a^2}\right)}=1.$$

由此显见其半轴分别为

$$b\sqrt{1-\frac{x^2}{a^2}}\text{ 及 }c\sqrt{1-\frac{x^2}{a^2}},$$

从而,此椭圆的面积为

$$S(x)=\pi bc\left(1-\frac{x^2}{a^2}\right),-a\leqslant x\leqslant a.$$

于是,所求的椭球面的体积为 $V=\displaystyle\int_{-a}^{a}S(x)\mathrm{d}x=\pi bc\int_{-a}^{a}\left(1-\frac{x^2}{a^2}\right)\mathrm{d}x=\frac{4}{3}\pi abc.$

【2464】 $\dfrac{x^2}{a^2}+\dfrac{y^2}{b^2}-\dfrac{z^2}{c^2}=1,z=\pm c.$

解 方程表示的图形为单叶双曲面,用平面 $z=z$ 截得椭圆

$$\frac{x^2}{a^2\left(1+\dfrac{z^2}{c^2}\right)}+\frac{y^2}{b^2\left(1+\dfrac{z^2}{c^2}\right)}=1,$$

其面积为

$$S(z)=\pi ab\left(1+\frac{z^2}{c^2}\right),-c\leqslant z\leqslant c.$$

于是,所求的体积为 $V=\pi ab\displaystyle\int_{-c}^{c}\left(1+\frac{z^2}{c^2}\right)\mathrm{d}z=\frac{8}{3}\pi abc.$

【2465】 $x^2+z^2=a^2,y^2+z^2=a^2.$

解 如图 4.43 所示,过点 $M(0,0,z)$ 垂直于 Oz 轴作一平面,在所给立体上截出一正方形,其边长为 $\sqrt{a^2-z^2}$,其面积为 $S(z)=a^2-z^2,0\leqslant z\leqslant a$. 于是,所求的体积为

$$V = 8\int_0^a (a^2 - z^2)\mathrm{d}z = \frac{16}{3}a^3.$$

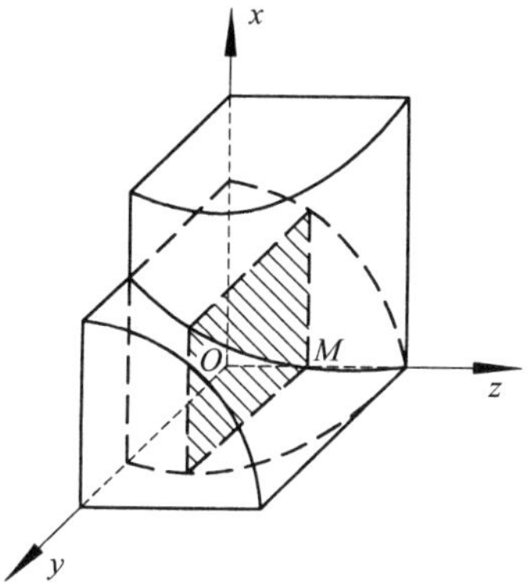

图 4.43

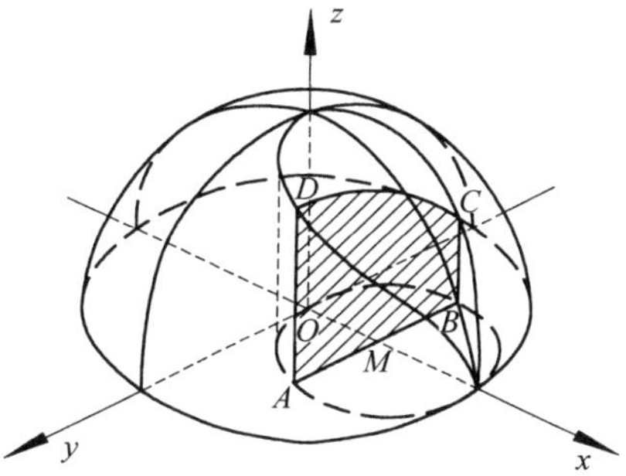

图 4.44

【2466】 $x^2 + y^2 + z^2 = a^2, x^2 + y^2 = ax.$

解 如图 4.44 所示，过点 $M(x,0,0)$ 垂直于 Ox 轴作一平面，在所给立体上截出一曲边梯形，其曲边由方程

$$z = \sqrt{(a^2 - x^2) - y^2}$$

给出(上半面)，其变化范围为：$-\sqrt{ax - x^2} \leqslant y \leqslant \sqrt{ax - x^2}$（如图中 $ABCD$）.
从而，其截面积为

$$S(x) = 2\int_0^{\sqrt{ax-x^2}} \sqrt{(a^2 - x^2) - y^2}\,\mathrm{d}y = a^{\frac{3}{2}}x^{\frac{1}{2}} - a^{\frac{1}{2}}x^{\frac{3}{2}} + (a^2 - x^2)\arcsin\sqrt{\frac{x}{a+x}}.$$

于是，所求的体积为

$$V = 2\int_0^a S(x)\mathrm{d}x = 2\int_0^a \left[a^{\frac{3}{2}}x^{\frac{1}{2}} - a^{\frac{1}{2}}x^{\frac{3}{2}} + (a^2 - x^2)\arcsin\sqrt{\frac{x}{a+x}}\right]\mathrm{d}x$$

$$= 4\left\{\frac{1}{3}a^3 - \frac{1}{5}a^3 + \left[\left(\frac{\pi a^3}{4} - \frac{1}{2}a^3\right) - \left(\frac{1}{12}\pi a^3 - \frac{13}{90}a^3\right)\right]\right\} = \frac{2}{3}a^3\left(\pi - \frac{4}{3}\right).$$

【2467】 $z^2 = b(a - x), x^2 + y^2 = ax.$

解 先求体积的四分之一部分，截面积为

$$S(x) = \int_0^{\sqrt{ax-x^2}} \sqrt{b(a-x)}\,\mathrm{d}y = \sqrt{ax - x^2}\sqrt{b(a-x)}.$$

从而

$$\frac{1}{4}V = \int_0^a S(x)\mathrm{d}x = \int_0^a \sqrt{ax - x^2}\sqrt{b(a-x)}\,\mathrm{d}x = \sqrt{b}\int_0^a \sqrt{x}(a-x)\mathrm{d}x = \frac{4}{15}a^2\sqrt{ab}.$$

于是，所求的体积为 $V = \frac{16}{15}a^2\sqrt{ab}$.

【2468】 $\frac{x^2}{a^2} + \frac{y^2}{z^2} = 1(0 < z < a).$

解 固定 z，则截面为一椭圆，其面积为 $P(z) = \pi az$. 于是，所求的体积为

$$V = \int_0^a P(z)\mathrm{d}z = \pi a\int_0^a z\mathrm{d}z = \frac{\pi a^3}{2}.$$

【2469】 $x + y + z^2 = 1, x = 0, y = 0, z = 0.$

解 固定 z，则截面为一直角三角形，其面积为

$$P(z) = \frac{1}{2}(1 - z^2)^2.$$

于是，所求的体积为 $V=\int_0^1 \frac{1}{2}(1-z^2)^2\mathrm{d}z=\frac{1}{2}\int_0^1(1-2z^2+z^4)\mathrm{d}z=\frac{4}{15}$.

注 曲面 $x+y+z^2=1$ 关于平面 $z=0$ 对称，故它与三个平面 $x=0, y=0, z=0$ 围成的图形有两个，一个位于 xOy 平面之上，一个位于 xOy 平面之下，彼此是对称的（关于 xOy 平面），从而它们的体积相等. 以上求的是位于 xOy 平面之上的那一个图形的体积.

【2470】 $x^2+y^2+z^2+xy+yz+zx=a^2$.

解 不妨设 $a>0$. 此为一有心椭球面. 固定 z，得在平面 xOy 上的投影为

$$x^2+xy+y^2+zx+zy+(z^2-a^2)=0,$$

此截面的面积为

$$S(z)=-\frac{\pi\Delta}{\left(1-\frac{1}{4}\right)^{\frac{3}{2}}}=-\frac{8\pi\Delta}{3\sqrt{3}},$$

其中

$$\Delta=\begin{vmatrix} 1 & \frac{1}{2} & \frac{z}{2} \\ \frac{1}{2} & 1 & \frac{z}{2} \\ \frac{z}{2} & \frac{z}{2} & z^2-a^2 \end{vmatrix}=\frac{2z^2-3a^2}{4},$$

所以 $S(z)=\frac{2(3a^2-2z^2)\pi}{3\sqrt{3}}$.

z 的变化范围为适合下述不等式的集合

$$2z^2-3a^2\leqslant 0, \text{即 } |z|\leqslant\sqrt{\frac{3}{2}}a.$$

于是，所求的体积为 $V=\int_{-\sqrt{\frac{3}{2}}a}^{\sqrt{\frac{3}{2}}a}\frac{2(3a^2-2z^2)\pi}{3\sqrt{3}}\mathrm{d}z=\frac{4\sqrt{2}\pi}{3}a^3$.

知识点 2 旋转体的体积

1. 曲边梯形 图形 $a\leqslant x\leqslant b, 0\leqslant y\leqslant y(x)$，绕 Ox 轴旋转所成旋转体的体积等于

$$V_x=\pi\int_a^b y^2(x)\mathrm{d}x,$$

其中 $y(x)$ 为单值连续函数.

2. 一般情形 图形 $a\leqslant x\leqslant b, y_1(x)\leqslant y\leqslant y_2(x)$，绕 Ox 轴旋转所成的环状体的体积等于

$$V=\pi\int_a^b[y_2^2(x)-y_1^2(x)]\mathrm{d}x,$$

其中 $y_1(x)$ 和 $y_2(x)$ 是非负连续函数.

习题 2471—2485 旋转体的体积

【2471】 证明：将平面图形 $a \leqslant x \leqslant b, 0 \leqslant y \leqslant y(x)$，绕 Oy 轴旋转所成的旋转体的体积等于

$$V_y = 2\pi\int_a^b xy(x)\mathrm{d}x,$$

这里 $y(x)$ 为单值连续函数.

证 $\Delta V_y = \pi[(x+\Delta x)^2 - x^2]y(x) \approx 2\pi xy(x)\Delta x$. 于是，所求的体积为

$$V_y = 2\pi\int_a^b xy(x)\mathrm{d}x.$$

【求下列曲线段旋转所成旋转体的体积(2472—2481)】

【2472】 $y = b\left(\dfrac{x}{a}\right)^{\frac{2}{3}}(0 \leqslant x \leqslant a)$ 绕 Ox 轴(半立方抛物线).

解 所求的体积为 $V_x = \pi b^2\int_0^a\left(\dfrac{x}{a}\right)^{\frac{4}{3}}\mathrm{d}x = \dfrac{3}{7}\pi ab^2$.

【2473】 $y = 2x - x^2, y = 0$；(1) 绕 Ox 轴；(2) 绕 Oy 轴.

解 令 $y = 0$ 得 $x = 0$ 或 $x = 2$. 于是，所求的体积为

(1)$V_x = \pi\int_0^2(2x - x^2)^2\mathrm{d}x = \dfrac{16\pi}{15}$； (2)$V_y = 2\pi\int_0^2 x(2x - x^2)\mathrm{d}x = \dfrac{8\pi}{3}$.

【2474】 $y = \sin x, y = 0(0 \leqslant x \leqslant \pi)$：(1) 绕 Ox 轴；(2) 绕 Oy 轴.

解 所求的体积为(1)$V_x = \pi\int_0^\pi \sin^2 x\mathrm{d}x = \dfrac{\pi^2}{2}$；(2)$V_y = 2\pi\int_0^\pi x\sin x\mathrm{d}x = 2\pi^2$.

【2475】 $y = b\left(\dfrac{x}{a}\right)^2, y = b\left|\dfrac{x}{a}\right|$：(1) 绕 Ox 轴；(2) 绕 Oy 轴.

解 交点为(a,b) 及$(-a,b)$. 所求的体积为

(1)$V_x = 2\pi\int_0^a\left(b^2\dfrac{x^2}{a^2} - b^2\dfrac{x^4}{a^4}\right)\mathrm{d}x = \dfrac{4\pi}{15}ab^2$；

(2)$V_y = \pi\int_a^b\left(\dfrac{a^2y}{b} - \dfrac{a^2y^2}{b^2}\right)\mathrm{d}y = \dfrac{\pi a^2 b}{6}$.

【2476】 $y = \mathrm{e}^{-x}, y = 0(0 \leqslant x < +\infty)$(1) 绕 Ox 轴；(2) 绕 Oy 轴.

解 所求的体积为(1)$V_x = \pi\int_0^{+\infty}\mathrm{e}^{-2x}\mathrm{d}x = \dfrac{\pi}{2}$；(2)$V_y = \pi\int_0^1(-\ln y)^2\mathrm{d}y = 2\pi$.

【2477】 $x^2 + (y-b)^2 = a^2(0 < a \leqslant b)$ 绕 Ox 轴.

解 $y_1 = b + \sqrt{a^2 - x^2}, y_2 = b - \sqrt{a^2 - x^2}(-a \leqslant x \leqslant a)$. 所求的体积为

$$V_x = \pi\int_{-a}^a(y_1^2 - y_2^2)\mathrm{d}x = 8b\pi\int_0^a\sqrt{a^2 - x^2}\mathrm{d}x = 2\pi^2a^2b.$$

【2478】 $x^2 - xy + y^2 = a^2$ 绕 Ox 轴.

解 原方程即 $y^2 - xy + x^2 - a^2 = 0$，从而

$$y = \frac{x \pm \sqrt{4a^2 - 3x^2}}{2},$$

函数的定义域为$\left[-\dfrac{2}{\sqrt{3}}a, \dfrac{2}{\sqrt{3}}a\right]$. 与 Ox 轴的交点分别为 $x = -a$ 与 $x = a$. 于是，所求体积为

$$V_x = 2\left\{\pi\int_0^a\frac{1}{4}(x + \sqrt{4a^2 - 3x^2})^2\mathrm{d}x + \pi\int_a^{\frac{2}{\sqrt{3}}a}\left[\frac{1}{4}(x + \sqrt{4a^2 - 3x^2})^2 - \right.\right.$$

$$\frac{1}{4}(x-\sqrt{4a^2-3x^2})^2\Big]\mathrm{d}x\Big\}$$

$$=\frac{\pi}{2}\int_0^a(4a^2-2x^2+2x\sqrt{4a^2-3x^2})\mathrm{d}x+2\pi\int_a^{\frac{2}{\sqrt{3}}a}x\sqrt{4a^2-3x^2}\,\mathrm{d}x$$

$$=\pi\left[2a^3-\frac{1}{3}a^3-\frac{1}{9}(4a^2-3x^2)^{\frac{3}{2}}\Big|_0^a-\frac{2}{9}(4a^2-3x^2)^{\frac{3}{2}}\Big|_a^{\frac{2}{\sqrt{3}}a}\right]=\frac{8}{3}\pi a^3.$$

【2479】 $y=\mathrm{e}^{-x}\sqrt{\sin x}(0\leqslant x<+\infty)$ 绕 Ox 轴.

解 函数定义域为 $[2n\pi,(2n+1)\pi](n=0,1,2,\cdots)$. 于是,所求的体积为

$$V_x=\pi\sum_{n=0}^{\infty}\int_{2n\pi}^{(2n+1)\pi}\mathrm{e}^{-2x}\sin x\mathrm{d}x=\frac{\pi}{5}\sum_{n=0}^{\infty}\mathrm{e}^{-2x}(-2\sin x-\cos x)\Big|_{2n\pi}^{(2n+1)\pi}$$

$$=\frac{\pi}{5}(\mathrm{e}^{-2\pi}+1)\sum_{n=0}^{\infty}\mathrm{e}^{-4n\pi}=\frac{\pi}{5}\cdot\frac{\mathrm{e}^{-2\pi}+1}{1-\mathrm{e}^{-4\pi}}=\frac{\pi}{5(1-\mathrm{e}^{-2\pi})}.$$

【2480】 $x=a(t-\sin t),y=a(1-\cos t)(0\leqslant t\leqslant 2\pi),y=0$:
(1) 绕 Ox 轴;(2) 绕 Oy 轴;(3) 绕直线 $y=2a$.

解 (1)$V_x=\pi\int_0^{2\pi}a^3(1-\cos t)^3\mathrm{d}t=5\pi^2a^3$;

(2)$V_y=2\pi\int_0^{2\pi}a^3(t-\sin t)(1-\cos t)^2\mathrm{d}t=6\pi^3a^3$;

(3) 作平移 $x=\bar{x},y=\bar{y}+2a$,则曲线方程为

$$\bar{x}=a(t-\sin t),\bar{y}=-a(1+\cos t),\text{及}\ \bar{y}=-2a.$$

于是,所求的体积为

$$V_{\bar{x}}=\pi\int_0^{2\pi}[4a^2-a^2(1+\cos t)^2]a(1-\cos t)\mathrm{d}t=7\pi^2a^3.$$

【2481】 $x=a\sin^3t,y=b\cos^3t(0\leqslant t\leqslant 2\pi)$:
(1) 绕 Ox 轴;(2) 绕 Oy 轴.

解 (1)$V_x=2\pi\int_0^{\frac{\pi}{2}}(b^2\cos^6t)(3a\sin^2t\cos t)\mathrm{d}t$

$$=6\pi ab^2\left(\int_0^{\frac{\pi}{2}}\cos^7t\mathrm{d}t-\int_0^{\frac{\pi}{2}}\cos^9t\mathrm{d}t\right)=6\pi ab^2\left(\frac{6!!}{7!!}-\frac{8!!}{9!!}\right)=\frac{32}{105}\pi ab^2.$$

(2) 利用对称性,只需将(1) 中答案中的 a,b 对调即得 $V_y=\dfrac{32}{105}\pi a^2b$.

【2482】 证明:把平面图形

$$0\leqslant\alpha\leqslant\theta\leqslant\beta\leqslant\pi,0\leqslant r\leqslant r(\theta)(\theta\text{ 与 }r\text{ 为极坐标})$$

绕极轴旋转所成旋转体的体积等于 $V=\dfrac{2\pi}{3}\int_\alpha^\beta r^3(\theta)\sin\theta\mathrm{d}\theta$.

证 **方法一** 微小面积元 $\mathrm{d}S=r\mathrm{d}\theta\mathrm{d}r$ 绕极轴旋转所得微小环状体积元

$$\mathrm{d}V=2\pi r\sin\theta\mathrm{d}S=2\pi r^2\sin\theta\mathrm{d}\theta\mathrm{d}r.$$

于是,所求的体积为

$$V=2\pi\int_\alpha^\beta\sin\theta\mathrm{d}\theta\int_0^{r(\theta)}r^2\mathrm{d}r=\frac{2\pi}{3}\int_\alpha^\beta r^3(\theta)\sin\theta\mathrm{d}\theta.$$

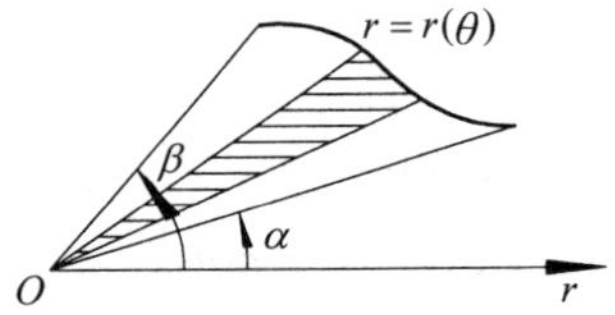

图 4.45

方法二 应用直角坐标系下的古尔丹第二定理来证明. 对于微小面积元,它的质心可以看成在点$\left(\dfrac{2}{3}r\cos\theta,\dfrac{2}{3}r\sin\theta\right)$处(图 4.45).

于是，面积元 $dS=\dfrac{1}{2}r^2d\theta$，其所对应的绕极轴旋转所成旋转体的体积元为 $dV=2\pi\cdot\dfrac{2}{3}r\sin\theta\cdot\dfrac{1}{2}r^2d\theta$. 于是，所求的体积为

$$V=\frac{2\pi}{3}\int_\alpha^\beta r^3(\theta)\sin\theta d\theta.$$

注 古尔丹第二定理见2506题.

【求下列方程给出的平面图形经旋转后所成旋转体的体积(2483—2484)】

【2483】 $r=a(1+\cos\theta)(0\leqslant\theta\leqslant 2\pi)$:

(1) 绕极轴； (2) 绕直线 $r\cos\theta=-\dfrac{a}{4}$.

解 (1)$V=\dfrac{2\pi}{3}\int_0^\pi a^3(1+\cos\theta)^3\sin\theta d\theta=\dfrac{8\pi a^3}{3}$;

(2) **方法一** 所求的旋转体的体积为

$$\begin{aligned}V&=2\pi\int_0^\pi r^2\left(\frac{2}{3}r\cos\theta+\frac{a}{4}\right)d\theta=\frac{4\pi a^3}{3}\int_0^\pi(1+\cos\theta)^3\cos\theta d\theta+\frac{\pi a^3}{2}\int_0^\pi(1+\cos\theta)^2d\theta\\&=\left(4\pi a^3+\frac{\pi a^3}{2}\right)\int_0^\pi\cos^2\theta d\theta+\frac{4\pi a^3}{3}\int_0^\pi\cos^4\theta d\theta+\frac{\pi^2a^3}{2}\\&=\left(4\pi a^3+\frac{\pi a^3}{2}\right)\frac{\pi}{2}+\frac{4\pi a^3}{3}\cdot\frac{3}{4}\cdot\frac{1}{2}\pi+\frac{\pi^2a^3}{2}=\frac{13}{4}\pi^2a^3.\end{aligned}$$

注 (1) 在 V 的表达式中 $\dfrac{2}{3}r\cos\theta$ 的系数 $\dfrac{2}{3}$ 是把微小面积元集中在其质心 $\left(\dfrac{2}{3}r,\theta\right)$ 处得出的.

(2) $\int_0^\pi\cos^{2k+1}\theta d\theta=0$, $\int_0^\pi\cos^{2k}\theta d\theta=\dfrac{(2k-1)!!}{(2k)!!}\pi$.

方法二 心脏线 $r=a(1+\cos\theta)$ 所围的面积为 $\dfrac{3\pi a^2}{2}$，而其质心为 $\theta_0=0$, $r_0=\dfrac{5}{6}a$. 根据古尔丹第二定理可得所求的体积为

$$V=2\pi\left(\frac{5a}{6}+\frac{a}{4}\right)\frac{3\pi a^2}{2}=\frac{13}{4}\pi^2a^3.$$

注 本题用到2512题的结果.

【2484】 $(x^2+y^2)^2=a^2(x^2-y^2)$:

(1) 绕 Ox 轴； (2) 绕 Oy 轴； (3) 绕直线 $y=x$.

解 曲线的极坐标方程为 $r^2=a^2(2\cos^2\theta-1)$. 故

$$V_x=2\cdot\frac{2\pi}{3}\int_0^{\frac{\pi}{4}}[a^2(2\cos^2\theta-1)]^{\frac{3}{2}}\sin\theta d\theta.$$

由于

$$\int(2\cos^2\theta-1)^{\frac{3}{2}}\sin\theta d\theta=-\frac{1}{\sqrt{2}}\int[(\sqrt{2}\cos\theta)^2-1]^{\frac{3}{2}}d(\sqrt{2}\cos\theta)$$

$$=-\frac{1}{\sqrt{2}}\left[\frac{\sqrt{2}\cos\theta}{8}(4\cos^2\theta-5)\sqrt{2\cos^2\theta-1}+\frac{3}{8}\ln(\sqrt{2}\cos\theta+\sqrt{2\cos^2\theta-1})\right]+C,$$

所以

$$V_x=-\frac{4\pi a^3}{3\sqrt{2}}\left[\frac{\sqrt{2}\cos\theta}{8}(4\cos^2\theta-5)\sqrt{2\cos^2\theta-1}+\frac{3}{8}\ln(\sqrt{2}\cos\theta+\sqrt{2\cos^2\theta-1})\right]\Bigg|_0^{\frac{\pi}{4}}$$

$$=\frac{4\pi a^3}{3\sqrt{2}}\left[\frac{3}{8}\ln(\sqrt{2}+1)-\frac{\sqrt{2}}{8}\right]=\frac{1}{4}\pi a^3\left[\sqrt{2}\ln(\sqrt{2}+1)-\frac{2}{3}\right].$$

(2) 利用对称性知,所求的体积为

$$V_y=\frac{4\pi}{3}\int_0^{\frac{\pi}{4}}r^3\cos\theta d\theta=\frac{4\pi a^3}{3}\int_0^{\frac{\pi}{4}}\sqrt{\cos^3 2\theta}\cos\theta d\theta.$$

令 $\sin\theta=\frac{1}{\sqrt{2}}\sin x$,则 $\sqrt{\cos 2\theta}=\cos x,\cos\theta d\theta=\frac{1}{\sqrt{2}}\cos x dx$,且 x 的变化范围为 $\left(0,\frac{\pi}{2}\right)$. 于是,得

$$V=\frac{4\pi a^3}{3}\int_0^{\frac{\pi}{2}}\frac{1}{\sqrt{2}}\cos^4 x dx=\frac{4\pi a^3}{3}\cdot\frac{1}{\sqrt{2}}\cdot\frac{3}{4}\cdot\frac{1}{2}\cdot\frac{\pi}{2}=\frac{\pi^2 a^3}{4\sqrt{2}}.$$

(3) 利用对称性知,所求的体积为

$$V=\frac{4\pi}{3}\int_{-\frac{\pi}{4}}^{\frac{\pi}{4}}r^3\sin\left(\frac{\pi}{4}-\theta\right)d\theta=\frac{4\pi a^3}{3}\int_{-\frac{\pi}{4}}^{\frac{\pi}{4}}\sqrt{\cos^3 2\theta}\left(\frac{1}{\sqrt{2}}\cos\theta-\frac{1}{\sqrt{2}}\sin\theta\right)d\theta$$

$$=\frac{4\pi a^3}{3\sqrt{2}}\int_{-\frac{\pi}{4}}^{\frac{\pi}{4}}\sqrt{\cos^3 2\theta}\cos\theta d\theta.$$

用本题(2) 的变换,即得

$$V=\frac{4\pi a^3}{3\sqrt{2}}2\int_0^{\frac{\pi}{2}}\frac{1}{\sqrt{2}}\cos^4 x dx=\frac{4\pi a^3}{3}\int_0^{\frac{\pi}{2}}\cos^4 x dx=\frac{4\pi a^3}{3}\cdot\frac{3}{4}\cdot\frac{1}{2}\cdot\frac{\pi}{2}=\frac{\pi^2 a^3}{4}.$$

【2485】 求图形 $a\leqslant r\leqslant a\sqrt{2\sin 2\theta}$ 绕极轴旋转而成的旋转体的体积.

解 $r=a$ 与 $r=a\sqrt{2\sin 2\theta}$,在第一象限部分的交点的极角分别为 $\alpha=\frac{\pi}{12}$ 及 $\beta=\frac{5\pi}{12}$. 利用对称性知,所求的体积应为

$$V=\frac{4\pi}{3}\int_{\frac{\pi}{12}}^{\frac{5\pi}{12}}[(a\sqrt{2\sin 2\theta})^3-a^3]\sin\theta d\theta=\frac{4\pi a^3}{3}\int_{\frac{\pi}{12}}^{\frac{5\pi}{12}}(4\sqrt{2}\sqrt{\sin 2\theta}\sin^2\theta\cos\theta-\sin\theta)d\theta.$$

为求上述积分,令 $I_1=\int\sqrt{\sin 2\theta}\sin^2\theta\cos\theta d\theta,I_2=\int\sqrt{\sin 2\theta}\cos^2\theta\cos\theta d\theta$,则有

$$I_2-I_1=\frac{1}{3}\cos\theta(\sin 2\theta)^{\frac{3}{2}}+\frac{2}{3}I_1,$$

即

$$I_2-\frac{5}{3}I_1=\frac{1}{3}\cos\theta(\sin 2\theta)^{\frac{3}{2}}+C_1. \qquad ①$$

又

$$I_2+I_1=\int\sqrt{\sin 2\theta}\cos\theta d\theta=\sqrt{2}\int\frac{\tan\theta}{1+\tan^2\theta}\sqrt{\cot\theta}d\theta.$$

令 $\tan\theta=t$,就可将上述积分化成二项微分式的积分. 积分可得

$$I_2+I_1=\frac{1}{2}\sin\theta\sqrt{\sin 2\theta}+\frac{1}{2}\ln(\sin\theta+\cos\theta-\sqrt{\sin 2\theta})+$$

$$\frac{1}{4}[\ln(\sin\theta+\cos\theta+\sqrt{\sin 2\theta})+\arcsin(\sin\theta-\cos\theta)]+C_2. \qquad ②$$

②−①,得

$$I_1=\frac{3}{8}\left\{\frac{1}{2}\sin\theta\sqrt{\sin 2\theta}+\frac{1}{2}\ln(\sin\theta+\cos\theta-\sqrt{\sin 2\theta})+\right.$$

$$\left.\frac{1}{4}[\ln(\sin\theta+\cos\theta+\sqrt{\sin 2\theta})+\arcsin(\sin\theta-\cos\theta)]-\frac{1}{3}\cos\theta(\sin 2\theta)^{\frac{3}{2}}\right\}+C.$$

从而,得

$$\int_{\frac{\pi}{12}}^{\frac{5\pi}{12}}\sqrt{\sin 2\theta}\sin^2\theta\cos\theta d\theta=\frac{1}{8}+\frac{3}{64}\pi.$$

于是,所求的体积为

$$V=\frac{4\pi a^3}{3}\left[4\sqrt{2}\left(\frac{1}{8}+\frac{3\pi}{64}\right)+\cos\theta\Big|_{\frac{\pi}{12}}^{\frac{5\pi}{12}}\right]=\frac{\pi^2 a^3}{2\sqrt{2}}.$$

第8节 旋转曲面表面积的计算法（习题2486—2500）

知识点预览

知识点	题目序号	所在页码
旋转曲面的表面积	2486—2500	P261

知识点 旋转曲面的表面积

1. 直角坐标 平面光滑曲线 $C:y=f(x),x\in[a,b](f(x)\geqslant 0)$ 绕 Ox 轴旋转所成曲面的面积等于

$$P=2\pi\int_a^b y\,\mathrm{d}s=2\pi\int_a^b f(x)\sqrt{1+f'^2(x)}\,\mathrm{d}x,$$

其中 $\mathrm{d}s$ 为弧的微分.

2. 参数方程 若光滑曲线 C 由参数方程 $x=x(t),y=y(t),t\in[\alpha,\beta]$ 给出，$y(t)\geqslant 0$，则 C 绕 Ox 轴旋转所成曲面的面积等于

$$P=2\pi\int_\alpha^\beta y(t)\sqrt{x'^2(t)+y'^2(t)}\,\mathrm{d}t.$$

3. 极坐标方程 若光滑曲线 C 由极坐标方程 $r=r(\theta)(\alpha\leqslant\theta\leqslant\beta,[\alpha,\beta]\subset[0,\pi])$ 给出，则其绕极轴旋转所得旋转曲面的面积

$$S=2\pi\int_\alpha^\beta r(\theta)\sin\theta\sqrt{r^2(\theta)+[r'(\theta)]^2}\,\mathrm{d}\theta.$$

习题 2486—2500 旋转曲面的表面积

【求旋转下列曲线所成曲面的面积(2486—2498)】

【2486】 $y=x\sqrt{\dfrac{x}{a}}(0\leqslant x\leqslant a)$ 绕 Ox 轴.

解 $\sqrt{1+y'^2}=\sqrt{1+\dfrac{9x}{4a}}$. 于是，所求的表面积为

$$\begin{aligned}P_x&=2\pi\int_0^a x\sqrt{\frac{x}{a}}\sqrt{1+\frac{9x}{4a}}\,\mathrm{d}x=\frac{3\pi}{a}\int_0^a x\sqrt{x^2+\frac{4ax}{9}}\,\mathrm{d}x\\&=\frac{3\pi}{a}\int_0^a\left(x+\frac{2a}{9}\right)\sqrt{\left(x+\frac{2a}{9}\right)^2-\left(\frac{2a}{9}\right)^2}\,\mathrm{d}\left(x+\frac{2a}{9}\right)-\frac{3\pi}{a}\cdot\frac{2a}{9}\int_0^a\sqrt{x^2+\frac{4ax}{9}}\,\mathrm{d}x\\&=\frac{3\pi}{a}\cdot\frac{1}{3}\left(x^2+\frac{4ax}{9}\right)^{\frac{3}{2}}\Big|_0^a-\frac{2\pi}{3}\left[\frac{x+\frac{2a}{9}}{2}\sqrt{x^2+\frac{4ax}{9}}-\frac{\frac{4a^2}{81}}{2}\ln\left(x+\frac{2a}{9}-\sqrt{x^2+\frac{4ax}{9}}\right)\right]\Bigg|_0^a\\&=\frac{13\sqrt{13}}{27}\pi a^2-\frac{11\sqrt{13}}{81}\pi a^2+\frac{4\pi a^2}{243}\ln\frac{11+3\sqrt{13}}{2}=\frac{4\pi a^2}{243}\left(21\sqrt{13}+2\ln\frac{3+\sqrt{13}}{2}\right).\end{aligned}$$

【2487】 $y=a\cos\frac{\pi x}{2b}(|x|\leqslant b)$ 绕 Ox 轴.

解 $y'=-\frac{\pi a}{2b}\sin\frac{\pi x}{2b},\sqrt{1+y'^2}=\frac{1}{2b}\sqrt{4b^2+\pi^2a^2\sin^2\frac{\pi x}{2b}}$. 于是,所求的表面积为

$$P_x=2\pi\int_{-b}^{b}y\sqrt{1+y'^2}\,dx=2\pi\int_{-b}^{b}\frac{a}{2b}\cos\frac{\pi x}{2b}\sqrt{4b^2+\pi^2a^2\sin^2\frac{\pi x}{2b}}\,dx$$

$$=\frac{4}{\pi}\left[\frac{1}{2}\pi a\sin\frac{\pi x}{2b}\sqrt{4b^2+\pi^2a^2\sin^2\frac{\pi x}{2b}}+\frac{4b^2}{2}\ln\left|\pi a\sin\frac{\pi x}{2b}+\sqrt{4b^2+\pi^2a^2\sin^2\frac{\pi x}{2b}}\right|\right]\Bigg|_0^b$$

$$=2a\sqrt{\pi^2a^2+4b^2}+\frac{8b^2}{\pi}\ln\frac{\pi a+\sqrt{4b^2+\pi^2a^2}}{2b}.$$

【2488】 $y=\tan x\left(0\leqslant x\leqslant\frac{\pi}{4}\right)$ 绕 Ox 轴.

解 $\sqrt{1+y'^2}=\sqrt{1+\sec^4x}=\frac{\sqrt{\cos^4x+1}}{\cos^2x}$. 于是,所求的表面积为

$$P_x=2\pi\int_0^{\frac{\pi}{4}}\tan x\frac{\sqrt{\cos^4x+1}}{\cos^2x}dx=\pi\int_0^{\frac{\pi}{4}}\sqrt{\cos^4x+1}\,d\left(\frac{1}{\cos^2x}\right)$$

$$=\pi\left[\frac{\sqrt{\cos^4x+1}}{\cos^2x}-\ln(\cos^2x+\sqrt{\cos^4x+1})\right]\Bigg|_0^{\frac{\pi}{4}}$$

$$=\pi\left[\sqrt{5}-\sqrt{2}+\ln\frac{(\sqrt{2}+1)(\sqrt{5}-1)}{2}\right].$$

【2489】 $y^2=2px(0\leqslant x\leqslant x_0)$:(1) 绕 Ox 轴;(2) 绕 Oy 轴.

解 $\sqrt{1+y'^2}=\frac{\sqrt{p+2x}}{\sqrt{2x}}$. 于是,所求的表面积为

(1) $P_x=2\pi\int_0^{x_0}\sqrt{2px}\frac{\sqrt{p+2x}}{\sqrt{2x}}dx=\frac{2\pi}{3}[(2x_0+p)\sqrt{2px_0+p^2}-p^2]$.

(2) $\sqrt{1+x'^2(y)}=\frac{\sqrt{p^2+y^2}}{p}$. 于是,所求的表面积为

$$P_y=4\pi\int_0^{\sqrt{2px_0}}x\sqrt{1+x'^2(y)}\,dy$$

$$=4\pi\int_0^{\sqrt{2px_0}}\frac{y^2}{2p}\cdot\frac{\sqrt{p^2+y^2}}{p}dy=\frac{2\pi}{p^2}\int_0^{\sqrt{2px_0}}y^2\sqrt{p^2+y^2}\,dy$$

$$=\frac{2\pi}{p^2}\left[\frac{y(2y^2+p^2)}{8}\sqrt{p^2+y^2}-\frac{p^4}{8}\ln(y+\sqrt{y^2+p^2})\right]\Bigg|_0^{\sqrt{2px_0}}$$

$$=\frac{\pi}{4}\left[(p+4x_0)\sqrt{2x_0(p+2x_0)}-p^2\ln\frac{\sqrt{2x_0}+\sqrt{p+2x_0}}{\sqrt{p}}\right].$$

【2490】 $\frac{x^2}{a^2}+\frac{y^2}{b^2}=1(0<b\leqslant a)$:(1) 绕 Ox 轴;(2) 绕 Oy 轴.

解 $y^2=b^2-\frac{b^2}{a^2}x^2,yy'=-\frac{b^2}{a^2}x$,

$$y\sqrt{1+y'^2}=\sqrt{y^2+(yy')^2}=\frac{b}{a}\sqrt{a^2-\frac{a^2-b^2}{a^2}x^2}=\frac{b}{a}\sqrt{a^2-\varepsilon^2x^2}.$$

于是,所求的表面积为

(1) $P_x=2\pi\frac{b}{a}\int_{-a}^{a}\sqrt{a^2-\varepsilon^2x^2}\,dx=\frac{2\pi b}{a}\left(a\sqrt{a^2-\varepsilon^2a^2}+\frac{a^2}{\varepsilon}\arcsin\varepsilon\right)$

$=2\pi b\left(b+\frac{a}{\varepsilon}\arcsin\varepsilon\right)$,

其中 $\varepsilon=\dfrac{\sqrt{a^2-b^2}}{a}$ 是椭圆的离心率.

(2) 将 x,y 轴对调，即将 x 轴作为短轴. 于是，在所得出的 $y\sqrt{1+y'^2}$ 中仅需将 a 与 b 的位置对调一下即可，即

$$y\sqrt{1+y'^2}=\frac{a}{b}\sqrt{b^2+\frac{a^2-b^2}{b^2}x^2}=\frac{a}{b}\sqrt{b^2+\frac{c^2}{b^2}x^2}.$$

于是，所求的表面积为

$$\begin{aligned}P_y&=2\pi\frac{a}{b}\int_{-b}^{b}\sqrt{b^2+\frac{c^2}{b^2}x^2}\,dx\\&=2\pi a\frac{1}{b}\left[\frac{x}{2}\sqrt{b^2+\frac{c^2}{b^2}x^2}+\frac{b^3}{2c}\ln\left(\frac{c}{b}x+\sqrt{b^2+\frac{c^2}{b^2}x^2}\right)\right]\Bigg|_{-b}^{b}\\&=2\pi a\left(\sqrt{b^2+c^2}+\frac{b^2}{2c}\ln\frac{\sqrt{b^2+c^2}+c}{\sqrt{b^2+c^2}-c}\right)=2\pi a\left(a+\frac{b^2}{2c}\ln\frac{a+c}{a-c}\right)\\&=2\pi a\left(a+\frac{b^2}{2a}\cdot\frac{1}{\varepsilon}\ln\frac{1+\varepsilon}{1-\varepsilon}\right)=2\pi a\left[a+\frac{b^2}{a}\cdot\frac{1}{\varepsilon}\ln\frac{a(1+\varepsilon)}{b}\right].\end{aligned}$$

【2491】 $x^2+(y-b)^2=a^2(b\geqslant a)$ 绕 Ox 轴.

解 此圆分成两单值支

$$y=b+\sqrt{a^2-x^2}\text{ 及 }y=b-\sqrt{a^2-x^2}.$$

于是，所求的表面积为

$$P_x=2\pi\int_{-a}^{a}(b+\sqrt{a^2-x^2})\frac{a}{\sqrt{a^2-x^2}}dx+2\pi\int_{-a}^{a}(b-\sqrt{a^2-x^2})\frac{a}{\sqrt{a^2-x^2}}dx=4\pi^2ab.$$

【2492】 $x^{\frac{2}{3}}+y^{\frac{2}{3}}=a^{\frac{2}{3}}$ 绕 Ox 轴.

解 $y'=-\sqrt[3]{\dfrac{y}{x}}$，$\sqrt{1+y'^2}=\dfrac{\sqrt[3]{a}}{\sqrt[3]{x}}$. 于是，所求的表面积为

$$P_x=2\cdot2\pi\int_0^a(\sqrt[3]{a^2}-\sqrt[3]{x^2})^{\frac{3}{2}}\frac{\sqrt[3]{a}}{\sqrt[3]{x}}dx=-\frac{12\pi\sqrt[3]{a}}{5}(\sqrt[3]{a^2}-\sqrt[3]{x^2})^{\frac{5}{2}}\Bigg|_0^a=\frac{12\pi a^2}{5}.$$

【2493】 $y=a\,\mathrm{ch}\dfrac{x}{a}(|x|\leqslant b)$：(1) 绕 Ox 轴；(2) 绕 Oy 轴.

解 $\sqrt{1+y'^2}=\sqrt{\mathrm{sh}^2\dfrac{x}{a}+1}=\mathrm{ch}\dfrac{x}{a}$. 于是，所求的表面积为

(1) $P_x=2\pi a\displaystyle\int_{-b}^{b}\mathrm{ch}^2\frac{x}{a}dx=2\pi a\int_0^b\left(1+\mathrm{ch}\frac{2x}{a}\right)dx=\pi a\left(2b+a\,\mathrm{sh}\frac{2b}{a}\right).$

(2) $P_y=2\pi\displaystyle\int_0^b x\sqrt{1+y'^2}dx=2\pi\int_0^b x\,\mathrm{ch}\frac{x}{a}dx=2\pi a\left(a+b\,\mathrm{sh}\frac{b}{a}-a\,\mathrm{ch}\frac{b}{a}\right).$

【2494】 $\pm x=a\ln\dfrac{a+\sqrt{a^2-y^2}}{y}-\sqrt{a^2-y^2}$ 绕 Ox 轴.

解 $x'_y=\mp\dfrac{a+\sqrt{a^2-y^2}}{y}$，$\sqrt{1+x'^2_y}=\dfrac{a}{y}(0\leqslant y\leqslant a)$. 于是，所求的表面积为

$$P_x=2\cdot2\pi\int_0^a y\frac{a}{y}dy=4\pi a^2.$$

【2495】 $x=a(t-\sin t)$，$y=a(1-\cos t)(0\leqslant t\leqslant 2\pi)$：

(1) 绕 Ox 轴；(2) 绕 Oy 轴；(3) 绕直线 $y=2a$.

解 先求 ds：

$$ds=\sqrt{x'^2(t)+y'^2(t)}\,dt=2a\sin\frac{t}{2}dt.$$

于是，所求的表面积为

(1) $P_x = 2\pi\int_0^{2\pi} a(1-\cos t)2a\sin\frac{t}{2}dt = 16\pi a^2\int_0^{\pi}\sin^3 u du = \frac{64}{3}\pi a^2.$

(2) $P_y = 2\pi\int_0^{2\pi} a(t-\sin t)2a\sin\frac{t}{2}dt = 4\pi a^2\int_0^{2\pi}(t-\sin t)\sin\frac{t}{2}dt = 16\pi^2 a^2.$

(3) 作平移 $x=\bar{x}, y=\bar{y}+2a$，则 $\bar{y}=-a(1+\cos t)$.

$$P_{\bar{y}} = \left|2\pi\int_0^{2\pi}\left[-a(1+\cos t)2a\sin\frac{t}{2}dt\right]\right| = \frac{32}{3}\pi a^2.$$

注　这里取绝对值，是由于被积函数始终不为正.

【2496】　$x=a\cos^3 t, y=a\sin^3 t$ 绕直线 $y=x$.

解　先求 ds：

$$ds = \sqrt{x'^2(t)+y'^2(t)}dt = \begin{cases} 3a\sin t\cos t dt, & \frac{\pi}{4}\leqslant t\leqslant\frac{\pi}{2}, \\ -3a\sin t\cos t dt, & \frac{\pi}{2}\leqslant t\leqslant\frac{3\pi}{4}. \end{cases}$$

利用对称性，并作旋转，即得所求的表面积为

$$P = 2\left[2\pi\int_{\frac{\pi}{4}}^{\frac{\pi}{2}}\frac{y-x}{\sqrt{2}}\sqrt{x'^2(t)+y'^2(t)}dt + \int_{\frac{\pi}{2}}^{\frac{3}{4}\pi}\frac{y-x}{\sqrt{2}}\sqrt{x'^2(t)+y'^2(t)}dt\right]$$

$$= \frac{4\pi}{\sqrt{2}}\left[\int_{\frac{\pi}{4}}^{\frac{\pi}{2}}(a\sin^3 t - a\cos^3 t)3a\sin t\cos t dt - \int_{\frac{\pi}{2}}^{\frac{3\pi}{4}}(a\sin^3 t - a\cos^3 t)3a\sin t\cos t dt\right]$$

$$= \frac{12\pi a^2}{\sqrt{2}}\left[\left(\frac{1}{5}\sin^5 t+\frac{1}{5}\cos^5 t\right)\Bigg|_{\frac{\pi}{4}}^{\frac{\pi}{2}} - \left(\frac{1}{5}\sin^5 t+\frac{1}{5}\cos^5 t\right)\Bigg|_{\frac{\pi}{2}}^{\frac{3\pi}{4}}\right] = \frac{3}{5}\pi a^2(4\sqrt{2}-1).$$

【2497】　$r=a(1+\cos\theta)$，绕极轴.

解　$ds = \sqrt{r^2+r'^2(\theta)}d\theta = 2a\cos\frac{\theta}{2}d\theta, y = r\sin\theta = a(1+\cos\theta)\sin\theta = 4a\cos^3\frac{\theta}{2}\sin\frac{\theta}{2}.$

于是，所求的表面积为

$$P = 2\pi\int_0^{\pi} 8a^2\cos^4\frac{\theta}{2}\sin\frac{\theta}{2}d\theta = \frac{32}{5}\pi a^2.$$

【2498】　$r^2 = a^2\cos 2\theta$：(1) 绕极轴；(2) 绕轴 $\theta=\frac{\pi}{2}$；(3) 绕轴 $\theta=\frac{\pi}{4}$.

解　(1) $y = a\sqrt{\cos 2\theta}\sin\theta, ds = \frac{a}{\sqrt{\cos 2\theta}}d\theta$. 于是，所求的表面积为

$$P = 2\cdot 2\pi\int_0^{\frac{\pi}{4}} a^2\sin\theta d\theta = 2\pi a^2(2-\sqrt{2}).$$

(2) $x = a\sqrt{\cos 2\theta}\cos\theta\left(-\frac{\pi}{4}\leqslant\theta\leqslant\frac{\pi}{4}\right)$. 于是，所求的表面积为

$$P = 2\pi\int_{-\frac{\pi}{4}}^{\frac{\pi}{4}} a\sqrt{\cos 2\theta}\cos\theta\frac{a}{\sqrt{\cos 2\theta}}d\theta = 2\pi a^2\sqrt{2}.$$

(3) $x = a\sqrt{\cos 2\theta}\cos\theta, y = a\sqrt{\cos 2\theta}\sin\theta, ds = \frac{a}{\sqrt{\cos 2\theta}}d\theta.$

注意到在 $-\frac{\pi}{4}\leqslant\theta\leqslant\frac{\pi}{4}$ 内恒有 $x-y\geqslant 0$，于是，所求的表面积为

$$P = 2\cdot 2\pi\int_{-\frac{\pi}{4}}^{\frac{\pi}{4}}\frac{x-y}{\sqrt{2}}\frac{a}{\sqrt{\cos 2\theta}}d\theta = \frac{4\pi a^2}{\sqrt{2}}\int_{-\frac{\pi}{4}}^{\frac{\pi}{4}}(\cos\theta-\sin\theta)d\theta = \frac{4\pi a^2}{\sqrt{2}}(\sin\theta+\cos\theta)\Bigg|_{-\frac{\pi}{4}}^{\frac{\pi}{4}} = 4\pi a^2.$$

【2499】　由抛物线 $ay=a^2-x^2$ 及 Ox 轴围成的图形绕 Ox 轴旋转而构成一旋转体.

求其表面积与等体积球的表面积之比.

解 首先求此旋转体的表面积. 因

$$\sqrt{1+y'^2}=\frac{2\sqrt{x^2+\frac{a^2}{4}}}{a},$$

从而

$$\begin{aligned}P_x&=2\cdot 2\pi\int_0^a\left(a-\frac{x^2}{a}\right)\frac{2\sqrt{x^2+\frac{a^2}{4}}}{a}\mathrm{d}x=8\pi\int_0^a\sqrt{x^2+\frac{a^2}{4}}\,\mathrm{d}x-\frac{8\pi}{a^2}\int_0^a x^2\sqrt{x^2+\frac{a^2}{4}}\,\mathrm{d}x\\&=8\pi\left[\frac{x}{2}\sqrt{x^2+\frac{a^2}{4}}+\frac{a^2}{8}\ln\left(x+\sqrt{x^2+\frac{a^2}{4}}\right)\right]\Bigg|_0^a-\\&\quad\frac{8\pi}{a^2}\left[\frac{x\left(2x^2+\frac{a^2}{4}\right)}{8}\sqrt{x^2+\frac{a^2}{4}}-\frac{a^4}{128}\ln\left(x+\sqrt{x^2+\frac{a^2}{4}}\right)\right]\Bigg|_0^a\\&=\frac{\pi a^2}{8}\left[7\sqrt{5}+\frac{17}{2}\ln(2+\sqrt{5})\right].\end{aligned}$$

其次，求旋转体的体积.

$$V_x=\pi\int_{-a}^a\left(a-\frac{x^2}{a}\right)^2\mathrm{d}x=\frac{16\pi a^3}{15}.$$

设与其等体积球的半径为 R，则 $\frac{4\pi R^3}{3}=\frac{16\pi a^3}{15}$，$R=\sqrt[3]{\frac{4}{5}}a$. 于是，此球的表面积为

$$P=4\pi R^2=4\pi\sqrt[3]{\frac{16}{25}}a^2=\frac{8\sqrt[3]{10}\pi a^2}{5}.$$

最后得到

$$\frac{P_x}{P}=\frac{\frac{\pi a^2}{8}\left[7\sqrt{5}+\frac{17}{2}\ln(2+\sqrt{5})\right]}{\frac{8\sqrt[3]{10}\pi a^2}{5}}=\frac{5[14\sqrt{5}+17\ln(2+\sqrt{5})]}{128\sqrt[3]{10}}.$$

注 本题用到 1820 题的结果.

【2500】 由直线 $x=\frac{p}{2}$ 与抛物线 $y^2=2px$ 围成的图形绕直线 $y=p$ 旋转而构成一旋转体，求其体积和表面积.

解 所求的体积为

$$V_{y=p}=\int_0^{\frac{p}{2}}\pi(p+\sqrt{2px})^2\mathrm{d}x-\int_0^{\frac{p}{2}}\pi(p-\sqrt{2px})^2\mathrm{d}x=4\pi p\int_0^{\frac{p}{2}}\sqrt{2px}\,\mathrm{d}x=\frac{4}{3}\pi p^3.$$

旋转体的侧面积为

$$\begin{aligned}S_{侧}&=\int_{(l)}2\pi(p+\sqrt{2px})\mathrm{d}s+\int_{(l)}2\pi(p-\sqrt{2px})\mathrm{d}s\\&=4\pi p\int_{(l)}\mathrm{d}s=4\pi p\int_0^p\sqrt{1+\frac{y^2}{p^2}}\,\mathrm{d}y=4\pi\int_0^p\sqrt{y^2+p^2}\,\mathrm{d}y\\&=4\pi\left[\frac{y}{2}\sqrt{y^2+p^2}+\frac{p^2}{2}\ln(y+\sqrt{y^2+p^2})\right]\Bigg|_0^p=2\pi p^2[\sqrt{2}+\ln(1+\sqrt{2})].\end{aligned}$$

而底面积为

$$S_{底}=\pi(2p)^2=4\pi p^2.$$

于是，所求的表面积为

$$P = S_{侧} + S_{底} = 2\pi p^2[(2+\sqrt{2}) + \ln(1+\sqrt{2})].$$

第9节 矩的计算法、质心的坐标（习题2501—2515）

知识点预览

序号	知识点	题目序号	所在页码
1	矩	2501—2506	P266
2	质心	2507—2515	P268

知识点 1 矩

定义 若密度为 $\rho = \rho(y)$ 的质量 M 充满了 xOy 面上的某有界连续统 Ω(曲线、平面的区域)，而 $\omega = \omega(y)$ 为 Ω 中纵坐标不超过 y 的部分的相应度量(弧长、面积)，则数

$$M_k = \lim_{\max\{\Delta y_i\}\to 0}\sum_{i=1}^{n}\rho(y_i)y_i^k\Delta\omega(y_i) = \int_{\Omega}\rho y^k \mathrm{d}\omega(y)\,(k = 0,1,2,\cdots),$$

称为质量 M 对于 Ox 轴的 k 次矩.

作为特殊情形，当 $k = 0$ 时得质量 M，当 $k = 1$ 时得静矩，当 $k = 2$ 时得转动惯量.

类似地可定义出质量对于坐标平面的矩.

若 $\rho = 1$，则相应的矩称为几何矩(线矩、面积矩、体积矩等).

习题 2501—2506 矩

【2501】 求半径为 a 的半圆弧对于过此弧两端点的直径的静矩和转动惯量.

解 取此直径所在的直线作为 Ox 轴，圆心作为原点，则圆的方程为 $x^2 + y^2 = a^2$. 从而

$$y = \sqrt{a^2 - x^2},\mathrm{d}s = \sqrt{1+y'^2}\,\mathrm{d}x = \frac{a}{y}\mathrm{d}x = \frac{a}{\sqrt{a^2 - x^2}}\mathrm{d}x.$$

于是，所求的静矩和转动惯量(这里假定 $\rho = 1$，以后不再说明) 分别为

$$M_1 = \int_{-a}^{a}\sqrt{a^2 - x^2}\,\frac{a}{\sqrt{a^2 - x^2}}\mathrm{d}x = 2a^2,$$

$$M_2 = \int_{-a}^{a}(a^2 - x^2)\frac{a}{\sqrt{a^2 - x^2}}\mathrm{d}x = 2a\int_0^a\sqrt{a^2 - x^2}\,\mathrm{d}x = \frac{\pi a^3}{2}.$$

【2502】 求底为 b，高为 h 的均质三角形平板对于其底边的静矩和转动惯量($\rho = 1$).

解 取坐标系如图 4.46 所示.

$$M_1^{(x)} = \frac{1}{2}\int_0^b y^2\,\mathrm{d}x = \frac{1}{2}\int_0^c y_1^2\,\mathrm{d}x + \frac{1}{2}\int_c^b y_2^2\,\mathrm{d}x.$$

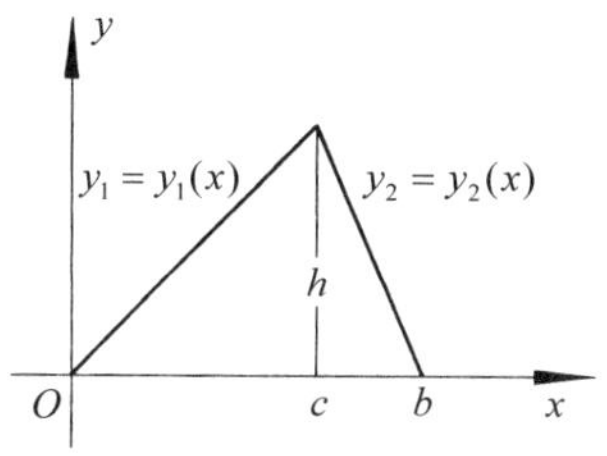

图 4.46

由于

$$y_1=y_1(x)=\frac{h}{c}x, y_2=y_2(x)=\frac{h}{c-b}(x-b),$$

于是，所求的静矩为

$$M_1^{(x)}=\frac{1}{2}\int_0^c\frac{h^2}{c^2}x^2\mathrm{d}x+\frac{1}{2}\int_c^b\frac{h^2}{(c-b)^2}(x-b)^2\mathrm{d}x=\frac{bh^2}{6}.$$

又由于

$$x_1=x_1(y)=\frac{c}{h}y, x_2=x_2(y)=b+\frac{c-b}{h}y,$$

于是，所求的转动惯量为

$$M_2^{(x)}=\int_0^h y^2(x_2-x_1)\mathrm{d}y=\int_0^h y^2\left(b-\frac{b}{h}y\right)\mathrm{d}y=\frac{bh^3}{12}.$$

【2503】 求半轴长为 a 和 b 的均质椭圆形平板对其主轴的转动惯量($\rho=1$).

解 不妨设椭圆方程为$\frac{x^2}{a^2}+\frac{y^2}{b^2}=1$，则上、下半椭圆方程为

$$x_1=-\frac{a}{b}\sqrt{b^2-y^2}, x_2=\frac{a}{b}\sqrt{b^2-y^2}.$$

于是，所求的转动惯量为

$$M_2^{(x)}=\int_{-b}^b y^2(x_2-x_1)\mathrm{d}y=2\int_{-b}^b\frac{a}{b}y^2\sqrt{b^2-y^2}\mathrm{d}y=4ab^3\int_0^{\frac{\pi}{2}}\sin^2\varphi\cos^2\varphi\mathrm{d}\varphi=\frac{\pi ab^3}{4}.$$

至于 $M_2^{(y)}$，由对称性知，只需在 $M_2^{(x)}$ 的结果中将 a,b 对调即得. 所以 $M_2^{(y)}=\frac{\pi a^3b}{4}$.

【2504】 求底半径为 r 和高为 h 的均质圆锥对其底平面的静矩和转动惯量($\rho=1$).

解 取坐标系如图 4.47 所示，则

$$M_1=\int_0^h xP(x)\mathrm{d}x,$$

其中 $P(x)=\pi y^2=\pi\left[\frac{r}{h}(h-x)\right]^2$.

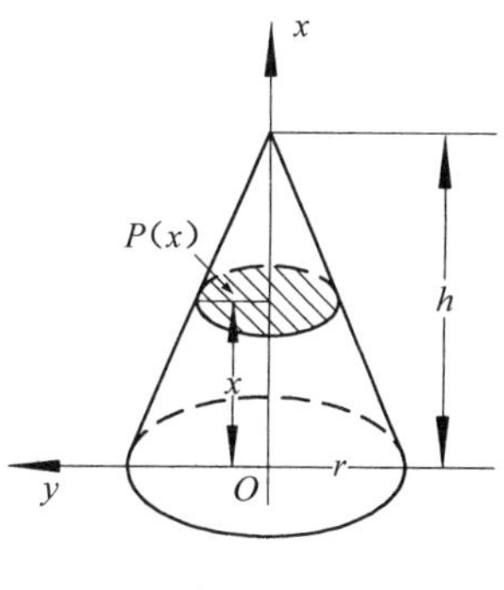

图 4.47

于是，所求的静矩和转动惯量分别为

$$M_1=\frac{\pi r^2}{h^2}\int_0^h x(h-x)^2\mathrm{d}x=\frac{\pi r^2h^2}{12},$$

$$M_2=\int_0^h x^2P(x)\mathrm{d}x=\frac{\pi r^2}{h^2}\int_0^h x^2(h-x)^2\mathrm{d}x=\frac{\pi r^2h^3}{30}.$$

【2505】 证明古尔丹第一定理：平面曲线弧 C 绕此弧所在平面上不与它相交的轴旋转而成的旋转面，其面积等于此弧的长度与它的质心所画出的圆周之长的乘积.

证 质心(ξ,η)具有这样的性质，即如把曲线的全部“质量”都集中到它上面，则此质量对于任何一个轴的静矩，都与曲线对此轴的静矩相同. 即

$$\xi s = M_y = \int_0^s x\mathrm{d}s, \eta s = M_x = \int_0^s y\mathrm{d}s,$$

式中 s 表示弧长. 于是

$$2\pi\eta s = 2\pi\int_0^s y\mathrm{d}s,$$

上式右端是弧 C 旋转而成的曲面面积,左端 $2\pi\eta$ 表示弧 C 绕 Ox 轴旋转时其质心所画出的圆周的长.

【2506】 证明古尔丹第二定理:平面图形 S 绕此图形所在平面上不与它相交的轴旋转而成的旋转体,其体积等于图形 S 的面积与此图形的质心所画出的圆周之长的乘积.

证 因 $\eta S = M_x = \frac{1}{2}\int_a^b y^2\mathrm{d}x$,故 $2\pi\eta S = \pi\int_a^b y^2\mathrm{d}x$. 此式右端即为旋转体的体积.

知识点 2 质心

定义 均质平面图形 S 的质心的坐标(x_0, y_0)可由以下公式来定义:

$$x_0 = \frac{M_1^{(y)}}{S}, y_0 = \frac{M_1^{(x)}}{S},$$

式中 $M_1^{(y)}, M_1^{(x)}$ 为图形 S 对于 Oy 轴和 Ox 轴的几何静矩.

习题 2507—2515 质心

【2507】 求圆弧 $x = a\cos\varphi, y = a\sin\varphi(|\varphi| \leqslant \alpha \leqslant \pi)$ 的质心的坐标.

解 显见 $\eta = 0$,圆弧长 $s = 2a\alpha$. 由于

$$M_y = \int_0^s x\mathrm{d}s = \int_{-\alpha}^{\alpha} a^2\cos\varphi\mathrm{d}\varphi = 2a^2\sin\alpha,$$

所以 $\xi = \frac{2a^2\sin\alpha}{2a\alpha} = \frac{a\sin\alpha}{\alpha}$. 于是,所求的质心为$\left(\frac{a\sin\alpha}{\alpha}, 0\right)$.

【2508】 求抛物线 $ax = y^2, ay = x^2(a > 0)$ 所围图形的质心的坐标.

解 利用古尔丹第二定理求解. 首先,面积为 $S = \frac{a^2}{3}$,体积为

$$V = \pi\int_0^a \left(ax - \frac{x^4}{a^2}\right)\mathrm{d}x = \frac{3\pi a^3}{10}.$$

于是 $2\pi\eta\frac{a^2}{3} = \frac{3\pi a^3}{10}, \eta = \frac{9a}{20}$. 利用对称性知 $\xi = \eta = \frac{9a}{20}$. 于是,所求的质心为$\left(\frac{9a}{20}, \frac{9a}{20}\right)$.

注 本题用到 2397 题的结果.

【2509】 求图形$\frac{x^2}{a^2} + \frac{y^2}{b^2} \leqslant 1(0 \leqslant x \leqslant a, 0 \leqslant y \leqslant b)$ 的质心的坐标.

解 首先,已知第一象限椭圆的面积等于$\frac{\pi ab}{4}$.

其次,再求椭圆绕 Ox 轴旋转所得的旋转体体积. 因为

$$y^2 = \frac{b^2}{a^2}(a^2 - x^2),$$

所以 $V = \pi\int_{-a}^a \frac{b^2}{a^2}(a^2 - x^2)\mathrm{d}x = \frac{4}{3}\pi ab^2$.

按古尔丹第二定理,有

$$2\pi\eta\frac{\pi ab}{4}=\frac{2}{3}\pi ab^2,\eta=\frac{4b}{3\pi}.$$

在结果中将 a 和 b 对调即得 $\xi=\frac{4a}{3\pi}$. 于是,所求的质心为 $\left(\frac{4a}{3\pi},\frac{4b}{3\pi}\right)$.

【2510】 求半径为 a 的均质半球的质心的坐标.

解 取圆心作为原点,则球的方程为 $x^2+y^2+z^2=a^2$. 设质心为 (ξ,η,ζ),显然

$$\xi=\eta=0,V_{半球}=\frac{2\pi a^3}{3}.$$

将圆 $y^2+z^2=a^2$ 绕 Oz 轴旋转,即得球. 又

$$M_1^{(z)}=\int_{(V)}z\mathrm{d}V=\pi\int_0^a zy^2\,\mathrm{d}z=\pi\int_0^a z(a^2-z^2)\,\mathrm{d}z=\frac{\pi a^4}{4},$$

$$\zeta=\frac{M_1^{(z)}}{V}=\frac{\frac{\pi a^4}{4}}{\frac{2\pi a^3}{3}}=\frac{3a}{8}.$$

于是,所求的质心为 $\left(0,0,\frac{3a}{8}\right)$.

【2511】 求对数螺线 $r=a\mathrm{e}^{m\varphi}(m>0)$ 上由点 $O(-\infty,0)$ 到点 $P(\varphi,r)$ 的弧 OP 的质心 $C(\varphi_0,r_0)$ 的坐标. 当点 P 移动时,点 C 画出怎样的曲线?

解 质心的直角坐标为

$$\xi=\frac{\int_{(l)}x\mathrm{d}s}{\int_{(l)}\mathrm{d}s}=\frac{\int_{-\infty}^{\varphi}r\cos\varphi\sqrt{a^2(1+m^2)}\,\mathrm{e}^{m\varphi}\,\mathrm{d}\varphi}{\int_{-\infty}^{\varphi}\sqrt{a^2(1+m^2)}\,\mathrm{e}^{m\varphi}\,\mathrm{d}\varphi}=\frac{a\int_{-\infty}^{\varphi}\mathrm{e}^{2m\varphi}\cos\varphi\mathrm{d}\varphi}{\int_{-\infty}^{\varphi}\mathrm{e}^{m\varphi}\,\mathrm{d}\varphi}=\frac{ma\,\mathrm{e}^{m\varphi}(\sin\varphi+2m\cos\varphi)}{4m^2+1}.$$

同法可得 $\eta=\frac{\int_{(l)}y\mathrm{d}s}{\int_{(l)}\mathrm{d}s}=\frac{ma\,\mathrm{e}^{m\varphi}(2m\sin\varphi-\cos\varphi)}{4m^2+1}$.

于是,质心的极坐标为

$$r_0=\sqrt{\xi^2+\eta^2}=\frac{ma}{4m^2+1}\sqrt{4m^2+1}\,\mathrm{e}^{m\varphi}=\frac{mr}{\sqrt{4m^2+1}},$$

$$\tan\varphi_0=\frac{\eta}{\xi}=\frac{2m\tan\varphi-1}{\tan\varphi+2m}=\frac{\tan\varphi-\frac{1}{2m}}{1+\frac{1}{2m}\tan\varphi},$$

即 $\varphi_0=\varphi-\alpha$,其中 $\alpha=\arctan\frac{1}{2m}$.

当点 P 移动时,点 $C(\varphi_0,r_0)$ 画出的曲线为

$$r_0=\frac{ma}{\sqrt{4m^2+1}}\mathrm{e}^{m\varphi}=\frac{ma}{\sqrt{4m^2+1}}\mathrm{e}^{m(\varphi_0+\alpha)},$$

这也是一条对数螺线.

【2512】 求曲线 $r=a(1+\cos\varphi)$ 所围图形的质心的坐标.

解 计算时,将小扇形的重量集中在其质心 $\left(\frac{2}{3}r\cos\varphi,\frac{2}{3}r\sin\varphi\right)$ 处. 由对称性知 $\eta=0$,而

$$\xi=\frac{\int_{(l)}xy\mathrm{d}x}{\int_{(l)}y\mathrm{d}x}=\frac{\frac{2}{3}\int_0^{\pi}r\cos\varphi\frac{1}{2}r^2\mathrm{d}\varphi}{\int_0^{\pi}\frac{1}{2}r^2\mathrm{d}\varphi}=\frac{2}{3}\frac{\int_0^{\pi}a^3(1+\cos\varphi)^3\cos\varphi\mathrm{d}\varphi}{\int_0^{\pi}a^2(1+\cos\varphi)^2\,\mathrm{d}\varphi}$$

$$=\frac{2a}{3}\frac{\int_0^{\pi}(1+3\cos\varphi+3\cos^2\varphi+\cos^3\varphi)\cos\varphi\mathrm{d}\varphi}{\int_0^{\pi}(1+2\cos\varphi+\cos^2\varphi)\mathrm{d}\varphi}=\frac{5a}{6}.$$

于是,质心的极坐标为 $\varphi_0 = 0, r_0 = \dfrac{5a}{6}$.

【2513】 求摆线 $x = a(t - \sin t), y = a(1 - \cos t)(0 \leqslant t \leqslant 2\pi)$ 的第一拱与 Ox 轴所围图形质心的坐标.

解 由旋转性知 $\xi = \pi a$. 由于面积 $S = 3\pi a^2$ 及图形 S 绕 Ox 轴旋转而成的曲面包围的体积

$$V_x = 5\pi^2 a^3,$$

利用古尔丹第二定理,即得质心(ξ, η) 适合下列关系式

$$2\pi\eta S = V_x \text{ 即 } \eta = \frac{V_x}{2\pi S} = \frac{5\pi^2 a^3}{2\pi \cdot 3\pi a^2} = \frac{5a}{6}.$$

于是,所求的质心为$\left(\pi a, \dfrac{5a}{6}\right)$.

注 本题用到 2413 题和 2480 题(1) 的的结果.

【2514】 求图形 $0 \leqslant x \leqslant a, y^2 \leqslant 2px$ 绕 Ox 轴旋转所成旋转体的质心的坐标.

解 由对称性知 $\eta = 0$. 又

$$\xi = \frac{\int_0^a x\pi y^2 \mathrm{d}x}{\int_0^a \pi y^2 \mathrm{d}x} = \frac{\int_0^a 2px^2 \mathrm{d}x}{\int_0^a 2px \mathrm{d}x} = \frac{2}{3}a.$$

于是,所求的质心为$\left(\dfrac{2}{3}a, 0\right)$.

【2515】 求半球 $x^2 + y^2 + z^2 = a^2 (z \geqslant 0)$ 的质心的坐标.

解 由对称性知 $\xi = \eta = 0$.

$$\zeta = \frac{\int_0^a z 2\pi x \sqrt{1 + x'^2(z)} \mathrm{d}z}{\int_0^a 2\pi x \sqrt{1 + x'^2(z)} \mathrm{d}z} = \frac{\int_0^a 2\pi z \sqrt{a^2 - z^2} \dfrac{a}{\sqrt{a^2 - z^2}} \mathrm{d}z}{\int_0^a 2\pi \sqrt{a^2 - z^2} \dfrac{a}{\sqrt{a^2 - z^2}} \mathrm{d}z} = \frac{2\pi a \int_0^a z \mathrm{d}z}{2\pi a \int_0^a \mathrm{d}z} = \frac{a}{2}.$$

于是,所求的质心为$\left(0, 0, \dfrac{a}{2}\right)$.

第10节 积分在物理学中的应用(习题2516—2530)

知识点预览

知识点	题目序号	所在页码
积分在物理学中的应用	2516—2530	P270

知识点 积分在物理学中的应用

一般可利用以下方法求解:求积分和的极限、微元法等.

习题 2516—2521 通过求积分和的极限求解实际问题

【组成适当的积分和并求出其极限，以便求解下列问题(2516—2521)】

【2516】 杆的长度 $l=10\text{m}$，若该杆的线密度为 $\delta=6+0.3x\text{kg/m}$，其中 x 为到杆的一个端点的距离，求杆的质量.

解 将杆 n 等分，每份的长 $\Delta x=\frac{10}{n}$，把每小段近似地看成是均质的，并以右端点的密度作为小段的密度. 这样，便得到杆的质量 M 的近似值，即 $M\approx\sum\limits_{i=1}^{n}\left(6+0.3\frac{10}{n}i\right)\frac{10}{n}$，显然，$n$ 愈大愈近似. 于是，杆的质量为

$$M=\lim_{n\to\infty}\sum_{i=1}^{n}\left(6+0.3\frac{10}{n}i\right)\frac{10}{n}=\lim_{n\to\infty}\left[60+\frac{15(n+1)}{n}\right]=75(\text{kg}).$$

【2517】 把质量为 m 的物体从地球(其半径为 R)表面抬升到高度为 h 的地方，需要对它作多大的功?若物体远离至无穷远处，则功等于多少?

解 由牛顿万有引力定律

$$f=k\frac{mM}{r^2},$$

其中 M 为地球的质量，r 为物体离开地球中心的距离，k 为比例常数. 将 h 分成 n 等份，在每份上把引力近似地看作是不变的，在第 i 份上取

$$r_i=\sqrt{\left[\frac{h}{n}(i-1)+R\right]\left(\frac{h}{n}i+R\right)},$$

则力

$$f_i=k\frac{mM}{\left[\frac{h}{n}(i-1)+R\right]\left(\frac{h}{n}i+R\right)},$$

于是，所要作的功为

$$W=\lim_{n\to\infty}\sum_{i=1}^{n}\left\{k\frac{mM}{\left[\frac{h}{n}(i-1)+R\right]\left(\frac{hi}{n}+R\right)}\cdot\frac{h}{n}\right\}=\lim_{n\to\infty}kmMn\sum_{i=1}^{n}\left[\frac{1}{h(i-1)+nR}-\frac{1}{hi+nR}\right]$$

$$=\lim_{n\to\infty}kmMn\left[\frac{1}{nR}-\frac{1}{n(R+h)}\right]=\frac{kmMh}{(R+h)R},$$

其中 g 为重力加速度，$k=\frac{gR^2}{M}$ 为引力常数. 若物体远离至无穷远处，则功为

$$A_\infty=\lim_{h\to\infty}W=\lim_{h\to\infty}\frac{kmMh}{(R+h)R}=mgR.$$

【2518】 若 10N 的力能使弹簧伸长 1cm，现在要使这弹簧伸长 10cm，问需要作多少功?

解 由胡克定律知，弹性恢复力 F 与伸长量 x 成正比，即 $F=kx$. 由条件知 $k=10$. 因而，$F=10x$. 现将 10cm$n$ 等分，每份上恢复力的大小近似地看作是不变的，并取右端点作和，即得功 W 的近似值为

$$W\approx\sum_{i=1}^{n}\frac{10}{n}i\frac{10^2}{n}.$$

显然，n 愈大愈近似. 于是，所要求的功为

$$W=\lim_{n\to\infty}\sum_{i=1}^{n}\frac{10}{n}i\frac{10^2}{n}=\lim_{n\to\infty}500\frac{n+1}{n}=500(\text{N}\cdot\text{cm})=5(\text{N}\cdot\text{m})=5(\text{J}).$$

【2519】 直径 20cm，长 80cm 的圆柱形汽缸充满压强为 100N/cm^2 的蒸汽. 假定蒸汽的温度保持不变，要使其体积减小一半，需要作多少功?

解　由玻意耳－马略特定律有 $pv=C$,其中 p 表示气体的压强,v 表示体积,C 为常量.由条件知,常量

$$C=10\cdot\pi\cdot 100\cdot 80=8\ 000\pi(\mathrm{N}\cdot\mathrm{m}).$$

设初始时气体体积为 v_0,将区间 $\left[\frac{v_0}{2},v_0\right]$ 分成 n 个小区间,分点依次为

$$\frac{v_0}{2},\frac{v_0}{2}q,\frac{v_0}{2}q^2,\cdots,\frac{v_0}{2}q^i,\cdots,\frac{v_0}{2}q^n=v_0,$$

其中 $q=\sqrt[n]{\dfrac{v_0}{\frac{v_0}{2}}}=\sqrt[n]{2}$.由于气体体积从 $\frac{v_0}{2}q^{i+1}$ 减小至 $\frac{v_0}{2}q^i$ 需要作功的近似值为

$$C\left(\frac{v_0}{2}q^i\right)^{-1}\left(\frac{v_0}{2}q^{i+1}-\frac{v_0}{2}q^i\right),$$

于是,所要求的功为

$$W=\lim_{n\to\infty}\sum_{i=0}^{n}C\left(\frac{v_0}{2}q^i\right)^{-1}\left(\frac{v_0}{2}q^{i+1}-\frac{v_0}{2}q^i\right)=\lim_{n\to\infty}Cn(\sqrt[n]{2}-1)=C\ln 2=8\ 000\pi\ln 2(\mathrm{J}).$$

【2520】　求水对于垂直壁上的压力,这壁的形状为半圆形,半径为 a 且其直径位于水的表面上.

解　为求出水对半圆形的压力,只要计算出作用于四分之一圆上的压力,然后再把它两倍起来.现将四分之一圆等分成 n 个圆心角为 $\Delta\theta$ 的小扇形(图 4.48).作用于该小扇形上的压力的近似值为

$$\frac{1}{2}a^2\Delta\theta\frac{2}{3}a\sin\theta_i,$$

其中 $\Delta\theta=\frac{\pi}{2n},\theta_i=\frac{i\pi}{2n}$.

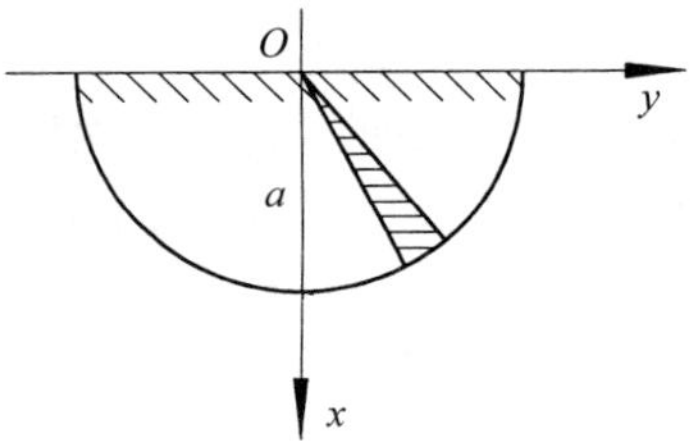

图 4.48

于是,作用于半圆上的压力为

$$P=2\lim_{n\to\infty}\sum_{i=1}^{n}\left(\frac{1}{2}a^2\ \frac{2}{3}a\sin\frac{i\pi}{2n}\cdot\frac{\pi}{2n}\right)=\frac{2a^3}{3}\lim_{n\to\infty}\sum_{i=1}^{n}\left(\sin\frac{i\pi}{2n}\cdot\frac{\pi}{2n}\right)=\frac{2a^3}{3}.$$

注　本题用到 2187 题的结果.

【2521】　求水对于垂直壁上的压力,这壁的形状为梯形,其下底 $a=10\mathrm{m}$,上底 $b=6\mathrm{m}$,高 $h=5\mathrm{m}$,下底沉没于水面下的距离为 $c=20\mathrm{m}$.

解　取坐标系如图 4.49 所示,AB 所满足的方程为 $y=\frac{4}{5}x-6$.

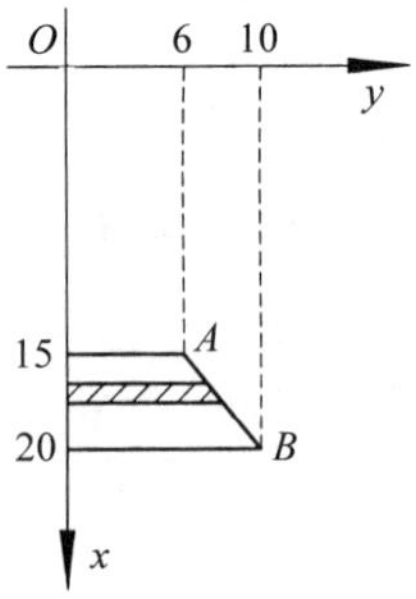

将区间[15,20]n 等分,每份长 $\Delta x=\frac{5}{n}$.对应于 Δx 的小条上所受的压力的近似值为

$$\left[\frac{4}{5}\left(15+\frac{5i}{n}\right)-6\right]\left(15+\frac{5i}{n}\right)\frac{5}{n}.$$

于是,所要求的压力为

$$P=\lim_{n\to\infty}\sum_{i=1}^{n}\left[\frac{4}{5}\left(15+\frac{5i}{n}\right)-6\right]\left(15+\frac{5i}{n}\right)\frac{5}{n}=\frac{2\ 125}{3}(\mathrm{T}).$$

注　本题参照 2185 题和 2518 题的解题方法.

习题 2522—2530 利用微元法求解实际问题

【写出微分方程并解下列问题(2522—2530)】

【2522】 一质点运动的速度按规律：

$$v = v_0 + at\,(v_0 = \text{常数}, a = \text{常数})$$

变化，问在$[0,T]$内，此质点经过怎样的路程？

解 设路程为s，则由导数的力学意义知

$$\frac{\mathrm{d}s}{\mathrm{d}t} = v = v_0 + at,$$

即$\mathrm{d}t$时间内经历的路程为$\mathrm{d}s = (v_0 + at)\mathrm{d}t$，于是，所经过的路程为

$$s = \int_0^T (v_0 + at)\mathrm{d}t = v_0 T + \frac{1}{2}aT^2.$$

【2523】 半径为R而密度为δ的均质球体以角速度ω绕其直径旋转，求此球的动能.

解 已知半径为R、质量为M的盘绕垂直盘心的轴的转动惯量为$\frac{1}{2}MR^2$. 不妨设球面方程为

$$x^2 + y^2 + z^2 = R^2,$$

则考察以$\mathrm{d}z$为厚度的垂直于z轴的圆盘，其转动惯量为

$$\mathrm{d}J_z = \frac{1}{2}\pi(R^2 - z^2)\delta(R^2 - z^2)\mathrm{d}z = \frac{1}{2}\pi\delta(R^2 - z^2)^2\mathrm{d}z.$$

从而，球体的转动惯量为

$$J_z = \int_{-R}^{R} \frac{1}{2}\pi\delta(R^2 - z^2)^2\mathrm{d}z = \frac{8}{15}\pi\delta R^5.$$

于是，球的动能为$E = \frac{1}{2}J\omega^2 = \frac{4}{15}\pi\delta\omega^2 R^5$.

【2524】 线密度μ_0为常数的无穷直线以怎样的力吸引距此直线距离为a、质量为m的质点？

解 取坐标系如图 4.50 所示，$|AO| = a$. 设引力在坐标轴上的投影为F_x和F_y. 由于

$$\mathrm{d}F_y = k\frac{m\mu_0\mathrm{d}x}{a^2 + x^2}\cos\varphi = -\frac{km\mu_0 a}{(a^2 + x^2)^{\frac{3}{2}}}\mathrm{d}x,$$

于是

$$F_y = -2km\mu_0 a\int_0^{+\infty}\frac{\mathrm{d}x}{(a^2 + x^2)^{\frac{3}{2}}} = -2km\mu_0 a\left.\frac{x}{a^2\sqrt{a^2 + x^2}}\right|_0^{+\infty} = -\frac{2km\mu_0}{a}.$$

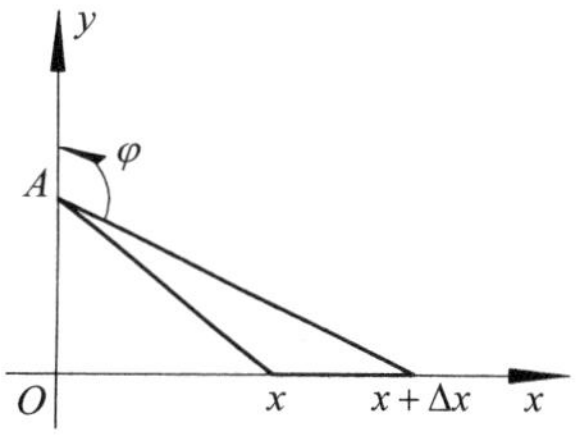

图 4.50

由对称性知，$F_x = 0$. 事实上，有

$$F_x = \int_{-\infty}^{+\infty}\frac{km\mu_0\sin\varphi}{a^2 + x^2}\mathrm{d}x = km\mu_0\int_{-\infty}^{+\infty}\frac{x}{(a^2 + x^2)^{\frac{3}{2}}}\mathrm{d}x = 0,$$

其中k为引力常数. 由上述分析知，引力指向y轴的负向.

【2525】 计算半径为a且面密度δ_0为常数的圆形薄板以怎样的力吸引质量为m的质点P，此质点位于通过薄板中心Q且垂直于薄板平面的直线上，距离PQ等于b？

解 取坐标系如图 4.51 所示. 显然，引力指向y轴的正向. 对于以x为半径的圆环，其质量为$\mathrm{d}m = \delta_0 2\pi x\mathrm{d}x$，对质点$P$的引力为

$$dF_y = 2km\delta_0\pi\frac{\cos\theta}{b^2+x^2}dx = 2km\delta_0\pi\frac{bx}{(b^2+x^2)^{\frac{3}{2}}}dx.$$

于是,所要求的引力为

$$F_y = 2km\delta_0\pi\int_0^a\frac{bx}{(b^2+x^2)^{\frac{3}{2}}}dx = 2km\delta_0\pi\left(1-\frac{b}{\sqrt{a^2+b^2}}\right).$$

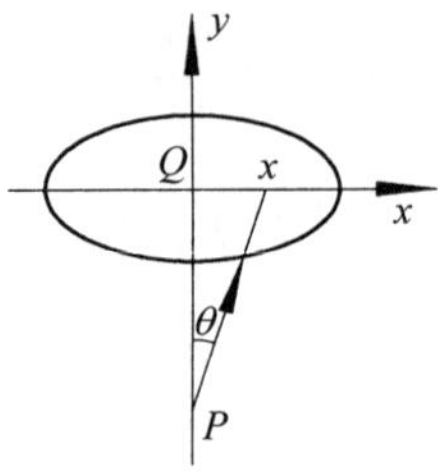

图 4.51

【2526】 根据托里拆利定律,液体通过小孔从容器中流出的速度等于

$$v = c\sqrt{2gh},$$

其中 g 为重力加速度,h 为液体表面在小孔以上的高度,$c=0.6$ 为实验系数.

直径为 $D=1\text{m}$ 及高为 $H=2\text{m}$ 的直立圆柱形大桶,其底部有一个直径为 $d=1\text{cm}$ 的圆孔,问此桶充满液体后经过多长时间,方可完全排空?

解 取坐标系如图 4.52 所示. 对于 dt 时间,从圆孔流出的液体体积

$$dV = 0.15\pi\sqrt{2gx}\,dt,$$

而桶内液体体积的减少量为 $dV=-\pi(50)^2dx$,其中 x 随时间 t 的增大而减小. 流出的量应等于桶内减少的量,于是

$$-0.15\pi\sqrt{2gx}\,dt = \pi(50)^2dx.$$

积分,得

$$\int_0^t dt = -\int_{200}^x\frac{2\,500}{0.15}\frac{dx}{\sqrt{2gx}},$$

即

$$t = -\frac{100\,000}{3\sqrt{2g}}(\sqrt{x}-\sqrt{200}),$$

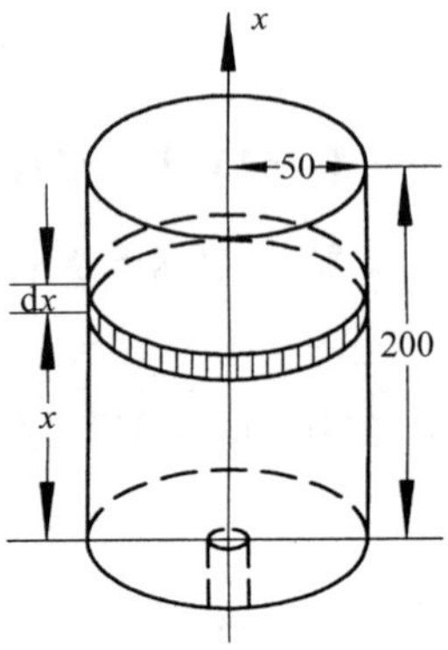

图 4.52

其中 $g=980\text{cm/s}^2$. 当 $x=0$ 时,t 表示水流完所需的时间. 因而所要求的时间为

$$t = \frac{100\,000\sqrt{200}}{3\sqrt{2\times980}} = 10\,648(\text{s}) \approx 3(\text{h}).$$

【2527】 旋转体的容器应当具有什么形状,才能使液体从容器底部流出时,液体表面的下降是均匀的?

解 取坐标系如图 4.53 所示. 不妨设流出孔的半径为单位厘米. 仿上题分析,得

$$\pi x^2dy = -\pi v dt = -\pi c\sqrt{2gy}\,dt,\text{即 } dy = -c\sqrt{2g}\frac{\sqrt{y}}{x^2}dt,$$

其中 c 为实验系数,g 为重力加速度.

由题意知 $\frac{dy}{dt}=-c\sqrt{2g}\frac{\sqrt{y}}{x^2}$ 应等于常数 k,即 $-c\sqrt{2g}\frac{\sqrt{y}}{x^2}=k$,于是 $y=Cx^4$,其中 C 为常数. 所以,容器应当是把曲线 $y=Cx^4$ 绕铅直轴 Oy 旋转而得的曲面所构成的.

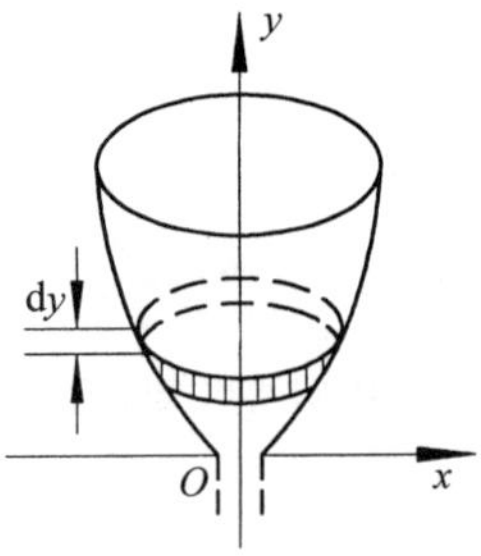

图 4.53

【2528】 镭在每一时刻的衰变速度与其现存的量成正比,设在初始时刻 $t=0$ 有镭 Q_0,经过时间 $T=1\,600$ 年它的量减少了一半. 求镭的衰变规律.

解 设 Q 为现存的量,按题设有 $\frac{dQ}{dt}=kQ$,其中 k 为比例系数,即 $\frac{dQ}{Q}=kdt$,两端积分

$$\int_{Q_0}^{\frac{Q_0}{2}} \frac{dQ}{Q} = \int_0^{1\,600} k dt,$$

从而

$$k = -\frac{\ln 2}{1\,600}.$$

于是

$$\int_{Q_0}^{Q} \frac{dQ}{Q} = -\frac{\ln 2}{1\,600}\int_0^t dt, \ln\frac{Q}{Q_0} = \ln 2^{-\frac{t}{1\,600}}.$$

所以,镭的衰变规律为 $Q = Q_0 2^{-\frac{t}{1\,600}}$.

【2529】 在一种把物质 A 变为物质 B 的二阶化学反应中,反应速度与此二物质浓度之积成正比.若在 $t=0$min时在容器中有20%的物质 B,而当 $t=15$min时其浓度变成80%.问在 $t=1$h时其浓度如何?

解 设 x 为生成物 B 的浓度,按题设有 $\frac{dx}{dt} = kx(1-x)$,其中 k 为比例常数,即

$$\frac{dx}{x(1-x)} = k dt,$$

两端积分

$$\int_{0.2}^{0.8} \frac{dx}{x(1-x)} = \int_0^{15} k dt,$$

从而 $k = \frac{1}{15}\ln 16$. 于是

$$\int_{0.2}^{x} \frac{du}{u(1-u)} = \int_0^t k dt = \frac{t}{15}\ln 16, \text{即 } t = \frac{15}{\ln 16}\ln\frac{4x}{1-x}.$$

以 $t=60$ 代入上式,得

$$x = \frac{16^4}{16^4+4} = 99.99\%.$$

所以,经过 $t=1$h 在容器中所含有的物质 B 的浓度为99.99%.

【2530】 根据胡克定律,杆的相对伸长 ε 与相应横断面上的应力 σ 成正比,即 $\varepsilon = \frac{\sigma}{E}$,其中 E 为杨氏模量.

求圆锥形杆在自重作用下的伸长量,此锥形的顶向下而底固定,设底半径等于 R,圆锥的高为 H,密度为 ρ.

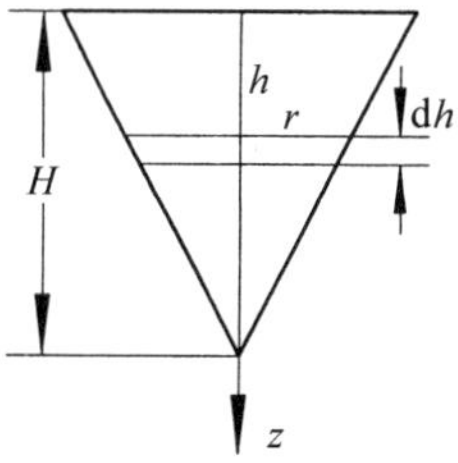

图 4.54

解 取坐标系如图4.54所示.设截面处 $z=h$,对于高度为 dh 的锥体伸长为 dl,则有

$$\varepsilon = \frac{dl}{dh} = \frac{\frac{1}{3}\pi r^2 (H-h)\rho g}{\pi r^2 E} = \frac{1}{3}\cdot\frac{H-h}{E}\rho g,$$

即 $dl = \frac{1}{3}\frac{H-h}{E}\rho g\,dh$. 于是,圆锥形杆总的伸长量为

$$l = \int_0^H \frac{1}{3}\cdot\frac{(H-h)\rho g}{E} dh = \frac{\rho g H^2}{6E}.$$

第11节 定积分的近似计算法（习题2531—2545）

知识点预览

序号	知识点	题目序号	所在页码
1	矩形公式	2531—2531	P276
2	梯形公式	2532—2534	P277
3	抛物线公式(辛普森公式)	2535—2545	P279

知识点 1 矩形公式

定理 若函数 $y=y(x)$ 在$[a,b]$上连续且充分多次可微，并且$h=\dfrac{b-a}{n}$，$x_i=a+ih$ $(i=0,1,\cdots,n)$，$y_i=y(x_i)$，则

$$\int_a^b y(x)\mathrm{d}x=h(y_0+y_1+\cdots+y_{n-1})+R_n,$$

其中 $R_n=\dfrac{(b-a)^2}{2n}y'(\xi)(a\leqslant\xi\leqslant b)$.

习题 2531—2531 利用矩形公式近似计算

【2531】 利用矩形公式($n=12$)，近似计算$\int_0^{2\pi}x\sin x\mathrm{d}x$，并把结果同精确答案进行比较.

解 $h=\dfrac{\pi}{6}$.

$x_0=0,y_0=0$;

$x_1=\dfrac{\pi}{6},y_1=\dfrac{\pi}{6}\sin\dfrac{\pi}{6}=0.261\ 8$;

$x_2=\dfrac{\pi}{3},y_2=\dfrac{\pi}{3}\sin\dfrac{\pi}{3}=0.906\ 9$;

$x_3=\dfrac{\pi}{2},y_3=\dfrac{\pi}{2}\sin\dfrac{\pi}{2}=1.570\ 8$;

$x_4=\dfrac{2\pi}{3},y_4=\dfrac{2\pi}{3}\sin\dfrac{2\pi}{3}=1.813\ 8$;

$x_5=\dfrac{5\pi}{6},y_5=\dfrac{5\pi}{6}\sin\dfrac{5\pi}{6}=1.309\ 0$;

$x_6=\pi,y_6=\pi\sin\pi=0$;

$x_7=\dfrac{7\pi}{6},y_7=\dfrac{7\pi}{6}\sin\dfrac{7\pi}{6}=-1.832\ 6$;

$x_8=\dfrac{4\pi}{3},y_8=\dfrac{4\pi}{3}\sin\dfrac{4\pi}{3}=-3.627\ 6$;

$x_9=\dfrac{3\pi}{2},y_9=\dfrac{3\pi}{2}\sin\dfrac{3\pi}{2}=-4.712\ 4$;

$x_{10}=\dfrac{5\pi}{3},y_{10}=\dfrac{5\pi}{3}\sin\dfrac{5\pi}{3}=-4.534\ 5$;

$x_{11}=\dfrac{11\pi}{6},y_{11}=\dfrac{11\pi}{6}\sin\dfrac{11\pi}{6}=-2.879\ 8$.

按矩形公式，得

$$\int_0^{2\pi}x\sin x\mathrm{d}x\approx\frac{\pi}{6}(y_0+y_1+y_2+y_3+y_4+y_5+y_6+y_7+y_8+y_9+y_{10}+y_{11})\approx-6.139\ 0.$$

实际上 $\int_0^{2\pi}x\sin x\mathrm{d}x=-x\cos x\Big|_0^{2\pi}+\int_0^{2\pi}\cos x\mathrm{d}x\approx-6.283\ 2$.

知识点2 梯形公式

定理 若函数 $y=y(x)$ 在 $[a,b]$ 上连续且充分多次可微，并且 $h=\dfrac{b-a}{n}$，$x_i=a+ih$ $(i=0,1,\cdots,n)$，$y_i=y(x_i)$，则

$$\int_a^b y(x)\mathrm{d}x=h\left(\frac{y_0+y_n}{2}+y_1+y_2+\cdots+y_{n-1}\right)+R_n,$$

式中 $R_n=-\dfrac{(b-a)^3}{12n^2}f''(\xi)(a\leqslant\xi\leqslant b)$.

习题 2532—2534 利用梯形公式近似计算

【利用梯形公式计算下列积分并估计误差(2532—2534)】

【2532】 $\displaystyle\int_0^1\frac{\mathrm{d}x}{1+x}(n=8)$.

解 $h=\dfrac{1}{8}=0.125$.

$x_0=0,y_0=1$； $x_8=1,y_8=0.5$； $\dfrac{y_0+y_8}{2}=0.75$；

$x_1=0.125,y_1=0.888\,89$； $x_2=0.25,y_2=0.8$；

$x_3=0.375,y_3=0.727\,27$； $x_4=0.5,y_4=0.666\,67$；

$x_5=0.625,y_5=0.615\,38$； $x_6=0.75,y_6=0.571\,43$；

$x_7=0.875,y_7=0.533\,3$； $\displaystyle\sum_{i=1}^{7}y_i=4.802\,97$.

按梯形公式，得

$$\int_0^1\frac{\mathrm{d}x}{1+x}\approx h\left(\frac{y_0+y_8}{2}+\sum_{i=1}^{7}y_i\right)=0.125(0.75+4.802\,97)\approx0.694\,12,$$

误差为

$$|R_n|=\left|\frac{1}{12\times8^2}\cdot\frac{2}{(1+\xi)^3}\right|(0\leqslant\xi\leqslant1).$$

于是

$$|R_n|\leqslant\frac{2}{12\times8^2}<0.002\,7=2.7\times10^{-3}.$$

实际上

$$\int_0^1\frac{\mathrm{d}x}{1+x}=\ln(1+x)\Big|_0^1=\ln2\approx0.693\,15.$$

【2533】 $\displaystyle\int_0^1\frac{\mathrm{d}x}{1+x^3}(n=12)$.

解 $h=\dfrac{1}{12}=0.083\,33$.

$x_0=0,y_0=1$； $x_{12}=1,y_{12}=0.5$； $\dfrac{y_0+y_{12}}{2}=0.75$；

$x_1=\dfrac{1}{12},y_1=0.999\,42$； $x_2=\dfrac{1}{6},y_2=0.995\,39$；

$x_3=0.25,y_3=0.984\,62$； $x_4=\dfrac{1}{3},y_4=0.964\,29$；

$x_5 = \frac{5}{12}, y_5 = 0.932\ 54$;　　$x_6 = 0.5, y_6 = 0.888\ 89$;

$x_7 = \frac{7}{12}, y_7 = 0.834\ 38$;　　$x_8 = \frac{2}{3}, y_8 = 0.771\ 43$;

$x_9 = 0.75, y_9 = 0.703\ 30$;　　$x_{10} = \frac{5}{6}, y_{10} = 0.633\ 43$;

$x_{11} = \frac{11}{12}, y_{11} = 0.564\ 89$;　　$\sum_{i=1}^{11} y_i = 9.272\ 58$.

按梯形公式,得

$$\int_0^1 \frac{dx}{1+x^3} \approx h\left(\frac{y_0+y_{12}}{2} + \sum_{i=1}^{11} y_i\right) = 0.083\ 33(0.75 + 9.272\ 58) \approx 0.835\ 18,$$

误差为

$$|R_n| = \left|\frac{1}{12\times 12^2} \cdot \frac{12\xi^4 - 6\xi}{(1+\xi^3)^3}\right| (0 \leqslant \xi \leqslant 1).$$

利用求极值的方法,估计得$\left|\frac{12\xi^4-6\xi}{(1+\xi^3)^3}\right|$在$[0,1]$上不超过 2. 于是

$$|R_n| \leqslant \frac{2}{12\times 12^2} < 0.001\ 16 = 1.16 \times 10^{-3}.$$

实际上

$$\int_0^1 \frac{dx}{1+x^3} = \left[\frac{1}{6}\ln\frac{(x+1)^2}{x^2-x+1} + \frac{1}{\sqrt{3}}\arctan\frac{2x-1}{\sqrt{3}}\right]\Bigg|_0^1 = \frac{1}{3}\ln 2 + \frac{\pi}{3\sqrt{3}} \approx 0.835\ 65.$$

注　本题用到 1881 题的结果.

【2534】 $\int_0^{\frac{\pi}{2}} \sqrt{1 - \frac{1}{4}\sin^2 x}\, dx (n = 6)$.

解　$h = \frac{\pi}{12} = 0.261\ 8$,

$x_0 = 0, y_0 = 1$;　$x_6 = \frac{\pi}{2}, y_6 = 0.866\ 0$;　$\frac{y_0+y_6}{2} = 0.933\ 0$,

$x_1 = \frac{\pi}{12}, y_1 = 0.991\ 6$;　$x_2 = \frac{\pi}{6}, y_2 = 0.968\ 2$,

$x_3 = \frac{\pi}{4}, y_3 = 0.935\ 4$;　$x_4 = \frac{\pi}{3}, y_4 = 0.901\ 4$;

$x_5 = \frac{5\pi}{12}, y_5 = 0.875\ 6, \sum_{i=1}^{5} y_i = 4.672\ 2$.

按梯形公式,得

$$\int_0^{\frac{\pi}{2}} \sqrt{1-\frac{1}{4}\sin^2 x}\, dx \approx h\left(\frac{y_0+y_6}{2} + \sum_{i=1}^{5} y_i\right) = 0.261\ 8(0.933\ 0 + 4.672\ 2) \approx 1.467\ 4.$$

误差为

$$|R_n| = \frac{\left(\frac{\pi}{2}\right)^3}{12\cdot 6^2} |y''(\xi)|,$$

式中 $y = \sqrt{1-\frac{1}{4}\sin^2 x}, 0 \leqslant \xi \leqslant \frac{\pi}{2}$. 利用$\frac{\sqrt{3}}{2} \leqslant y \leqslant 1$ 及 $y^2 = 1 - \frac{1}{4}\sin^2 x$,可得 $|y''| \leqslant \frac{\sqrt{3}}{6}$. 故

$$|R_n| \leqslant \frac{\pi^3}{8\times 12\times 6} \cdot \frac{\sqrt{3}}{6} < 2.59 \times 10^{-3}.$$

知识点3 抛物线公式(辛普森公式)

定理 令 $n=2k$,得

$$\int_a^b y(x)\mathrm{d}x=\frac{h}{3}[(y_0+y_{2k})+4(y_1+y_3+\cdots+y_{2k-1})+2(y_2+y_4+\cdots+y_{2k-2})]+R_n,$$

其中

$$R_n=-\frac{(b-a)^5}{180n^4}f^{(4)}(\xi)(a\leqslant\xi\leqslant b).$$

习题 2535—2545 利用辛普森公式近似计算

【利用辛普森公式计算下列积分(2535—2538)】

【2535】 $\int_1^9\sqrt{x}\,\mathrm{d}x(n=4)$.

解 $h=2$.

$x_0=1,y_0=1$; $x_1=3,y_1=\sqrt{3}=1.732$;

$x_2=5,y_2=\sqrt{5}=2.236$; $x_3=7,y_3=\sqrt{7}=2.646$;

$x_4=9,y_4=3$.

按辛普森公式,得

$$\int_1^9\sqrt{x}\,\mathrm{d}x\approx\frac{h}{3}[(y_0+y_4)+4(y_1+y_3)+2y_2]=\frac{2}{3}[4+4(1.732+2.646)+2(2.236)]\approx17.323.$$

实际上

$$\int_1^9\sqrt{x}\,\mathrm{d}x=\frac{2}{3}x^{\frac{3}{2}}\Big|_1^9=\frac{52}{3}\approx17.333.$$

【2536】 $\int_0^\pi\sqrt{3+\cos x}\,\mathrm{d}x(n=6)$.

解 $h=\frac{\pi}{6}$.

$x_0=0,y_0=2$; $x_1=\frac{\pi}{6},y_1=\sqrt{3+\cos\frac{\pi}{6}}=1.966$;

$x_2=\frac{\pi}{3},y_2=\sqrt{3+\cos\frac{\pi}{3}}=1.871$; $x_3=\frac{\pi}{2},y_3=\sqrt{3+\cos\frac{\pi}{2}}=1.732$;

$x_4=\frac{2\pi}{3},y_4=\sqrt{3+\cos\frac{2\pi}{3}}=1.581$; $x_5=\frac{5\pi}{6},y_5=\sqrt{3+\cos\frac{5\pi}{6}}=1.461$;

$x_6=\pi,y_6=\sqrt{3+\cos\pi}=1.414$.

按辛普森公式,得

$$\int_0^\pi\sqrt{3+\cos x}\,\mathrm{d}x\approx\frac{\pi}{18}[(2+1.414)+4(1.966+1.732+1.461)+2(1.871+1.581)]\approx5.4025.$$

【2537】 $\int_0^{\frac{\pi}{2}}\frac{\sin x}{x}\mathrm{d}x(n=10)$.

解 $h=\frac{\pi}{20}$.

$x_0=0,y_0=1$; $x_1=\frac{\pi}{20},y_1=\frac{20}{\pi}\sin\frac{\pi}{20}=0.99589$;

$x_2=\frac{\pi}{10}, y_2=\frac{10}{\pi}\sin\frac{\pi}{10}=0.983\ 63$；　$x_3=\frac{3\pi}{20}, y_3=\frac{20}{3\pi}\sin\frac{3\pi}{20}=0.963\ 40$；

$x_4=\frac{\pi}{5}, y_4=\frac{5}{\pi}\sin\frac{\pi}{5}=0.935\ 49$；　$x_5=\frac{\pi}{4}, y_5=\frac{4}{\pi}\sin\frac{\pi}{4}=0.900\ 32$；

$x_6=\frac{3\pi}{10}, y_6=\frac{10}{3\pi}\sin\frac{3\pi}{10}=0.858\ 39$；　$x_7=\frac{7\pi}{20}, y_7=\frac{20}{7\pi}\sin\frac{7\pi}{20}=0.810\ 33$；

$x_8=\frac{2\pi}{5}, y_8=\frac{5}{2\pi}\sin\frac{2\pi}{5}=0.756\ 83$；　$x_9=\frac{9\pi}{20}, y_9=\frac{20}{9\pi}\sin\frac{9\pi}{20}=0.698\ 65$；

$x_{10}=\frac{\pi}{2}, y_{10}=\frac{2}{\pi}=0.636\ 62.$

按辛普森公式，得

$$\int_0^{\frac{\pi}{2}}\frac{\sin x}{x}dx\approx\frac{h}{3}[(y_0+y_{10})+4(y_1+y_3+y_5+y_7+y_9)+2(y_2+y_4+y_6+y_8)]$$

$$=\frac{\pi}{60}[(1+0.636\ 62)+4(0.995\ 89+0.963\ 40+0.900\ 32+0.810\ 33+0.698\ 65)+2(0.983\ 63+0.935\ 49+0.858\ 39+0.756\ 83)]$$

$$\approx 1.370\ 76.$$

【2538】 $\int_0^1\frac{x\,dx}{\ln(1+x)}(n=6).$

解 $h=\frac{1}{6}.$

$x_0=0, y_0=\lim\limits_{x\to 0}\frac{x}{\ln(1+x)}=1$；　$x_1=\frac{1}{6}, y_1=1.081\ 2$；

$x_2=\frac{1}{3}, y_2=1.158\ 7$；　$x_3=\frac{1}{2}, y_3=1.233\ 2$；

$x_4=\frac{2}{3}, y_4=1.305\ 1$；　$x_5=\frac{5}{6}, y_5=1.374\ 8$；　$x_6=1, y_6=1.442\ 7.$

按辛普森公式，得

$$\int_0^1\frac{x\,dx}{\ln(1+x)}\approx\frac{h}{3}[(y_0+y_6)+4(y_1+y_3+y_5)+2(y_2+y_4)]$$

$$=\frac{1}{18}[(1+1.442\ 7)+4(1.081\ 2+1.233\ 2+1.374\ 8)+2(1.158\ 7+1.305\ 1)]$$

$$\approx 1.229\ 3.$$

【2539】 取 $n=10$，计算卡塔兰常数：$G=\int_0^1\frac{\arctan x}{x}dx.$

解 $h=\frac{1}{10}.$

$x_0=0, y_0=1$；　$x_1=0.1, y_1=0.996\ 69$；

$x_2=0.2, y_2=0.986\ 98$；　$x_3=0.3, y_3=0.971\ 52$；

$x_4=0.4, y_4=0,951\ 27$；　$x_5=0.5, y_5=0.927\ 30$；

$x_6=0.6, y_6=0.900\ 70$；　$x_7=0.7, y_7=0.872\ 47$；

$x_8=0.8, y_8=0.843\ 43$；　$x_9=0.9, y_9=0.814\ 24$；

$x_{10}=1, y_{10}=0.785\ 40.$

按辛普森公式，得

$$G\approx\frac{h}{3}[(y_0+y_{10})+4(y_1+y_3+y_5+y_7+y_9)+2(y_2+y_4+y_6+y_8)]$$

$$=\frac{1}{30}(1.785\ 40+18.328\ 88+7.364\ 76)\approx 0.915\ 97.$$

【2540】 利用公式$\frac{\pi}{4}=\int_0^1 \frac{\mathrm{d}x}{1+x^2}$计算数 π，精确到 10^{-5}.

解 利用辛普森公式计算其误差 $R_n(x)=-\frac{(b-a)^5}{180n^4}f^{(4)}(\xi)(a\leqslant\xi\leqslant b)$.

这里 $f(x)=\frac{1}{1+x^2}$，事实上，它是 $y=\arctan x$ 的导数，因而 $f^{(4)}(x)=(\arctan x)^{(5)}$.

利用 1196 题的结果得知 $f^{(4)}(x)=\frac{24}{(1+x^2)^{\frac{5}{2}}}\sin\left(5\arctan\frac{1}{x}\right)$.

在区间[0,1]上，$|f^{(4)}(x)|\leqslant 24$，所以 $|R_n(x)|\leqslant\frac{24}{180n^4}$.

要使误差小于 0.000 01，只要

$$\frac{24}{180n^4}<\frac{1}{100\ 000},$$

即只要取 $n=12$，就有 $|R_n|\leqslant 6.5\times10^{-6}$.

其次，取加进近似于函数值的误差，设法使这个新的误差小于 3.5×10^{-6}，这样，就能保证总误差小于 10^{-5}. 为了这个目的，只要计算$\frac{1}{1+x^2}$ 的值到六位小数精确到 0.5×10^{-6} 就可以.

现取 $n=12$，则有

$x_0=0, y_0=1$； $x_1=\frac{1}{12}, y_1=0.993\ 103$；

$x_2=\frac{1}{6}, y_2=0.972\ 973$； $x_3=\frac{1}{4}, y_3=0.941\ 176$；

$x_4=\frac{1}{3}, y_4=0.900\ 000$； $x_5=\frac{5}{12}, y_5=0.852\ 071$；

$x_6=\frac{1}{2}, y_6=0.800\ 000$； $x_7=\frac{7}{12}, y_7=0.746\ 114$；

$x_8=\frac{2}{3}, y_8=0.692\ 308$； $x_9=\frac{3}{4}, y_9=0.640\ 000$；

$x_{10}=\frac{5}{6}, y_{10}=0.590\ 164$； $x_{11}=\frac{11}{12}, y_{11}=0.543\ 396$；

$x_{12}=1. y_{12}=0.500\ 000.$

最后得到

$$\frac{\pi}{4}=\int_0^1\frac{\mathrm{d}x}{1+x^2}\approx\frac{1}{36}[(y_0+y_{12})+4(y_1+y_3+y_5+y_7+y_9+y_{11})+$$
$$2(y_2+y_4+y_6+y_8+y_{10})]=0.785\ 398,$$

所以 $\pi\approx0.785\ 398\times4=3.141\ 59$，精确到 0.000 01.

【2541】 计算$\int_0^1 \mathrm{e}^{x^2}\mathrm{d}x$，精确到 0.001.

解 采用辛普森公式计算，则其误差为

$$R_n(x)=-\frac{1}{180n^4}2\mathrm{e}^{\xi^2}(8\xi^4+24\xi^2+6)(0<\xi<1),$$

故有 $|R_n(x)|<\frac{1}{180n^4}2\mathrm{e}\cdot38$.

要使 $|R_n(x)|<10^{-3}$，只要$\frac{2\cdot38\mathrm{e}}{180n^4}<10^{-3}$，即只要取 $n=6$. 现取 $n=6$，则有

$x_0=0, y_0=1$； $x_1=\frac{1}{6}, y_1=\mathrm{e}^{\frac{1}{36}}=1.028\ 2$；

$x_2=\frac{1}{3}, y_2=\mathrm{e}^{\frac{1}{9}}=1.117\ 5$； $x_3=\frac{1}{2}, y_3=\mathrm{e}^{\frac{1}{4}}=1.284\ 0$；

$x_4=\frac{2}{3},y_4=e^{\frac{4}{9}}=1.5596$;　　　　$x_5=\frac{5}{6},y_5=e^{\frac{25}{36}}=2.0026$;

$x_6=1,y_6=e=2.7183$.

于是$\int_0^1 e^{x^2}dx\approx\frac{1}{18}[(y_0+y_6)+4(y_1+y_3+y_5)+2(y_2+y_4)]\approx1.463$.

【2542】 计算$\int_0^1(e^x-1)\ln\frac{1}{x}dx$,精确到$10^{-4}$.

解　方法一　对于函数$f(x)=e^x$在$[0,1]$上采用泰勒展开式以及相应的拉格朗日余项公式来计算误差:

$$e^x=1+x+\frac{x^2}{2!}+\frac{x^3}{3!}+\cdots+\frac{x^n}{n!}+\Delta_{n+1},$$

其中$\Delta_{n+1}=\frac{f^{(n+1)}(\theta x)}{(n+1)!}x^{n+1}=\frac{e^{\theta x}}{(n+1)!}x^{n+1}(0<\theta<1)$.

于是$|\Delta_{n+1}|\leqslant\frac{e}{(n+1)!}x^{n+1}$.

从而,原来的积分数值为$I=\int_0^1(e^x-1)\ln\frac{1}{x}dx=\sum_{k=1}^n\frac{1}{k!}\int_0^1x^k\ln\frac{1}{x}dx+R_{n+1}$,其中

$$|R_{n+1}|=\left|\int_0^1\Delta_{n+1}\ln\frac{1}{x}dx\right|\leqslant\frac{e}{(n+1)!}\int_0^1x^{n+1}\ln\frac{1}{x}dx.$$

记$I_k=\int_0^1x^k\ln\frac{1}{x}dx(k\geqslant1)$,则有

$$I_k=\frac{1}{k+1}\int_0^1\ln\frac{1}{x}d(x^{k+1})=\frac{x^{k+1}}{k+1}\ln\frac{1}{x}\Big|_0^1+\frac{1}{k+1}\int_0^1x^kdx=\frac{1}{(k+1)^2}.$$

如果取$n=5$,则有

$$|R_6|\leqslant\frac{e}{6!}I_6=\frac{e}{6!}\cdot\frac{1}{7^2}=\frac{e}{7\times7!}=\frac{e}{35280}<\frac{3}{35280}<\frac{1}{1.1\times10^4}<10^{-4}.$$

记$I=J+R_6$,则有

$$\begin{aligned}J&=\sum_{k=1}^5\frac{1}{k!}I_k=\sum_{k=1}^5\frac{1}{k!(k+1)^2}=\sum_{k=1}^5\frac{1}{(k+1)!(k+1)}\\&=\frac{1}{2!\cdot2}+\frac{1}{3!\cdot3}+\frac{1}{4!\cdot4}+\frac{1}{5!\cdot5}+\frac{1}{6!\cdot6}\\&=\frac{1}{4}+\frac{1}{18}+\frac{1}{96}+\frac{1}{600}+\frac{1}{4320}=0.31787=0.3179+\Delta',\end{aligned}$$

其中$|\Delta'|\leqslant0.00004=4\times10^{-5}$,且$\Delta'<0$.

注意到由$\Delta_{n+1}>0$即可推知$R_{n+1}>0$.于是

$x_0=0,y_0=1$;　　　　$x_1=\frac{1}{6},y_1=e^{\frac{1}{36}}=1.0282$;

$x_2=\frac{1}{3},y_2=e^{\frac{1}{9}}=1.1175$;　　　　$x_3=\frac{1}{2},y_3=e^{\frac{1}{4}}=1.2840$;

$x_4=\frac{2}{3},y_4=e^{\frac{4}{9}}=1.5596$;　　　　$x_5=\frac{5}{6},y_5=e^{\frac{25}{36}}=2.0026$;

$x_6=1,y_6=e=2.7183$.

且有$I\approx0.3179$,而此时其相应的误差已有

$$|\Delta|=|R_6-|\Delta'||\leqslant\begin{cases}R_6, & |\Delta'|\leqslant R_6,\\|\Delta'|, & |\Delta'|>R_6\end{cases}\leqslant\max\{R_6,|\Delta'|\}<10^{-4}.$$

方法二　利用辛普森公式.令

$$I=\int_0^1(e^x-1)\ln\frac{1}{x}dx=-\int_0^1(e^x-1)\ln xdx,$$

设 $f(x)=(e^x-1)\ln x$，若补充定义 $f(0)=\lim\limits_{x\to 0^+}f(x)=0$，则 $f(x)$ 是$[0,1]$上的连续函数. 由于

$$f'(x)=e^x\ln x+\frac{e^x-1}{x}=f(x)+\frac{e^x-1}{x}+\ln x(0<x\leqslant 1),$$

故

$$\int_0^1 f'(x)dx=\int_0^1 f(x)dx+\int_0^1\frac{e^x-1}{x}dx+\int_0^1\ln x dx.$$

注意到$\int_0^1 f'(x)dx=f(1)-f(0)=0$，$\int_0^1\ln x dx=(x\ln x-x)\Big|_0^1=-1$，

$$I=\int_0^1\frac{e^x-1}{x}dx-1.$$

于是，把求$\int_0^1(e^x-1)\ln\frac{1}{x}dx$ 的近似值问题，归结为求$\int_0^1\frac{e^x-1}{x}dx$ 的近似值问题.

令 $g(x)=\frac{e^x-1}{x}$，并补充定义 $g(0)=\lim\limits_{x\to 0^+}g(x)=1$，则 $g(x)$ 是$[0,1]$上的连续函数. 由求高阶导数的莱布尼茨法则，易得

$$g^{(n)}(x)=\frac{e^xP_n(x)-(-1)^n n!}{x^{n+1}}(0<x\leqslant 1),$$

$$P_n(x)=\sum_{k=0}^{n}C_n^k(-1)^k k!x^{n-k}(n=1,2,\cdots).$$

下面证明 $g^{(n)}(0)$ 存在，并且 $g^{(n)}(0)=\frac{1}{n+1}(n=1,2,\cdots)$. 首先，由洛必达法则，有

$$\lim_{x\to 0^+}g^{(n)}(x)=\lim_{x\to 0^+}\frac{e^xP_n(x)-(-1)^n n!}{x^{n+1}}=\lim_{x\to 0^+}\frac{e^x[P_n(x)+P'_n(x)]}{(n+1)x^n}$$

$$=\lim_{x\to 0^+}\frac{e^x x^n}{(n+1)x^n}=\frac{1}{n+1}(n=1,2,\cdots).$$

于是，根据中值定理，得

$$g'(0)=\lim_{x\to 0^+}\frac{g(x)-g(0)}{x-0}=\lim_{\xi\to 0^+}g'(\xi)=\frac{1}{2}(0<\xi<x).$$

假定 $g^{(n)}(0)$ 存在且 $g^{(n)}(0)=\frac{1}{n+1}$. 于是

$$g^{(n+1)}(0)=\lim_{x\to 0^+}\frac{g^{(n)}(x)-g^{(n)}(0)}{x-0}=\lim_{x\to 0^+}g^{n+1}(\eta)=\frac{1}{n+2}(0<\eta<x).$$

根据数学归纳法，知 $g^{(n)}(0)$ 存在且 $g^{(n)}(0)=\frac{1}{n+1}(n=1,2,\cdots)$.

由此又知 $g^{(n)}(x)$ 是$[0,1]$上的连续函数$(n=1,2,\cdots)$. 令 $h(x)=e^xP_n(x)-(-1)^n n!$. 由于

$$h'(x)=e^x[P_n(x)+P'_n(x)]=e^x x^n>0(0<x\leqslant 1),$$

故 $h(x)$ 在$[0,1]$上递增，从而

$$h(x)>h(0)=0(0<x\leqslant 1).$$

因此，当 $0<x\leqslant 1$ 时，$g^{(n)}(x)>0(n=1,2,\cdots)$，故 $g^{(n-1)}(x)$ 是$[0,1]$上的严格增函数$(n=1,2,\cdots)$. 特别地，$g^{(4)}(x)$ 当然是$[0,1]$上的严格增函数. 于是，当 $0\leqslant x\leqslant 1$ 时，恒有

$$\frac{1}{5}=g^{(4)}(0)\leqslant g^{(4)}(x)\leqslant g^{(4)}(1).$$

由于当 $0<x\leqslant 1$ 时，

$$g^{(4)}(x)=\frac{e^x(x^4-4x^3+12x^2-24x+24)-24}{x^5},$$

故 $g^{(4)}(1)=9e-24<0.5$. 因此，当 $0\leqslant x\leqslant 1$ 时，有

$$0.2\leqslant g^{(4)}(x)\leqslant 0.5.$$

代入辛普森公式的误差表达式，得

$$|R_n(x)| = \left|-\frac{g^{(4)}(\xi_2)}{180n^4}\right| \leqslant \frac{1}{360n^4}, R_n(x) < 0.$$

取 $n=4$，有 $|R_4(x)| \leqslant \frac{1}{360n^4} < 1.1\times 10^{-5}$.

计算得

$$g(0)=1, g(0.25)=1.136\ 10, g(0.5)=1.297\ 44,$$
$$g(0.75)=1.489\ 33, g(1)=1.718\ 28.$$

于是，代入后最终得

$$I=\int_0^1 g(x)\mathrm{d}x - 1 \approx \frac{1}{12}\{g(0)+g(1)+2g(0.5)+4[g(0.25)+g(0.75)]\}-1$$
$$=1.317\ 9-1=0.317\ 9,$$

其误差的绝对值显然小于 $0.000\ 1=10^{-4}$.

方法三 也可不改变被积函数，而把积分区间分成两个，步骤如下：

令 $u=\frac{1-x}{x}(0<x<1)$，则 $\frac{1}{x}=1+u(u>0)$. 于是，当 $0<x<1$ 时，有

$$0<(\mathrm{e}^x-1)\ln\frac{1}{x}=(\mathrm{e}^x-1)\ln(1+u)<(\mathrm{e}^x-1)u=\frac{1-x}{x}(\mathrm{e}^x-1)<\frac{\mathrm{e}^x-1}{x}.$$

前面已证 $g(x)=\frac{\mathrm{e}^x-1}{x}$ 在$[0,1]$上严格增加(注意，规定 $g(0)=\lim\limits_{x\to0^+}\frac{\mathrm{e}^x-1}{x}=1$)，故当 $0<x<1$ 时，有

$$1<\frac{\mathrm{e}^x-1}{x}<g(1)=\mathrm{e}-1<2.$$

从而，$0<\int_0^{10^{-5}}(\mathrm{e}^x-1)\ln\frac{1}{x}\mathrm{d}x<\int_0^{10^{-5}}\frac{\mathrm{e}^x-1}{x}\mathrm{d}x<2\int_0^{10^{-5}}\mathrm{d}x=0.2\times10^{-4}$.

求出函数 $(\mathrm{e}^x-1)\ln\frac{1}{x}$ 的四阶导数的表达式后，易知它在闭区间$[10^{-5},1]$上连续，从而是有界的，并且不难估计出其绝对值的上界. 因此，可利用辛普森公式计算积分

$$\int_{10^{-5}}^1(\mathrm{e}^x-1)\ln\frac{1}{x}\mathrm{d}x$$

的近似值，使误差的绝对值小于 0.8×10^{-4}. 显然，若以此作为积分$\int_0^1(\mathrm{e}^x-1)\ln\frac{1}{x}\mathrm{d}x$ 的近似值，则其误差的绝对值小于 10^{-4}. 由于计算较繁，从略.

注 本题不能直接利用辛普森公式来计算所给定积分的近似值，因被积函数$(\mathrm{e}^x-1)\ln\frac{1}{x}$ 的四阶导数在 $x=0$ 的右近旁无界，从而不能估计出误差. 所以，方法一采用泰勒公式作近似计算. 这样，计算以及估计误差都较为简单. 当然，也可间接地利用辛普森公式来计算所给定积分的近似值，这时需要或者改变被积函数(方法二)或者把积分区域分成两个(方法三).

【2543】 近似地计算概率积分$\int_0^{+\infty}\mathrm{e}^{-x^2}\mathrm{d}x$.

解 作变换 $x=\frac{t}{1-t}$，则积分$\int_0^{+\infty}\mathrm{e}^{-x^2}\mathrm{d}x=\int_0^1\mathrm{e}^{-(\frac{t}{1-t})^2}\frac{1}{(1-t)^2}\mathrm{d}t$.

由于题中对精确度未提出明确要求，故 n 可任取. 例如，取 $n=2k=18$，$\Delta t=\frac{1}{18}$，则有

$t_0=0, y_0=1$； $t_1=\frac{1}{18}, 4y_1=4.468\ 94$；

$t_2=\frac{1}{9}, 2y_2=2.492\ 01$； $t_3=\frac{1}{6}, 4y_3=5.534\ 15$；

$t_4=\frac{2}{9}, 2y_4=3.04696$；　　$t_5=\frac{5}{18}, 4y_5=6.61414$；

$t_6=\frac{1}{3}, 2y_6=3.50460$；　　$t_7=\frac{7}{18}, 4y_7=7.14411$；

$t_8=\frac{4}{9}, 2y_8=3.41685$；　　$t_9=\frac{1}{2}, 4y_9=5.88607$；

$t_{10}=\frac{5}{9}, 2y_{10}=2.12232$；　　$t_{11}=\frac{11}{18}, 4y_{11}=2.23855$；

$t_{12}=\frac{2}{3}, 2y_{12}=0.32968$；　　$t_{13}=\frac{13}{18}, 4y_{13}=0.06009$；

$t_{14}=\frac{7}{9}, 2y_{14}=0.00010$；　　$t_{15}=\frac{5}{6}, 4y_{15}=0$；

$t_{16}=\frac{8}{9}, 2y_{16}=0$；　　$t_{17}=\frac{17}{18}, 4y_{17}=0$；

$t_{18}=1, y_{18}=\lim\limits_{t\to 1} e^{-\left(\frac{1}{1-t}\right)^2}\left(\frac{1}{1-t}\right)^2=0.$

按辛普森公式，得

$$\begin{aligned}\int_0^{+\infty} e^{-x^2}\,dx&=\int_0^1 e^{-\left(\frac{t}{1-t}\right)^2}\frac{1}{(1-t)^2}\,dt\\&\approx\frac{1}{54}(1+4.46894+2.49201+5.53415+3.04696+6.61414+\\&\quad 3.50460+7.14411+3.41685+5.88607+2.12232+2.23855+\\&\quad 0.32968+0.06009+0.00010)\\&=\frac{47.85857}{54}\approx 0.88627.\end{aligned}$$

【2544】 近似地求出半轴为 $a=10$ 及 $b=6$ 的椭圆的周长.

解 设椭圆的参数方程为 $x=10\cos t, y=6\sin t$，于是有

$$ds=\sqrt{x'^2(t)+y'^2(t)}\,dt=10\sqrt{1-\frac{16}{25}\sin^2 t}\,dt, s=4\int_0^{\frac{\pi}{2}} ds=40\int_0^{\frac{\pi}{2}}\sqrt{1-\frac{16}{25}\sin^2 t}\,dt.$$

从而得椭圆的周长为 $s=4\int_0^{\frac{\pi}{2}} ds=40\int_0^{\frac{\pi}{2}}\sqrt{1-\frac{16}{25}\sin^2 t}\,dt.$

现取 $n=2k=6$，近似计算积分 $\int_0^{\frac{\pi}{2}}\sqrt{1-\frac{16}{25}\sin^2 t}\,dt$. 注意到 $\sin^2\frac{\pi}{12}=\frac{2-\sqrt{3}}{4}, \sin^2\frac{5\pi}{12}=\frac{2+\sqrt{3}}{4}, h=\frac{\pi}{12}$，即有

$t_0=0, y_0=1$；

$t_1=\frac{\pi}{12}, 4y_1=4\sqrt{1-\frac{16}{25}\cdot\frac{1}{4}(2-\sqrt{3})}=3.913$；

$t_2=\frac{\pi}{6}, 2y_2=2\sqrt{1-\frac{16}{25}\cdot\frac{1}{4}}=1.833$；

$t_3=\frac{\pi}{4}, 4y_3=4\sqrt{1-\frac{16}{25}\cdot\frac{1}{2}}=3.293$；

$t_4=\frac{\pi}{3}, 2y_4=2\sqrt{1-\frac{16}{25}\cdot\frac{3}{4}}=1.442$；

$t_5=\frac{5\pi}{12}, 4y_5=4\sqrt{1-\frac{16}{25}\cdot\frac{1}{4}(2+\sqrt{3})}=2.539$；

$t_6=\frac{\pi}{2}, y_6=4\sqrt{1-\frac{16}{25}}=0.6.$

按辛普森公式，得

$$\int_0^{\frac{\pi}{2}}\sqrt{1-\frac{16}{25}\sin^2 t}\,dt\approx\frac{h}{3}[(y_0+y_6)+4(y_1+y_3+y_5)+2(y_2+y_4)]$$

$$=\frac{\pi}{36}(1+0.6+3.913+3.293+2.539+1.833+1.442)\approx 1.276,$$

所以,椭圆周长的近似值为 $s=40\int_0^{\frac{\pi}{2}}\sqrt{1-\frac{16}{25}\sin^2 t}\,dt\approx 40\times 1.276=51.04$.

【2545】 取 $\Delta x=\frac{\pi}{3}$,描点作出函数 $y=\int_0^x\frac{\sin t}{t}dt(0\leqslant x\leqslant 2\pi)$ 的图像.

解 取 $n=2k=6$,计算 $y=\int_0^x\frac{\sin t}{t}dt$ 的值.先计算 $y=\int_0^{\frac{\pi}{3}}\frac{\sin t}{t}dt$.由于 $h=\frac{\pi}{18}$,且

$t_0=0, y_0=1$; $t_1=\frac{\pi}{18}, 4y_1=3.980$;

$t_2=\frac{\pi}{9}, 2y_2=1.960$; $t_3=\frac{\pi}{6}, 4y_3=3.820$;

$t_4=\frac{2\pi}{9}, 2y_4=1.841$; $t_5=\frac{5\pi}{18}, 4y_5=3.511$;

$t_6=\frac{\pi}{3}, y_6=0.827$.

按辛普森公式,得

$$\int_0^{\frac{\pi}{3}}\frac{\sin t}{t}dt\approx\frac{\pi}{54}(1+0.827+3.980+3.820+3.511+1.960+1.841)\approx 0.99.$$

再计算 $y=\int_0^{\frac{2}{3}\pi}\frac{\sin t}{t}dt$.由于 $h=\frac{\pi}{9}$,且

$t_0=0, y_0=1$; $t_1=\frac{\pi}{9}, 4y_1=3.919$;

$t_2=\frac{2\pi}{9}, 2y_2=1.841$; $t_3=\frac{\pi}{3}, 4y_3=3.308$;

$t_4=\frac{4\pi}{9}, 2y_4=1.411$; $t_5=\frac{5\pi}{9}, 4y_5=2.257$;

$t_6=\frac{2\pi}{3}, y_6=0.413$.

所以

$$\int_0^{\frac{2}{3}\pi}\frac{\sin t}{t}dt\approx\frac{\pi}{27}(1+0.413+3.919+3.308+2.257+1.841+1.411)\approx 1.65.$$

选取适当的 n,类似地可求得

$$\int_0^{\pi}\frac{\sin t}{t}dt\approx 1.85,\int_0^{\frac{4}{3}\pi}\frac{\sin t}{t}dt\approx 1.72,\int_0^{\frac{5}{3}\pi}\frac{\sin t}{t}dt\approx 1.52,\int_0^{2\pi}\frac{\sin t}{t}dt\approx 1.42,$$

图像如图 4.55 所示.

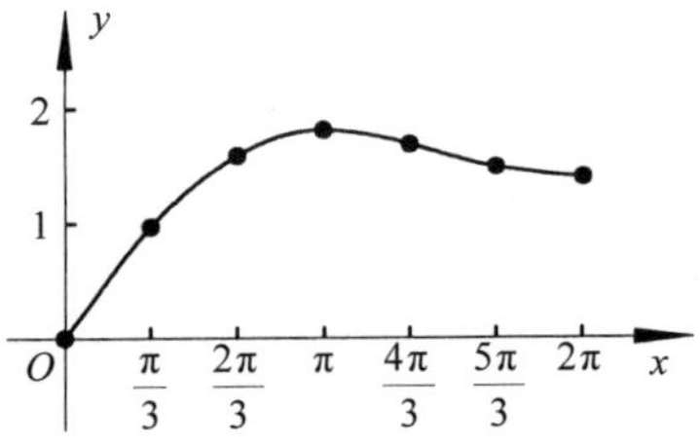

图 4.55

过关检测

过关检测题

1.(2024 中国人民大学)求极限$\lim\limits_{n\to\infty}\sum\limits_{i=1}^{n}\dfrac{\sin\dfrac{i\pi}{n}}{n+\dfrac{i}{n}}$.

2.(2024 浙江大学)求极限$\lim\limits_{n\to\infty}\sqrt[n]{\cos\dfrac{\pi}{2n}\cos\dfrac{3\pi}{2n}\cdots\cos\dfrac{2n-1}{2n}\pi}$.

3.(2024 武汉大学)求极限$\lim\limits_{n\to\infty}\sum\limits_{k=1}^{n}\sin\dfrac{k}{n}\cdot\sin\dfrac{k}{n^2}$.

4.(2024 中国石油大学;2024 中南大学;2024 武汉理工大学;2024 西北工业大学)设 $f(x)$ 在 $[0,1]$ 上连续,且 $f(\sin x)+f(\cos x)\neq 0$,求积分 $\int_0^{\frac{\pi}{2}}\frac{f(\sin x)}{f(\sin x)+f(\cos x)}\mathrm{d}x$.

5.(2024 暨南大学)求积分 $\int_0^{2\,024\pi}\sqrt{1-\cos 2x}\,\mathrm{d}x$.

6.(2024 北京邮电大学)求积分 $\int_{-\frac{\pi}{2}}^{\frac{\pi}{2}}\frac{1+\sin 3x}{1+\cos^2 x}\mathrm{d}x$.

7.(2024 南京航空航天大学)求积分 $\int_0^{\frac{\pi}{4}}\frac{x}{1+\cos 2x}\mathrm{d}x$.

8.（2024 南京师范大学）求定积分$\int_0^a x^2\sqrt{\frac{a-x}{a+x}}\mathrm{d}x \quad (a>0)$.

9.（2024 华南师范大学）计算$\int_{-2}^{-\sqrt{2}}\frac{1}{x\sqrt{x^2-1}}\mathrm{d}x$.

10.（2024 复旦大学）计算积分$\int_{\frac{\pi}{6}}^{\frac{\pi}{3}}\frac{\cos^2 x}{x(\pi-2x)}\mathrm{d}x=$__________.

11.（2024 复旦大学；2024 厦门大学）设$f(x)$在$[0,1]$上二阶可导，$f(0)=f(1)=0$，且对任意$x\in(0,1)$，均有$f(x)\neq 0$，且$\int_0^1\left|\frac{f''(x)}{f(x)}\right|\mathrm{d}x$存在，证明：$\int_0^1\left|\frac{f''(x)}{f(x)}\right|\mathrm{d}x\geqslant 4$.

12.(2024 山东大学)$f(x)$ 在$[0,1]$上连续,证明:$\int_0^\pi xf(\sin x)\mathrm{d}x=\frac{\pi}{2}\int_0^\pi f(\sin x)\mathrm{d}x$,并求

$$\int_0^\pi \frac{x\sin^{2n}x}{\sin^{2n}x+\cos^{2n}x}\mathrm{d}x.$$

13.(2024 南开大学)判断反常积分$\int_0^{+\infty}\frac{x\ln x}{x^3+1}\mathrm{d}x$敛散性.

14.(2024 南开大学)设 $f(x)$ 在$[0,1]$上单调递增,$f(0)=0,f(1)=1,n$ 为正整数,$\xi_k\in\left[\frac{k-1}{n},\frac{k}{n}\right],k=1,2,\cdots,n$,证明:$\left|\int_0^1 f(x)\mathrm{d}x-\frac{1}{n}\sum_{k=1}^{n}f(\xi_k)\right|\leqslant\frac{1}{n}$.

15.(2024 中国人民大学)设 f,g 在$[a,b]$上连续,f 严格递增,$0\leqslant g(x)\leqslant 1$,证明:

$$\int_a^{a+\int_a^b g(t)\mathrm{d}t} f(x)\mathrm{d}x\leqslant\int_a^b f(x)g(x)\mathrm{d}x.$$

16.(2024 中国科学技术大学)设摆线参数方程为$\begin{cases} x=a(t-\sin t), \\ y=a(1-\cos t) \end{cases}$$(0\leqslant t\leqslant 2\pi)$,求摆线的弧长.

17.(2024 武汉大学)设 $f(x)$ 是$[-1,1]$上的连续函数,证明:$\lim\limits_{\varepsilon\to 0^+}\int_{-1}^{1}\frac{\varepsilon f(x)}{\varepsilon^2+x^2}\mathrm{d}x=\pi f(0)$.

18.(2024 武汉大学)证明:$\int_0^1 (x\ln x)^n\mathrm{d}x=\frac{(-1)^n n!}{(n+1)^{n+1}}$,并利用此结论证明:$\int_0^1 x^{-x}\mathrm{d}x=\sum\limits_{n=1}^{\infty}\frac{1}{n^n}$.

19.(2024 暨南大学)求定积分$\int_0^1 x^m(\ln x)^n\mathrm{d}x$, $m,n\in\mathbf{N}_+$.

20.（2024 浙江大学）求极限 $\lim\limits_{x\to+\infty}\dfrac{1}{x}\int_0^x |\sin t|\,\mathrm{d}t$.

21.（2024 厦门大学）设反常积分 $\int_a^{+\infty} f(x)\mathrm{d}x$ 收敛，且 $f(x)$ 单调，证明：$\lim\limits_{x\to+\infty} xf(x)=0$.

22.（2024 合肥工业大学）设 $f(x)$ 在 $[a,b]$ 上可积，且在 $x=b$ 处连续，证明：

$$\lim_{n\to\infty}\frac{n+1}{(b-a)^{n+1}}\int_a^b (x-a)^n f(x)\mathrm{d}x=f(b).$$

23.（2024 中国科学院大学）设 $f(x)$ 在 $[0,1]$ 上连续，求极限 $\lim\limits_{n\to\infty}\int_0^1 f(\sqrt[n]{x})\mathrm{d}x$.

24.(2024 吉林大学)证明：$\lim\limits_{h\to 0^+}\int_0^1 \frac{h}{h^2+x^2}\ln(x^2+2)\mathrm{d}x=\frac{\pi}{2}\ln 2$.

25.(2024 湖南师范大学)若函数 $f(x)$ 在$[0,1]$上连续，$\int_0^1 f(x)\mathrm{d}x=0$，证明：

$$\left[\int_0^1 xf(x)\mathrm{d}x\right]^2\leqslant\frac{1}{12}\int_0^1 f^2(x)\mathrm{d}x.$$

26.(2024 南京航空航天大学)设 $f(x)$ 在$[a,b]$上有连续的导函数，且 $f(a)=0$，证明：

$$\int_a^b |f(x)f'(x)|\mathrm{d}x\leqslant\frac{b-a}{2}\int_a^b[f'(x)]^2\mathrm{d}x.$$

27.(2024 上海财经大学)设 $f(x)$ 在$[0,1]$上恒正且连续，m,M 是 $f(x)$ 在$[0,1]$上的最小值和最大值，证明：$1\leqslant\int_0^1\frac{1}{f(x)}\mathrm{d}x\int_0^1 f(x)\mathrm{d}x\leqslant\frac{(m+M)^2}{4Mm}$.

28.（2024 哈尔滨工程大学）如果 $f(x)$ 在$[0,1]$上二次可微，$f''(x)$ 有界且黎曼可积. 证明：

$$\lim_{n\to\infty} n^2\left[\int_0^1 f(x)\mathrm{d}x-\frac{1}{n}\sum_{i=1}^{n} f\left(\frac{2i-1}{2n}\right)\right]=\frac{f'(1)-f'(0)}{24}.$$

29.（2024 华南理工大学）设 $f(x)$ 在$[a,b]$上黎曼可积，证明黎曼引理

$$\lim_{\lambda\to+\infty}\int_a^b f(x)\cos(\lambda x)\mathrm{d}x=0.$$

30.（2024 天津大学）设 $f(x)$ 为$[a,b]$上的单调函数，$g(x)$ 是周期为 T 的连续函数，且 $\int_0^T g(x)\mathrm{d}x=0$，证明：$\lim\limits_{\lambda\to+\infty}\int_a^b f(x)g(\lambda x)\mathrm{d}x=0$.

答案解析

1. **解** $\forall n\in\mathbf{N}_+$,有

$$\sum_{i=1}^{n}\frac{\sin\frac{i\pi}{n}}{n+1}\leqslant\sum_{i=1}^{n}\frac{\sin\frac{i\pi}{n}}{n+\frac{i}{n}}\leqslant\sum_{i=1}^{n}\frac{\sin\frac{i\pi}{n}}{n}.$$

一方面

$$\lim_{n\to\infty}\sum_{i=1}^{n}\frac{\sin\frac{i\pi}{n}}{n}=\int_0^1\sin(\pi x)\mathrm{d}x=\frac{1}{\pi}\int_0^{\pi}\sin t\mathrm{d}t=\frac{2}{\pi}.$$

另一方面

$$\lim_{n\to\infty}\sum_{i=1}^{n}\frac{\sin\frac{i\pi}{n}}{n+1}=\lim_{n\to\infty}\frac{n}{n+1}\sum_{i=1}^{n}\frac{\sin\frac{i\pi}{n}}{n}=\frac{2}{\pi}.$$

故$\lim\limits_{n\to\infty}\sum\limits_{i=1}^{n}\dfrac{\sin\frac{i\pi}{n}}{n+\frac{i}{n}}=\dfrac{2}{\pi}$.

2. **解** 由定积分定义可知

$$\lim_{n\to\infty}\sqrt[n]{\cos\frac{\pi}{2n}\cos\frac{2\pi}{2n}\cdots\cos\frac{(n-1)\pi}{2n}}=\exp\left(\lim_{n\to\infty}\frac{1}{n}\sum_{k=1}^{n}\ln\cos\frac{(k-1)\pi}{2n}\right)$$

$$=\exp\left(\frac{2}{\pi}\int_0^{\frac{\pi}{2}}\ln\cos x\mathrm{d}x\right)=\exp\left(\frac{2}{\pi}I\right),$$

其中

$$I=\int_0^{\frac{\pi}{2}}\ln\sin x\mathrm{d}x=\frac{1}{2}\int_0^{\frac{\pi}{2}}\ln\sin x\cos x\mathrm{d}x=\frac{1}{2}\int_0^{\frac{\pi}{2}}\ln\sin 2x\mathrm{d}x-\frac{\pi}{4}\ln 2$$

$$=\frac{1}{4}\int_0^{\pi}\ln\sin x\mathrm{d}x-\frac{\pi}{4}\ln 2=\frac{1}{2}I-\frac{\pi}{4}\ln 2.$$

所以$\lim\limits_{n\to\infty}\sqrt[n]{\cos\dfrac{\pi}{2n}\cos\dfrac{2\pi}{2n}\cdots\cos\dfrac{(n-1)\pi}{2n}}=\exp\left(-\dfrac{2}{\pi}\cdot\dfrac{\pi}{2}\ln 2\right)=\dfrac{1}{2}$.

3. **解** 由$\sum\limits_{k=1}^{n}\sin\dfrac{k}{n}\sin\dfrac{k}{n^2}\leqslant\sum\limits_{k=1}^{n}\sin\dfrac{k}{n}\cdot\dfrac{k}{n^2}=\dfrac{1}{n}\sum\limits_{k=1}^{n}\dfrac{k}{n}\sin\dfrac{k}{n}$.

而$\sum\limits_{k=1}^{n}\sin\dfrac{k}{n}\sin\dfrac{k}{n^2}\geqslant\sum\limits_{k=1}^{n}\sin\dfrac{k}{n}\left(\dfrac{k}{n^2}-\dfrac{k^2}{6n^6}\right)=\dfrac{1}{n}\sum\limits_{k=1}^{n}\dfrac{k}{n}\sin\dfrac{k}{n}-\dfrac{1}{6n^6}\sum\limits_{k=1}^{n}k^2\sin\dfrac{k}{n}$.

$\lim\limits_{n\to\infty}\dfrac{1}{n}\sum\limits_{k=1}^{n}\dfrac{k}{n}\sin\dfrac{k}{n}=\int_0^1 x\sin x\mathrm{d}x=\sin 1-\cos 1$,$\lim\limits_{n\to\infty}\dfrac{1}{6n^6}\sum\limits_{k=1}^{n}k^2\sin\dfrac{k}{n}=0$.

所以由夹逼准则,得

$$\lim_{n\to\infty}\sum_{k=1}^{n}\sin\frac{k}{n}\cdot\sin\frac{k}{n^2}=\sin 1-\cos 1.$$

4. **解** 记所求积分为I,令$x=\dfrac{\pi}{2}-t$,可得

$$I=\int_0^{\frac{\pi}{2}}\frac{f(\sin x)}{f(\sin x)+f(\cos x)}\mathrm{d}x=-\int_{\frac{\pi}{2}}^{0}\frac{f(\cos t)}{f(\cos t)+f(\sin t)}\mathrm{d}t$$
$$=\int_0^{\frac{\pi}{2}}\frac{f(\cos x)}{f(\sin x)+f(\cos x)}\mathrm{d}x.$$

因此

$$I=\frac{1}{2}\left[\int_0^{\frac{\pi}{2}}\frac{f(\sin x)}{f(\sin x)+f(\cos x)}\mathrm{d}x+\int_0^{\frac{\pi}{2}}\frac{f(\cos x)}{f(\sin x)+f(\cos x)}\mathrm{d}x\right]$$
$$=\frac{1}{2}\int_0^{\frac{\pi}{2}}\frac{f(\sin x)+f(\cos x)}{f(\sin x)+f(\cos x)}\mathrm{d}x=\frac{1}{2}\int_0^{\frac{\pi}{2}}1\mathrm{d}x=\frac{\pi}{4}.$$

5. **解**　首先注意到$\sqrt{1-\cos 2x}=\sqrt{2\sin^2 x}=\sqrt{2}\mid\sin x\mid$，而$\mid\sin x\mid$以$\pi$为周期，因此

$$\int_0^{2\,024\pi}\sqrt{1-\cos 2x}\,\mathrm{d}x=\sqrt{2}\int_0^{2\,024\pi}\mid\sin x\mid\mathrm{d}x=2\,024\sqrt{2}\int_0^{\pi}\sin x\mathrm{d}x=4\,048\sqrt{2}.$$

6. **解**　记所求定积分为I，注意到$\dfrac{1}{1+\cos^2 x}$为偶函数，而$\dfrac{\sin 3x}{1+\cos^2 x}$为奇函数，因此

$$I=\int_{-\frac{\pi}{2}}^{\frac{\pi}{2}}\frac{1}{1+\cos^2 x}\mathrm{d}x+\int_{-\frac{\pi}{2}}^{\frac{\pi}{2}}\frac{\sin 3x}{1+\cos^2 x}\mathrm{d}x=2\int_0^{\frac{\pi}{2}}\frac{1}{1+\cos^2 x}\mathrm{d}x$$
$$=2\int_0^{\frac{\pi}{2}}\frac{\sec^2 x}{\sec^2 x+1}\mathrm{d}x=2\int_0^{\frac{\pi}{2}}\frac{\mathrm{d}(\tan x)}{\tan^2 x+2}=\sqrt{2}\arctan\frac{\tan x}{\sqrt{2}}\Bigg|_0^{\frac{\pi}{2}}=\frac{\sqrt{2}}{2}\pi.$$

7. **解**　记所求定积分为I，注意到$1+\cos 2x=2\cos^2 x$，因此

$$I=\int_0^{\frac{\pi}{4}}\frac{x}{2\cos^2 x}\mathrm{d}x=\frac{1}{2}\int_0^{\frac{\pi}{4}}x\sec^2 x\mathrm{d}x=\frac{1}{2}\int_0^{\frac{\pi}{4}}x\mathrm{d}(\tan x)$$
$$=\frac{1}{2}x\tan x\Bigg|_0^{\frac{\pi}{4}}-\frac{1}{2}\int_0^{\frac{\pi}{4}}\tan x\mathrm{d}x=\frac{\pi}{8}+\frac{1}{2}\ln\cos x\Bigg|_0^{\frac{\pi}{4}}=\frac{1}{8}(\pi-2\ln 2).$$

8. **解**　记所求积分为I，令$x=a\sin t$可得

$$I=\int_0^a x^2\frac{a-x}{\sqrt{a^2-x^2}}\mathrm{d}x=\int_0^{\frac{\pi}{2}}a^2\sin^2 t\cdot\frac{a-a\sin t}{a\cos t}\cdot a\cos t\mathrm{d}t$$
$$=a^3\int_0^{\frac{\pi}{2}}(\sin^2 t-\sin^3 t)\mathrm{d}t=\left(\frac{\pi}{4}-\frac{2}{3}\right)a^3.$$

9. **解**　显然

$$\int_{-2}^{-\sqrt{2}}\frac{1}{x\sqrt{x^2-1}}\mathrm{d}x=-\int_{-2}^{-\sqrt{2}}\frac{\mathrm{d}x}{x^2\sqrt{1-x^{-2}}}=\int_{-2}^{-\sqrt{2}}\frac{\mathrm{d}(x^{-1})}{\sqrt{1-x^{-2}}}=\arcsin\frac{1}{x}\Bigg|_{-2}^{-\sqrt{2}}=-\frac{\pi}{12}.$$

10. **解**　令$t=\dfrac{\pi}{2}-x$，有$I=\displaystyle\int_{\frac{\pi}{3}}^{\frac{\pi}{6}}\frac{\sin^2 t}{\left(\frac{\pi}{2}-t\right)\cdot 2t}\cdot(-\mathrm{d}t)=\int_{\frac{\pi}{6}}^{\frac{\pi}{3}}\frac{\sin^2 t}{t(\pi-2t)}\mathrm{d}t=\int_{\frac{\pi}{6}}^{\frac{\pi}{3}}\frac{\sin^2 x}{x(\pi-2x)}\mathrm{d}x$，

故

$$I=\frac{1}{2}\int_{\frac{\pi}{6}}^{\frac{\pi}{3}}\left[\frac{\cos^2 x}{x(\pi-2x)}+\frac{\sin^2 x}{x(\pi-2x)}\right]\mathrm{d}x=\frac{1}{2}\int_{\frac{\pi}{6}}^{\frac{\pi}{3}}\frac{1}{x(\pi-2x)}\mathrm{d}x$$
$$=\frac{1}{2}\int_{\frac{\pi}{6}}^{\frac{\pi}{3}}\frac{1}{\pi x}+\frac{2}{\pi(\pi-2x)}\mathrm{d}x=\frac{1}{2x}\ln\frac{x}{\pi-2x}\Bigg|_{\frac{\pi}{6}}^{\frac{\pi}{3}}=\frac{1}{\pi}\ln 2.$$

11. **证**　不妨设$f(c)=\max\limits_{x\in[0,1]}\mid f(x)\mid$，由中值定理可知，存在$\xi\in(0,c)$，$\eta\in(c,1)$，使得

$$f'(\xi)=\frac{f(c)-f(0)}{c-0}=\frac{f(c)}{c},\;f'(\eta)=\frac{f(1)-f(c)}{1-c}=-\frac{f(c)}{1-c}.$$

于是

$$\int_{\eta}^{\xi} f''(x)\mathrm{d}x = f'(\xi) - f'(\eta) = \frac{f(c)}{c} + \frac{f(c)}{1-c} = \frac{f(c)}{c(1-c)},$$

故

$$\frac{1}{c(1-c)} = \left|\int_{\eta}^{\xi} \frac{f''(x)}{f(c)}\mathrm{d}x\right| \leqslant \int_{\xi}^{\eta}\left|\frac{f''(x)}{f(c)}\right|\mathrm{d}x \leqslant \int_{0}^{1}\left|\frac{f''(x)}{f(c)}\right|\mathrm{d}x,$$

而又由均值不等式可知

$$\frac{1}{c(1-c)} \geqslant \frac{1}{\left(\frac{c+1-c}{2}\right)^2} = 4,$$

故$\int_0^1\left|\frac{f''(x)}{f(x)}\right|\mathrm{d}x \geqslant 4$.

12. **解** 设 $x=\pi-t$,则 $\mathrm{d}x=-\mathrm{d}t$,且当 $x=0$ 时,$t=\pi$;当 $x=\pi$ 时,$t=0$. 于是

$$\int_0^{\pi} xf(\sin x)\mathrm{d}x = -\int_{\pi}^{0}(\pi-t)f[\sin(\pi-t)]\mathrm{d}t = \int_0^{\pi}(\pi-t)f(\sin t)\mathrm{d}t$$

$$= \pi\int_0^{\pi} f(\sin t)\mathrm{d}t - \int_0^{\pi} tf(\sin t)\mathrm{d}t = \pi\int_0^{\pi} f(\sin x)\mathrm{d}x - \int_0^{\pi} xf(\sin x)\mathrm{d}x.$$

所以$\int_0^{\pi} xf(\sin x)\mathrm{d}x = \frac{\pi}{2}\int_0^{\pi} f(\sin x)\mathrm{d}x$. 利用上述结论,即得

$$I = \int_0^{\pi}\frac{x\sin^{2n}x}{\sin^{2n}x+\cos^{2n}x}\mathrm{d}x = \frac{\pi}{2}\int_0^{\pi}\frac{\sin^{2n}x}{\sin^{2n}x+\cos^{2n}x}\mathrm{d}x,$$

利用被积函数关于 $x=\frac{\pi}{2}$ 对称,得

$$\frac{\pi}{2}\int_0^{\pi}\frac{\sin^{2n}x}{\sin^{2n}x+\cos^{2n}x}\mathrm{d}x = \pi\int_0^{\frac{\pi}{2}}\frac{\sin^{2n}x}{\sin^{2n}x+\cos^{2n}x}\mathrm{d}x = \pi\int_0^{\frac{\pi}{2}}\frac{\cos^{2n}x}{\sin^{2n}x+\cos^{2n}x}\mathrm{d}x,$$

从而 $2I=\frac{\pi^2}{2}$,故 $I=\frac{\pi^2}{4}$.

13. **解** $\int_0^{+\infty}\frac{x\ln x}{x^3+1}\mathrm{d}x = \int_0^1\frac{x\ln x}{x^3+1}\mathrm{d}x + \int_1^{+\infty}\frac{x\ln x}{x^3+1}\mathrm{d}x$. 由于

$$\lim_{x\to0} x\ln x = \lim_{x\to0}\frac{\ln x}{\frac{1}{x}} = \lim_{x\to0}\frac{\frac{1}{x}}{-\frac{1}{x^2}} = 0,$$

所以$\int_0^1\frac{x\ln x}{x^3+1}\mathrm{d}x$ 为定积分.

$$\int_1^{+\infty}\frac{x\ln x}{x^3+1}\mathrm{d}x \leqslant \int_1^{+\infty}\frac{\ln x}{x^2}\mathrm{d}x = -\int_1^{+\infty}\ln x\,\mathrm{d}\frac{1}{x} = \int_1^{+\infty}\frac{1}{x^2}\mathrm{d}x = 1,$$

因此原广义积分收敛.

14. **证** $\left|\int_0^1 f(x)\mathrm{d}x - \frac{1}{n}\sum_{k=1}^{n}f(\xi_k)\right| = \left|\sum_{k=1}^{n}\int_{\frac{k-1}{n}}^{\frac{k}{n}}f(x)\mathrm{d}x - \frac{1}{n}\sum_{k=1}^{n}f(\xi_k)\right|$

$$\leqslant \sum_{k=1}^{n}\int_{\frac{k-1}{n}}^{\frac{k}{n}}f\left(\frac{k}{n}\right)\mathrm{d}x - \frac{1}{n}\sum_{k=1}^{n}f\left(\frac{k-1}{n}\right)$$

$$= \frac{1}{n}\sum_{k=1}^{n}\left[f\left(\frac{k}{n}\right) - f\left(\frac{k-1}{n}\right)\right]$$

$$= \frac{1}{n}[f(1) - f(0)] = \frac{1}{n}.$$

15. **证** $0 \leqslant g(x) \leqslant 1, x \in [a,b]$. 从而 $\forall x \in [a,b]$，有 $0 \leqslant \int_a^x g(t)\mathrm{d}t \leqslant x - a$.

令 $F(x) = \int_a^x f(t)g(t)\mathrm{d}t - \int_a^{a+\int_a^x g(t)\mathrm{d}t} f(t)\mathrm{d}t, x \in [a,b]$. 又因为 f 在 $[a,b]$ 上严格递增，故 $\forall x \in [a,b]$，有

$$f(x) \geqslant f\left(a + \int_a^x g(t)\mathrm{d}t\right) \Rightarrow F'(x) = \left[f(x) - f\left(a + \int_a^x g(t)\mathrm{d}t\right)\right]g(x) \geqslant 0,$$

故 F 在 $[a,b]$ 上递增，因而 $F(b) = \int_a^b f(x)g(x)\mathrm{d}x - \int_a^{a+\int_a^b g(t)\mathrm{d}t} f(x)\mathrm{d}x \geqslant F(a) = 0$，故

$$\int_a^{a+\int_a^b g(t)\mathrm{d}t} f(x)\mathrm{d}x \leqslant \int_a^b f(x)g(x)\mathrm{d}x.$$

16. **解** $s = \int_0^{2\pi} \sqrt{(a - a\cos t)^2 + a^2\sin^2 t}\,\mathrm{d}t = \int_0^{2\pi} \sqrt{2a^2 - 2a^2\cos t}\,\mathrm{d}t$

$$= \sqrt{2a^2}\int_0^{2\pi}\sqrt{2\sin^2\frac{t}{2}}\,\mathrm{d}t = 2|a|\int_0^{2\pi}\sin\frac{t}{2}\mathrm{d}t = 4|a|\int_0^{\pi}\sin u\mathrm{d}u = 8|a|.$$

17. **证** 先证明：$\lim\limits_{\varepsilon\to 0^+}\int_0^1 \frac{\varepsilon f(x)}{\varepsilon^2 + x^2}\mathrm{d}x = \frac{\pi}{2}f(0)$. 由于 $f(x) \in C[0,1]$，从而存在 $M > 0$ 使得 $|f(x)| \leqslant M$. 由定积分的性质，有

$$\int_0^1 \frac{\varepsilon f(x)}{\varepsilon^2 + x^2}\mathrm{d}x = \int_0^{\varepsilon^{\frac{1}{3}}} \frac{\varepsilon f(x)}{\varepsilon^2 + x^2}\mathrm{d}x + \int_{\varepsilon^{\frac{1}{3}}}^1 \frac{\varepsilon f(x)}{\varepsilon^2 + x^2}\mathrm{d}x.$$

对于第二个积分有

$$\left|\int_{\varepsilon^{\frac{1}{3}}}^1 \frac{\varepsilon f(x)}{\varepsilon^2 + x^2}\mathrm{d}x\right| \leqslant \int_{\varepsilon^{\frac{1}{3}}}^1 \left|\frac{\varepsilon f(x)}{\varepsilon^2 + x^2}\right|\mathrm{d}x \leqslant \frac{\varepsilon M}{\varepsilon^2 + \varepsilon^{\frac{2}{3}}} = \frac{\varepsilon^{\frac{1}{3}}M}{1 + \varepsilon^{\frac{4}{3}}} \to 0(\varepsilon \to 0).$$

而在第一个积分中，$\frac{\varepsilon}{\varepsilon^2 + x^2}$ 不变号，因此存在 $\xi \in [0, \varepsilon^{\frac{1}{3}}]$，使得

$$\int_0^{\varepsilon^{\frac{1}{3}}} \frac{\varepsilon f(x)}{\varepsilon^2 + x^2}\mathrm{d}x = f(\xi)\int_0^{\varepsilon^{\frac{1}{3}}} \frac{\varepsilon}{\varepsilon^2 + x^2}\mathrm{d}x = f(\xi)\arctan\frac{x}{\varepsilon}\Big|_0^{\varepsilon^{\frac{1}{3}}}.$$

显然当 $\varepsilon \to 0$ 时，$\xi \to 0$，$\arctan \varepsilon^{-\frac{2}{3}} \to \frac{\pi}{2}$. 故

$$\lim_{\varepsilon\to 0^+}\int_{-1}^1 \frac{\varepsilon f(x)}{\varepsilon^2 + x^2}\mathrm{d}x = 2\lim_{\varepsilon\to 0^+}\int_0^1 \frac{\varepsilon f(x)}{\varepsilon^2 + x^2}\mathrm{d}x = \pi f(0).$$

18. **证** 由分部积分

$$\int_0^1 x^n \ln^n x\,\mathrm{d}x = \frac{1}{n+1}x^{n+1}\ln^n x\Big|_0^1 - \frac{n}{n+1}\int_0^1 x^n \ln^{n-1} x\,\mathrm{d}x.$$

可得 $H_{n,n} = -\frac{n}{n+1}H_{n,n-1}$，故 $H_{n,n} = \frac{(-1)^n n!}{(n+1)^{n+1}}$. 由可积性定理

$$\int_0^1 x^{-x}\mathrm{d}x = \int_0^1 \mathrm{e}^{-x\ln x}\mathrm{d}x = \int_0^1 \sum_{n=0}^{\infty}\frac{(-1)^n x^n \ln^n x}{n!}\mathrm{d}x = \sum_{n=0}^{\infty}\frac{(-1)^n}{n!}\int_0^1 x^n \ln^n x\,\mathrm{d}x$$

$$= \sum_{n=0}^{\infty}\frac{1}{(n+1)^{n+1}} = \sum_{n=1}^{\infty}\frac{1}{n^n}.$$

19. **解** 记 $I_n=\int_0^1 x^m(\ln x)^n\mathrm{d}x$，由分部积分公式可得

$$I_n=\frac{1}{m+1}\int_0^1(\ln x)^n\mathrm{d}(x^{m+1})=\frac{1}{m+1}x^{m+1}(\ln x)^n\Big|_0^1-\frac{n}{m+1}\int_0^1 x^m(\ln x)^{n-1}\mathrm{d}x$$
$$=-\frac{n}{m+1}I_{n-1}.$$

由此递推可知

$$I_n=-\frac{n}{m+1}I_{n-1}=\frac{n(n-1)}{(m+1)^2}I_{n-2}=\cdots=\frac{(-1)^n n!}{(m+1)^n}I_0$$
$$=\frac{(-1)^n n!}{(m+1)^n}\int_0^1 x^m\mathrm{d}x=\frac{(-1)^n n!}{(m+1)^{n+1}}.$$

20. **解** 先证明一个引理： $\lim\limits_{n\to\infty}\frac{1}{n\pi}\int_0^{n\pi}|\sin t|\,\mathrm{d}t=\frac{2}{\pi}.$

事实上由 Stolz 定理可知

$$\lim_{n\to\infty}\frac{1}{n\pi}\int_0^{n\pi}|\sin t|\,\mathrm{d}t=\frac{1}{\pi}\lim_{n\to\infty}\int_{n\pi}^{(n+1)\pi}|\sin t|\,\mathrm{d}t=\frac{1}{\pi}\lim_{n\to\infty}\int_0^{\pi}|\sin t|\,\mathrm{d}t=\frac{2}{\pi}.$$

回到原题. 对于充分大的 x，取 $n_x=\left[\frac{x}{\pi}\right]\in\mathbf{N}_+$，则

$$\varlimsup_{x\to+\infty}\frac{1}{x}\int_0^x|\sin t|\,\mathrm{d}t\leqslant\varlimsup_{x\to+\infty}\frac{1}{n_x\pi}\int_0^{(n_x+1)\pi}|\sin t|\,\mathrm{d}t=\frac{2}{\pi}.$$
$$\varliminf_{x\to+\infty}\frac{1}{x}\int_0^x|\sin t|\,\mathrm{d}t\geqslant\varliminf_{x\to+\infty}\frac{1}{(n_x+1)\pi}\int_0^{n_x\pi}|\sin t|\,\mathrm{d}t=\frac{2}{\pi}.$$

所以 $\lim\limits_{x\to+\infty}\frac{1}{x}\int_0^x|\sin t|\,\mathrm{d}t=\frac{2}{\pi}.$

21. **证** 不妨设 $f(x)$ 单调递减. 假设 $\exists x_0\in[a,+\infty)$，使得 $f(x_0)<0$，则 $f(x)\leqslant f(x_0)<0$. 对 $\forall b>x_0$，有

$$\int_a^b f(x)\mathrm{d}x=\int_a^{x_0}f(x)\mathrm{d}x+\int_{x_0}^b f(x)\mathrm{d}x$$
$$\leqslant\int_a^{x_0}f(x)\mathrm{d}x+f(x_0)(b-x_0)\to-\infty(b\to+\infty).$$

由比较原则可知 $\int_{x_0}^{+\infty}f(x)\mathrm{d}x$ 发散，与题意矛盾. 所以，对任意的 $x_0\in[a,+\infty)$，均有 $f(x)\geqslant 0$. 另外，由于 $\int_a^{+\infty}f(x)\mathrm{d}x$ 收敛，由柯西准则可知对 $\forall\varepsilon>0$，$\exists M>a>0$(充分大)，使得 $x>\frac{x}{2}>M$，有 $\left|\int_{\frac{x}{2}}^x f(t)\mathrm{d}t\right|<\varepsilon$. 因而

$$0\leqslant\frac{x}{2}f(x)=\int_{\frac{x}{2}}^x f(x)\mathrm{d}t\leqslant\int_{\frac{x}{2}}^x f(t)\mathrm{d}t<\varepsilon.$$

进而 $0\leqslant xf(x)<2\varepsilon$，故 $\lim\limits_{x\to+\infty}xf(x)=0.$

22. **证** 因 $f(x)$ 可积，即有界，则有 $\exists M>0,x\in[a,b]$ 使得 $|f(x)|\leqslant M$，又 $f(x)$ 在 $x=b$ 处连续，则对于 $\forall\varepsilon>0$，$\exists\delta\in(0,b-a)$，$x\in[b-\delta,b]$ 有

$$|f(x)-f(b)|<\frac{\varepsilon}{2}.$$

注意到

$$\frac{n+1}{(b-a)^{n+1}}\int_a^b (x-a)^n\mathrm{d}x = 1.$$

因此

$$\begin{aligned}
&\left|\frac{n+1}{(b-a)^{n+1}}\int_a^b (x-a)^n f(x)\mathrm{d}x - f(b)\right| \\
=\ & \frac{n+1}{(b-a)^{n+1}}\int_a^b (x-a)^n[f(x)-f(b)]\mathrm{d}x \\
\leqslant\ & \frac{n+1}{(b-a)^{n+1}}\int_a^{b-\delta} (x-a)^n\,|f(x)-f(b)|\,\mathrm{d}x + \\
& \frac{n+1}{(b-a)^{n+1}}\int_{b-\delta}^{b} (x-a)^n\,|f(x)-f(b)|\,\mathrm{d}x \\
\leqslant\ & 2M\frac{n+1}{(b-a)^{n+1}}\int_a^{b-\delta}(x-a)^n\mathrm{d}x + \frac{\varepsilon}{2}\left[1-\frac{(b-a-\delta)^{n+1}}{(b-a)^n}\right] \\
\leqslant\ & 2M\left(1-\frac{\delta}{b-a}\right)^{n+1} + \frac{\varepsilon}{2}.
\end{aligned}$$

因对该固定的 δ，有 $\lim\limits_{n\to\infty}\left(1-\dfrac{\delta}{b-a}\right)^{n+1}=0$，故 $\exists N>0, n\geqslant N$，即 $\left(1-\dfrac{\delta}{b-a}\right)^{n+1}<\dfrac{\varepsilon}{4M}$.

则

$$\left|\frac{n+1}{(b-a)^{n+1}}\int_a^b (x-a)^n f(x)\mathrm{d}x - f(b)\right| < 2M\frac{\varepsilon}{4M}+\frac{\varepsilon}{2}=\varepsilon.$$

23. **解** 对任意的正整数 $n\geqslant 2$，由积分第一中值定理，$\exists\, \xi_n\in\left[0,\dfrac{1}{n}\right]$ 及 $\eta_n\in\left[\dfrac{1}{n},1\right]$，使得

$$\int_0^{\frac{1}{n}} f(\sqrt[n]{x})\mathrm{d}x = f(\sqrt[n]{\xi_n})\frac{1}{n},\ \int_{\frac{1}{n}}^{1} f(\sqrt[n]{x})\mathrm{d}x = f(\sqrt[n]{\eta_n})\left(1-\frac{1}{n}\right).$$

由于 $f(x)$ 在 $[0,1]$ 上连续，从而有界，所以

$$\lim_{n\to\infty}\int_0^{\frac{1}{n}} f(\sqrt[n]{x})\mathrm{d}x = \lim_{n\to\infty} f(\sqrt[n]{\xi_n})\frac{1}{n}=0.$$

另外，由于 $\dfrac{1}{n}\leqslant\eta_n\leqslant 1$，所以 $\dfrac{1}{\sqrt[n]{n}}\leqslant\sqrt[n]{\eta_n}\leqslant 1$，而显然 $\lim\limits_{n\to\infty}\dfrac{1}{\sqrt[n]{n}}=1$，所以 $\lim\limits_{n\to\infty}\sqrt[n]{\eta_n}=1$，进而

$$\lim_{n\to\infty}\int_{\frac{1}{n}}^{1} f(\sqrt[n]{x})\mathrm{d}x = \lim_{n\to\infty} f(\sqrt[n]{\eta_n})\left(1-\frac{1}{n}\right)=f(1).$$

于是

$$\lim_{n\to\infty}\int_0^1 f(\sqrt[n]{x})\mathrm{d}x = \lim_{n\to\infty}\int_0^{\frac{1}{n}} f(\sqrt[n]{x})\mathrm{d}x + \lim_{n\to\infty}\int_{\frac{1}{n}}^{1} f(\sqrt[n]{x})\mathrm{d}x = f(1).$$

24. **证** 首先注意到

$$\lim_{h\to 0^+}\int_0^1 \frac{h}{h^2+x^2}\ln 2\mathrm{d}x = \ln 2\cdot\lim_{h\to 0^+}\arctan\frac{x}{h}\Big|_0^1 = \ln 2\cdot\lim_{h\to 0^+}\arctan\frac{1}{h}=\frac{\pi}{2}\ln 2. \tag{*}$$

因此(*)式等价于

$$\lim_{h\to 0^+}\int_0^1 \frac{h}{h^2+x^2}[\ln(x^2+2)-\ln 2]\mathrm{d}x = 0. \tag{**}$$

因为 $\ln(x^2+2)$ 在 $x=0$ 处连续，所以对 $\forall\varepsilon>0$，$\exists\,\delta\in(0,1)$，使得 $x\in[0,\delta]$ 时，有

$$0\leqslant\ln(x^2+2)-\ln 2<\frac{2\varepsilon}{\pi}.$$

对于上述固定的 $\delta>0$，显然

$$\lim_{h\to 0^+}\left(\arctan\frac{1}{h}-\arctan\frac{\delta}{h}\right)=0,$$

因此存在 $\delta'>0$，当 $h\in(0,\delta')$ 时，有

$$\arctan\frac{1}{h}-\arctan\frac{\delta}{h}<\varepsilon,$$

那么当 $h\in(0,\delta')$ 时，还有

$$\begin{aligned}
0&<\int_0^1\frac{h}{h^2+x^2}[\ln(x^2+2)-\ln 2]\mathrm{d}x\\
&=\int_0^\delta\frac{h}{h^2+x^2}[\ln(x^2+2)-\ln 2]\mathrm{d}x+\int_\delta^1\frac{h}{h^2+x^2}[\ln(x^2+2)-\ln 2]\mathrm{d}x\\
&<\frac{2\varepsilon}{\pi}\int_0^\delta\frac{h}{h^2+x^2}\mathrm{d}x+\ln\frac{3}{2}\int_\delta^1\frac{h}{h^2+x^2}\mathrm{d}x\\
&<\frac{2\varepsilon}{\pi}\int_0^1\frac{h}{h^2+x^2}\mathrm{d}x+\int_\delta^1\frac{h}{h^2+x^2}\mathrm{d}x\\
&=\frac{2\varepsilon}{\pi}\arctan\frac{x}{h}\bigg|_0^1+\arctan\frac{x}{h}\bigg|_\delta^1\\
&=\frac{2\varepsilon}{\pi}\arctan\frac{1}{h}+\left(\arctan\frac{1}{h}-\arctan\frac{\delta}{h}\right)\\
&<\frac{2\varepsilon}{\pi}\cdot\frac{\pi}{2}+\varepsilon=2\varepsilon.
\end{aligned}$$

这就说明（* *）式成立.

25. **证** 结合施瓦茨不等式，有

$$\begin{aligned}
\left[\int_0^1 xf(x)\mathrm{d}x\right]^2&=\left[\int_0^1\left(x-\frac{1}{2}\right)f(x)\mathrm{d}x\right]^2\\
&\leqslant\int_0^1\left(x-\frac{1}{2}\right)^2\mathrm{d}x\int_0^1 f^2(x)\mathrm{d}x=\frac{1}{12}\int_0^1 f^2(x)\mathrm{d}x.
\end{aligned}$$

26. **证** 构造函数 $F(x)=\int_a^x|f'(t)|\mathrm{d}t$，则 $F(x)\geqslant\left|\int_a^x f'(t)\mathrm{d}t\right|=|f(x)|$，因此结合施瓦茨不等式，有

$$\begin{aligned}
\int_a^b|f(x)f'(x)|\mathrm{d}x&\leqslant\int_a^b F(x)F'(x)\mathrm{d}x=\frac{1}{2}F^2(x)\bigg|_a^b\\
&=\frac{1}{2}F^2(b)=\frac{1}{2}\left[\int_a^b|f'(t)|\mathrm{d}t\right]^2\\
&\leqslant\frac{1}{2}\int_a^b 1^2\mathrm{d}t\int_a^b[f'(t)]^2\mathrm{d}t\\
&=\frac{b-a}{2}\int_a^b[f'(x)]^2\mathrm{d}x.
\end{aligned}$$

27. **证** 首先由施瓦茨不等式可知 $\int_0^1\frac{1}{f(x)}\mathrm{d}x\int_0^1 f(x)\mathrm{d}x\geqslant 1$. 同时注意到

$$[f(x)-m]\left[\frac{1}{f(x)}-\frac{1}{M}\right]=1+\frac{m}{M}-\frac{m}{f(x)}-\frac{f(x)}{M}\geqslant 0,$$

即 $1+\frac{m}{M}\geqslant\frac{m}{f(x)}+\frac{f(x)}{M}$，不等式两端关于 x 在 $[0,1]$ 上积分，然后结合平均值不等式，有

$$1+\frac{m}{M}\geqslant m\int_0^1\frac{1}{f(x)}\mathrm{d}x+\frac{1}{M}\int_0^1 f(x)\mathrm{d}x\geqslant 2\left[\frac{m}{M}\int_0^1\frac{1}{f(x)}\mathrm{d}x\int_0^1 f(x)\mathrm{d}x\right]^{\frac{1}{2}}.$$

化简可得

$$\int_0^1\frac{1}{f(x)}\mathrm{d}x\int_0^1 f(x)\mathrm{d}x\leqslant\frac{(m+M)^2}{4mM}.$$

从而原式成立.

28. **证** 对任意的正整数 n,记 $x_i=\frac{i}{n}(i=0,1,\cdots,n)$,$c_i=\frac{2i-1}{2n}(i=1,2,\cdots,n)$,那么

$$n^2\left[\int_0^1 f(x)\mathrm{d}x-\frac{1}{n}\sum_{i=1}^n f\left(\frac{2i-1}{2n}\right)\right]=n^2\sum_{i=1}^n\int_{x_{i-1}}^{x_i}[f(x)-f(c_i)]\mathrm{d}x. \qquad (*)$$

当 $x\in[x_{i-1},x_i]$ 时,由泰勒定理,存在 $\xi_i\in[x_{i-1},x_i]$,使得

$$f(x)-f(c_i)=f'(c_i)(x-c_i)+\frac{1}{2}f''(\xi_i)(x-c_i)^2.$$

设 $f''(x)$ 在$[x_{i-1},x_i]$上的上确界与下确界分别为 M_i,m_i,那么结合上式可知

$$f'(c_i)(x-c_i)+\frac{1}{2}m_i(x-c_i)^2\leqslant f(x)-f(c_i)\leqslant f'(c_i)(x-c_i)+\frac{1}{2}M_i(x-c_i)^2.$$

由于$\int_{x_{i-1}}^{x_i}(x-c_i)\mathrm{d}x=0$ 及$\int_{x_{i-1}}^{x_i}(x-c_i)^2\mathrm{d}x=\frac{1}{12n^3}$,因此上式关于 x 积分可得

$$\frac{m_i}{24n^3}\leqslant\int_{x_{i-1}}^{x_i}[f(x)-f(c_i)]\mathrm{d}x\leqslant\frac{M_i}{24n^3},i=1,2,\cdots,n.$$

将此代入到(*)式,有

$$\frac{1}{24n}\sum_{i=1}^n m_i\leqslant n^2\left[\int_0^1 f(x)\mathrm{d}x-\frac{1}{n}\sum_{i=1}^n f\left(\frac{2i-1}{2n}\right)\right]\leqslant\frac{1}{24n}\sum_{i=1}^n M_i.$$

由于 $f''(x)$ 在$[0,1]$上黎曼可积,因此

$$\lim_{n\to\infty}\frac{1}{24n}\sum_{i=1}^n m_i=\lim_{n\to\infty}\frac{1}{24n}\sum_{i=1}^n M_i=\frac{1}{24}\int_0^1 f''(x)\mathrm{d}x=\frac{f'(1)-f'(0)}{24}.$$

由迫敛性可知

$$\lim_{n\to\infty}n^2\left[\int_0^1 f(x)\mathrm{d}x-\frac{1}{n}\sum_{i=1}^n f\left(\frac{2i-1}{2n}\right)\right]=\frac{f'(1)-f'(0)}{24}.$$

29. **证** 因 $f(x)$ 在$[a,b]$上黎曼可积,故有界,则 $\exists M>0$,使 $|f(x)|\leqslant M,x\in[a,b]$. 对任意的 $\lambda>0$,记 $n=[\sqrt{\lambda}]$,显然当 $\lambda\to+\infty$ 时,有 $n\to\infty$,并且 $\lim\limits_{\lambda\to+\infty}\frac{n}{\lambda}=0$. 将闭区间$[a,b]$作 n 等分,记分割点为

$$x_i=a+\frac{i}{n}(b-a),i=0,1,2,\cdots,n.$$

再记 ω_i 为 f 在$[x_{i-1},x_i]$上的振幅,$\Delta x_i=x_i-x_{i-1}$,由于 f 在$[a,b]$上可积,所以

$$\lim_{n\to\infty}\sum_{i=1}^n\omega_i\Delta x_i=0.$$

同时

$$\begin{aligned}\int_a^b f(x)\cos(\lambda x)\mathrm{d}x&=\sum_{i=1}^n\int_{x_{i-1}}^{x_i}f(x)\cos(\lambda x)\mathrm{d}x\\&=\sum_{i=1}^n\int_{x_{i-1}}^{x_i}[f(x)-f(x_i)]\cos(\lambda x)\mathrm{d}x+\sum_{i=1}^n\int_{x_{i-1}}^{x_i}f(x_i)\cos(\lambda x)\mathrm{d}x\end{aligned}$$

$$= \sum_{i=1}^{n}\int_{x_{i-1}}^{x_i}[f(x)-f(x_i)]\cos(\lambda x)\mathrm{d}x+\sum_{i=1}^{n}\frac{1}{\lambda}f(x_i)[\sin(\lambda x_i)-\sin(\lambda x_{i-1})].$$

取绝对值放缩，便有

$$\left|\int_a^b f(x)\cos(\lambda x)\mathrm{d}x\right| \leqslant \sum_{i=1}^{n}\omega_i\Delta x_i+\sum_{i=1}^{n}\frac{2M}{\lambda}=\sum_{i=1}^{n}\omega_i\Delta x_i+\frac{2Mn}{\lambda}\to 0(\lambda\to+\infty).$$

这就说明 $\lim\limits_{\lambda\to+\infty}\int_a^b f(x)\cos(\lambda x)\mathrm{d}x=0$.

30. **证** 首先记 $G(x)=\int_0^x g(t)\mathrm{d}t$，那么 $G'(x)=g(x)$，进而

$$[G(x+T)-G(x)]'=g(x+T)-g(x)=0.$$

这说明 $G(x+T)-G(x)=G(T)-G(0)=\int_0^T g(t)\mathrm{d}t=0$. 即 $G(x)$ 也是以 T 为周期的连续(可导)函数，故 $G(x)$ 在 $\mathbf{R}$ 上有界，不妨设 $|G(x)|\leqslant M(M>0)$. 对任意的 $\lambda>0$，由于 $f(x)$ 在 $[a,b]$ 上单调，由积分第二中值定理，存在 $\xi\in[a,b]$，使得

$$\begin{aligned}\int_a^b f(x)g(\lambda x)\mathrm{d}x &= f(a)\int_a^{\xi}g(\lambda x)\mathrm{d}x+f(b)\int_{\xi}^{b}g(\lambda x)\mathrm{d}x\\&=\frac{1}{\lambda}\left[f(a)G(\lambda x)\Big|_a^{\xi}+f(b)G(\lambda x)\Big|_{\xi}^{b}\right]\\&=\frac{1}{\lambda}[f(a)(G(\lambda\xi)-G(\lambda a))+f(b)(G(\lambda b)-G(\lambda\xi))].\end{aligned}$$

因此

$$\left|\int_a^b f(x)g(\lambda x)\mathrm{d}x\right|\leqslant\frac{2M}{\lambda}[|f(a)|+|f(b)|]\to 0(\lambda\to+\infty).$$

即有

$$\lim_{\lambda\to+\infty}\int_a^b f(x)g(\lambda x)\mathrm{d}x=0.$$